1 MONTH OF
FREE
READING

at
www.ForgottenBooks.com

By purchasing this book you are eligible for one month membership to ForgottenBooks.com, giving you unlimited access to our entire collection of over 1,000,000 titles via our web site and mobile apps.

To claim your free month visit:

www.forgottenbooks.com/free335332

ISBN 978-0-428-22253-6
PIBN 10335332

Verlags Nr 550.

K. u. k. Hofbuchdruckerei Carl Fromme in Wien.

INHALT.

Am Ende eines Jahrhunderts, das die Welt mit seinen Thaten blendete, wie selten eines vor ihm, wird allen, die in letzter Stunde noch eine Rückschau halten wollen, die alte Frage wieder brennend vor die Sinne treten: Ist die Menschheit nun glücklicher geworden?

Diese Frage zittert auf den Lippen, je mehr die Menschen es als ihre höchste Pflicht erkennen, einander auf Erden zu beglücken, je zweifelhafter vielen, in je weniger anschaulichen Bildern allen ein Jenseits erscheint. Sie wollen nicht immer nur von göttlicher Gerechtigkeit hören, sie wollen auch wissen, wie weit diese Welt eine gerechte ist, ob das Uebel, ob das Edle in ihr siegen wird.

Freilich, was die Menschen über diese Fragen wissen, ist auch jetzt nicht viel mehr als einst; vielleicht sind nur die Antworten bestimmter geworden mit unserem bestimmteren Wissen vom inneren Menschen wie vom äusseren. Und dennoch, dieses Wenige ist mehr als das Viele, das den Bedürfnislosen befriedigt, dessen bald fertiger Spott Fragen gegenüber, deren Wert er nie erfassen kann, fast unseren Tagen den Stempel aufgeprägt hat. Dieses neue Wissen bringt aber wieder neue Fragen, so dass die Antwort niemals abschliessen wird. Deshalb wird immer wieder an jene ehernen Pforten geschlagen, der Versuch immer wiederholt werden, diese Fragen zu lösen.

Diesmal soll es nüchtern geschehen, wie es das Jahrhundert lehrte, nüchterner vielleicht als es bisher geschah.

Denn Phantasie allein kann die Wahrheit nicht erzeugen, und selbst die Dichtung kann sie nur verschönen, nicht ersetzen. Sie kann die Menschheit dem Weltschmerze nicht entreissen, dem Weltschmerze, dem so Viele und gerade die Besten, die alles Elend doppelt fühlen, so leicht verfallen. Das Glück des Dichters gehört dem Augenblicke; sollen aber Träume dauern, so darf nicht jedes Geräusch sie verscheuchen, nicht jeder scheele Dämmerblick des Tages. Wer solche Ruhe sucht, kann sie nur in der Wahrheit finden; nur durch sie können die Menschen wieder das Recht erlangen zu träumen und sich zu freuen.

Und um dieses Recht, das Recht zu träumen, zu hoffen und sich zu freuen, soll hier gestritten werden; ohne das ist das Leben nicht lebenswert und malt sich selbst in falschen Bildern, sich und den Tod. Die wahren Bilder stören die Träumer nicht, und kein menschliches Wissen kann sich unterfangen, sie zu wecken. Die Wahrheit lässt den Edlen träumen, dass auf Erden einst sein Ruf nach Gerechtigkeit erhört werden wird; den Armen, dass einst die Erben seines Elendes in Ueberfluss leben werden; den Dichter, dass er einst auf einer schöneren Erde mit edlen Frauen wandeln wird, deren Tagewerk es ist, ihn zu führen und Lorbeer zu schlingen um die Hermen seiner Ahnen; die Wahrheit lässt sie alle hoffen, dass einst anderswo vollkommen werde, was auf unserer Welt nie vollkommen sein kann.

Die Glücksfrage im kosmischen Sinne und die Glücksvergleiche.

Die Frage im kosmischen Sinne.

Ob diese Welt die beste oder die schlechteste sei, darüber ist, so lange metaphysische Argumente unberücksichtigt bleiben. selbst jeder Glaube unzulässig. Denn alle Fragestellungen von Optimisten und Pessimisten, welche, anstatt von einem Besser- oder Schlechterwerden der Welt, von ihrem Gut- oder Schlecht- sein sprechen, dass das Nichtsein besser oder schlechter sei als das Sein, setzen einen Lustvergleich als möglich voraus, der völlig unvollziehbar ist.

Zum Beweis dieser Behauptung genügt schon die Analyse des Problems in der allgemeinsten Form. Das Wort „beste" in der obigen Frage bedeutet einfach möglichst lustbringende in der weitesten Bedeutung des Wortes. Das Sittliche fällt hier jedenfalls unter diesen Begriff; denn wäre eine Sittlichkeit denkbar, die niemandem Lust, eine Unsittlichkeit, die auch dem Urheber keine Art Gewissensleid verursachte, so würde sie selbstverständlich weder Optimisten noch Pessimisten kümmern. Die Frage aber, bloss nach der Weltmoralität gestellt, wäre ja eine viel zu enge.

Auch ist ersichtlich, dass der Positiv „gut" oder der Com- parativ „besser" anstatt des Superlativs eingeführt werden müsste.

Ölzelt-Newin, Kosmodicee.

Denn, wer sagt, die schlechteste aller Welten — also die unlustbringendste — müsste alle möglichen Fälle kennen, und überdies erweisen, dass z. B. eine der jetzigen ähnliche nicht möglich sei, in der nur ein Wesen um einen Schmerz mehr leidet. Das mag innerhalb der Causalordnung nicht möglich sein — aber der Pessimismus rechtet ja auch mit der Causalität. Die superlativische Form der Frage ist lediglich im Widerspruch gegen die analoge Behauptung der Optimisten, besonders des Leibniz, entstanden, der, noch ausschliesslich unter dem Drucke religiöser Anschauungen, um die Allmacht und höchste Güte eines göttlichen Wesens vereinigen zu können, ihrer bedurfte.

Ferner ist es natürlich, dass „besser" oder „schlechter" nur auf eine Welt, auf ein Sein zu beziehen ist, das nur als Bewusstsein zu fassen ist, oder auf eine Welt, soferne sie in Beziehung auf ein solches gedacht wird. Die Welt ist schlecht, heisst, sie ist unlustbringend, denn schlecht ist ein Prädicat von psychischen Zuständen oder von Dingen für solche. Die Welt ist die schlechteste oder die unzweckmässigste — Zwecke sind ja auch Vorstellungen — heisst, sie ist es für uns, oder für übersinnliche Wesen. die auch, wie wir selbst, eine uns verständliche Wohlfahrt für sich oder uns wollen müssten; wer z. B. behauptet, dass die Welt sich entwickle mit einer Tendenz nach Lust und daraus ein zwecksetzendes Bewusstsein folgert, behauptet von diesem auch den Menschen ähnliche Zwecke.

Am bekanntesten ist die Argumentation, die sogenannte immanente Zweckmässigkeit betreffend. Wenn uns jemand eine Blume zeigt, die Staubfäden, den Fruchtknoten und ihren ganzen Bau, ihren Lebensprocess als zweckmässig bewundert, so können wir fragen, wozu zweckmässig? Wird darauf geantwortet, zu ihrer Fortpflanzung und Artenerhaltung, so ist das ein uns verständlicher Zweck. Es ist aber damit nicht mehr gesagt, als wenn wir sagen wollten: Die Pflanze ist äusserst unzweckmässig für das Aussterben ihrer Art eingerichtet. Alles hängt von der weiteren Frage ab: Zu welchem Zwecke soll die Art der Pflanze erhalten werden? Um irgend ein Thier zu ernähren. Und dieses Thier? Sehr bald sind wir bei einer von zwei Fragen angelangt: Wozu ist die Welt, oder wozu lebt der Mensch? Die erste Frage wie die zweite gleich unlösbar. Der Mensch kann sich selbst Zwecke setzen, sich glücklich zu machen oder anderen zu nützen; aber selbst angenommen, er oder dieser Weltbestand habe andere Zwecke, für andere Wesen, uns unerfahrbare, so ist, wenn nicht ausschliesslich menschliche Zwecke postulirt werden sollen — wie vollkommene Erkenntnis, Glück, Sittlichkeit, oder selbst Böses zu verwirklichen — von Zwecken überhaupt nicht zu sprechen, jedenfalls nicht von solchen, die wir als schlechte oder gute zu bezeichnen vermöchten.

Damit sind wir bei einer beträchtlich bescheideneren Form des Problems angelangt. Wir haben nur noch bei der Welt der, wie es heisst, Gesammtheit aller fühlenden Wesen, nach dem Mehr oder Weniger von Lust anzufragen. Allerdings ist auch dieses Problem noch weitläufig genug: Welche Art „Welt" ist hier in Frage, wie begrenzen wir den Begriff „fühlendes Wesen"?

Wenn wir die Frage, ob die Materie zu dieser Gesammtheit fühlender Wesen gehöre, soweit sie eine metaphysische ist, jetzt noch zu besprechen ablehnen, so müssen wir ein Gleiches auch thun betreffs der Frage, sofern sie durch die Beobachtung lösbar sein soll, und damit im Zusammenhang betreffs der Frage nach den Grenzen des Bewusstseins.

Bei Feststellung dessen, was wir noch als bewusste Wesen bezeichnen sollen, verlassen uns die Hilfen der Analogieschlüsse natürlich sehr bald, und was als Kriterium gelten könnte, wird immer zweifelhafter.

Willkürliche Bewegung ist in der äusseren Beobachtung von complexen Reflexbewegungen nicht zu trennen, und als Kriterium unbrauchbar: ebenso Ortsveränderung. Es gibt ein reflectorisches Schwimmen mittelst Flimmerhaaren, und andererseits festgewachsene, höher stehende, z. B. Corallenthieren ähnliche Wesen. Auch Gehirn und Nerven zeigten sich als unbrauchbare Kriterien, da kaum organisirte niedere Thiere eine Reizempfänglichkeit zeigen, die auf Bewusstsein schliessen lässt. Auch Nahrungsaufnahme und Art der Ausscheidung zeigen einen Uebergang ohne Unterbrechung zu rein physiologischen Assimilationsvorgängen, wie z. B. die fleischfressenden Pflanzen. Ebenso fiel die Annahme von Empfindung infolge bestimmten Verhaltens gegen Licht und Schatten als Kriterium, neben den complicirten Reactionen von Pflanzen: Zahllose Arten wenden die Blätter gegen das Licht, was doch dem Botaniker ebensowenig als Ausdruck einer Empfindung im Sinne der Psychologie gilt als die Reflexe der Mimosa. Da aber Zwischenstufen zwischen Bewusstsein und Unbewusstsein, zwischen Empfinden — auch in dunkelster Form — und Nichtempfinden unvorstellbar sind, so müssen Organismen, z. B. Schwämme, allen Entwickelungslehren psychologischer Laien zum Trotz, doch entweder von der Zoologie oder Botanik in Anspruch genommen werden. Ein Uebergangsreich kann nur mit Rücksicht auf etwas wie chemische oder andere Structurverhältnisse geschaffen werden.

Nach alledem, und bei dem weiteren Umstande, dass selbst Mineralogen gewisse Krystallbildungen nur mit der Bewusstseinshypothese glauben erklären zu können, wird kein Behutsamer den Pflanzen mit der Selbstverständlichkeit der jetzigen Botanik Seele absprechen wollen. Gewiss sollen wir sie auch nicht behaupten; aber unverständlich bleibt immer schon bei Betrachtung des complicirten Fortpflanzungsorganismus der Pflanze, neben dem einfachen der Theilung bei niedersten Arten von Thieren, die Selbstverständlichkeit, mit der dort Bewusstsein ab- und hier zugesprochen wird.

Uebrigens, selbst wer solches Bewusstsein und damit bestimmte Grenzen desselben für erweislich hielte, wird eine Lustbilanz desselben nicht ziehen wollen. Alle diese Fragen sind natürlich weder mit Ja noch mit Nein zu beantworten, ebenso wie auch, wenigstens vorderhand, die Frage, ob andere Weltkörper ein uns ähnliches Bewusstsein hervorbringen oder nicht.

Es tritt aber das Problem immer noch in zu weit gefasster Form auf, in der Frage nach der Lustbilanz im Thierreich, die auch noch als einer „Metaphysik zweiter Ordnung" angehörige befasst werden kann.

Jede Schätzung der Lustbilanz der Thierseele ist, wenigstens so lange keine brauchbare für die Menschen vorliegt, über jede Analogie erhaben, oder besser, wir wollen, die Bilanz zu ziehen, jedem selbst überlassen, nachdem die folgende Untersuchung über die Glücksbemessungen der Menschen geendigt sein wird. Alle bisherigen Behauptungen, z. B. der Pessimisten, haben sich ohnehin fast nur auf ihnen bekannte Hausthiere bezogen. Die modernen mikroskopischen Untersuchungen und das Glück von Vibrionen liess Schopenhauer unberücksichtigt, wohl auch wegen der grossen Zahl von Lustsummanden, welche sich oft schon in einem Wassertropfen vorfinden. 4000 Millionen in einem Cubikmillimeter könnten gegen das Leid einiger gefangener Singvögel vielleicht in die Wagschale fallen. Welt darf uns zunächst nicht einmal Bewusstsein der Thierwelt bedeuten.

Wir sind also von der Gesammtheit aller fühlenden Wesen mit unseren Einschränkungen beim Menschenleben, auf der Erde angelangt. Leibnizens Behauptung von der bestmöglichen aller Welten — er befand sich zu Schopenhauer, der sie für die schlechteste aller möglichen erklärte, in einigem Widerspruch — heisst für ein irgend bestimmteres Denken: Die Erde mit den möglichst glücklichen Menschen.

Es ist aber sogleich anzukündigen, auf die Gefahr, eines grossen Mangels an Phantasie geziehen zu werden, dass unsere Einschränkungsarbeit erst vielleicht zur Hälfte vollendet ist.

Wie weit fassen wir diese Menschenwelt?

Der Pessimismus liebt es natürlich, wenn er vom Besser des Nichtseins gegenüber dem Sein spricht, sich sehr viel mit dem künftigen Sein, der Zukunft der Menschheit zu beschäftigen, über welche wir auch noch einige bescheidene Resignation zu bekennen haben. Schaffen wir ein Hindernis aus dem Wege. ehe wir das Problem weiterquälen. Astronomischen Hypothesen und der tellurischen Entwickelung zufolge wird in näheren oder ferneren Zeiten alles Leben von der Erde verschwinden müssen. Nehmen wir an, obwohl Astronomie und Geologie mit Angabe von Zeiteinheiten noch sehr vorsichtig sind, sie könnten festsetzen, dass jener Process noch in eine Zeit fiele, in der die Organismenentwickelung noch nicht bei Wesen angelangt wäre, die von uns sehr verschieden sind — über solche müssten wir uns ja wieder enthalten, Behauptungen aufzustellen — was wäre daraus für den Pessimismus zu folgern? Da wir Menschen, die noch nicht geboren sind, auch nicht beklagen können, so ist die ganze Thatsache reducirbar auf die Frage, was es für uns bedeutet, wenn die die Erde Bewohnenden aufhören zu existiren. Es ist nicht zuzugeben, dass diese Vorstellung eine so schreckliche sei, wie sie der Pessimismus darstellt. Denn entweder führt die Frage zu transcendenten Gedankengängen, die uns nicht beschäftigen — ob dann alles Bewusstsein aufgehört hat — also auch auf die von uns hier abgelehnte Unsterblichkeitsfrage, oder uns ist der Gedanke schrecklich, dass alle Cultur- und Civilisationsarbeit der Menschheit in Nichts versinken soll. Ohne Zweifel ist das ein falscher Vorstellungsgang, wenn wir unter Cultur Bildung verstehen wollen und nicht die Mittel dazu: Der Geist Rafaels kann in uns nicht länger wirken, als wir selber leben, und an einer bemalten Leinwand ist gewiss nichts gelegen.

Es ist hier gut, an einem Beispiele den Irrthum zu klären und zu zeigen, wie auch die Kunst den Pessimismus verwertet, und wie verführerisch sie ihn oft darzustellen weiss. In des Russen Turgeniew Gedichten in Prosa[1]) heisst eines „Ein Zwiegespräch''. Es kann gelten als Paradigma für die endlosen Ergüsse zwecklosen menschlichen Schmerzes, leider oft in den schönsten Formen:

. Die höchsten Gipfel der Alpen ... Eine ganze Kette steiler Felsenhänge ... Mitten im Herzen der Gebirge.

Ueber den Bergen ein blassgrüner, heller, stummer Himmel. Durchdringende heftige Kälte; fester, funkelnder Schnee; und aus dem Schnee empor ragen finstere, eisbedeckte, wetterumbrauste Felszacken.

Zu beiden Seiten des Horizontes erheben sich zwei ungeheure Riesen: Die Jungfrau und das Finsteraarhorn.

Und die Jungfrau spricht zu ihrem Nachbar: „Was hast Du mir Neues zu sagen? Du kannst deutlicher sehn ... Was geht da unten vor?''

Einige tausend Jahre rauschen vorüber: eine einzige Minute. Und zur Antwort donnert das Finsteraarhorn: „Dichte Wolken verhüllen die Erde ... Warte!''

Wiederum schwinden Jahrtausende: eine einzige Minute.

„Nun, und jetzt?'' fragt die Jungfrau.

„Jetzt seh' ich; dort unten ist noch alles wie es war: buntscheckig und klein. Blaue Wasser, schwarze Wälder und graue aufgehäufte Steinmassen. Und um dieselben herum wimmelt es noch immer von Käferchen — weisst Du, von jenen Zweifüsslern, die noch nicht ein einzigesmal weder Dich noch mich zu beschmutzen vermochten.''

„Sind das die Menschen?''

„Ja, die Menschen.''

Tausende von Jahren vergehen: eine einzige Minute.

„Nun, was jetzt?" fragt die Jungfrau.

„Es scheint, die Käferchen haben sich vermindert." donnert das Finsteraarhorn; „es ist da unten heller geworden; die Wasser haben sich zusammengezogen, die Wälder sind gelichtet."

Abermals ziehen Tausende von Jahren dahin: eine einzige Minute.

„Was siehst Du jetzt?" sagt die Jungfrau.

„Um uns herum, hier in der Nähe scheint es rein geworden zu sein." antwortet das Finsteraarhorn; „allein dort in der Ferne, in den Thälern bemerke ich noch immer Flecke, seh' ich wie früher sich etwas bewegen."

„Und jetzt?" fragt die Jungfrau nach weiteren Jahrtausenden — einer einzigen Minute.

„Jetzt ist alles gut." antwortet das Finsteraarhorn; „wohin ich auch blicke, überall ist es vollständig weiss und rein .. Allüberall unser Schnee, Schnee und Eis. Alles ist erstarrt Jetzt ist es ruhig und gut."

„Gut," wiederholt die Jungfrau. „Doch nun genug geschwatzt, Alter. Jetzt müssen wir schlafen."

„Schlafen."

Und die Bergriesen schlafen; und es schläft der grüne helle Himmel über der auf ewig verstummten Erde.

Eine Hauptwirkung des Gedichtes ist durch die Irrthümer vornehmlich der materialistischen Weltanschauung gegeben. Wer bedenkt, dass in jenen Tausenden von Jahren dieses Zwiegespräch von irgend jemandem, vielleicht vom Geiste des Dichters angehört werden müsste, damit es traurig erschiene, für den hat es allen Pessimismus verloren. Schnee und Eis sind, wie öd und kalt, doch zunächst menschliche Vorstellungen, gleichviel, was sie sonst noch sind. Das Einzige, was uns also interessiren kann, ist jener Geist oder irgend ein mögliches Weltbewusstsein. Erst wenn dieses auch dann noch die Leiden eines Pessimisten litte, wäre es sehr traurig. So lange aber nicht bewiesen wird, dass dieser Geist existirt, und warum er betrübt sein soll, so lange nicht gesagt wird, was ihm dann eigentlich noch schaurig erscheint, so lange können wir mit den beiden Bergriesen ruhig schlafen.

Kehren wir also von einem so künftigen Sein, von so ferner Zukunft, wie früher aus Fixsternwelten zur Erde, jetzt auch von Aeonen zum Heute zurück.

Wir müssen sogar die Menschenwelt in unserem Problem in einer sehr absehbaren Zukunft zu erhalten trachten, wenn unsere Begriffe irgend festen Boden behalten sollen. Aber der Pessimismus prophezeit auch für eine angeblich näher liegende Zukunft wenigstens das gleiche Elend wie jetzt und beutet dazu z. B. nationalökonomische Erkenntnisse, das Gespenst der Uebervölkerung, aus: sogenannte Gesetze, wie „je mehr sie haben, umsomehr werden sie sein." — Es kann hier nur zum Zwecke der zusammenhängenden Fragestellung in einem Worte gesagt werden, dass es in der nationalökonomischen Wissenschaft ebenso Metaphysik und scheinbar lösbare Probleme gibt, die aber auf dem Wege der Erfahrung unlösbar sind, und dass dieses Problem ein solches ist. Wenigstens bieten sich so viele Auswege, von denen nicht zu wissen ist, warum sie nicht mit gleicher Wahrscheinlichkeit betreten werden könnten, als der Weg, der zum Untergange führt. Wir werden sehen, wie die Bevölkerungs- gleicherweise wie die Vertheilungsfrage ausschliesslich eine Frage der altruistischen und intellectuellen Entwickelung ist, die gerade für den, der mit Jahrtausenden rechnet, nicht ohneweiters und nur eine pessimistische Lösung zulässt.

Die Fragestellung hat sich also vornehmlich auf die Welt, wie sie jetzt ist, zu beziehen. Der Menschheitsbegriff mag osciliren zwischen dem halbthierischen Wilden und dem Geiste eines Buddah, aber Begriffe wie Entwickelung müssen im Bereiche unserer Erfahrung bleiben.

Das Problem scheint nun eigentlich in der Form, auf welche es reducirt ist, sehr einfach: Hat die Welt der Menschen jetzt mehr Freuden als Leiden?

Aber zu ihrer Qual kommt die Frage als eine, die es mit einfacher Beobachtung psychischer Phänomene zu thun hat, vor das Forum der nüchternen Psychologie, die in schulmässiger Form sogleich ihre Analysen beginnt. Will sie über Freud und Leid der Gesammtheit aller Menschen etwas aussagen, so findet sie dies für eine Aufgabe zu viel, und sie muss zuerst über ein einzelnes Individuum Erfahrungen sammeln. Will aber der Psychologe über Lust und Leid eines anderen Individuums etwas wissen, muss er zuerst über sein eigenes Leben Aufschluss geben können, das doch der Beobachtung am besten zugänglich ist. Ein Problem alltäglichster Selbstbeobachtung also: Habe ich in meinem Leben mehr Freuden oder mehr Leiden zu verzeichnen? Wie soll ich hierauf antworten? Ich weiss von vielen Freuden und von vielen Leiden, aber so ohneweiters auf die Frage ehrlich eine Antwort zu geben — davor ist mir bange. Es ist vor allem zu bedenken, dass, was ich hier mein Leben nenne, einfach eine Erinnerungsvorstellung ist mit allen Defecten, mit allen Verzerrungen einer solchen. Ich müsste aber doch, ehe ich diese Fehlerquelle zu untersuchen unternehme, unabhängig davon, einmal die Gegenwart und meine Lust- und Leidbilanz für ein Jahr, oder noch besser, nur für einen Tag prüfen. Wohlan, da sich dazu keiner besser eignet, als der mir am frischesten in Erinnerung ist, gleich den gestrigen.

Wenn dies nun auch beiweitem weniger bedeutend erscheint, als über Lust und Leid der „Gesammtheit aller fühlenden Wesen" zu reden, und deshalb von vielen Philosophen gar nicht Philosophie genannt werden wird, so darf ich mich doch nicht scheuen, hier einfach über meine Tageseintheilung zu reden; dafür ist zu versprechen, dass von dieser Fassung des Problems ein bleibenderes Resultat zu erlangen ist.

Also in Kürze: es handelt sich um einen ganz gewöhnlichen Durchschnittstag des Lebens, und das sind ja die wichtigsten, der weder eine Hochzeit noch eine Leiche brachte. Ich
verbrachte den Vormittag mit Arbeit, die ersten Nachmittags-
stunden mit musikalischen Uebungen; dann musste ich einen
Brief beantworten, an einen leichtfertigen Menschen, der immer
Unterstützungen will — ganz nutzlose, weil es ihm an Charakter fehlt — gegen Abend empfange ich den Besuch eines
Freundes, mit dem ich im Freien den Tag beschliesse. Wie
soll nun die Bilanz lauten? Im grossen Ganzen repräsentiren
die vormittägige Arbeit und die mir Schwierigkeiten bereiten-
den musikalischen Uebungen ziemlich gemischte Zustände;
später bereitete mir der Brief grosses Missbehagen, das selbst
noch anhielt in der ersten Zeit des Besuches, den ich zuerst
als Störung empfand, das aber bald schwindet und einem
freudig erregten Behagen Platz macht. Soll ich also sagen —
selbst wenn ich der Vereinfachung halber noch von allen
Intensitätsunterschieden absehen und bloss die Quantitäten, die
Dauer berücksichtigen könnte — die Unannehmlichkeiten des
Briefes haben sich ausgeglichen mit der angenehm verbrachten
Zeit in Gesellschaft, und soll ich meine gestrige Lustbilanz
= 0 setzen; oder müsste ich sagen, da der Brief mich nur
kürzere Zeit beschäftigte, liege ohne Zweifel ein Plus von Lust
vor? Könnte ich darauf auch eine Antwort geben, so hätte
ich das Problem nur in einer sehr rohen Form gelöst, denn
ich erinnere mich, dass wir abends auch über einige sehr
wenig erfreuliche Dinge sprachen, und dass ich vorher bei der
Abfassung meines Briefes einmal ein sehr angenehmes
Gefühl moralischer Ueberlegenheit empfand. Denke ich daran,
und dass ich von Intensitäten nicht absehen kann, so sehe
ich, dass, wenn diese in die Schätzung eingehen, dann z. B.
einige Momente während des Briefschreibens alles Uebrige an

Unlust .überwiegen könnten. Und ich beginne noch weit rathloser zu werden.

Stellen wir uns das Problem so einfach als möglich für die kürzeste Spanne Zeit und für die einfachsten Phänomene. Ich denke an einige Takte meiner musikalischen Uebungen. Habe ich einmal Freude über einen schönen Ton oder an einer überwundenen Schwierigkeit, an der Vorstellung späterer Aufführung, so ist jene doch wieder unterbrochen durch Fehler, Misstöne, nicht überwundene Schwierigkeiten und Hoffnungslosigkeiten für das Gelingen. Kurz, ich gewahre mich selbst hier einer Unendlichkeit von Summanden gegenüber, deren Summe zu ziehen ich mich absolut ausser Stande sehe, auch nur für eine Stunde. Wie soll ich dies aber für einen Tag, ein Jahr und ein Leben, wo ich überdies zu bedenken habe, was das Gedächtniss für Fehlerquellen mit sich führt; wie es Lust anders als Unlust reproducirt, ganze Jahre aus der Erinnerung streicht, oder nur mit einem oder dem anderen leuchtenden Ereignisse das Dunkel erhellt. Denke ich, dass überdies jene grösste Stundenzahl, die gebildet wird von dem Einerlei des Alltaglebens, gerade die unauffälligste ist, so muss man doch einräumen, dass solche Bilanzmüssigkeiten zu ersinnen, dem ernsten Denken so wenig als dem wirklichen Leben jemals einfallen konnten.

Die Schwierigkeiten jedes solchen Vergleiches steigern sich unabsehbar, wenn ich ihn bei anderen Menschen, gar nicht von allen zu sprechen, versuche. Hier tritt auch das Moment der Individualität störend ein. Ohne psychologische Begründung ist klar, nicht nur dass jeder Mensch wirklich andere Arten von Freuden und Leiden, eine andere Zahl und Intensität an sich erlebt, jeder hat auch andere Erfahrungen über seine Umgebung. Alles dies sind Factoren, die bei der Beurtheilung in Rechnung zu ziehen sind. Ein Mozart, der von seinem Genius von frühester Kindheit an getrieben wurde, zu schaffen, und man kann sagen, sein Leben lang nichts that, als alles, was ihm unterkam, bis auf die Zimmerwände, mit seinen Einfällen zu bekritzeln, wird anders urtheilen über das menschliche und das Weltglück als ein Taubstummer. Könnte man auch sagen, dass das controlirbare Fehler des Urtheiles sind; manche sind es gewiss nicht, vor allem die durch das Medium der Beurtheilung fremden Schmerzes bedingten Fehler des Mitleides. Wenn die Menschen desselben in verschiedenstem Grade fähig sind, so müssen sie doch nothwendig verschieden urtheilen über das Elend dieser Welt, das eben die einen fühlen und die anderen nicht, wie die einen ein Körperleiden fühlen und die anderen keines. Sie unterscheiden sich wie der Farbenblinde vom richtig Sehenden, nur dass bei Gefühlen als letzten Thatsachen auch eine Controle wie bei der Farbenblindheit zu keiner Einigung führen kann. Sie ist unmöglich wie der ganze Vergleich.

So also löst sich die Frage im kosmischen Sinne.

Die Glücksvergleiche.

Dieser Vergleich gilt nun als überflüssig gemacht oder ersetzbar durch eine ganze Reihe allgemeiner Argumente.[2]) Die Wertlosigkeit derselben lässt sich schon dadurch darthun, dass sie nur scheinbar den Vergleich umgehen, in Wahrheit aber seine Unbrauchbarkeit nur bestätigen. Dieselben beschäftigen sich meist direct mit dem Vergleiche, ohne dass ihr Urheber davon weiss. Viele dieser Argumente beziehen sich sogar auf Lust und Unlust im allgemeinen, auf jede Art von Bewusstsein, und somit auch auf ein eventuelles Leben nach dem Tode und wollen damit den Pessimismus in seiner verzweifeltsten Form predigen. Die meisten der folgenden sind widerlegt.

1. Es wurde für eine Neuerung in der Problemstellung gehalten, zu sagen, das Nichtsein sei glückbringender als das Sein, und nicht, wie gewöhnlich geschah, dass das Sein mehr Unlust als Lust mit sich bringe; man hielt das für eine besonders präcise Fassung des Problems. Es heisst, anstatt eines Vergleiches zwischen verschiedenen Lustintensitäten und besonders zwischen Lustintensitäten einerseits und Schmerzintensitäten andererseits müsse die einfachere Frage nach dem Nichtsein eingeführt werden. Natürlich ist das ein Irrthum. Die erste Frage ist nicht zu umgehen und verbirgt sich nur schlecht hinter der zweiten. Vermeiden wir das „glückbringender", wie immer in diesen Untersuchungen, da der Glücksbegriff, wegen der zahlreichen variirenden Summanden und der Verschiedenheiten der Individualitäten und Stimmungen, und je nachdem der eine oder andere Lustcomplex schon als Glück bezeichnet wird, zu unbestimmt ist. Setzen wir in diese Fragestellung den Begriff „besser" ein, so ist einfach zu sagen: Da ein bewusstloser Zustand weder angenehm noch unangenehm ist, so wenig als er blau oder gelb ist, so kann ich auch nicht sagen, dass er besser sei als das Sein. Wenn wir sagen, das Nichtsein ist besser als das Sein, so heisst das entweder, das Sein ist unangenehm, d. h. z. B. es hat mehr Leiden als Freuden, oder der Satz ist sinnlos. Wollen wir ihm einen Sinn geben, so haben wir einfach die angeblich vermiedene Bilanz gezogen. Daher auch jeder Selbstmörder, der das Nichtsein auf Grund dieses Argumentes vorziehen würde, das Opfer einer Verirrung ist. Aber meist handelt es sich bei ihm nur um den Glauben an die Möglichkeit, einem oft ganz bestimmten, vorübergehenden Leide zu entfliehen.

2. Man könnte sagen: Die ganze Psychologie des Pessimismus geht schon aus von einer These, wie, dass gleiche psychische Phänomene ungleich seien. Als Beweis z. B., dass

das gleiche Quantum Schmerz grösser sei als das gleiche
Quantum Lust, gilt das Argument: Dass ich einer Lust, die
ich nur im Contrast zu vorausgehender Unlust soll geniessen
können, das Nichts, keinerlei Bewusstsein, vorziehe. Hier ist
die Annahme, dass diese Lust und Unlust gleich gross seien,
also ein Vergleich gemacht, und dennoch behauptet, dass die
Unlust grösser, d. h. ein gleiches Plus und Minus nicht $= 0$
seien. Fragen wir aber, woher wir zu einem Masse im Vergleichen von Lust und Unlust kommen, das ja ebenso unmöglich scheint als das zwischen Lust und Lust, so ist es
natürlich letztlich die motivirende Kraft, die mich hier überhaupt zu einer Entscheidung bringen kann. Ein Kind verspricht Medicin zu trinken, wenn es dann eine Birne bekommt.
Woher weiss es, dass bitter und süss nicht gleiche Intensitäten zukommen, dass dieses Plus und Minus nicht gleich
sind? Und angenommen, es wäre gleich, wodurch würde dieses
Kind des Buridan dann motivirt? Alles, was ich sagen könnte,
ist, dass das als motivirend auftretende Süsse grösser ist als
das Bittere, eben weil es vorgezogen wird, und somit hat die
Gleichheitsbehauptung hier keinerlei Sinn. Wenn der Behauptung
ein Sinn gegeben und sie in gewünschter Weise verallgemeinert
wird, lautet sie: Da in vielen Fällen, natürlich nicht in allen, Lust
nur durch grössere vorausgehende Unlust zu erkaufen ist, verzichten wir ganz darauf, d. h. meiden wir die grössere Unlust: Der klare Fall jenes in seiner Allgemeinheit als unmöglich erwiesenen Vergleiches.

3. An diesem Fall ist auch ersichtlich, wie wechselnd
nach der Entstehungshöhe, und wie schwer bestimmbar mittelst
jener Motivationen der sogenannte Nullpunkt zwischen Lust
und Unlust ist, und welchen Willkürlichkeiten allgemeine
Annahmen über ihn ausgesetzt sind. Ich kann ihn Privation
von Leiden nur nennen, wenn ich vorher solches fühlte, also

eigentlich jetzt Lust habe. Wie lange hinwiederum diese sich als solche erhält, ohne sich wieder zur Null abzustumpfen, ist Sache jeweiliger Beobachtung und des Vergleiches. Denn, dass einem Gefühle nicht Dauer zukommen könne, ist, wie dass die einfache Empfindung ohne Abwechslung das Bewusstsein verlösche, ein Dogma, und es wird daher wieder Sache des allgemeinsten Vergleiches selbst, ob es überhaupt einen Nullpunkt des Gefühles anderswo als für die Theorie gebe. Zu welchen Summen aber dieses anwachsen könne, wenn anstatt aller jener behaupteten, am Nullpunkt befindlichen lediglichen Bauhorizonte der Lust, auch nur kleinste Lustquantitäten unser tägliches Leben erfüllten, müssten wir uns enthalten zu schätzen.

4. Daran knüpft sich noch eine weitere Erwägung. Selbst wenn Contrasterscheinungen für die Lust nöthig wären, müsste diese nicht gegen den Schmerz sich erzeugen, sondern eventuell nach Zuständen der Bewusstlosigkeit, oder vor allem im Contrast zu Zuständen geringerer Lust. Auf diesen Scalen können wir ja auch in schwindelnden Höhen lange auf und ab klettern, und gerade innerhalb der damit zum Theile gekennzeichneten, sogenannten höheren Lustarten. Wie weit aber dann eine für den Contrast nöthige geringere Lust schon als Schmerz zu bezeichnen ist, ist nicht allgemein oder wieder nur mittelst des Vergleiches zu constatiren. Daher auch die Theorie von der Negativität der Lust, als volle Willkür, selbst von den zähesten Vertheidigern des Pessimismus aufgegeben worden ist.

5. Einer anderen Auffassung zufolge, mit der die Lehre von der Negativität der Lust sich einführt, setzt jede Lust Unbefriedigung, Begehren, Willen voraus. Selbst das jenseitige Dasein soll schon deshalb als lustvoller überhaupt unvorstellbar sein. Aber schon das einfachste gläubige Gemüth spricht

von einer dauernden Seligkeit in der Gottesanschauung, und der Pessimismus selbst fand[3]) in den Freuden der Kunst ein Beispiel einer solchen möglichen Aufeinanderfolge von Lustarten ohne Begehren. Wer sich aber genauer zu beobachten vermag, wird finden, dass wir uns in diesem Zustande während jeder Lust befinden; auch kann sie dauern, denn ein Bewusstseinszustand, der nur einen Augenblick dauern könnte, ist kein Bewusstsein. Er ist also nicht nur denkbar, sondern wirklich. Die Frage wäre also nur, ob in unserer jetzigen Bewusstseinsform, wenn Begehren vorausgeht, die Leiden deshalb grösser sind als die Lust der Erfüllung. Dies ist lediglich wieder eine Sache des allgemeinen, undurchführbaren Vergleiches, bei dem noch zu bedenken wäre, nicht nur, dass die Befriedigung nicht so kurz und schwach sein muss, wie der Pessimismus meint, der z. B. in das Thierische den höchsten Zweck der Liebe setzt, sondern auch, dass wie im Spiele, die Mittel des Erlangens selbst oft weit mehr Lustmomente enthalten, als die Lehre vom unbefriedigten Willen immer betont.

6. Es bleibt natürlich noch möglich, die meisten Zwecke überhaupt als illusorische zu bezeichnen. Aber selbst, wenn sie es wären, was allen Erfahrungen widerspricht, besagt das gar nichts für den Lustvergleich, und gibt wenigstens nie allgemein das Recht zu Behauptungen, wie z. B., dass wir ein solches Leben der Enttäuschungen durchaus nicht ein zweitesmal leben wollten. Würde es aber selbst behauptet, so ist das erstens kein Argument für eine grössere Leidenssumme der Welt — sofern dieses wieder den Vergleich der durch erkannte Illusionen weggefallenen mit den wirklich erlangten Freuden voraussetzt — und zweitens ist das Nichtwiederholenwollen eines Mittels zur Lust kein Beweis gegen ihre Intensität, so wenig als die Behauptung ihrer Abstumpfungsfähigkeit. Wir

wünschen oft ein Buch nicht ein zweitesmal zu lesen, wenn-
gleich wir die Freuden der ersten Erkenntnis aufs höchste
stellen können. Sie sind, wie alle Freuden der Ueberraschung.
unzweifelhaft grösster Art, wiewohl nur einmal geniessbar.

7. Der Vergleich ist ebenso nicht zu umgehen in weiteren
Behauptungen jener Schmerzenspsychologie, wie dass die Lust
kurz sei, Unlust dauernd. Angenommen, es wäre gewiss, dass
diese länger dauern kann als jene: Ob sie es thatsächlich
thut in der Welt, oder die eventuell kürzere Lust nicht intensiver ist, hat nur der Vergleich zu erweisen.

8. Dasselbe gilt von den Behauptungen, für die auch eine
physiologische Begründung[4]) gegeben wird: Dass Unlust durch
Dauer sich verstärken könne, während Lust sich dadurch ab-
schwächt, und ebenso, dass das Gedächtnis für Unlust ein
besseres sei als für Lust. Beides würde, wenn der Möglichkeit
nach wahr, ebenso des Vergleiches innerhalb der thatsächlichen Verhältnisse bedürftig sein, setzt ihn überdies schon
bei der allgemeinen Feststellung der Möglichkeit voraus, sofern
gleiche Quantitäten Lust und Unlust erst constatirt werden
müssten, um sie nach ihrer Dauer und in der Erinnerung abermals vergleichen zu können. Das ist übrigens ein Weg, anstatt
dessen wahrscheinlich bei jener Behauptung der gewöhnlichere
eingeschlagen wurde, auf welchem auch volksthümliche Sentenzen entstehen: Einfach durch verfrühte Verallgemeinerung
auffallender Fälle, die selbst, wie in diesen Beispielen, die Ausnahmen bilden können. Das Sicheinbohren und häufige Wiederkehren von Erinnerungsvorstellungen zeigen unsere höchsten
Freuden gewiss nicht weniger als unsere tiefsten Schmerzen.

9. Lediglich von der pessimistischen Theorie erzeugt und
ganz unbegründet sind noch eine Reihe von Behauptungen,
die in ihrer Allgemeinheit auch nur durch den Vergleich zu
rechtfertigen wären, wie z. B., dass der Schmerz sich Bewusst-

sein, d. h. Aufmerksamkeit erzeuge und die Lust nicht. Jedenfalls ist es wahrscheinlich, dass das Aussterben der Menschheit — wiewohl es aus dem Umstande, dass Schmerz und Lebenshemmungen einen gewissen Parallelismus zeigen, nicht oder erst vielleicht nach langer Dauer erfolgen müsste — erfolgt wäre, wenn der Schmerz in solcher Quantität die Welt erfüllte, als der Pessimismus voraussetzt.

10. Dass schliesslich für jenen Vergleich von einer exacteren Methode, also mittelst Messungen von Intensitäten, mehr zu erhoffen wäre, ist auch nicht glaubbar, wiewohl zwingende Gründe gegen die Träume der Schulweisheit nicht immer angebbar sind. Man kann ja fragen, warum nicht einstens die Physiologie, z. B. mittelst Beobachtung körperlicher Parallelerscheinungen zu Resultaten kommen könnte, wie, dass in bestimmten Combinationen Temperatur, Blutdruck, Puls- und Athemfrequenz, oder was sonst als Ausdruck höherer Gefühle gefunden wurde, in messbarer Weise variiren. Es könnte dies ein Mass für bestimmte Glücksformen, selbst ein Kriterium für ethische und ästhetische Gefühle werden.

Dem ist nur zu entgegnen mit dem Hinweis auf die Schwierigkeiten so genauer Abgrenzungen und Trennungen sowohl psychologischer als physiologischer Art, auf die Schwierigkeiten der Constatirung ihres jeweiligen Parallelismus, überdies gesteigert durch alle Fehlermöglichkeiten, die Individualitäten und Stimmungen bedingen.

Aber anstatt die Fehlerquellen für eine solche dunkle Zukunftswissenschaft anzugeben, ist es vielleicht besser, die Schwierigkeiten anzudeuten, welche den gegenwärtig schon in Angriff genommenen psycho-physischen Methoden entgegenstehen. Fragen wir, was sie bisher für ähnliche concrete, praktische Probleme, nur im Gebiete der Empfindungsintensitäten, geleistet haben. Könnten all diese gewaltig auf-

2*

gebauschten Messkünste, z. B. einem Kranken, der starke
Schallreize fürchtet, nur sagen, ob er einem Spectakelstück
beiwohnen dürfe, in der solche mittelst eines Schusses erzeugt
werden? Also eine Frage aus dem relativ einfachen Gebiete
der Tonpsychologie. Der Psychophysiker hätte auf Grund
seiner Einheit für den Schall, den das bekannte, in bestimmter
Distanz auf eine Platte fallende Holundermarkkügelchen erregt, jenem Kranken ein Vielfaches dieser Intensität in Milli-
grammmillimetern, eine Zahl zu nennen, die die Intensität
des Schalles, der erregt werden wird, repräsentiren soll. Diese
Zahl müsste, damit sie für das bestimmte Individuum, für seine
Individualität gelten könnte, überdies mittelst eines Coëfficienten
für dieselbe angepasst werden, dessen Herstellung aber erst
wieder mittelst einer Einheit, vermuthlich einer ganzen Scala,
für dieses Individuum besorgt werden müsste. Aber soll der
Kranke sich damit eine bestimmte Vorstellung bilden von einer
Intensität, die tausendmal so gross ist wie die ihm angepasste
Einheit, so müsste er einfach die Zahlenscala in ihrem Verhältnisse zu der Schallscala, im gröbsten wenigstens, memorirt
haben. Das würde aber wohl, da Ermüdung und Stimmungen den Vorgang aufs höchste compliciren, ungefähr
darauf hinauskommen, dass man am besten thäte, einfach
einen ähnlichen Schall im Zimmer zu erregen, und von aller
Psychophysik absehend, dem Kranken sagte, er müsste sich
mindestens auf einen ebenso starken Schuss gefasst machen.
Das heisst aber doch, wie immer wertvoll sonst solche Messungen sein mögen: Für diesen Fall sind sie kindische Ver-
irrungen einer übereifrigen Theorie.

Es ist überdies bekannt, dass die ganze Intensitätenscala selbst nur für Empfindungen einen mässigen Wert hat,
nicht bloss wegen der Fehlerquellen, wie jene der Reiz-
schwelle und Reizhöhe, oder des sehr mässigen Umfanges,

auch wegen der ganzen Art der Verwendung der Zahlen, die ja bestenfalls der Intensitätenscala parallel[5]) gehen, aber niemals, oder nur in laxer Redeweise ausgedrückt, ein Vielfaches von Intensitäten darstellen können. Ein Knabe, der sieben Pflaumen für eine Birne gibt, sagt damit nicht, dass die Intensität der motivirenden Lust siebenmal so gross ist als die Lustintensität einer Pflaume, sondern einfach, dass ihm erst die Lust, die ihm sieben Pflaumen erregen, so gross ist, wie die einer Birne. Dennoch ist in einem gewissen Sinne hier von einer Scala zu sprechen, deren Nachweis die Nationalökonomen[6]) schon in der Existenz des Geldes sehen, und über deren Interpretation sie streiten. Dass die vorgestellte Lust von 1000 Pflaumen nicht zum Eintausch eines höchsten Gutes bewegt, sondern, richtig vorgestellt, höchstens Ekel erregt, bewiese natürlich nichts gegen diese Scala selbst, sondern nur gegen ihren Umfang. Diese Scala aber sagt eben nicht mehr als dass, wenn ich gewisse Intensitäten memorirt habe, ich sie auch numeriren kann. Da nun diese Zahlen mit jenen Intensitäten einen gewissen Parallelismus aufweisen, kann ich selbst Mathematik, die ich mit den Zahlen treibe, auch in einige Analogie mit dieser Intensität bringen, kann aber niemals sagen, eine Empfindung, oder was für uns hier wichtig ist, ein Gefühl ist zwei-, drei-, viermal so intensiv als ein anderes. Wenn ich rechne, eine Lampe gibt achtmal so intensives Licht als eine Kerze, und denke, wie ich zu diesem Masse gekommen bin, so sage ich damit nur: Das Licht von acht Kerzen gibt einen gleich intensiven Schatten wie das einer Lampe. Ich habe einfach zwei Empfindungen verglichen. nicht aber gefunden, dass das Licht einer Lampe, das mir als eine bestimmte Intensität erscheint, gerade achtmal so stark ist, sondern ich kann diese Stärke mit 8 bezeichnen, ebenso wie meine Kälteempfindung bei 8^0 gegenüber jener bei 1^0. Ueber

solche Analogien komme ich aber durch keine Messmethode
hinaus. Weder wenn ich merkliche Empfindungen „summire"
— 12 Tonintensitätssteigerungen „setzen" keinen Ton „zusammen", den ich zwölfmal so stark nennen kann — und
ebensowenig, wenn ich die Intensität eines Grau in der Mitte
zwischen einem hellen und dunklen constatire, und so eine
Scala construire.

Wenn aber auch keine Multiplication von Empfindungen
möglich ist, so heisst das nicht, dass es keine Scala geben
könne, die für analoge Verhältnisse recht wichtig sein
kann. Beides ist wahr, und die Schulen der Streitenden, der
psychologischen wie der nationalökonomischen, können sich
sehr wohl vereinbaren. Geld misst Intensitäten und Werte
nicht mittelst Zahlenverhältnissen, sondern mittelst Analogien
zu solchen. Wer aber mehr als Analogie und mit dem Begriffe eines Vielfachen einer Empfindung oder eines Gefühles
einen Sinn verbinden will, ist, wenn keines laxen Ausdruckes, einer mangelhaften Selbstbeobachtung anzuklagen.
Anderenfalls hätte er ja, wenn er den unzweifelhaften Unterschied anerkennt, eine Definition mathematischer Begriffe zu
verantworten, nach der diese so weit zu fassen sind, dass der
Unterschied zwischen Operationen mit discontinuirlichen
Grössen und Intensitäten zu machen unnöthig wird.

Es ist hier nicht nöthig, Ansichten zu prüfen, welche die
Möglichkeit oder die Wahrscheinlichkeit anderer Beziehungen
zwischen Intensitäten und Zahlen behaupten, da es gewiss ist,
dass für die praktische Verwertbarkeit zu Messungen in unserem Sinne auch jene Theorien genau auf dieselbe Memorir-
methodik hinauskommen würden.

Wir brauchen nach alledem kaum mehr zu sagen, dass
selbst, wer von solchen Methoden grosse Hoffnungen betreffs
des Messens der Empfindungsintensitäten hegt — um uns nach

der vorausgegangenen Verständigung dieser laxeren Ausdrucks-
weise, wegen ihrer Kürze zu bedienen — noch immer sehr
geringe betreffs der weit complicirteren Verhältnisse im Gebiete der Gefühlsintensitäten hegen darf. Die Vergleiche sind
nicht zu umgehen und müssen allgemein gemacht werden,
ehe sie zahlenmässig ausgedrückt werden können. Denken wir
an den einfachsten Fall der Construction einer solchen „Lust-
scala", die ja genau ebensoviel Wert hat als die von In-
tensitätscurven der Lust, denen auch ein allgemeiner Charakter
zukommen soll: Ich stecke meine Hand in Wasser von bestimmter Temperatur, und lasse diese allmählich steigen. Kann
ich hier auch nur annähernd sagen, selbst angenommen, ich
könnte Empfindungs- und Gefühlsänderungen immer deutlich
unterscheiden, bei welcher eben merklichen Empfindungsände-
rung die eben merkliche Gefühlsänderung statthatte? Ich
kann mir selbst darüber oft nicht klar werden, ob die Aenderung im Sinne der Lust oder Unlust statthatte, wie kann
ich also sagen, ob die Lustintensität weiter, näher oder gleich
weit entfernt war von zwei anderen Lust- oder Unlustgraden?
Selbst angenommen, einiges von diesen Problemen, die nur
die Musse der grauesten Theorien ausbrüten kann, wäre
gelöst, was hätte ich noch alles zu berücksichtigen bei der
Gefühls- zum Unterschiede von der Empfindungsscala: Die
rasche Abstumpfung und abnehmende Beobachtungsfähigkeit
mit steigernder Intensität, die grosse Variabilität der Stimmungen, die grosse Verschiedenheit der Reize, Qualität, Quantität, Relativität, die Schwellenwerte, Umfänge, Schmerz-
grenzen etc.

Es ist klar: Ich bin nicht im Stande, im Producte von
Intensität und Dauer einer Lust nur den Factor anzugeben,
der für Abwechslung und Abstumpfung bei der Motivation
wesentlich ist, und trotzdem träumt man von Weltlustver-

gleichen und behauptet auf Grund mathematischer Spielereien[7])
die banalsten Wahrheiten: „Das Wachsthum des Glückes in
seinem Verhältnisse zur Zunahme der Glücksgüter folgt innerhalb gewisser Grenzen dem Weber'schen Gesetze, insofern für
den Besitzer von 100 Thalern ein Zuschuss von einem ebenso
viel bedeutet wie für den Besitzer von 1000 ein Zuschuss von
10 Thalern. Aber für die Schätzung kleiner Schwankungen
des Glückes ist derjenige am günstigsten gestellt, bei welchem
die Beglückung der Zunahme der äusseren Glücksgüter einfach proportional ist. Unter dieser Grenze ist der absolute
Wert der vorhandenen Glücksgüter zu klein, über derselben
sind die unter gewöhnlichen Verhältnissen vorkommenden
Schwankungen ihrer Werte in ihrer relativen Grösse zu unbedeutend, um eine zureichende Befriedigung möglich zu
machen. Dies bestätigt denn auch die Erfahrung aller Zeiten,
nach welcher eine mässige Segnung mit Glücksgütern für das
Gefühl der Beglückung die günstigsten Bedingungen bietet."

Und jetzt fragen wir nach dieser Zusammenstellung der
allbekanntesten Thatsachen aus der Methodik der Vergleiche
jeden, der irgend psychologischer Beobachtung fähig ist, ob
das Wort des Dichters „mille piacer non valgono un tormento"
(„tausend Freuden wiegen eine Qual nicht auf") mehr besagt,
als die ebenso häufigen gegentheiligen Betheuerungen: „Die
Schmerzen einer Welt nähm' ich auf mich für einen Blick
von ihr." Solche einer besonderen Stimmung entspringende
Ausrufe in dieser verallgemeinernden Weise, wie es der
Pessimismus thut, auszubeuten, scheint wahrlich noch naiver
als geschmacklos.

So also steht es mit der berühmten Lustbilanz, mit der
der Pessimismus den Menschen das Leben vergällen will. Ob
die Gesammtheit der Menschen mehr Lust als Unlust habe,
ist einfach eine unlösbare Frage; wenn auch alle Philosophen

von Bias bis Schopenhauer, und so viel ich weiss, auch fast alle jetzt Lebenden dazu Stellung nehmen. Sie glauben ja oder nein antworten zu müssen, anstatt sich der Antwort zu enthalten, sowohl in Betreff des Glückes des Einzelnen als des Kosmos.

Wenn wir kurz recapituliren, und zwar in umgekehrter Folge, so ist zu behaupten: Wenn ich trotz Zuhilfenahme aller Beobachtungsmethoden ausser Stande bin, zu sagen, ob ich in einer Stunde, einem Tage, in einem Jahre mehr Lust als Unlust hatte, so kann ich dies noch weniger von meinem ganzen Leben, dessen Bild die Erinnerung nur verzerrt wiedergibt. Ganz und gar nicht aber kann ich es von anderen nach Individualitäten und Erfahrungen so verschiedenen Menschen, die es selbst, vielleicht die augenfälligsten Beispiele extremster Leiden ausgenommen, ebensowenig können. Ich kann daher auch eine solche Abwägung nicht für die ganze Menschheit machen, weder für die gegenwärtige noch für die künftige — in näherer oder grösserer, zeitlicher und auch örtlicher Ferne. Noch weniger kann ich es für die Thiere, deren Seelenleben mir nur durch vage Analogien an wenigen bekannten und entwickelteren Individuen erkennbar ist, oder gar für Pflanzen oder die anorganische Materie. Daher unter „Gesammtheit aller fühlenden Wesen" die Menschen, ihre Gegenwart oder nächste Zukunft, allein als im Bereiche unserer Erkenntnis gelegen zu denken sind. Bei Problemen aber, wie das von der besten oder schlechtesten Welt, ist für eine halbwegs ernste, von religiösen Vorurtheilen freie Argumentation — schon wegen der superlativischen Form, die Kenntnisse über objective Möglichkeit voraussetzt — überhaupt nichts mehr zu denken. Bleiben demnach nur die das Uebersinnliche betreffenden Gedankengänge, deren Erwägung aber hier noch nicht erfolgen kann.

Das Glück des Einzelnen.

Die höheren Freuden.

Wenn also jeder Vergleich, ob die Menschheit mehr Lust oder Unlust habe, illusorisch ist, bleibt nur eine Möglichkeit, dem Problem des Optimismus und Pessimismus einen Sinn zu geben, die Frage, ob nicht gewisse Glücksfactoren in der Menschenentwickelung im Wachsen sind, Factoren, von denen mit grösster Wahrscheinlichkeit zu sagen ist, dass sie mit dem Glücke parallel gehen oder es sogar bedingen. Immer hat man von Freuden dieser Art gesprochen und ihren Wert gepriesen, und jedenfalls hätte, wer sie leugnet, jede Möglichkeit aufgegeben, über die Glücksfrage der Menschheit etwas auszumachen, ja selbst darüber zu sprechen. Gibt es also Lustarten als wahrscheinliche Bedingung grösseren Glückes? Gibt es das, was man als höhere Freuden bezeichnet hat? Erziehungspraxis und ethische Beurtheilung sind darüber nicht zweifelhaft; alles, was an Kindern unterrichtet und erzogen wird, hat doch den Zweck, sie auch glücklicher zu machen, und es scheint selbst, dass ohne solchen Glauben jedes menschliche Handeln ohne Orientirung bleiben müsste. Niemals könnte, wer in Gewissenszweifel geräth, zu einer Entscheidung kommen über eine Handlung des Mitleides ohne bestimmte Meinung über das, was in letzter Instanz mehr glückbringend ist. So wenig eine Wissenschaft solche Fragen allgemein entscheiden kann, einzelnenfalls meint doch jeder, der einen anderen unterstützt, eine Erkenntnisfreude gewähren sei von höherem Werte, wenigstens durch ihre Folgen lustbringender, als mittelst derselben Almosen eine Sinnenfreude zu verschaffen. Jene Frage liegt oft noch vor jeder sittlichen Entscheidung: Auch der Trinker fürchtet die Folgen seiner Handlung, und der Entschluss weniger zu trinken, bedeutet noch keine hochwertige sittliche Entscheidung. Selbst Engel, die frei von jeder Sorge für andere, geachtet werden und jedes Mitleids entrathen könnten, würden um das Problem der Langeweile, um mehr oder weniger dauernde Freuden besorgt sein müssen. Besonders aber muss, wer von einer besseren oder schlechteren Welt spricht und ihrer Glücksentwickelung, dabei, wie immer er das Problem entscheiden möge, an gewisse höhere Freuden als Glücksfactoren, an Bedingungen des Glückes denken, die mit grösster Wahrscheinlichkeit, wiewohl nicht nothwendig, dazu verhelfen; nicht nothwendig, denn es ist ja möglich, dass das sittliche und nach seiner Lustökonomie geordnete Leben dennoch Glück nicht im Gefolge hat; aber von einem unsittlichen ist es eben noch weniger wahrscheinlich.

Was unter höherer und niederer Lust verstanden wird, ist ja bekannt und nur in Kürze anzudeuten.

Wir können vermöge unserer psychischen und physischen Organisation nicht ununterbrochen geniessen. In Bezug auf die niederen Sinne ist das Phänomen jedermann bekannt. Die raffinirteste Auswahl, Abwechslung und Steigerung von Geruchs- oder Geschmacksgenüssen kann eine kurze Spanne Zeit nicht überdauern, ohne Ekel zu erregen. Der Trinker kann nur dadurch, dass er sich verschiedene Genüsse auch anderer Sinne oder selbst geistige verschafft, jene Abwechslung erzielen, die ihm das Verweilen bei seinem Trunke so lange ermöglicht. Wenig anders steht der Fall bei einzelnen höheren Sinnen, wenn wir ausschliesslich auf Lust bedacht sind. Musik zu hören ist länger möglich als den Geruch von

Blumen zu geniessen, schon wegen der complexen Natur des Tongebietes, der verschiedenen Qualitäten, Tonhöhen, Klangfarben, Rhythmen, Harmonien. Affecterregungen und zahlreiche Gedankenassociationen gehen mit ein in das Ganze des Genusses. Aber auch hier sind die Stunden gezählt, wie selbst für die Freuden des Auges, die aus ähnlichen Gründen einer noch grösseren Dauer und Abwechslung fähig sind. Wollten wir nun beide Arten von Eindrücken abwechseln lassen, z. B. nach den Ermüdungen eines Concertes ein Museum aufsuchen, so wäre unzweifelhaft der Moment der Abstumpfung hinauszuschieben, aber nicht viel, wie die tägliche Erfahrung und die Analyse zeigen können. Je grösser das verbrauchte Lustmass war, desto mehr sind, bei dem Parallelismus körperlicher Vorgänge, diese in Mitleidenschaft gezogen worden, desto früher setzt schon die Ermüdung des Organismus der Lust eine Grenze. Abwechslung hat hier, wie im Gebiete des Körperlichen, bald ihre Grenzen erreicht; trotz all der abwechselnden Uebungen der verschiedenen Extremitäten, deren Reïhenfolge jede Turnstunde vorschreibt, geht doch auch die Körperkraft ihrem Ende zu. Dieser Zustand der Ermüdung macht sich sehr bald als Langeweile geltend, als Unlust, und die Aufgabe ist, diese aufs kleinste zu reduciren. Dies kann in zweifacher Weise geschehen: Entweder dadurch, dass die Lust eine weniger ermüdende ist, eine mehr dauernde als intensive, oder dadurch, dass möglichst verschiedene Lustgebiete in Activität kommen. Beides zu können ist z. B. das Geheimnis des „Glückes der Arbeit". eigentlich nur eines Glückes der Beschränkung. Sie schafft eine ununterbrochene Reihe von verschiedenen kleinen und somit wenig abstumpfenden Freuden an der Activität, am Gelingen, dem Unterscheiden, der Ueberraschung, dem Erkennen und eröffnet die durch Uebung gegebenen weiteren

Gebiete neuer Freuden. Darin ist, von Intensitätsfactoren abgesehen, schon ein Theil der Erklärung zu suchen, warum
z. B. die Freude, die die Musik gewährt, im allgemeinen
länger anhält für den Ausübenden[8]) als für den bloss Hörenden, und noch weit mehr, wie uns jedes Talent wahrscheinlich macht, für den Componisten, der übrigens auch grösserer
Lustintensitäten fähig ist. Also ein Genussmensch, der vom
Anhören der Musik und vom Sehen von Gemälden müde ist,
könnte so noch einige Zeit der Langeweile Herr werden und vermuthlich noch lange selbst künstlerisch thätig sein, vornehmlich durch die Production. Kann er aber alles dies und noch
Aehnliches auf verschiedenen Gebieten, so ist für ihn ohne
Zweifel am besten gesorgt. Thatsächlich ist ja selbst das die
alten Philosophen so sehr beschäftigende Glück des Schweines
nicht ganz ohne Arbeit möglich; es muss sich wälzen, aus
dem Kothe erheben, wenn es leben will. Und für jedes Individuum, dessen Anlagen sich irgendwie davon unterscheiden —
wie immer sonst sein Glück beschaffen sein möge — liegt in
der Abwechslung, wenigstens mit Wahrscheinlichkeit, ein objectives Moment grösseren Glückes und der Grund, dass nicht
einfach alle Bedürfnislosigkeit, wie die des Schweines, wert
sei, vom Dichter als Glück gepriesen und besungen zu werden.
Also hier gelangen wir, ohne alle Beziehung zu anderen
Menschen und somit ohne jedes darauf sich beziehende Sitten-
mass, zu einer gewissen Objectivität und einer Gewissens-
ausbildung auch im einzelnstehenden Individuum, deren theilweise Uebereinstimmung selbst mit den höchsten Vorschriften
der Religion und Moral ersichtlich und natürlich ist. Höhere
Lust ist jene, die bei möglichster Intensität längere Dauer hat,
öfter wiederholt werden kann, leichter erlangbar und blei-
bender in der Erinnerung ist. Die damit gegebene Objectivität
macht die Annahme von anderen Lustqualitäten[9]) überflüssig,

welchen zufolge auch das geringste Quantum der einen Lust jedem Quantum der anderen vorgezogen werden müsste. was ja auch aller Erfahrung widerspricht.

Selbstverständlich ist jene Annahme auch mit dem Problem der Individualitäten sehr wohl verträglich. Selbst das Thier hat höhere und niederere Freuden, wie auch der Trinker. der eine Art Wein einer anderen vielleicht vorzöge. thatsächlich aber doch diese vorzieht. die seiner Gesundheit weniger nachtheilig ist. Objectiver Charakter kommt nicht nur Behauptungen zu, wie dass das Componiren höhere Freuden als Musikausübung. und diese mehr als das Anhören gewährt: Auch die Freuden der Erkenntnis werden in dieser Weise (und zwar nicht nur als Mittel) höher geschätzt. Sie werden oft den vielleicht intensiveren, aber flüchtigeren der Kunst vorgezogen, besonders wegen ihrer Gleichmässigkeit, trotzdem sie nur durch Jahre schwierigster Arbeit zu erlangen sind.

Mit alledem ist natürlich Verständnis und ein Vergleich zwischen dem Glück der einzelnen Individualitäten nicht immer als möglich vorausgesetzt und selbst zwischen dem Glücke eines Newton und jenem Beethovens so wenig zu erreichen, dass wir sogar ihnen selbst die Möglichkeit dazu absprechen würden. Ein anderes ist Objectivität im Sinne der Richtigkeit eines Urtheiles, ein anderes, nach der Möglichkeit allgemein die Anerkennung zu erzwingen. Aber auch diese Schwierigkeit spricht nicht gegen jenen Massstab, so wenig als beim Geschmacksurtheil, das aus den bekannten dreifachen Gründen. aus Mangel an Erkenntnissen, an Uebung und angeborenen Fähigkeiten meistens nicht übereinstimmend gefällt werden kann. Diese Momente genügend berücksichtigt, ist aber weit häufiger eine Verständigung möglich als gewöhnlich geglaubt wird, wenigstens unter Gebildeteren, und zwar oft betreffs aller drei Punkte, wenn auch nicht in Stunden und Tagen.

Wenn wir trotz dieser objectiven Instanzen sagen, dass der vielumstrittenen Glücksarten des Robinson zahllose sind, und es so viele Robinsonarten als Menschen gibt, so ist daran vornehmlich schuld, dass es die normale oder durchschnittliche Begabung und Entwickelung, besonders für Lustarten so gut wie nicht gibt. Nur eine solche vorausgesetzt, könnten wir allgemein sagen, die Freuden des Musikers sind höhere als die des Trinkers — welche Behauptung allerdings mit Rücksicht auf die sogenannte normale Entwickelung der Menschen hier zwar nicht von allgemeiner, aber doch sehr weitgehender Bedeutung ist. Eine andere Verständigung ist unmöglich, also auch keine über die Glückselemente Newtons und Beethovens. Der Vergleich könnte ja nur von einem beide Glücksarten vereinigenden Wesen vollzogen werden.

Die Construction eines Menschenideales, sofern dieselbe nicht gestört würde durch die Rücksicht auf fremden Nutzen — die jede Ausbildung einseitig machen und die Menschen im jetzigen Zustande des Mangels in verschiedener Weise ausbilden und verkümmern müsste — wäre also nur allgemein in der reichsten Ausbildung der reichsten Fähigkeit zu reichster Abwechslung von Freuden, solche besonders höchster Art, intellectueller und ästhetischer, gegeben. Und beziehen wir schliesslich, als unter unseresgleichen geboren, die ethischen Freuden, als unzweifelhaft den höheren, noch allen Eigenschaften angehörig, noch ein — die religiösen bauen sich ja aus ethischen, intellectuellen und ästhetischen auf — so sind wir mit dieser Construction des Ideales auch unserer Frage nach menschlichem Glücke näher gekommen.

Sie wird sich ausschliesslich auf die höheren Freuden, auf die bekannten drei Arten richten müssen: Die ethischen, die intellectuellen, die ästhetischen Freuden, und auf eines der

wichtigsten Mittel zu ihrer Erlangung, den Reichthum. Wie
weit aber gerade diese Factoren Unglück, wenn nicht unmöglich,
doch unwahrscheinlich machen — und das ist auch der Grund,
warum für die Entwickelung gerade sie so wichtig sind —
müssen wir noch an dem Werte der einzelnen untersuchen.
Immer wiederkehrend in der Geschichte, finden wir ja ihre
Bedeutung verkannt und selbst das armselige Glück des
Thieres, in das Dichter und Philosophen der Uebercultur ihr
eigenes Glück, nie ihr Unglück hineindichten, als das Höchste
gepriesen; wir finden gerade jene vier Factoren als das Unglück der Cultur und Bildung einem ursprünglichen Glück
der Blindheit und der Armut gegenübergestellt. Derlei Zweifel
sollen gehoben werden, ehe wir von der Entwickelung der
einzelnen Factoren sprechen können.

Freilich ist schon jetzt zu sagen, was zum Theile schon
gesagt ist, dass eine extreme Art Skepticismus auch für jene nicht
widerlegbar ist. Wer behauptet, dass das Glück der Auster
grösser ist als das Homers, dem ist nur zu sagen, dass auch
er diesen Beweis nie führen kann. Damit ist aber für den
weiteren auf Entwickelung Bezug nehmenden Beweis sehr viel
gewonnen, sofern auch für sie der Pessimismus widerlegt ist. Es
ist gewiss bei jeder Gefühlsdifferenzirung mit zunehmenden
Lustquellen auch steigender Schmerz möglich, gleicherweise wie
aus dem Abstumpfungsgesetze jede Lustzunahme als etwas
ziemlich gleichgiltiges deducirt werden kann: Der vor Hunger
sterbenden Menschheit nützte Nahrung sehr wenig, sofern sie
sich an ihre Freuden gewöhnte; und das „je mehr sie haben,
desto mehr brauchen sie", könnte auch von den höchsten
Glücksfactoren gelten. Wer nun leugnet, dass besonders hier
wahrscheinlich das Verhältnis ein anderes ist, schon weil
steigende Moral und Intellect die Unlustmöglichkeiten immer
mehr unterdrücken können, für den gilt der Beweis, die Ent-

wickelung der Factoren betreffend, bloss als Beweis für einen Zuwachs an Möglichkeiten im guten wie im schlimmen Sinne, was bloss Hoffnungen zum Besseren ermöglicht.

Schliesslich ist noch zu bemerken, dass der unzweifelhafte Glücksfactor, den die Religion darstellt, von dem wir sagten, dass er sich aus jenen einzelnen drei Factoren aufbaue, hier nicht zu besprechen ist und auch nicht einheitlich nach seiner Entwickelung in der Menschheit verfolgt werden kann. Nicht nur wäre zuerst ganz allgemein zu constatiren, was unsere spätere Aufgabe ist, was jeder Religion wesentlich ist, und welche ihrer Glückspotenzen in der Geschichte jeweils und wirklich anzutreffen sind; noch ein anderer Grund ist massgebend. Obwohl Religion eine unzweifelhafte Glückspotenz für den einzelnen ist, kann doch die Frage allgemein wie bei den anderen Glücksfactoren nicht aufgeworfen werden, ob die Menschheit durch das Wachsen oder Schwinden der Religion glücklicher geworden sei, weil diese Thatsache viel schwieriger zu constatiren ist, sowohl weil der Unterschied zwischen confessionellem Glauben, der überdies möglicherweise ebenso viel Unglück als Glück in die Welt gebracht, und reinem Glauben statistisch nicht festsetzbar ist, als weil selbst die Möglichkeit nicht ausgeschlossen ist, dass das Aufhören einer Art von falschem Glauben wie des confessionellen sogar eine relative Glückssteigerung bedeutet — die nothwendige Durchgangsform zu einem entwickelteren Glauben.

Wir besprechen also nur jene zu Beginn genannten vier Factoren.

Werden wir glücklicher durch moralische Bildung?

Diese Frage kann nicht auf die Menschheit als Ganzes bezogen werden. Dass diese glücklicher wird durch ein Handeln, welches — direct oder indirect, gleichviel ob infolge angeborener Gefühlsdispositionen, mittelst Principien, Gewöhnung oder Ueberlegungen — in letzter Linie ihr Glück im Gefolge haben soll, ist natürlich. Das alles ist ja ausgedrückt in der moralischen Billigung und dem moralischen Massstabe.

Wir können dabei also nur an das Glück des einzelnen denken. Aber auch darüber ist kein Zweifel, dass, sofern sein Handeln ohne Beziehung zum Nächsten gedacht wird, er ohne einige Einschränkung seiner Affecte — auch Genuss und Arbeit des Alleinstehenden haben ihre Ethik — ohne bestimmte Ueberlegungen, Gewöhnungen und Principien des Handelns sein Glück verfehlen muss. Nicht anders steht es mit unserem Handeln in Beziehung auf die Mitmenschen. Schon das Thier wirtschaftet mit seinem Glücke, wenn es aus Furcht vor einem Stärkeren sich nicht sofort auf jede Beute stürzt; es zeigt damit, dass es auch höhere und niederere Freuden kennt. Auch die ethischen Speculationen geben dieser Meinung Ausdruck, wenn sie selbst in ihren extremsten Richtungen, z. B. den epikureischen, sofern sie sich consequenter entwickelten, wie alle Philosophie zu ähnlichen Resultaten führen, die epikureische sogar mit stoischen und asketischen Lehren übereinkommt. Niemals hat es ernstlich eine Lehre gegeben wie die, welche man gewöhnlich als Epikureismus bezeichnet. Epikur war bekannt durch Mässigkeit, strenge Sittenreinheit und Standhaftigkeit, selbst in seinen letzten schweren körperlichen Leiden. Der Lehre eines solchen Mannes konnten auch die Späteren, besonders die unselbständigen Römer, nicht buldigen oder nur in jener oft das Glück des Schweines verherrlichenden entartenden Form, die von der wahren Lehre Epikurs nahezu das Gegentheil repräsentirt. Ihm war z. B. das höchste Gut Glückseligkeit, jene Lust, nach der immer alles strebt, aber eine weit veredeltere als noch bei den Cyrenaikern: Nicht die Lust des Körpers oder des Augenblickes, um derentwillen auch die modernen Utilitarier verschrien werden, sondern ein dauernder Zustand fürs Leben. Er predigt Auswahl mit vernünftiger Einsicht und weiter Voraussicht; er stellt die geistige Lust höher und schätzt nur die des Körpers nicht gering, weil er ihrer dazu bedarf. Im übrigen gibt er selbst dem Körperschmerz nur geringe Bedeutung; der epikureische Weise ist auch unter Martern glücklich. Ist das nicht auch die Lehre der Stoa? Und welche Wertschätzung zeigen die Epikureer für die Freundschaft! Sie ist ihnen ein Cultus, sie sterben für den Freund. Schon das blosse Begehren nach Gütergemeinschaft erregt ihnen Misstrauen, sie ist selbstverständlich. Natürlich ist Wohlthaten erweisen seliger als empfangen, und schon für Arbeitskraft und Gesundheit ist massvoller Genuss und Einfachheit, nüchterner Verstand wesentlich. Selbst asketische Momente finden sich, wenn das Wesen der Lust als Schmerzlosigkeit, als Begehren und Mangel bezeichnet wird und die Tugend als Mittel zu solchem Glücke und nicht als Selbstzweck.

Also über den Wert einer gewissen moralischen Bildung für das Glück bestanden nie Zweifel. Die Frage ist nur, wie weit sie gehen soll, was natürlich, Extremstes ausgenommen, allgemein nicht gelöst werden kann. Allgemeines aber ist zu sagen 1. betreffs des An- und Abgewöhnens von Affecten — deren richtige Intensitäten übrigens auch nicht bestimmt anzugeben sind — und, wovon diese Frage abhängig ist, 2. betreffs der auf die Grenzen eigenen und fremden Glückes sich beziehenden Nützlichkeitsüberlegungen und Principien.

1. Wir haben hier nicht Psychologie der Leidenschaft zu treiben, die klar machte, dass zum mindesten die sittlichen Dispositionen und Affecte, wie Furcht, Zorn, Zuneigung etc., nur in geringem Masse beeinflussbar, an- und abzugewöhnen sind

3*

Wir wollen vielmehr — unter der Voraussetzung grösster Beeinflussbarkeit, besonders erworbener Dispositionen — an Beispielen zeigen, dass die Menschen, gleichviel, ob sie Leidenschaft oder Leidenschaftslosigkeit für wichtiger halten, durch
ihr Schwanken um eine goldene Mitte beweisen, dass eine
darauf bezügliche Theorie ihrem Glücke nöthig wäre. Immer
finden wir bei den thatsächlichen Glücksbestrebungen der
Menschen, wie in der Theorie, die zwei Principien im Kampfe:
das, was sie gewöhnlich unter stoischer Lebensweise verstehen,
mit der epikureischen. Ganze Nationen zeigen, dass sie ihre
Befriedigung mehr von der einen als von der anderen Richtung erwarten. Extreme Beispiele bilden die Engländer und
Italiener, die angeborener- und anerzogenermassen ja schon
im Aeusseren diese Unterschiede zeigen. Sie betonen sie
selbst absichtlich in jener oft lümmelhaften Gleichgiltigkeit
und hampelmannartigen Beweglichkeit. Beide streben übrigens Mögliches an; jene, wenn sie die zu ihrem gleichmässigen Glücke nöthige Ueberlegung betonen, diese, wenn sie
die zu einem freudigen Sinnendasein intensivere und rauschartige
Leidenschaft preisen. Anders die Religionen und philosophischen Systeme, die ohne Rücksicht auf solche Individualitäten
und mögliche Grenzen erziehender Einflüsse, aus jedermann,
aus allen alles bilden wollen, was ihre Irrthümer für richtig
halten. Die einen wollen für alle Menschen eine gleiche Liebe
wie die Mutterliebe, die anderen verbieten selbst der Mutter
ihre grössere Liebe im Interesse des allgemeinen Wohles. Sie
verbieten auch, den Freund zu lieben, schon weil der Schmerz
über seinen Tod durch keine Liebe, die er uns in seinem
Leben erwiesen, aufgewogen wird. In solche Höhen aber ist
die Menschheit den Theorien und Religionen niemals, höchstens
in einigen Abnormitäten gefolgt, und damit ist solchen Theorien das Urtheil gesprochen. Das Resultat vorweggenommen,

ist leicht zu sagen: Beide Extreme, selbst wenn erlangbar, müssten, wie die meisten ethischen Ideale, in ihren Consequenzen zum Aussterben oder zur Schwächung der Menschheit führen. Allgemein, und wieder ohne jede Möglichkeit wissenschaftlicher Bestimmtheit, ist nur ein mittleres Verhalten vorschreibbar, abgestuft je nach Individualitäten. Gewisse Arten der Leidenschaft sind nothwendig unglückbringend, ebenso wie ein Mangel derselben, und zwar in nicht abwendbarer Weise, theils wegen des Angeborenseins allgemeiner Dispositionen, theils weil ein Ertödten von natürlichen Trieben oft ein Ertödten des ganzen Wesens bedeutet.

Besehen wir einige Fälle von Affecten unzweifelhafter Ausnahmsindividualitäten. Allgemein können Glück oder menschliche Ideale nie repräsentiren: Eine römische Mutter, die — vielleicht ohne normale Mutterliebe oder von ausserordentlich starkem Willen — ihre Kinder mit Freuden in den Tod schickt fürs Vaterland; oder eine Mutter, die fremde Kinder ebenso liebt wie ihre eigenen und den Hunger dieser nicht eher stillt als den fremder. Dasselbe gilt von der Lebensweise eines Don Juan, den die Ehe absolut nicht mehr zu befriedigen vermöchte; oder von einem Beruf, der Mangel an Geschlechtstrieb voraussetzt, wie die Institution katholischer Priester, deren Sittlichkeitsverhältnisse, sofern es sich um wirkliche Enthaltung handelt, nicht nur physiologischen Ueberlegungen klar, sondern den Inductionen jedes katholischen Landmannes geläufig sind. Ebenso ist Zorn, demzufolge eine Beschimpfung mit sofortigem Todschlag erwidert wird, oder Zornmangel, demzufolge auf einen Schlag ins Gesicht dem Gegner mit Liebe begegnet wird, abnorm; ebenso eine Grausamkeit, welche gestattet, bei dem verschuldeten Tode des Nächsten unberührt zu bleiben, oder ein Mitleid, das Leute fast krank macht beim Anblicke auch unbeträchtlicher fremder Leiden, selbst der Thiere. Sofern solche Individualitäten existiren, ist ihnen ihr Glück gewiss nicht ganz streitig zu machen; so wenig das desjenigen, der aus Liebe für andere in den Tod geht, als das der Grausamkeit eines Nero. Wer will auch in einem Weltzustande über den Wert oder Unwert von Affecten entscheiden, in dem der Zorn über das Laster und selbst noch die Freude am Kampfe von Nutzen sind. Solches Glück kann aber nur ein Glück für Ausnahmen repräsentiren; allgemein würde der Weltbestand dadurch gefährdet.

Eine noch weit grössere Schwierigkeit, ethische Vorschriften zu geben, zeigt sich, wenn nur annähernd der Intensitätsgrad solcher Affecte, bei dem sie noch unzweifelhaft nützlich sind, und ihr richtiges Verhältnis angegeben werden soll. Z. B. sieht besonders die gewöhnliche ethische Betrachtung Menschen mit Ueberlegungen, die zur Sparsamkeit führen, also mit einem Mangel an gewissen Affecten, leicht als tugendhaft an, und leidenschaftlichere, oft in ungeordneten Verhältnissen in den Tag hineinlebende als tadelnswert. In beiden Fällen aber werden nur mit Bestimmtheit Intensitäten, respective Mängel, moralisch beurtheilt, über deren Bedeutung für andere Lebenslagen sehr wenig zu bestimmen ist, deshalb schon, weil sie, oft schwer trennbar, mit anderen Tugenden oder Lastern gemeinsam auftreten oder sie selbst mitbedingen. Manchmal sind sie gewiss trennbar: Bekannt ist das Mitleid bis zur letzten Entäusserung bei Verbrechern, Prostituirten, und hinwiederum die oft kalte Mitleidslosigkeit jener reichen Wohlthäter, die ihr Almosen geordnet eingesetzt haben in ihrem Jahresbudget. Aber wie steht es mit anderen Affectsverhältnissen? Geradezu als Ethik des künstlerischen Genies z. B. gilt, was Goethe im Werther sagt:

„Guter Freund, soll ich Dir ein Gleichnis geben? Es ist damit, wie mit der Liebe. Ein junges Herz hängt ganz an einem Mädchen, bringt alle

Stunden seines Tages bei ihr zu, verschwendet alle seine Kräfte, all sein Vermögen, um ihr jeden Augenblick auszudrücken, dass er sich ganz ihr hingibt. Und da käme ein Philister, ein Mann, der in einem öffentlichen Amte steht, und sagte zu ihm: „Feiner, junger Herr! Lieben ist menschlich, nur müsst ihr menschlich lieben! Theilet eure Stunden ein, die einen zur Arbeit, und die Erholungsstunden widmet eurem Mädchen. Berechnet euer Vermögen, und was euch von euerer Nothdurft übrig bleibt, davon verwehr' ich euch nicht, ihr ein Geschenk, nur nicht zu oft, zu machen, etwa zu ihrem Geburts- und Namenstage" etc. Folgt der Mensch, so gibt's einen brauchbaren jungen Menschen, und ich will selbst jedem Fürsten rathen, ihn in ein Collegium zu setzen; nur mit seiner Liebe ist's am Ende, und wenn er ein Künstler ist, mit seiner Kunst."

Ein bis ins Pedantische geordnetes Leben eines M. Angelo ist die Ausnahme und gilt unter Künstlern oft als nicht nachahmungswürdig. Wo ist hier aber die richtige Grenze zu ziehen? Es ist ebenso leicht, zu sagen, Goethe wäre ohne seine Mängel und Leidenschaften, die bei seiner Grösse fast ein Unglück für die Welt bedeuten, niemals dieser Menschenkenner, dieser Dichter geworden, als schwer zu beweisen, wie weit sie ihm wirklich nützlich waren und es allgemein gestattet sein kann, solchen Fehlern nachzuhängen. Und es ist nicht leichter, zu sagen, welche Höhe der Zwecke und welche Wahrscheinlichkeit, sie zu erreichen, solche Mittel heiligen. Dennoch kann Goethe damit insofern als Paradigma gelten, als auch er seinen Leidenschaften eine grosse Schulung geben musste, um zu erlangen, was er an edelster Menschlichkeit sich in der Welt erkämpfte. Und dazu bedurfte auch er bei seinen grossen Mängeln einer starken Moral, sowohl im Dienste der Menschheit, als auch zu seinem eigenen unzweifelhaft hohen Glück. Wenn er dem entgegen sagt, dass er in „75 Jahren keine 4 Wochen eigentliches Behagen gehabt", so ist das eine Glücksbemessung, die für das, was die Psychologie unter Vergleichen versteht, allerdings nur den Wert hat, die Art kennen zu lernen, wie sich ein solcher Geist solche Probleme zurechtlegt. In diesen Beispielen liegt nur die Bestätigung der vorweggenommenen Behauptung, dass trotz einer Unlösbarkeit der Aufgabe im allgemeinen die Vorschrift eines die Individualitäten berücksichtigen sollenden Mittelmasses der Leidenschaft gilt, und dass ein darauf bezügliches ethisches Handeln und Ueberlegen somit Mittel grösseren Glückes ist.

2. Die Glücksfrage zeigt, wieder Extremstes ausgenommen, die gleichen Schwierigkeiten, wenn wir die einzelnen oder in Principien sich äussernden Ueberlegungen nach den Abgrenzungsmöglichkeiten eigenen und fremden Glückes besehen. Dennoch können wir allgemein sagen, dass der einzelne mit Wahrscheinlichkeit in beträchtlichem Umfange glücklicher wird durch das Zusammenleben, durch Gefühle und Handlungen, die sich auf andere beziehen. Wiewohl wir in der Gesammtheit geboren und so gut wie gezwungen sind, in ihr zu leben, haben sehr kräftige oder schon an der Grenze des Krankhaften stehende Individualitäten diesen Bann doch manchmal durchbrochen. Aber trotzdem zu solchen Handlungen auch Noth häufig gezwungen hat, sind doch Einsiedler zu allen Zeiten so selten, dass diese Seltenheit schon ein gewisser Beweis für den Wert des geselligen Lebens ist.

Wenn wir nun über den Grund der Bevorzugung des Zusammenlebens klarer werden wollen, müssen wir besonders überlegtes Handeln dabei in Betracht ziehen, und wir können als selbstverständlich und als bekannt voraussetzen das Unglück, das aus der Nichtbefriedigung aller Instincte, wie des Umarmens, Küssens, aller Affecte, die im Menschen für den Nächsten disponirt sind, fliesst. Schon das Thier hat solche Triebe. Herdenthiere können im Schmerze nach den Genossen zugrunde gehen; nicht minder stark ist der Trieb des Nestbaues und die Sorge für die Jungen; der den ganzen Organismus innen und aussen umgestaltende Geschlechtstrieb, die Kinderliebe, das Mitleid und die Mitfreude. Daran schliessen sich in ununterbrochener Kette die complexeren Affecte bis zu der alle höchsten Kräfte vereinigenden Liebe der Geschlechter zu einander. Volle Einsamkeit bedeutet gewöhnlich volles Unglück, und die innere Leerheit der meisten Menschen lässt sie förmlich vor sich selbst fliehen. Wir müssen mit anderen leben. Angenommen aber, wir hätten wirklich freie Wahl, welche nachweisbaren Vortheile zeigt das Zusammensein?

Fragen wir einfach: War Robinson glücklicher, als er den Freund zur Seite bekam? Allgemein ist hier jedenfalls zu sagen: Wenn genug Lebensmittel vorhanden — der Hauptgrund zum Streite — und wenn noch jede Art Mitleid und Hass weggedacht würde, gewiss. Denn durch die Arbeitstheilung ist die Beschaffung des Lebensunterhaltes und ein grösserer Luxus wesentlich leichter möglich geworden, und jede Arbeit für den anderen, die übrigens schon jetzt nach ihrem Uebermasse nicht gut controlirbar sein würde, ist auch zum eigenen Nutzen. (D. h. der Arbeitserfolg ist innerhalb weiterer Grenzen eine Function der Bevölkerungsdichtigkeit, und die Frage ist auch abhängig von der ökonomischen.) Angenommen aber auch, es hätte sich das Mitleid schon entwickelt und andere Affecte, so ist doch nicht zu glauben, dass unter diesen vorausgesetzten einfachen Verhältnissen die Leiden die Freuden der Gemeinsamkeit überwiegen würden. Zum Hasse läge wenig Grund vor, und zu einem Zusammensein wäre ja keine Verpflichtung, wenn nicht zu Zeiten, in denen Nutzen voneinander zu erwarten wäre. Im einzigen Falle dauernder, schwerer Leiden des Nächsten könnten in Folge des Mitleides die Vortheile des Zusammenseins und dessen Freuden sich vermindern. Freilich stünde die Sache sofort anders im Falle von Mangel, wenn strengere Arbeit, besonders für eine grössere Zahl erfordert würde, und hier kämen wir aus dem Bereiche des Ideals sofort der Wirklichkeit näher. Die Lösung wäre eine zweifelhaftere. Hätten wir im wirklichen Leben nicht das Mitleid, das uns antreibt, das Nothwendige gerne zu thun, und das viele Uebel ausgleichen lässt, so würden wir nach Kräften unsere Arbeit für die anderen abmessen eben nach jener, die andere für uns thun. Ich kenne ja nicht die Grösse ihrer Gegendienste, die Zahl der Unthätigen, und vor allem nicht, mit Rücksicht auf das Ausmass an möglichen Lebensmitteln, die Zahl der Ueberzähligen; und es könnte mir allerdings die Frage kommen, ob ich mit Kampf, mit Diebstahl und Mord, Mitleidslosigkeit vorausgesetzt, nicht besser zum Ziele käme als mit noch so einträglicher Arbeitstheilung. Diese Frage ist als eine des Lustvergleiches und als abhängig von den jeweiligen Wohlstandsverhältnissen allgemein unlösbar. Unter den gegenwärtigen Reichthumsverhältnissen haben wir allerdings einige Wahrscheinlichkeit, dass Nicht-Stehlen von Vortheil sei und ein grösseres Behagen zur Folge habe; letzteres schon deshalb, weil die anderen Menschen sonst auch stehlen würden und es zum beständigen Kampfe käme. Auch die Gefahren des Entdecktwerdens sind, wie schon die moderne Statistik zeigt, grosse.

Aber wir brauchen bei dieser akademischen, weder pro noch contra entscheidbaren Frage nicht zu verweilen. Nur zweierlei ist zu constatiren: Aeusserste aufopfernde Thätigkeit, vor allem die freiwillige Hingabe des Lebens für andere, wäre in allen Fällen ausgeschlossen. Gerade bei den grössten Nothverhältnissen der Umgebung würde der Kampf versucht werden, sich Lebensmittel zu verschaffen. Ferner ist für viele, auch wenn nur mässiger Lebensmittelmangel vorausgesetzt wird, trotz aller Wahrscheinlichkeit, einen geringen Vortheil zu ziehen, die Möglichkeit gegeben, das Opfer der Arbeitstheilung zu sein. Aber wir werden mit Mitleid, jenem Leidens- und Glücksaffect, ebenso unzweifelhaft wie in der menschlichen Gesellschaft geboren; das ist eine Thatsache, die uns die allzu sorgfältige Abrechnung erspart, wie viel wir für andere, wie viel wir für uns arbeiten sollen. Das Mitleid repräsentirt ja überdies auch die Imperative der Gesammtheit für die uns auferlegten Gegendienste. Die Frage wäre also nur: Ist der glücklicher, der mehr Mitleid, mehr Mitfreude und Liebe etc. hat, auch wenn er mehr für andere arbeiten muss?

Allgemein ist jedenfalls zu antworten, dass wir durch unser nicht austilgbares Mitleid, in einer Gesammtheit, in der es noch so viel Elend gibt, lebend, so lange leiden werden und Ruhe und glücklichere Zustände nicht finden können, als nicht von einzelnen noch viel mehr für die Gesammtheit getban und gearbeitet wird, d. h. so lange einzelne nicht moralischer werden. Dass dadurch jeder mehr litte, dass mehr Freundschaft und Liebe ihm mehr Leiden als Freuden brächten, kann der Pessimist nur behaupten, nicht erweisen; so wenig vielleicht, als wir ihm das Gegentheil. Jedenfalls würde, wenigstens unter der Voraussetzung besserer ökonomischer Entwickelung, die später zu untersuchen ist, dieses Mehr an Liebesthätigkeit kein so übermässiges, als es der Pessimismus hinstellt, und das Glück dadurch wahrscheinlicher sein.

Aber auch unter der Voraussetzung eines sich nicht ändernden ökonomischen Zustandes könnten wir uns der gegenwärtigen Leiden nur dadurch erwehren — besonders wenn der Intellect sich mehr entwickelt und mehr Quellen des Mitleides entdeckte — dass wir mehr und consequenter für andere handeln, weitere Folgen voraussehen und auch dort den Schmerz bekämpfen, wo wir ihn nicht unmittelbar erfahren. In diesem Sinne ist auch für den Egoismus wenigstens die Behauptung nie erweislich, dass der einzelne unglücklicher würde dadurch, dass er noch mehr von seinen Freuden im Dienste der Gesammtheit opfert.

Im wesentlichen also hat sich das Resultat der vorausgehenden Abstractionen nicht modificirt. Mitleid und Mitfreude mit in Rechnung gezogen, ist zu constatiren, dass in einer Gesellschaft, in der grosser Mangel an Lebensmitteln herrscht, jenes, in einer reichen diese überwiegen werde. Diese Thatsache genügt auch für die Frage, wie weit wir durch moralische Bildung glücklicher werden. Die Annahme, dass, ethische Gefühle und Zusammenleben vorausgesetzt, jenes früher besprochene Verhältnis wesentlich geändert werde, ist weder nöthig noch zu begründen möglich; zum mindesten entscheidbar ist die Frage so wenig als die, wie weit eine andere Mitleidsentwickelung mit anderen Wohlstandsverhältnissen parallel geht, oder wie weit sie ihnen angepasst ist, da doch der Moralmassstab je nach den Wohlstandsverhältnissen ein anderer ist in jeder Gesellschaft. Also wie weit die Freuden des einzelnen durch mehr altruistische Affecte in unserem Gesellschaftszustande vermehrt werden können, ist schon wegen der nicht durchführbaren Lustvergleiche, die wir ein- für allemal erledigt haben, nicht oder nur mittelst individueller Glaubenserfahrungen entscheidbar.

Es ändert also auch das bekannte Argument hieran nichts, dass, da Mitleid eine Art Lustquelle, ein Motiv für sonst unangenehme Handlungen im Dienste anderer ist, und dass schon damit die Lösung gegeben sei. Wir können nicht sagen, dass, weil jeder nur thut, was ihm lieber ist, auch der sich Aufopfernde ebenso glücklich ist wie jeder andere. Zur Entwirrung dieses Irrthumes ist Folgendes längst bekannte zu wiederholen. Wir wollen hierbei ganz absehen von der indeterministischen Behauptung, dass Lust nicht immer zur Motivation nöthig, dass es nur ein Dogma sei, dass sie in der Motivation immer eine Rolle spiele, und von der Meinung, dass aus der Nichtdenkbarkeit einer ohne Lustmotiv erfolgenden Willensentscheidung auch gegen Freiheit so wenig als gegen irgend welche letzte Thatsache resultire. Auch für den, der immer nur das zu thun glaubt, was ihm lieber ist, ist ohne Zweifel das ihm mögliche Quantum Lust bestimmt durch zwei Momente: Einmal durch die Verhältnisse der Umgebung, die ihn zwingt, zu handeln, und die ihm oft und durchs ganze Leben nur die Auswahl zwischen Schmerzen lassen kann, und weiters durch den Grad seines Mitleides, der, sehr hoch angenommen, sein grösstes Glück möglicherweise nur aus einer Summe vorgezogener, geringerer Schmerzen, wie sie jedes Opfer bedingt, zusammensetzen kann. Auf der Strasse mehr Bettlern begegnen und bei ihrem Anblicke mehr leiden, sich zu mehr Almosen gedrängt sehen, macht doch nicht nothwendig glücklicher? Beides trifft zu für die Sittlichsten in einer Gesellschaft, in der, wie in der jetzigen, noch so grosser Mangel an Lebensmitteln, wenigstens im weiteren Sinne, also grosses Elend herrscht. Wer seiner Gesinnung das Lebensglück opfert, ganz in Mitleid aufgeht oder freiwillig sein Leben aufgibt, thut, was in seinen Verhältnissen und für seine Moral das Lustbringendste war; aber er muss nicht glücklicher sein — wie immer nützlicher — als einer, der weniger hohe sittliche Gefühle hat; sogar wird er oft unglücklicher sein, denn nicht immer wird der Zufall Glück und Tugend ausgleichen.

Aber damit ist auch das Zugeständnis allgemein gemacht, dass Glück und Tugend nicht parallel [10]) gehen, woraus nur klar wird, dass dem Egoisten der Rath nicht gegeben werden könnte, wenigstens Gefühle höchster moralischer Art sich anzuerziehen. Von diesen abgesehen, bleibt allerdings wenigstens die Glaubensmöglichkeit, durch ein mitleidiges Leben glücklicher zu werden, durch ein Leben, das Glück findet im Lindern des Leides anderer, das gerne thut, was es thun muss.

Dieses richtig verstandene Mitleid und diese Mitfreude können auch die Menschheit als Ganzes nicht schwächen — wie oft gefürchtet wird — und seine Steigerung kann keine Gefahr sein. Erst dann wäre das der Fall, wenn wir trotz Ueberfluss an Arbeitskräften die Arbeit anderer thun wollten, ein Zustand, der, wenn je, noch lange nicht eintreten wird. Daher auch jenes antike Kraftideal [11]) der Mitleidslosigkeit oder Gleichgiltigkeit, im Extreme wenigstens, einfach ein menschheitvernichtendes wäre.

Ich brauche schliesslich hier nicht ausführlicher zu sagen, da wir grösstentheils vom Mitleid als angeborener Bedingung des Glückes und nicht von Moral gesprochen, wie weit sich beide decken. Es gibt Mitleid ohne Moral, aber keine Moral ohne Mitleid. Dieses führt, zusammen mit dem Egoismus, und unter Leitung des Intellectes mit seinen Glücks- und Nützlichkeitsbestrebungen, gleicherweise wie die Furcht vor den von der Gesammtheit auferlegten Strafen, zu Principien des Handelns, die mittelst Associationen zu Gewohnheiten werden und schliesslich, als unabhängige ethische Imperative auftretend, Moral im höchsten Sinne repräsentiren. Wer zuerst aus Furcht oder Mitleid das Stehlen unterlässt — jene bestimmt die allgemeine, die „Krämermoral", dieses die noch principienlose Liebesmoral — thut es endlich aus Pflicht und verlangt dasselbe von seinem Kinde ohne irgend welche Begründung. Da überdies der Intellect wächst, sowohl im Dienste mitleidiger Voraussichten als der Affecte des Egoismus, so werden hinwiederum diese zu Gunsten des Mitleides geschwächt, und jene bekommen den Charakter von Principien; und so muss die sittliche Entwickelung der des Mitleides parallel gehen.

Demnach lautet also die Antwort auf die Frage: Werden wir glücklicher durch moralische Bildung? Die Gesammtheit gewiss, jeder einzelne ebenso, sofern er allein lebt, und sofern er für andere handelt, unter Voraussetzung eines glücklicheren ökonomischen Zustandes. Im übrigen werden wir auch im jetzigen Weltzustande wenigstens nicht nachweisbar unglücklicher durch gesteigertes ethisches Leben, höchstens in Fällen so hochgesteigerten Mitleides, wo das Leben dem Nutzen der Gesammtheit zum Opfer gebracht wird.

Werden wir glücklicher durch intellectuelle Bildung?

Gewiss, wenn wir unter intellectueller Bildung nur eine solche verstehen wollten, die in irgend welchem Sinne beiträgt, eigenes oder fremdes Glück zu fördern, und jede andere, die mittelst blosser Geistesschärfe oder unnöthigem Wissen und aller jener Halbheit uns falsche Ziele setzt, und wären es die eines Faust, als Verbildung bezeichnen. Alles kommt darauf an — da doch nicht behauptet wird, dass mit jedem Minimum von Intellect nothwendig Glück parallel geht — was intellectuelle Bildung heisst, ja ob sie überhaupt anders als mit Beziehung auf unser Glück zu definiren ist. Soviel die Menschen täglich Worte, wie gescheit und dumm, im Munde führen, sie würden, wie bei so vielem anderen um Antwort verlegen sein, wenn sie gefragt würden, wovon sie eigentlich reden. Ohne Zweifel von höchst complexen Phänomenen, deren Analyse, auf einzelne Elemente und deren schwer trennbare Factoren, des Angeborenen und Anerzogenen, auf Dispositionen, Erkenntnisse und Uebung führend, bekanntlich weit anderes zu Tage fördert, als der erste Augenschein zeigt. Von angeborenen Eigenschaften wären zu berücksichtigen ausser den negativen — wie z. B. Abwesenheit gewisser Affecte —

an positiven: Bestimmte Dispositionen der Sinne, Associationen, Gedächtnis, Aufmerksamkeit, Phantasie, mit allen
Qualitäten und Quantitäten, auch grössere oder geringere
Raschheit des Vollzuges etc., und zwar für die verschiedensten Gebiete. Alles dies, zusammen oder einzeln, kann
das Prädicat grösseren Intellectes, der übrigens auch ohne
bestimmte Charaktereigenschaften nicht denkbar ist, verleihen.
Wir werden durch alle diese angeborenen Eigenschaften dann
befähigt, Unterscheidungen zu machen, Aehnlichkeiten aufzufinden und sie zu behalten, zuerst solche der Sinnesempfindung, dann der Begriffe, der Urtheile und Schlüsse, was
alles zu grösserem oder geringerem Wissen führt. Für die Entstehung desselben und seiner Qualitäten gewinnen dann auch,
als zweiter nicht angeborener Factor, die übertragbaren Erkenntnisse durch Erziehung im weitesten Sinn und als dritter
Factor die Uebung aller einzelnen Elemente die grösste Bedeutung.

Also aus solchen Factoren können sich zahlreiche
Combinationen zusammensetzen, die das Prädicat „gescheit"
eintragen, mit einem Worte, wie Takt, Blick, Talent charakterisirt werden, wie auch die verschiedenartigsten diesbezüglichen Mängel als Dummheit oder Beschränktheit. Alles
das zunächst nur für das eine oder das andere ganz concrete
Gebiet. Selbst ein einzelner solcher Mangel kann zu einer
Qualification, wie Dummheit, genügen; ein Mangel z. B. an
einem gewissen Masse von Phantasie, Gedächtnis[12]) oder Wissen,
selbst bei Anwesenheit aller anderen Factoren. Das Urtheil:
$17 \times 4 = 65$ kann ebenso einfachen Mangel an Phantasie
oder Gedächtnis bezeugen wie an ruhiger Ueberlegung, an
Sammlung, an Vorstellungskraft für Zahlenbilder u. s. w.
Wir sind eben klug oder dumm, wie schlecht oder gut
nur in einzelnen Punkten. Alle Schärfe, alle Tiefe des Geistes,

alles Wissen hilft oft einem Gelehrten nicht, in weitergehenden Nützlichkeitsüberlegungen oder dem richtigen Vorstellen künftiger Lust oder Unlust, was insbesondere als Kriterium des „gescheiten" angesehen wird, vom Takte eines Praktikers oder eines klugen Mädchens als unpraktisch bezeichnet zu werden. Auch Goethes, Beethovens oder M. Angelos Geist, so umfassend er war, zeigt sich doch vornehmlich an den concreten Problemen, von denen sie beständig und fast ausschliesslich erfüllt waren, und man hat kein Recht, von ihrem Urtheile in allen Dingen, in Religion und Politik, sehr Wertvolles zu erwarten. Selbst ihre Fähigkeit dazu vorausgesetzt, fehlten ihnen nothwendig Erkenntnisse und Uebung. Alle Vorsicht kann sie manchmal nicht vor kindlichen Irrthümern bewahren.

Hier nun fällt uns, auch wenn wir von Glückszwecken absehen wollten, schon der Mangel eines brauchbaren allgemeinen Bildungskriteriums auf, das ja nicht nur nächste Zwecke berücksichtigen kann. Ich kann nach dem Bisherigen wohl sagen, wer ein besserer Kopfrechner ist, ein besseres Gedächtnis hat, ein besserer Feldherr ist. Will ich aber allgemeiner fragen, ob ein Astronom oder ein Politiker, die so verschiedener hochentwickelter Fähigkeiten bedürfen, intellectuell höher steht, so habe ich andere, viel höhere Zwecke zu berücksichtigen. Ohne diese unterscheidet sich ja das Genie Darwins nicht von dem eines Käfersammlers oder das Newtons nicht von Talenten eines Menschen, der sehr rasch einen Sack voll Bohnen zu zählen weiss, eines Schachspielers oder eines Kopfrechners, welche Art Menschen bekanntlich meist ebenso bestaunenswert als beschränkt ist. Grösseres Wissen und grössere Uebung entscheiden dabei so wenig als die grössere Zahl der Fähigkeiten; denn alles das kann eben in erstaunlichstem Masse mit dem sinn- und zwecklosesten Sammler- und Kritikergeist in einem Kopfe vereinigt sein. Besonders Schulbildung oder Umgangsformen, durch die z. B. bei höheren Ständen Unbildung übertüncht wird, täuschen leicht über dieses Verhältnis. Aber es ist doch selbstverständlich, dass nicht jeder Gymnasiast ohneweiters intellectuell höher zu stellen sei als ein nicht des Lesens kundiger, aber seine Wirtschaft aufs tüchtigste verstehender Bauer. Jeder wird ja dem andern sich in manchen Punkten überlegen erachten und zugleich sich in anderen beschämt fühlen. Wir werden also die Entscheidung — wenn wir uns nicht für einzelne Eigenschaften interessiren, wie Vocabel-gedächtnis oder die Fähigkeit der Wetterprophetie — nicht fällen können; sie müsste denn in letzter Linie eine ethische allgemeinster Art sein. Richtige Zwecke haben und sie mit rich-tigen Mitteln verfolgen, wäre ein Massstab, wobei aber jeden-falls das erste „richtig" in das Reich der Affecte und Gefühle, der moralischen Werte übergreift, und selbst das zweite Eigenschaften wie Vorstellbarkeit[13]) von Lustintensitäten zum Zwecke richtiger Motivirung voraussetzt und in engster Beziehung steht mit Moral. Aehnliche Unterschiede hat die alte Psy-chologie mit den Worten vernünftig und verständig bezeichnen wollen, und auch das allgemeine Urtheil unterscheidet die Weisheit eines Sokrates und seiner ethischen Lebensziele von des Aristoteles grösserer Wissenschaftlichkeit und Gelehrsam-keit mit ihren näheren Zielen. Jener ist in einem wesent-lichen Punkte höher zu stellen, dieser vielleicht in allen an-deren. Stellen wir Aristoteles' Intellect dennoch höher, so ge-schieht es, wenn wir von concreten Zielen absehen, nur, weil wir meinen, dass, seine Fähigkeiten für die Zwecke des So-krates angewandt, diese noch besser erreichen würden. Sonst müssten wir ja jeden Schwachkopf, der moralisch ist, intel-tectuell über den gescheiten Schurken stellen. Also in das Kriterium der intellectuellen Bildung gehen ethische Momente

ein, und dem widerspricht es auch nicht, wenn alle Welt
z. B. den, der sich eine Brille zu erfinden weiss, gescheiter nennt als den, der durch seine Kurzsichtigkeit zugrunde geht. Auch diese Behauptung behält nur Sinn unter
der Voraussetzung bestimmter Zwecke, in diesem Falle
solcher, von denen bekannt ist, dass sie von allen Menschen
gleichermassen erstrebt werden. Gut zu sehen, ist ein richtiger Zweck, und wer ihn mit besseren Mitteln erreicht, den
stellen wir intellectuell höher wegen seiner Dispositionen,
seinem Wissen oder seinem Können; ebenso wie wir bei gleichen
Mitteln die richtigeren Zwecke als Zeichen höheren Intellectes
betrachten. Nur vor zu kleinlicher Handhabung dieses moral-
intellectuellen Massstabes müssen wir uns hüten: Nicht jede
philologische Detailarbeit muss vor ihm fallen; wer aber
nur solche durchs ganze Leben aufzuweisen hat, ohne ein bestimmteres, höheres Ziel, wird vor dem Massstabe nicht bestehen.

Aus solchen Beweisen höherer Entwickelung intellectueller Factoren ziehen wir, ihre Beziehung zu richtigen Zwecken
vorausgesetzt, auch bei einem ganzen Volke, z. B. erfinderi-
scher Kaufleute, mit Wahrscheinlichkeit Schlüsse auf grösseren
Intellect, d. h. eines solchen, der auch im Dienste höherer
Zwecke nützlich wäre. Nur so wird auch erklärlich, warum
wir gewisse Wissenschaften höher stellen als andere. Wer
mehr Mittel besitzt, allgemein anerkannte richtige Zwecke zu
erlangen, den stellen wir intellectuell höher: einen Thomas
von Aquin, trotzdem seinem Hexenglauben das Wissen jedes
modernen Schuljungen überlegen ist, höher als diesen, wie
immer letzterer, in Bezug auf Aberglauben wenigstens, höher
zu stellen ist. Auch wird ein Jurist, wie ihn die modernen Universitäten bilden, trotz gleicher Disposition, intellectuell höher
gestellt als ein Ingenieur. Man hält jenen vertrauter mit den

4*

höheren Lebenszwecken oder geübter in allgemein als wichtig anerkannten Mitteln des Denkens: des Unterscheidens, des Gedächtnisses, des Ausdruckes, Stils etc., obwohl diesem mehr praktisch verwertbares Wissen für nähere Zwecke zu Handen ist. Auch den Schachspieler schätzen wir nur wegen Fähigkeiten, die zu anderen Zwecken wichtig sein können; aber nicht anders als den Räuber wegen seines Muthes, und sollten jenen dieser einen Eigenschaft wegen so wenig gescheit nennen als diesen sittlich. In diesem Sinne hat der Sprachgebrauch des Volkes ganz Recht, einen Gelehrten, der nur in „seinem Fache tüchtig", in allen übrigen Lebenslagen sich aber wie ein Kind geberdet, ebenso wie einen schlauen Politiker, der ausser seinem Berufe nur ein hochmüthiger Geck ist, einfach als dumm zu bezeichnen.

Auch dass Lesen, Schreiben und Rechnen, eine Normalschulbildung so wichtig erscheint, hat den Grund darin, dass die Erfahrungen der gesammten Menschheit dahin geführt haben, sie für Mittel zu halten, ohne die mit grosser Wahrscheinlichkeit im menschlichen Verkehre fast nichts zu erreichen ist. Wir nennen auch deshalb, bei sonst gleicher Disposition, Uebung und Wissen, den gescheiter, der lesen und schreiben kann.

Mit der Bestimmung dessen, was wir intellectuelle Bildung nennen, ist auch schon die Frage beantwortet, ob wir glücklicher werden durch intellectuelle Bildung. Sie gibt die wahrscheinlichen Mittel zum Glück — auch wenn wir jene Bildung in engerer Bedeutung fassen — und zwar vornehmlich in vierfacher Weise: Sie lässt uns weitestgehende Nützlichkeitsüberlegungen pflegen, d. h. setzt uns richtige Zwecke für eigenes wie fremdes Glück. Sie zeigt uns die besten Mittel mit Hilfe immer längerer Causalketten und reicherer Erkenntnisse, es zu erreichen. Sie ist direct ein Mittel höherer Erkenntnis- und aller höherer Arten von Freuden. Und schliesslich fördert sie die höchste Form der moralischen Entwickelung, die, wie wir gesehen, auch Glücksmomente darstellt die, nach Idealen und Principien zu handeln.

Besonders ein Problem nun macht dem vulgären Denken Schwierigkeiten: ob der Gebildetere auch moralischer sei. Aber wie hohe intellectuelle Ausbildung nicht ohne moralische Bildung, ohne Schulung der Affecte möglich ist, so muss auch jene beeinflusst werden durch richtiges Vorstellen künftiger Gefühle und Zwecke; dieses ermöglicht ja die Unterdrückung von Affecten, wie Furcht, Zorn, die Einschränkung des Egoismus und die Ausdehnung des Mitleides zu regeln. In diesem Sinne ist die Wahrscheinlichkeit, dass ein intellectuell Hochstehender ein Mörder sei, viel geringer, und jedenfalls ist dem Intellect neben dem selbsterziehenden Einfluss die Tendenz zu einer sittlicheren Lebensführung nicht abzusprechen.

Freilich können, da die Wirkungsart des Intellectes eine so complexe ist, die Mittel gewiss falsch verwendet werden. Aber weil ein Kind sich mit einem Messer schneiden kann, werden doch die Menschen deshalb nicht aufhören, Messer zu gebrauchen. Gewiss, über die Grenzen des Wertes einer intellectuellen Bildung ist eine allgemein giltige Entscheidung ja nicht zu fällen, und sind Individualitäten mit ihren Glücksdispositionen zu berücksichtigen; aber es ist durchaus zu behaupten, dass intellectuelle Bildung die Tendenz hat, zum Glücke zu führen, es wenigstens wahrscheinlich, wenn auch nicht gewiss macht. In einem der besten Bücher moderner Lebensweisheit wird darum auch gesagt:[14])

„Zu einer wirklichen Bildung, die dem Menschen nicht schadet, sondern nützt, scheinen drei Dinge wesentlich zu gehören: Ueberwindung der natürlichen Sinnlichkeit und des natürlichen Egoismus durch höhere Interessen, gesunde, gleich-

mässige Ausbildung der körperlichen und geistigen Fähig-
keiten und richtige philosophisch-religiöse Lebensanschauung.
Wo eines von diesen dreien fehlt, verkümmert etwas in dem
Menschen, das einer besseren Ausgestaltung fähig gewesen wäre."

Nur beschränkte oder tendenziöse Auffassung hat die
Glückstendenz der Bildung je geleugnet. Die Klagen Rousseaus
gehen nicht auf Bildung und Cultur, sondern auf Ueber-
bildung und Uebercultur, und die modernen Klagen des
Tolstoi über Arbeitsvergeudung durch Wissenschaft gehen
auf übertriebene Wertgebungen jeder Art von Wissen als
Selbstzweck oder auf ein Halbwissen, das hohe ethische und
religiöse Werte zerstören will, und das von jeher auch mit
Recht alle Religionen zum Feinde hatte. Das Wissen und der
Intellect aber können, wie wir sehen werden, nur einen confessionellen Glauben stören und widerlegen; aber selbst in
diesem Sinne ist Bildung noch immer nicht als glückhemmend
zu bezeichnen.

Ebensowenig aber als von den Uebeln einer wahren intellectuellen Bildung — wenn allgemein über den Wert des Durch-
schnittsintellectes gehandelt wird — ist von den Uebeln eines zu
grossen Intellectes zu sprechen, in der Weise, wie sie der Pessimismus darstellt. Individualitäten gibt es hier gewiss zu berücksichtigen wie bei den Moralfragen: Dem Liebesbedürfnisse eines
Christus steht hier das Erkenntnisbedürfnis eines Faust gegenüber. Wenn aber der Pessimist zweifelt, ob selbst ein so entwickelter Geist wie der des Faust — dessen Individualität
übrigens so selten ist als seine bis zum Selbstmord führenden
Erkenntnisleiden — mehr oder intensivere Freuden von den
Augenblicken seiner höchsten Erleuchtungen hatte, als Leiden
durch die auf ihn um so schwerer drückenden Lasten der
Dummheit des Tages, so kann jener einen Beweis dafür wieder so
wenig erbringen als wir dagegen. Solche Behauptungen haben

keine wertvollere Erfahrungsbasis als die bekannten über die Thiere,[15]) die glücklicher sein sollen als die Menschen, schon wegen ihrer Unkenntnis des Todes. Das setzt alles Vergleiche voraus, mittelst welcher Aristoteles selbst uns über sein Glück keinen Aufschluss geben könnte. Weit richtiger als jene ist die Wertgebung des gewöhnlichen Mannes — der selbst lieber Schurke als Dummkopf heissen will — indem er sehr wohl einsieht, dass ein entwickelterer Intellect für Mitleid und Glücksvoraussichten das tauglichste Mittel schafft, welches ihm freilich oft wichtiger ist als der Zweck. Er schätzt es zur Erlangung aller Arten von Freuden, von denen, die der Witzbold täglich erregt, bis zu jenen, die eben wegen ihrer Dauer und leicht zu erlangenden Art auch vom gemeinen Manne wenigstens bestaunt werden.

Gewiss aber führen diese Werte, leicht für jedermann ersichtlich, auch weit über die einfachen Erkenntnisbedürfnisse hinaus. Nicht nur, dass es dem einzelnen und für die Gesammtheit nützlicher ist, Bücher lesen und Briefe schreiben zu können — das begreifen auch Kinder, die es manchmal trotz des Unlustaufwandes freiwillig erlernen — es ist auch gewiss, dass jedermann den Wert einer höheren Bildung wenigstens anerkennt, dass der Bauer etwas von Wetterkunde zu verstehen wünschte, sowie von Maschinen oder Chemie, um den Ertrag seines Ackers zu vervielfachen; auch etwas von Medicin, damit er nicht an jeder kleinsten Wunde zugrunde gehen müsse. Wir müssen also auch z. B. den barbarischen und nur noch historisch erklärbaren Elementen des Christenthumes, seiner schon gesundheitsfeindlichen Einfaltsverherrlichung[16]) zum Trotze sagen, dass selbst ein wissenschaftlich gebildeter Intellect ein Glücksfactor höherer Cultur ist.

Allerdings gibt es hier einen scheinbar berechtigten Einwand: Wenn die Beschaffung z. B. ärztlicher Hilfsmittel der

Gesellschaft Institutionen aufnöthigt, Maschinenfabriken, Laboratorien, medicinische Schulen etc., die ihr vielleicht mehr
Leiden als Nutzen bringen, so würde Tolstoi sagen, er wolle
lieber an seiner Wunde sterben als einen Arzt brauchen. Und
dieses Argument gilt allen Religionen von aller Wissenschaft.
Da es aber einleuchtend ist, dass es sich hierbei vornehmlich
um eine ökonomische oder eine Frage besserer Organisationen
jetzt und für die Zukunft handelt, so müssen wir die Widerlegung dieses Argumentes verschieben und solchen Philosophen
später auf einem anderen Felde ausführlicher entgegnen.

Der Frage, ob wir durch intellectuelle Bildung glücklicher im Sinne von moralischer werden, hat man auch auf
statistischem Wege beizukommen getrachtet. Man berechnete,
ob die Zahl der Verbrechen unter Menschen, die keine
Bildung — Bildung zunächst nur im Sinne von Schulbildung
— genossen haben, eine grössere sei, und fand und interpretirte
Daten, wie z. B., dass Frankreich 1876 nur 16 Procent ganz
ungebildete Recruten und doch 31 Procent ganz ungebildete
Verbrecher aufwies. Es ist unnöthig, auf eine Kritik solcher
Daten einzugehen; die Fehlerquellen sind zu durchsichtig, und
diese Bestrebungen blieben natürlich resultatlos. Ohnedies
hat, vor und ohne alle Inductionen, kein psychologisch in
Betracht kommender Pädagoge sich vom Elementarunterrichte
jemals einen directen moralischen Einfluss erwartet. Man
wagte es höchstens, von Dingen wie von einem Erstarken des
Willens durch das Erlernen des ABC zu sprechen, der aber
auch ein Wille zum Bösen sein kann; wie auch der Intellect,
der durch Naturwissenschaften gebildet wird, selbst soferne
diese in ihren höchsten und selten erreichten Formen religiöse
Gefühle erregen, wenig moralisch Bildendes enthält.

Es war aber auch nicht möglich, zu einem Resultat zu
kommen, wenn man die höheren Berufe der Verbrecher, wie

immer zweifelhaft diese Bildungskriterien seien, berücksichtigte. Aber anstatt uns in Zahlenwust zu versenken, wollen wir einiges Methodische bemerken.

Die gegenwärtig immer steigende Zahl der gebildeten Verbrecher ist, wie der des Lesens und Schreibens mächtigen — das, nach seinem Ausmasse zu constatiren, übrigens auch den vagsten Bestimmungen unterliegt — natürlich nur der Ausdruck für die Vermehrung der Schulen und des pflichtmässigen Schulbesuches. Es wäre also, um brauchbarere Resultate zu erlangen, der Versuch mit getrennten Gruppen zu machen: Wie viel Verbrecher auf 1000 ganz Ungebildete, wie viel auf 1000 z. B. mit Mittelschulbildung kommen. Aber auch diese Versuche — ähnliche noch ungenügendere liegen aus Frankreich vor, die übrigens keine parallelen Resultate, die Schlüsse erlaubten, zeigen — sind reich an Fehlerquellen, denen sehr leicht auf den Grund zu sehen ist.

Zunächst ist die allgemeine Statistik mit solchen Details entweder gar nicht oder erst seit so kurzer Zeit beschäftigt, dass an Gesetze nicht zu denken ist. Am frühesten nahm man in Frankreich auf elementare Bildung Rücksicht und auch dort erst seit 1828. Ferner ist eine Irrthumsquelle die Nichtberücksichtigung des Umstandes, dass für zahllose Verbrechen, für viele Betrugsarten, die die Kenntnis des Lesens und Schreibens voraussetzen, dem ganz Ungebildeten überhaupt keine Möglichkeit gegeben ist. Ebenso ist es eine Fehlerquelle, besonders für die Statistik höherer Berufe als Kriterium höherer Bildung, dass diese moralische Kräfte und geordnete äussere Verhältnisse schon zur Voraussetzung haben, denen zufolge die Wirkung der Bildung von der Ursache schwer getrennt werden kann. Neben solchen und ähnlichen Fehlerquellen zeigt schliesslich auch die Moralstatistik selbst in ihren Meinungsdifferenzen und Streitigkeiten, deren wirre Geschichte sie selbst [17]) schildert.

den Wert solcher Resultate. Selbst die Meinung findet sich dort häufig vertreten, dass gerade Verbrecherzunahme parallel geht mit Schulbildung, und es wurden sofort wieder Schlüsse für Halbbildung und der damit verbundenen Religionslosigkeit gezogen. Um nur ein paradigmatisches Beispiel für falsche Ausbeutung von Thatsachen anzuführen: Es heisst, dass unter Lehrern an Mädchenschulen mehr Nothzuchtverbrechen vorkommen als in weniger gelehrten Berufen. Wenn diese Thatsache wahr ist, besagt sie zunächst doch nur, dass geistige Bildung und Anstrengung oft zu Irrsinn oder an seine Grenzen führt; oder einfach, dass in diesem Berufe, wie in anderen, das Laster lebt, und nur intensiver auftritt, wo das Einkommen und die Stellung Menschen oft zu Ehelosigkeit verurtheilt und ausserdem ihnen mehr Gelegenheit zum Verbrechen giebt.

Was Religion damit zu thun hat, haben wir an dieser Stelle nicht zu besprechen, aber ich glaube, dass schon nach dem Angedeuteten, solche Verallgemeinerungen sich des Rechtes, ernst genommen zu werden, selbst begeben.

Diese Resultate des statistischen Beweises werden uns also jedenfalls nicht hindern, die Frage, ob wir durch intellectuelle Bildung glücklicher werden, mit ja zu beantworten.

Werden wir glücklicher durch ästhetische Bildung?

Zu allen Zeiten war der Masse der Menschen, dem Pöbel, gleichviel, ob in Hütten oder auf den Thronen, die Kunst ein Spielzeug müssiger Sinne. Sie lieben den Gesang, wie sie das Weib und den Wein lieben; demzufolge es auch von Plato bis Tolstoi philosophische Systeme gab, die, wie fast alle religiösen, die Kunst für gefährlich, sie auszurotten für Pflicht hielten. Hinwiederum, wenn wir den einfachen Trieb, zu singen oder sich und seine Umgebung zu schmücken, mit einbeziehen, gab es immer jene Millionen, die ohne Kunst nicht leben können, und Systeme, denen sie selbst ein Ersatz für die Götter sein sollte. (Es scheint, dass wenige Eigenschaften sich seltener vereinigt finden, als wahrer Kunstsinn mit Moral oder Religiosität.) Den feindlichen Betrachtungsweisen aber dünkt leicht, was nicht alles bieten kann, als nichts. Ein Ersatz für die Religion ist die Kunst jedenfalls nicht, will man nicht Ersatz so definiren, dass man alles durch alles ersetzen, also sagen kann, dem erblindeten Maler werde durch Wissenschaft oder in der Freude an der Musik ein Ersatz. Dem entgegen steht ja schon der Sprachgebrauch des Wortes ersetzen, wenn es z. B. heisst, so oft die Verdienste eines grossen Todten gerühmt werden, es gäbe für ihn keinen Ersatz. Zum mindesten einen Ausgleich im Jenseits für unverdientes Leid gibt die Kunst so wenig, als sie das Streben der Menschen nach einer Erkenntnis letzter Dinge stillt, welches Bedürfnis nur das platteste Denken oder die tendenziöse Resignation des Systematikers wird leugnen wollen.

Fragen wir im Sinne der Gegner direct, ob Kunst gefährlich ist, gefährlich für Glück und Sittlichkeit.

Einfach zu antworten: Wir geniessen die höchsten Freuden durch ästhetische Bildung — wenn wir auch darunter eine solche verstehen wollten, welche nur höhere Glücksformen zum Zwecke hat — diese Antwort genügte nicht. Es werden ja gegen jede Art von Freude am Schönen Bedenken erhoben. Die Kunst wird oft so niedrig taxirt — selbst wo sie keine gefährliche Sinnlichkeit in ihrem Gefolge führt — dass sie Rede stehen muss, ob wir uns mit ihr überhaupt beschäftigen dürfen. Gewiss! Steht unser ganzes Handeln für fremdes und eigenes Glück unter dem Massstabe der Sittlichkeit, so muss darunter auch Genuss und Ausübung der Kunst stehen. Nach der Vorschrift aber, kleine und leicht ersetzbare Freuden, der höheren wegen

ganz zu meiden, würde die ethische Lebensführung zum mindesten für jene keine Zeit einräumen. Wir hätten dem Künstler,
wie dem Jagdfreund oder dem Spieler zu sagen, dass wir nicht
genug Zeit für solche Vergnügungen haben, und jener hätte, auch
wenn er von unseren Anschauungen so wenig zu überzeugen wäre
als diese, mitsammt seinen Genüssen und Werken einfach aus
unserem Hause entlassen zu werden. So wollen es die meisten
religiösen, ethischen und socialistischen Systeme.

Die Antwort auf diese Frage ist mehrfach zu theilen.

Wir wollen fragen, 1. ob sich mit Kunst zu beschäftigen
überhaupt Sache unserer Wahl ist; 2. ob die Kunst nicht meist
Ausdruck des Schmerzes ist; 3. ob sie immer Freuden höherer
Art erregt; 4. wie weit sie moralische Wirkungen hat; 5. ob
sie nothwendige Nachtheile hat.

I. Vor allem kann die Frage, ob wir glücklicher werden
durch Beschäftigung mit Kunst, niemals deshalb gestellt
werden, um, wie es gewöhnlich von Religionen oder
Ethikern geschieht, davon ein die menschliche Natur auf-
hebendes Sollen abhängig zu machen. Die Frage, ob wir
uns mit Kunst beschäftigen sollen, ist fast ebenso wertlos, als
wenn in philosophischen Systemen gefragt wird, ob die gesammte Menschheit nicht ihre Sinnlichkeit sich abgewöhnen
soll. Die ästhetische Befriedigung ist eine Befriedigung von
Instincten und Trieben, die ebenso tief in unserer Natur
wurzeln als der Athmungs- und Nahrungstrieb. Diese Behauptung kann die moderne Psychologie klarer machen, als man
es bis noch vor kurzem konnte. Sie zeigt aufs bestimmteste,
dass es sich hier nicht nur um den sogenannten Spieltrieb
handelt, der ein überdies unanalysirter Theil eines Ganzen
ist, das man zur Charakteristik der Kunstthätigkeit gerne mit
einem Worte fixiren möchte, sondern um zahlreiche Factoren,
deren Wichtigkeit hier nur angedeutet werden soll.

Gewiss ist ein Factor der Kunstbethätigung der Trieb, die überschüssigen Kräfte zu äussern, wo sie dem Leben nicht unmittelbar dienen, und seine Wichtigkeit beweist, dass er sich schon im Thiere äussert, z. B. dass die Ratte ihre Zähne zwecklos in der Gefangenschaft abnagen muss. Aber auch der damit sich nicht nothwendig deckende Nachahmungstrieb ist ein Motiv. Seine Bedeutung zeigt das blosse Wenden des Kopfes nach vorüberfliegenden Körpern. Aber wiederum nicht bloss um nachahmende Thätigkeit, wiewohl auch dies ein Theil des sogenannten Spieltriebes ist, handelt es sich, sondern um eine productive. Alle Menschen und selbst die Thiere haben nothwendig und immer wiederkehrend Phantasievorstellungen. Auch haben die Menschen den ebenso gewaltigen Trieb, diese mitzutheilen oder sich zu objectiviren, um sie klar zu entwickeln oder sich einfach darüber zu freuen.

Aber nicht jede Phantasievorstellung, so wenig wie jede Erinnerungsvorstellung befriedigt sie. Sie verwerfen oder verändern die zufälligen; das Schöne befriedigt sie mehr als das Hässliche. Wie sie das Licht, die Farbe mehr erfreut als die Dunkelheit, Töne mehr als die Stille, mit derselben Nothwendigkeit stellen sie die Dinge lieber als symmetrisch ungeordnet auf. Es ist dasselbe Bedürfnis, das sich im Wunsche zu gefallen schon beim Thier in der geschlechtlichen Zuchtwahl äussert, zum Theil der Ausdruck des Kraft- und Stolzgefühles, ohne das die Menschheit aussterben würde. Diese Gefühle stehen in untrennbarem Zusammenhange mit dem geschlechtlichen Gefallen und das ästhetische Gefallen dürfte sich zum Theil aus dem sinnlichen entwickelt haben. Die in solchem Zusammenhange stehende Kunstthätigkeit aber ist nicht weniger nothwendig als die Sucht des Kindes des Wilden und unsere eigene, uns zu putzen, lieber schön als geschmacklos gekleidet zu gehen; asketische Ideale sind einfach lebensfeindliche.

Wenn wir schliesslich selbst ethische Freuden und die Triebe der Erkenntnis, die auch die Kunstthätigkeit befriedigt, als selbstverständlich übergehen, so bleibt doch noch vielleicht ihr wichtigstes Entstehungsmoment: Alle Kunst war, ist und wird immer bleiben vor allem Aeusserung von Affecten. Zuerst äussern sie sich ungetrennt, wie im Tanz und Gesang, dem Ursprung aller Künste. Und noch jetzt können wir bei unseren Gebirgsvölkern die Entwickelung des Jodelns aus dem Juchzen verfolgen, des Tanzes aus den Freudensprüngen; und der Uebergang ist nicht schwer herzustellen, der enge Zusammenhang ihrer einfachen gesungenen Gebete selbst mit der religiösen Kunst. Das alles sind ja oft betonte Beziehungen.

Gegenüber solchen Trieben der Natur, die vom ersten Kindesalter bis in den Tod uns begleiten, die so unaustilgbar sind, dass man sagen kann, dass sie erst mit der Menschheit selbst in der Welt verlöschen werden — schiene die Frage eher angezeigt, ob es möglich ist, ohne die Kunst zu leben, ob ein Schaffenstrieb, wie der Mozarts, nicht seinen Körper verzehren müsste, wenn er dauernd gehindert würde, sich zu äussern. Die Frage nach einem Zuviel kann der Sittliche aufwerfen, jene aber, ob die Menschen sich der Kunst entwöhnen sollen, kann nur der blindeste Fanatismus stellen, die kindlichste Unkenntnis der menschlichen Natur.

II. Wer nun die Lustpotenzen der Kunst bezweifeln will, hat schon in unserem ersten Punkte ein häufig übersehenes Gegenargument: Vor allem ist jede Befriedigung normaler starker Triebe Lust, und überdies ist der Affect, dem alle, auch die höchste Kunst entspringt, wie jener, in dem sie sich ursprünglich äussert, in Gesang und Tanz und den überfliessenden Kräften im Spiele, die Freude. Eine scheinbare Ausnahme von dieser Behauptung durch den Schmerz gegeben, den besonders die tragische Kunst verwendet, hat zu den

Inconsequenzen und dem Irrthume verleiten wollen, dass die Kunst den Schmerz darstellen und vermehren soll, was zu einer einfach gegen die Moral verstossenden Auffassung der Kunst als eines Vehikels des Pessimismus geführt hat. Es machte Schwierigkeiten, die Lust aus den grossen Schmerzen zu erklären, die sich in jeder grossen Kunst äussern. Sie sind aber gewiss zu überwinden, und das kann in dreifacher Weise geschehen.

1. Immer müssen die Schmerzen vergangen sein, und das Moment der Freude liegt in der wirklichen oder vorgestellten Antheilnahme und in der jeden Schmerz lindernden Mittheilung; beim Dichter besonders in der gewohnten, den Inhalt abschwächenden Arbeit an der Form. In dieser Thätigkeit kann auch eine sehr äusserliche Freude liegen an der künstlerischen Fertigkeit, an dadurch zu erlangenden höheren und niederen Interessen, dem Ehrgeiz, dem oft bloss affectirten Wunsche, beklagt zu werden, und an zahlreichen echten und falschen Motiven. Jedenfalls steht fest, dass unter heftigen, gegenwärtigen Schmerzen der Mensch verstummt oder keiner geordneten und natürlichen Mittheilung fähig ist. Selbst unter Wilden sollen die wirklich Leidtragenden den Leichentanz nicht mittanzen. Ebensowenig wird dem Tondichter, der vom Tode der Mutter wirklich gebeugt ist, der erste Schmerz den Gedanken an ein Requiem eingeben. Die Trauer beugt die Kräfte, ist ein lähmender Affect, und die Kunst ist ein Spiel überströmender Kräfte.

2. Oft ist der Schmerz Mittel zur Freude und niemals, wie in Schopenhauers pessimistischer Bestimmung des Tragischen, ein Selbstzweck. Mit einer solchen Kunst sich zu beschäftigen, läge ja für den normalen Menschen keinerlei Motiv vor, da er nicht Selbstvernichtung sucht. Der Schmerz kann Mittel zu Wirkungen untergeordneter Art sein: Es kann unser Interesse an einer Handlung, an einem ästhetischen Ganzen,

seinem Aufbau, seiner Einheit oder Charakteristik so gross sein, dass der Inhalt eines Theiles, der uns Schmerz bereitet, völlig zurücktritt. Geradezu gesteigert wird die Freude im Tragischen durch den Tod, sei es, dass er als selbstverhängte oder als gerecht erkannte Strafe — eine Abschlachtung ist keine Strafe im tragischen Sinne — die Macht des Gewissens, des Guten zeigt, sei es, dass er trotz seiner Leiden die Kraft eines Handelnden oder durch seine Leiden die Grösse eines Affectes zeigt.[18]) Wer von Antigone oder Lear nur Trauereindrücke empfängt, der konnte auch zu Hause weinen, wozu er immer Gelegenheit finden wird; er war für das Verständnis des Werkes nicht reif und vermag dessen Tragik nicht von dem elenden Jammer zu unterscheiden, in den uns moderne Stücke mit einem an Auszehrung leidenden Helden versetzen.

3. Es bleibt neben den vorausgegangenen Erklärungen noch ein unanalysirter Rest einer Freude am Schmerze selbst, der aber jedenfalls in der grossen Kunst keine Hauptrolle spielt. Sie äussert sich im Pöbelinteresse an Hinrichtungen, Schaubuden, Greueln, an Circus- und Stiergefechten. Das schon Kindern bekannte, angenehme Grauen und die zum Theil wohl angeborene Disposition des Haarsträubens bei Geistergeschichten ist bisher nicht genügend erklärt. Jedenfalls hätte die Erklärung zu berücksichtigen — ausser der Freude an Sieg und Grausamkeit — die durch den Schmerz gesteigerte Erregung der Phantasiethätigkeit, die Miterregung von Affecten, die Spannung des Interesses und, nach lebhaftestem Missvergnügen, besonders in körperlichen Gefahren, die schliessliche Freude am Geschick, ihnen zu entrinnen; alles das gesteigert durch das grösste Interesse am Räthsel des eigenen Todes. Niemals ist aber in einem Kunstwerk Schmerz Selbstzweck. So wie alle Kunst der Freude entsprungen, ist Freude auch ihr Zweck, Anfang und Ende aller Kunst.

III. Auf früher Auseinandergesetztes zu verweisen ist, wer nun weiter die Frage aufwerfen will, ob mehr Freude, d. h. immer nur höhere, zu erstreben sei, ob der Sehende glücklicher ist als der Blinde, d. h. ob, wer mehr Freude und Möglichkeit zum Wechsel, nicht mehr Wahrscheinlichkeit zum Glück hat.[19]) Und ebenso selbstverständlich und völlig zu umgehen, wohl auch von Gegnern nicht geleugnet, ist, dass die Kunst eine Quelle dessen ist, was wir, auch von aller Ethik absehend, als Freuden höchster Art bezeichneten. Ihre Freuden gehören zu den dauerndsten sowohl nach Stunden als im ganzen Leben; sie sind von grösster Reproductionsfähigkeit, Zugänglichkeit u. s. w. Und nicht weniger zu betonen sind die indirecten ethischen Glückswerte derselben. Alle Eltern, die ihren Kindern eine musikalische Bildung geben, beweisen damit ihren Glauben daran; sie haben es lieber, dass ihre Kinder ihr Leben vergeigen, als dass sie es verrauchen, verschlafen und verachten. Und gerade der ideale Daseinszustand ist umsoweniger ohne diese Freude denkbar, je mehr die Menschen einem gegenseitiger Hilfe und Arbeit nicht mehr bedürftigen Dasein entgegengehen, je mehr das körperliche Leben an Bedeutung verliert.

IV. Wenn wir zu der Ueberzeugung gelangt sind, dass eine ethische Lebensführung das Glück vermehre, so muss die Beschäftigung mit einer Kunst, die ausser der Erregung jener höheren Freuden noch ethische Wirkungen hat, noch mehr unser Glück fördern, geradezu Pflicht sein. Hat nun die Kunst solche Wirkungen, und welche Kunst?

Eine Begriffsbestimmung künstlerischer Werte ohne Rücksicht auf ethische ist so wenig zu geben als, wie wir früher sahen, eine solche intellectueller, und die durch mangelhafte Veranlagung bedingte Unmöglichkeit einer Verständigung ist kein Argument gegen die Objectivität, die Richtigkeit dieser

Behauptung. Für unsere Zwecke können wir den vielleicht ebenso müssigen als brennenden Streit über die Trennbarkeit von ethischem Inhalt und Form sehr kurz erledigen.

Wie wenig die Lust an der Form von jener an einem Inhalt selbst in den einfachsten ästhetischen Verhältnissen trennbar ist — übrigens wissen die wenigsten in diesem Gebiete theoretisirenden Künstler ihre Gefühle zu analysiren noch kennen sie die associativen Wirkungen — ist an einem Beispiele Fechners [20]) klar. Wiewohl der einfachen Farbenempfindung ästhetisches Wohlgefallen noch nicht zukommt, kann doch ein solches schon durch eine reine Farbenfläche zustande kommen, und käme es dabei auf den Inhalt nicht an, so müsste das glatte, gleichmässig ausgedehnte Grau oder Schwarz ebenso gefallen wie das satteste Roth, was beim normal Sehenden gewiss nicht der Fall ist. So leicht nun die Anwendung dieser Erfahrung selbst auf die Tragödie ist, in der gut und schön völlig verfliessen, und auf die moralische Blindheit dessen, der in jener nur Formengenüsse, nicht auch ethische sucht, so leicht ist es, zu zeigen, warum in diesem Streite keine Einigung zu erzielen ist. Es wäre verhältnismässig gleichgiltig — allerdings wäre der Eifer der Streitenden, wenn es sich um reine Geschmacksachen oder Technik der Ausführung handelte, kaum zu erklären — ob man in die Begriffsbestimmung von Kunst und Künstler ethische Momente aufnimmt oder nicht, ob, wenn es möglich wäre, man den Begriff des Aesthetischen so enge fassen wollte, dass vom ethischen Inhalt abstrahirt wird. Man könnte ja fragen — wir werden gleich sehen, mit wie wenig Sinn — ob uns ein Gedicht, in dem eine chinesische Mutter sich über die Aussetzung ihres Kindes freut, so viel Genuss gewährt als ein Madonnenbild von „gleicher Formvollendung". Aber die Erbitterung der Streitenden geht ohne ihr Wissen grossentheils auf den Inhalt, über den sie sich niemals vereinigen werden und können. Auf ein Sollen, das eine ästhetische Sanction nie finden kann. Wie kann ich von einem leeren Tropf, dem Düngerhaufen zu malen eine Lebensbefriedigung ist, und der dabei ja auch gewisse ästhetische und Erkenntnisfreuden hat, selbst solche, deren Laien niemals fähig sein mögen: an der Charakteristik, Wahrheit, Einheit in der Mannigfaltigkeit von Form- und Farbenelementen, wie kann ich von dem verlangen, sich für ein Menschenideal zu begeistern, das in einem Madonnenbild seinen Ausdruck findet, dessen reine Gefühle wie Gedanken seine armselige Anlage und Entwickelung ihm dauernd unverständlich macht? Er kann ja mein Plus an Freude nie verstehen, noch wird er durch das Hässliche so gestört wie ich. Er behauptet übrigens nicht, dass sein ästhetisches Bedürfnis nicht auch durch ein menschliches Antlitz ebenso zu befriedigen wäre als durch wahr gemalten Koth, aber nur „ebenso" meint er, d. h. der Inhalt ist ihm gleichgiltig[21]) und jenes ihm höchstens als reichere Form wertvoller, da ihm ja — unmöglich alle — aber viele Associationen der Gesichtszüge an inneres Leben fehlen. Die Frage ist aber dann: Wenn „ebenso", warum soll mir mein Plus an Freude verkümmert werden? Dabei wird natürlich immer vorausgesetzt, dass allen rein formalen Ansprüchen völlig entsprochen, d. h. jeder noch so hohe Inhalt künstlerisch vollkommen bewältigt werde. Dieser Streit ist im Gebiete der Aesthetik niemals lösbar, wenn man ästhetisch in jenem engeren Sinne fassen könnte. Denn warum mir das Madonnenbild lieber ist, fällt natürlich grösstentheils ins Bereich ethischer Bevorzugung, und hier gilt der Massstab, dass der für die Welt nützlichste der beste Geschmack ist, ein Massstab, mit dem ich, wenn auch nicht über einzelne Kunstwerke, so doch über Richtungen, über Goethes Dichtungen zum Unterschiede von den naturalistischen und pessimistischen übrigens oft grosser Talente entscheiden kann. Vor diesem moralästhetischen Massstabe wird aber jener Mensch mit seinen Werken und Freuden gerichtet, denn sie haben, wie er selbst, im höchsten Menschheitsdienste einen sehr untergeordneten Rang; jedenfalls einen untergeordneteren als desjenigen, der in den Begriff der Künste auch ethische Momente aufnimmt.

In dem ganzen Streite gegen solche Subjectivitäten, der, meist unter dem Einflusse von Moderichtungen mit fanatischer Verblendung geführt wird, ist als objective Thatsache anzuführen, dass ethische Associationen in den meisten Fällen untrennbar selbst von den einfachsten Formen sind, dass es Formen ethischer Elemente und Freuden an solchen Verhältnissen z. B. in der Tragödie ebenso wie an Linienelementen in der Architektur gibt, und dass die tendenzloseste dichterische Arbeit, jede Schilderung menschlicher Zustände, immer ethische Wirkungen, wenn auch ungewollte hat und bezweckt.

Die Kunst um diese Wirkungen bringen wollen, selbst wenn es möglich wäre, würde sie in ihrem Wesen treffen. Eine Kunst, die, wie moderne Bastardkunstwerke, sich zum Zwecke stellt, vornehmlich Erkenntnisse zu verbreiten — die Malerei für das Auge, die Dichtkunst psychologische — betritt ein Gebiet, auf dem sie von der Wissenschaft oder dem Leben übertroffen werden muss und lässt eine ihrer stärksten Kräfte, eine Art ethischer Wirkung, ungebraucht. Das ist ein Fehler, wie wenn ein Drama, die Bühne verwendet wird, um Vorträge über Moral zu halten. Die Wichtigkeit jener Erkenntnisse wird nur einer Theorie zuliebe so sehr aufgebauscht. Es als Zweck[22]) der Kunst hinzustellen, z. B. aus dem Sehen von Schatten und Farbe richtiger auf die Tiefe zu schliessen als das ungeübte Auge. heisst von ihr wenig wollen. Die Menschheit wäre zugrunde gegangen, wenn sie diese Fähigkeit in ganz ungenügendem Grade besässe, und diese ist überdies schwieriger auszubilden als viele, die ihr vielleicht noch wichtiger wären. Sie höher auszubilden, ist vornehmlich als Mittel der Darstellung für den Künstler und Kunstgeniessenden wichtig, und nicht wichtiger als andere Formen- und Farbenerkenntnisse. Ueberdies wenn z. B. Psychologie, die an sich von hohem Werte ist, in Romanen gelehrt wird, werden ihre Lehren darin von den meisten Laien so wenig als im Leben aufgefunden, eben weil die Kunst für solche Zwecke nicht das geeignetste pädagogische Mittel ist.

Jedenfalls ist auf Grund einer Induction zu sagen, dass die bleibendsten Werke der Kunst andere und hohe ethische Wirkungen hatten, wenigstens für ihre Zeit; kein Kunstwerk kann ja mit voller Wirkung Jahrhunderte überdauern.*) Eine Kunst ganz ohne moralische Wirkungen kann es nur für Engel oder Thiere geben; sie ist ohne Inhalt.

Nur die vollkommenste künstlerische Begabung im vollkommensten Menschen könnte endgiltig über den richtigen Inhalt der Kunst entscheiden; also auch über die Grenzen, wie weit jene Kunst der Erkenntnis, die ja in ihrem Dienste nothwendig ist, neben den höchsten Zwecken gehen kann. Für einen solchen Richter aber können die ethischen Inhalte jedenfalls nie ganz verschwinden in der Begriffsbestimmung der Kunst; die Natur des Menschen, sofern sie Lust will und eine ethische ist, kann sonst nie dauernd Befriedigung finden. Im wesentlichen wird die Kunst dem Menschen immer bleiben, was sie dem Kinde ist: Es will die Erlösung der verzauberten Prinzessin aus den Banden des Unholdes. Ihre Schönheit gewinnt des Kindes Liebe, der Unhold erregt seine Neugier, seine Furcht und damit noch mehr Liebe zu ihr; an den Zauber glaubt es, wenn er sie nur wirklich einschläfert. Am Ende aber muss die Tugend befreit werden, und wär's auch nur im Himmel; das Kind könnte den Schmerz sonst nicht ertragen. Das sind die Märchen, die wir immer noch hören wollten: wir wollen Schönheit, und Wahrheit des Scheines. Solche Kunst ist eins mit dem Glück.

Welcher ethische Gehalt kann nun den einzelnen Künsten zukommen? Deuten wir flüchtig die bekanntesten Thatsachen an und trachten wir dabei auch, die nicht ethischen Momente jeder Kunst ehrlich einzubekennen.

Unbeschadet ihrer Fähigkeit der Erregung von Freuden höchster Art, sind gewiss die Architektur und Musik die ethisch minderwertigsten.

Es ist ja kein Vorwurf gegen die Architektur, wenn sie keine grosse Moralpredigerin sein kann. Nur weil Aesthetiker meinen, den Menschen hohes Glück zu spenden, wie es der Anblick der ewigen Harmonie eines Domes kann, sei kein genügendes Verdienst, finden sie es nöthig, ethische Beziehungen bei Haaren herbeizuziehen. Aber ihre Lehre von der Ethik[24]) des Ornamentes ist sehr wenig überzeugend. Harmonie in Linienverhältnissen und das Ankämpfen ihrer Formen gegen die Schwere sollen, an Willensverhältnisse, an das Ueberwinden von Affecten, an die Harmonie ethischer Verhältnisse erinnernd, die vornehmliche Erklärung ihrer Wirkung sein. Ohne dieser Meinung zu sein, kann man doch an flüchtige ethische Werte der Architektur glauben, nur müssen sie weniger bestimmt gefasst sein. Das höchste, was jene Associationen vermögen, und was nur die grössten Werke der Architektur können, ist z. B. durch Ueberwindung grosser Lasten und durch gewaltig überspannte Räume die Vorstellung des Unendlichen und damit für Augenblicke Gefühle des Erhabenen zu erregen, d. h. also auch in einem Gemüthe, vorausgesetzt, dass es religiös sei, Andacht zu erregen. Historische Associationen, wie sie eine alte Burg auf steilen Felsen über weitem Lande erregt, Gedanken an Vergänglichkeit sind schon weniger rein architektonische Wirkungen, denn sie sind um so zahlreicher, gerade je verfallener der Bau ist, und je weniger Architektur er zeigt. Jedenfalls sind das alles keine bleibenden, nur sehr.flüchtige ethische Wirkungen. Vielleicht die directeste ethische Wirkung liegt in dem Bedürfnis, sich in edlen, grossen Räumen gross und edel zu geberden, wie von ihren Besitzern wenigstens vorausgesetzt wird. Aber auch hier nützen diese Associationen vornehmlich nur Individualitäten, dem, der Edles und Grosses schon kennt. Wie viele Fürsten sind edler geworden durch die Paläste, die sie bewohnen? Der Barbarismus hat sogar nicht verhindert, den Raum, den Leonardos da Vinci „letztes Abendmahl'' schmückt, in einen Stall zu verwandeln. Dagegen, dass nicht nur die ethischen Wirkungen, selbst die gedanklichen Associationen, sehr mässige in dieser Kunst sind, spricht auch nicht, wenn man sagt, dass grosse Architekten grosse Menschen waren. Es ist dies weder allgemein zutreffend — Bramantes Charakter ist bekannt — noch aus den ethischen Wirkungen ihrer Kunst zu erklären; schon die vielseitigen Kenntnisse, die ihre Ausübung voraussetzt, brauchen entwickeltere Charaktereigenschaften. Jedenfalls steht fest: Würde die Architektur ihre Wirkungen vornehmlich von ihrem ethischen Gehalt zu erwarten haben, so würden diese weit hinter der Erhabenheit, deren sie fähig ist, zurückstehen.

Bei Besprechung der ethischen Wirkungen der Musik ist natürlich die Instrumental- von der Vocalmusik zu trennen, die ja auch über Mittel der Dichtkunst verfügt; mit welchem Plus und Minus, darüber werden wir erst bei der Frage nach der Entwickelung der Künste urtheilen. Jetzt wollen wir bloss fragen: Wie kann der unmittelbaren Wirkung der reinen Musik ein ethischer Wert, der doch ein dauernder ist, zukommen? Die Aesthetik, man muss sagen, allerdings erst die der letzten

Tage, ist sich völlig klar darüber geworden, wie weit Musik ein Ausdruck bestimmter Gedanken sein kann.

Selbst die geläutertsten Theorien der älteren Schule, wie sie sich noch in ihren Ausläufern äussern, die in den Figuren, den Rhythmen der Musik Erinnerungen und Beziehungen der Verhältnisse des Weltalls suchen, die uns jene erst wertvoll machen sollen, sind vom klaren Blicke einer psychologischen Wissenschaft glücklich durchschaut worden. Fechner meint, Schubert und Mozart wurden an Weltinhalte nicht erinnert; und überdies: Gefiele nicht zuerst Harmonie von Elementen, wie könnte die Weltharmonie gefallen?

Weit einfachere Erklärungen reichen aus. Z. B. Associationen bestimmter Gedanken, wie sie Tänze, Märsche, Naturnachahmungen erregen; unbestimmtere Gefühle der Befriedigung, der Trauer, wie sie aufgelöste Septimen, das Moll, die Quart direct hervorrufen; Affecte des Schreckens, wie sie Posaunen, des Flehens und Zitterns, wie sie die Flöte zum Ausdruck bringt etc.; alles überdies noch beeinflusst durch das reichere oder ärmere Innere, das der Geniessende hinzubringt.

Aber selbst das reichste Innere und Associationen an metaphysische letzte Gedanken, an Unendlichkeit, an Gott und Unsterblichkeit vorausgesetzt, wie sollen diese unsere Moral beeinflussen? Auch die intellectuellen Wirkungen sind ja von den moralischen zu sondern. Die Antwort klingt nüchtern. Eine Stunde solche Gedanken und Gefühle geniessen, kann weder an sittlichen Dispositionen, noch an unseren Grundsätzen dauernde Veränderungen hervorrufen. Und da der Wert solcher Gefühle und Gedanken in der verblassten Erinnerung ein noch weit geringerer ist, so müssen wir überdies eingestehen, dass das wertvollste mit dem Schlussaccorde ausklingt. Es mag, wer sich nach dem Anhören eines Quartettes beobachtet, ähnliches nur in unbestimmter Form fühlen, wie es Gustav Freytag *) schildert von der Wirkung einer Tragödie: Auch der gewöhnlichst veranlagte Geist wird nicht gleich über seine Börsengeschäfte reden und selbst einer wohlthätigen Handlung fähiger sein; es sind dies aber ganz ähnliche Zustände, wie sie gewisse Affecte zur Folge haben, wie Andacht, Liebe, Trauer, und was mehr ist, selbst physische Ursachen: Der Wein entlockt Begeisterung und Almosen.

Hier wird mit Entrüstung begegnet: Wer solches behauptet, dem hat die Sonne einer Beethoven'schen Symphonie niemals ins Herz gestrahlt, und es wird geschildert werden, wie der wahrhaft Geniessende sich mit dem Geiste Beethovens, ja mit dem Wesen der Dinge eins fühle — in dieser Kunst gerade wie in keiner anderen — wie die Gestalt Beethovens, dieses Uebermenschen in einem so himmlischen Lichte erscheine, dass die blosse Erinnerung an ihn jedes niedere Denken und Handeln ersticke. Alles dies habe ich auch gefühlt, und viel mehr als mir irgend jemand in Worten sagen kann. Aber wie kommt es, dass neben mir andere, selbst künstlerisch weit begabtere, von alledem nichts fühlten? Den Reiter führt seine Begeisterung zu Gedanken über einen Sieg auf dem Rennplatze. Die Erklärung liegt nahe: Diese Ideale waren schon da, um für Augenblicke, von der Musik erweitert und erhellt, nicht aber dauernd geändert zu werden. Bekanntlich sind ja auch die unmoralischesten und borniertesten Menschen, die sonst jeder Begeisterung unfähig sind — gewiss keine Beethoven, bei dem schon die Dauer und Grösse seiner Affecte auf moralische Kräfte weist — oft so erschreckend hervorragende Musiker, dass, um ihr Talent zu ehren, man lieber kein Beispiel nennen möchte. Ausser guten Sinnen sind, um Musik treiben zu können, nur oder vornehmlich Affect- und Gefühlsdispositionen nöthig, neben sehr mässigem Geiste und noch mässigerer Moral. So erklären sich auch Erfahrungen, die sich in den Worten äussern: „Wo man singet, lass' Dich ruhig nieder, Bösewichter haben keine Lieder." (Die von der Volkslogik oft gemachte Umkehrung, dass alle Guten singen, oder wer keine Lieder hat, böse ist, müsste schon jeder Taube widerlegen, der doch nicht immer für böse gehalten wird.) Diese Meinung besagt, dass, da Gesang Ausdruck von Freude ist, er dem belasteten Gewissen schwerer entquillt und vornehmlich, dass kalte Menschen, d. h. solche ohne starke Affecte und Gefühle, die wir als berechnende nicht zu sehr lieben, nicht singen, nicht aber dass sie böse sind. Das Aeusserste, was behauptet werden könnte, aber erst einer inductiven Bestätigung bedürfte, ist, dass, sofern Musik Frieden, Sehnsucht und der Liebe verwandte Affecte ausdrückt, sie in ihren letzten Tiefen nur von Menschen, die dieser Affecte fähig sind, erfasst werden kann, was also bedeutete, dass z. B. ein grosser Geiger auch kein ganz roher Mensch sein könne.

Auch die behauptete Verweichlichung durch die Musik ist entweder eine indirecte ethische Folge des gewöhnlich übermässig vielen Zeitvergeudens mit überdies seichter Musik oder Folge einer schon stark zu Gefühlen disponirten, vielleicht auch principienlosen Natur, die im Leben mehr den Genuss als die Arbeit sucht.

Wenn wir aber auch in der reinen Musik nirgends direct eine hohe ethische Wirkung sehen, darf deshalb doch das hohe Glück, das sie der Menschheit schenkt, nicht als etwas geringfügiges erscheinen.

Anders verhält es sich schon mit den bestimmteren ethischen Gehalten in der Sculptur und in der noch reichere Gedanken zum Ausdrucke bringenden Malerei, wiewohl zahllose, selbst grosse Werke grösster Künstler, noch durchaus

ähnlich wirken wie Musik und Architektur, lediglich durch
die Schönheit und Erhabenheit ihrer Verhältnisse. Nicht nur die
Statue eines badenden Mädchens, auch die „Idee" des Laokoon
ist von sehr untergeordneter ethischer Wirkung, und selbst
von Werken wie die Niobe wird noch niemand meinen, dass
daraus Lehren gegen Selbstüberhebung zu ziehen seien. Ihre
Schönheit ist noch immer die des edlen Ausdruckes menschlicher Leiden. Hier beginnen aber schon dauerndere ethische
Werte sich zu entfalten, die höchsten in einer Göttergestalt
wie der Venus von Milo, einer Juno Ludovisi, deren grosses
Innere sich uns gleich einem „homerischen Gesang" so gewaltig einprägen kann, dass wir auch in später Erinnerung
einen dauernden ethischen Besitz haben, ein bleibendes Vorbild
unseres Handelns. Das alles ist ja jedermann besonders von der
Malerei, vor allem von der grössten, der religiösen, verständlich.
Gibt es nun auch unter Künstlern einen Maler oder Bildhauer, wie Salvator Rosa oder Benvenuto Cellini, deren Moral
durch ihre Zeit allein ganz und gar nicht zu entschuldigen
ist — letzterer war Zeitgenosse M. Angelos — so ist doch
mit Bestimmtheit zu sagen, dass Künstler, welche Stoffe, wie
die Rafaels oder Michel Angelos, behandeln, wenigstens einzelne sehr hervorragende sittliche Eigenschaften besitzen
müssen; in dem Werke kann ja nicht mehr als in seinem
Urheber sein, und aus der Wirkung jenes ist auf diesen zu
schliessen.

Als Beispiel für die Art ethischer Wirkung eines plastischen Werkes ein Wort Schillers [26]):

„Sowohl den Ernst und die Arbeit, als die nichtige Lust, die das
leere Angesicht glättet, liessen die Griechen aus der Stirne der seligen
Götter verschwinden, gaben die Ewigzufriedenen von den Fesseln jedes
Zweckes, jeder Pflicht, jeder Sorge frei und machten den Müssiggang und
die Gleichgiltigkeit zum beneideten Lose des Götterstandes: ein bloss
menschlicherer Name für das freieste, erhabenste Sein. Sowohl der materielle

Zwang der Naturgesetze, als der geistige Zwang der Sittengesetze verlor sich in ihrem höheren Begriffe von Nothwendigkeit, der beide Welten zugleich umfasste, und aus der Einheit jener beiden Nothwendigkeiten ging ihnen erst die wahre Freiheit hervor. Beseelt von diesem Geiste, löschten sie aus den Gesichtszügen ihres Ideals zugleich mit der Neigung auch alle Spuren des Willens aus, oder besser, sie machten beide unkenntlich, weil sie beide in dem innigsten Bunde zu verknüpfen wussten. Es ist weder Anmuth, noch ist es Würde, was aus dem herrlichen Antlitz einer Juno Ludovisi zu uns spricht; es ist keines von beiden, weil es beides zugleich ist. Indem der weibliche Gott unsere Anbetung heischt, entzündet das gottgleiche Weib unsere Liebe, aber indem wir uns der himmlischen Holdseligkeit aufgelöst hingeben, schreckt die himmlische Selbstgenügsamkeit uns zurück. In sich selbst ruhet und wohnt die ganze Gestalt, eine geschlossene Schöpfung, und als wenn sie jenseits des Raumes wäre, ohne Nachgeben, ohne Widerstand; da ist keine Kraft, die mit Kräften kämpfte, keine Blösse, wo die Zeitlichkeit einbrechen könnte."

Nicht weniger selbstverständlich und schon wegen ihrer Dauer in der Erinnerung noch bedeutender sind die ethischen Wirkungen in der Dichtkunst, die wir aber auch von ästhetischen Freuden, die ethisch ziemlich gleichgiltig sind, trennen müssen. Wir haben besonders hier diese als weniger selbstverständlich zu betonen.

Die Lyrik zeigt hierin eine grosse Verwandtschaft mit der Musik. Der tiefste Schmerz, die höchste Liebessehnsucht, alles, was sie Erhebendstes im Menschenherzen aufzurütteln vermag: es sind vorübergehende Stimmungen, eine oft kurzathmige moralische Begeisterung, wie die mancher Dichter, die unmittelbar daneben sehr anderen Gefühlen zugänglich sein können. Solche Dichter wundern sich, dass sie keine Tragödie schreiben können. Weit anders steht es schon in der epischen Poesie, besonders im Romane, der durch das Beispiel seiner Helden und durch unsere Liebe zu ihnen eine dauernde ethische Wirkung erzielen kann, und noch intensiver durch die Art ihres Wirkens sind Lustspiel und Tragödie. Aber selbst im Drama ist zu betonen, dass auch Kunstwirkungen sehr hoher Art nicht nothwendig immer ethische sind. Dass das Lustspiel, und zwar gerade das Beste, nicht die Tendenzen Molières verfolgen soll, wurde oft genug gezeigt; und selbst wo es geschieht, ist das Lächerlichmachen von Fehlern ein sehr mässiges Mittel dauernd zu bessern, und setzt überdies Individualitäten voraus, die nicht bloss, wie gewöhnliche, aus jedem Stücke nur das nehmen, was ihnen taugt. Die Verhältnisse sind am durchsichtigsten in der Tragödie. Selbst durch Kampf und Tod verklärt dargestellte grosse Leidenschaften müssen nicht nothwendig von stärksten ethischen Wirkungen sein. Gewiss, schöne Handlungen von Gestalten, die wir aufs innigste lieb gewonnen haben, können uns veranlassen, unter ähnlichen Umständen grosses zu leiden wie sie. Aber tragen die Handlungen, auch der grössten Tragödien, immer den Charakter des Nachahmungswerten? Romeo und Julie gelten als die Ideale aller Liebenben, und was lehren sie sie? Doch nicht, dass man Vater und Mutter ehren solle, sie und ihre thörichten Vorschriften, selbst ihren Hass? Oder, dass man mittelst einer poetischen Gerechtigkeit für Ungehorsam gestraft werden kann? Oder lehrt die Moral, dass es gut ist, sich auf den ersten Blick ewig zu binden? Wenn uns aber gar die Gewalt der Liebe im Romeo gezeigt wird durch den selbstgesuchten Tod — welche Ethik und Religion ertheilte dieser Handlung ihre Sanction? Müsste Romeo, dem Milchtrost der Philosophie des frommen Lorenzo folgend, anstatt zu sterben, nicht vielmehr fürs Vaterland leben? Wenn uns in Goethes „Götz", in den „Räubern" oder in Otto Ludwigs „Erbförster" Gewaltnaturen gezeigt werden, die gegen die Gesetze mit Natur- oder Faustrecht auftreten, wird hier eine Moral gepredigt, die uns durch das Leiden noch grösser erscheinen soll, oder eine Unmoral, für welche die Strafe gerecht

war? Immer wieder wird die Bestimmung des ethisch Nach-
ahmenswerten, die Wahl, wie auch in der bildenden Kunst,
Individualitäten und ihren schon vorhandenen Idealen überlassen und ist von ihnen abhängig. Dafür ist z. B. bezeichnend,
dass selbst Schauspieler und Literarhistoriker immer im Unklaren bleiben, wie weit in Goethes Tasso, Antonios oder
Tassos Principien als die richtigen zu betonen seien.

Trotz alledem kann natürlich die dramatische Kunst,
ohne tendenziöse Moralpredigt zu sein, auf das Bestimmteste
moralische Ideale aufstellen. Die Antigone z. B. zeigt noch
stärker als die drei früher genannten Tragödien, in welcher
Klarheit das Sittliche, hier die richtige Handlung der Antigone,
gegenüber schlechten Gesetzen betont werden kann. Dass
das sehr viele der grössten dramatischen Werke thun, beweist
schon die ganze moderne Theorie des Tragischen, die von
ihnen abstrahirt ist. Immer deutlicher sehen wir in jener Begriffsbestimmung grosse moralische Kämpfe um Ideen und
einen Ausblick auf eine sittliche Weltordnung. Wie immer der
Dichter sie nicht zu beabsichtigen braucht, er muss wenigstens
selbst daran glauben; wie er auch nicht Moral zu predigen
braucht, aber moralisch sein muss.

Dieser zum Theile religiöse Hintergrund ist ja schon deshalb ethisch nicht entbehrlich, weil jede Gleichgiltigkeit dagegen positiv eine nichtsittliche Weltordnung — wir werden
später sehen, was darunter zu verstehen ist — predigt. Jedes
Drama zeigt ja einen Ausschnitt aus dem Leben, den wir aber für
ein gesammtes Weltbild nehmen. Zeigt uns der Rahmen ein
pessimistisches Bild, so halten wir die ganze Welt für eine
schlechte, wovon zu überzeugen kein grosses Kunstwerk, kein
grosses Genie in keiner Zeit die Tendenz hatte.

Aus alledem ergibt sich auch von selbst, dass die grössten
Dichter ethisch hochstehende Geschöpfe sein müssen. Wenig-

stens über lyrische Momente hinaus, zur ethischen Kraft einer
grossen Tragödie kann sich ein Heine nie aufschwingen, und
auch Menschen wie Voltaire können darin nur Mässiges schaffen.

Wie die Kunst auch praktischen und indirect ethischen
Nutzen bietet durch Bildung unseres Körpers, seiner Bewegungen, und vor allem unserer Sinne auch zu höherem Ausdruck und Erkennen der Affecte, so bildet sie unser Inneres
auch für den vielleicht in seiner Höhe seltensten und schwierigsten Genuss vor, den Naturgenuss, dessen ethische Seite auch
anzudeuten ist. Die bisher besprochenen ethischen Wirkungen
besonders der Malerei und Dichtkunst kommen in einer gewissen Vereinigung zum Ausdruck in dem, was die moderne
Zeit Naturbegeisterung nennt. Die zuerst in einfachster Weise
auftretende Freude an Formen und Farben nach ihrer Anordnung, Einheit und Mannigfaltigkeit kann schliesslich in einem
Gefühle, z. B. der abendlichen Ruhe, der Waldesfrische, des
Belauschens des Naturlebens, den Charakter des Malerischen
und Dichterischen annehmen, mit allen seinen ethischen
Werten. Den Mängeln der Wirkung — ein Bild liegt ja so
wenig als ein Gedicht fertig in der Natur vor — stehen entgegen die Thatsächlichkeiten von Licht, Farbe und Dimensionen etc. Bäume, Berge mit ihrem alles überdauernden
Alter und ihrer Gewalt, Himmel und Meer durch die Unendlichkeit ihrer Räume erregen Zeitassociationen, die Vorstellung
der Macht, das Gefühl des Erhabenen in noch anderer Weise
als die grossen Massenwirkungen der Architektur. Die Werte
dieser absoluten Grössen zeigt, dass die Wirkungen selbst schon
der Architektur durch Reproduction im kleinen verloren gehen.
Die Naturgefühle sind oft von solcher Erhabenheit, dass sie
für die bildende Kunst in ganz zerstörender Weise auftreten.
Das beweist auch der beständige Streit der verschiedenen
Naturanschauungen: des religiösen Gemüthes, das nur Er-

habenheit sucht, und des künstlerischen Sinnes, dessen Farben-
und Formenbedürfnis z. B. eine Schweizer Gletscherlandschaft
geradezu verletzt. Täglich können uns das Ethische in der Auffassung der Natur die Stimmungen zeigen, welche die einfache
Betrachtung einer Trauerweide, eines Teiches oder einer
Mondnacht, Bilder menschlicher Wohnungen, Handlungen und
Geschicke erregen, die oft bis zu lyrischen Ergüssen führen
können. Ansätze dazu, fast jedermann verständlich, sind
schon in Worten verkörpert, wie Frühlingserwachen oder
Frühlingssehnsucht. Und was kann nicht noch an Werten
hinzutreten für den Maler und Dichter oder jene Auser-
korenen, die, verschiedene Begabungen vereinigend, die Natur
geniessen: Ihnen wird ein Blick zum Bild und Gedicht.

V. Allen Glückspotenzen der Kunst gegenüber werden
immer als schwerster Vorwurf, wieder unter der Sanction aller
Religionen, Nachtheile hervorgehoben, besonders ethische, als
nothwendig in ihrem Gefolge. Sie sollen alle höchsten Freuden,
die sie bietet, selbst die Bedeutung auch der grössten Kunst,
der religiösen, aufwiegen.

Ehe auf eine Erwiderung auf den Vorwurf der Nothwendigkeit solcher Mängel einzugehen ist, ist zu bemerken,
dass nicht einmal der Beweis für die Thatsächlichkeit derselben zu erbringen ist. Weder am einzelnen Individuum
ist jener Beweis mittelst einer Statistik erbracht, dass z. B.
mehr Künstler unmoralisch als moralisch sind, oder unmora-
lischer als andere Menschen — schon wegen der sehr schwer
constatirbaren, ähnlichen inneren und äusseren Bedingungen
— noch ist natürlich der Beweis historisch zu erbringen. Da dieser
vornehmlich den Luxus eines Volkes betonen müsste, so hätte
gezeigt zu werden, dass dieser nicht eine Parallel-, sondern eine
Folgeerscheinung der Kunstthätigkeit ist; und dasselbe gilt von
der Moral. Weil dies aber zweifelhaft ist, so muss der mit

der Kunst vielleicht manchmal verbundene sittliche Verfall nichts weiter sein als eine Folge des mit ihm parallel gewachsenen Reichthums, den sie allerdings zur nothwendigen Voraussetzung hat.

Oft wird auf die grossen Verbrechensperioden hingewiesen, die mit grossen Kunstepochen oft parallel gehen: Die erste Cäsarenzeit und die italienische Renaissance werden besonders angeführt. Man fragt, wie unmittelbar vor Nero Horaz und Ovid leben konnten und wie die Zeit eines Rafael und Michel Angelo zugleich die Zeit eines Cesare Borgia sein konnte, der nächtlich, im Dienste des Papstes, aus Raub- oder reiner Mordgier, verheerend die Strassen Roms durchzog, so dass oft am Morgen ermordete Reiche und Cardinäle die Bürger entsetzten. Vielmehr aber schiene das Erstaunen am Platz, wie trotz solcher Zustände, die doch der verwilderte Glaube zum Theil bedingte, noch eine so grosse religiöse Kunst möglich war. Niemals wurde ja ein so directer Einfluss der Kunst behauptet, weder auf den einzelnen noch auf ein Zeitalter, dass der Anblick von einigen Bildern alle Mörder in Heilige verwandeln könnte. Zu allen Zeiten war für beide in der Welt Raum, und jene sind immer in der Ueberzahl. Also der behauptete Thatbestand ist nicht erwiesen.

Aber auch die Nothwendigkeit der Nachtheile der Kunst ist nicht zu erweisen; man wirft ihr vor, dass sie 1. von der Verwirklichung von Idealen ablenke, 2. ihre Sinnlichkeit, 3. Ueberflüssigkeit, 4. die Vergeudung von Menschenarbeit.

1. Es heisst, wer Ideale in der Kunst sucht, erstrebt keine in der Wirklichkeit, und schon darum seien Künstler und Mäcene selten ethisch hochstehende Naturen. Dass Durchschnittsmenschen, die sich mit Kunst beschäftigen, weniger Ideale verwirklichen als andere, und das müsste ja behauptet werden, ist nicht erwiesen; im Gegentheil ist zu behaupten, dass

sie meist durch die Kunst überhaupt erst Ideale kennen lernen. Dass aber Künstler nicht zugleich Reformatoren sein können, ist eine Folge einfacher Arbeitstheilung. Die sie völlig in Anspruch nehmenden Kräfte sind überdies so beträchtliche, und selbst eine mittelmässige Kunstproduction setzt oft so viel mehr Willen und Moral voraus, als die meisten anderen Berufe, dass das Fernhalten von anderen nützlichen Thätigkeiten, wozu das Elend des Tages jedermann beständig Gelegenheit bieten würde, geradezu Pflicht und eine der schwierigsten Aufgaben für den Gelehrten und Künstler ist. Es ist deren Nichterfüllung, weshalb so selten Menschen im Dienste höherer Menschheitsprobleme arbeiten.

2. Was die Sinnlichkeit betrifft, so sind die Werke gewiss auch der grössten Künstler von den grössten Fehlern nicht freizusprechen, sofern sie, direct oder indirect, Sinnlichkeit im Uebermasse darstellen. Bekanntlich haben die Alten und Modernen oft genug Stoffe behandelt, die selbst an Pädrastie und Bestialität associiren, und es wäre zu fragen, in welchem Procentsatze Inhalte, wie eine sinnlich dargestellte Centaurin, die einen Faun auf ihrem Rücken trägt, nicht den reinen Kunstgenuss des gewöhnlichen Beschauers stören. Die Venusfeste des Rubens und seine betrunkenen Satyren, die säugenden Nymphen begegnen, stellen eine Sinnlichkeit sogar absichtlich, offen und als Selbstzweck dar, die verhüllter die modernen Prostitutionsromane und Lustspiele in psychologischer Naivität selbst zu moralischen Zwecken verwenden wollen. Wie diese erreicht wurden, zeigt, dass manche dieser Werke an hundert Auflagen erlebt haben, und zwar vornehmlich infolge der Nachfrage der Prostitution und ihrer Gönner. Gewiss ist zu behaupten, dass die dadurch gebotenen psychologischen künstlerischen Erkenntnisse, wenn die ethischen so wenig gesichert sind, nicht im entferntesten die Nachtheile aufwiegen.

Neben dieser Art Sinnlichkeit fördert solche indirect in weniger gefährlicher Weise die oft gänzliche Unbedeutendheit des Inhaltes von Walzer- und Operettencompositionen, Genre- und Thiermalerei, Lustspielen und Romanen; aber mit letzteren sich zu beschäftigen, wird ja schon den Kindern mindestens wegen des Zeitverlustes auch von den unwissendsten Eltern verboten.

Gegenüber allen diesen unzweifelhaften Thatbeständen ist aber, um zu zeigen, dass es sich dabei nicht um Nothwendigkeit sinnlicher Darstellungen handelt, einfach auf die ebenso thatsächliche Existenz und ethische Bedeutung der grössten Kunstwerke aller Zeiten hinzuweisen, wie die von Sophokles, Dante, M. Angelo. Und dass sogar die blosse Anschauung mancher Bilder selbst religiöse Bekehrungen, das Lesen von Romanen sittliche Umwälzungen zur Folge hatte, wird durch historische Thatsachen zur Genüge belegt.

3. Wenn man nun als einen Nachtheil der Kunst ihre Ueberflüssigkeit bezeichnet hat, so ist darauf zu sagen: Ersetzbar ist die Kunst weder nach der Art von Glück, das sie dem Leben bietet, noch nach der Art ihrer ethischen Wirkungen. Weder die Lustaffecte des täglichen Lebens, weder Wissenschaft noch Religion geben dafür Ersatz; erstere gewiss nicht wegen ihrer bei aller Intensität geringen Dauer und Gleichmässigkeit; aber auch nicht, wie schon besprochen, die Wissenschaft. Denn nicht nur dass die Erkenntnisfreuden in gesteigertem Masse sich nur besonderen Individualitäten erschliessen — besonders denjenigen, denen die Forschung selbst zugänglich ist — sie sind auch diesen weniger intensiv und oft verleidet durch die nöthigen vorausgehenden Schwierigkeiten längerer Arbeit. Die Lust an dieser hat immer mehr, wie die Wissenschaft selbst, den Charakter der Lust an den Mitteln, weit weniger den des Selbstzweckes, der Unmittelbarkeit und Gegen-

wärtigkeit der Kunst, deren Freuden, wenn auch nicht länger zu geniessen, gewiss leichter zu erlangen sind.

Aus ähnlichen Gründen ist die Religion, die durch ihre moralischen, intellectuellen und ästhetischen Freuden auch nur den seltensten Individualitäten zugänglich ist, kein Ersatz für die Kunst. Sie ist es so wenig als für andere höchste Bedürfnisse, die durchaus einander coordinirt sind, und für welche Factoren alle ein sittlich geordnetes Leben Raum bieten kann. Ein wichtiger Grund aber, warum jene besonders die Kunst nicht ersetzen kann, ist, dass sie Leben und Gegenwart zu wenig berücksichtigt; sie bietet mehr den Leiden eine Stütze, als dass sie ein Mittel positiver Freude ist. Je mehr es den Menschen wichtig wird, sich gegenseitig den Schmerz ihres Daseins zu lindern, desto mehr werden auch neben den jenseitigen Glückspotenzen — besonders wenn sie ihnen zweifelhaft sind — die diesseitigen ernster berücksichtigt werden, die Kunst neben der Religion zu Selbständigkeit und Ansehen gelangen.

So wenig aber als die Art ihrer Freuden, sind andere Vermögen der Kunst ersetzbar, sowohl das der Darstellung höchster sittlicher Ideale und der spielenden Art, mit ihnen vertraut zu werden, als auch das der Erregung von Liebe und Begeisterung, die zur schliesslichen Nacheiferung führen. Weder eine Moralpredigt gibt ein Gleiches, noch Leben und Geschichte, die mit ihren Beispielen das Finden des Ideales noch weit mehr eigener Wahl überlassen. Daher die Thatsache, dass auch für den Höchststehenden — von der grossen Masse selbst abgesehen, die Ideale überhaupt nur in der Kunst kennen lernt — nichts bildender ist als wirklich gute Romane und besonders die tragische Kunst. Zur Bestärkung dieser Meinung bleibt von ewiger Bedeutung — leider im philosophischen Schwulst für alle Nichtfachmänner fast vergraben —

was Schiller über die ästhetische Erziehung des Menschen sagt, über den Wert schöner Lebensführung, die eben durch keine andere Erziehung ersetzbar ist.

4. Der Vorwurf der Kostbarkeit der Kunst zeigt meist nur die Schwierigkeit, Kunst und Mode einerseits, Kunst und Luxus andererseits richtig abzugrenzen, und kann gewiss nicht den Charakter der Allgemeinheit und Nothwendigkeit haben. Er bezieht sich entweder auf die Kunstspielereien des reichen Tagediebes, der zur sinnlosen Ausschmückung seiner Umgebung oft einer alten Sessellehne bis nach Italien nachreisen kann — dieser Vorwurf bedarf so wenig einer Widerlegung als der Glaube, dass geschmacklose Prachtbauten moderner Grossstädte wichtiger sind als Arbeiterhäuser — oder es wird auch der Kunst im besten Sinne vorgeworfen, dass sie auf Kosten wichtigerer Bedürfnisse, ja im jetzigen Zustande noch allgemeiner Armut der Menschheit, selbst auf Kosten von Existenzen, mit einigen Auserwählten ein Parasitendasein führt.

Wir werden später besprechen, wie weit jetzt und künftig eine Armut, die den Menschen solche Freuden nicht gewähren könnte, eine Nothwendigkeit ist. Jetzt aber ist schon zu betonen, dass es eine Kunst auch für Auserwählte geben muss, d. h. Auserwählte an Geist und Gemüth — wie es ja auch eine solche Wissenschaft geben muss — oder es gibt weder Kunst noch Wissenschaft, die den Aermeren an Geist jemals zugute kommen könnte, jedenfalls keine, die höhere Ideale und Erkenntnisse zum Ziel hätte. Damit ist aber gesagt, dass — selbst wenn die jetzige Gesellschaft so arm wäre, dass sie, wie die Wissenschaft so die Kunst, einigen nur auf Kosten grösseren Elendes anderer gestatten könnte — wenn wir die Bedeutung, die wir beiden zuschreiben, richtig erkannt haben, es besser ist, mindestens für die künftige Entwickelung, dass es auch schon jetzt einige menschenwürdige Existenzen gebe als überhaupt nur thiergleiche. Diese Idee ist ebenso Menschenopfer wert wie irgend eine andere. Und wenn es eine Ethik gäbe und sie die Kraft hätte, zu wirklichen Principien zu gelangen, und den Muth, sie zu verwirklichen, so hätte eine solche Ethik die unnützesten Mitglieder der Gesellschaft einer solchen Idee zu opfern, sie sogar zu verurtheilen, was nicht nur im Kriege für weit zweifelhaftere Zwecke geschieht, sondern was täglich die Gesellschaft für grössere Staatszwecke thut, wenn sie für wenige das Elend vieler fordert. Das Dilemma, wenn es in der gegenwärtigen Welt noch wirklich existirt, könnte in voller Zuspitzung auch anders ausgedrückt werden: Ein Kunstwerk an die Wand zu hängen, hat nur das Recht, wer den Muth hat, einem vor Hunger Sterbenden ins Antlitz zu sehen. So lange aber der Beweis nicht erbracht ist, dass ein solches Missverhältnis existirt und Luxus getrieben oder schlechte Kunst gemacht wird, ist Kostbarkeit keine Gefahr.

Aus der Besprechung dieser einzelnen Punkte geht zur Genüge hervor, dass Kunst ein wichtiges Bestandstück unseres Glückes ist oder wenigstens sein kann und jedenfalls nicht gefährlich sein muss. Wenn aber pessimistische Schaustellung und Affectation die Leiden, welche die Kunst bringt, immer betont, und wenn aus Möglichkeiten oder einzelnen Fällen Wahrscheinlichkeiten und Behauptungen allgemeiner Art deducirt werden, so sind diese, wiewohl nicht widerlegbar, wenigstens unbewiesene Behauptungen, daher als unerlaubte abzulehnen, selbst wenn unsere Gründe auch als blosse Glaubenssätze zurückgewiesen würden.

Auch individuelle Erfahrungen führen zu keinen zwingenden Resultaten. Jedem, dem die eigene Erfahrung sagte, dass die Kunst seinem Leben zum Unheil war, stelle ich mein eigenes Leben gegenüber, von dessen Leerheit, wenn sie daraus genommen würde, ich mir nur schwer eine Vorstellung machen könnte. Und hier spreche ich nicht bloss von höheren Genüssen: Die Kunst hat in den Jahren meiner Entwickelung durch ihre ethischen Vorbilder den Führerlosen vor einem Verfall bewahrt, dem die damalige materialistische Weltanschauung auch mich unzweifelhaft überlassen hätte.

Hat man aber die Kühnheit, über die eigene Erfahrung hinaus zu behaupten, dass selbst ein Mozart in einem anderen Berufe sich und der Welt hätte mehr nützen sollen, und will man selbst sein hohes Glücksmass anzweifeln, so kann das nur mit einem sehr künstlichen Argumente geschehen. Man hält dafür, dass das Genie, gerade als empfindlicher organisirt, die Leiden des Hässlichen doppelt fühle. Darauf ist erstens zu wiederholen, dass, diese Leiden zugestanden, ein Vergleich hier wie im allgemeinen unmöglich ist, dass er kaum von Mozart selbst und noch weniger von solchen aller Psychologie baaren Pessimisten gemacht werden könnte. Zweitens aber ist die Voraussetzung des Argumentes von der leichten Verletzbarkeit sehr anfechtbar. Es trifft oft vielmehr die hochgespannten Ansprüche der künstlerisch nicht Veranlagten. Beethoven freute sich bekanntlich an Drehorgeln, und Schubert bläst auf einem mit Papier überzogenen Kamme bis zum Entsetzen der Begleiter seinen Erlkönig. Schon deshalb würde vielleicht eine musikbegeisterte Dame mit einem solchen Manne nie verkehrt haben. Damit stimmt ja auch überein, dass grosse Künstler die Aesthetik an ihrer Kleidung und Wohnung oft so vernachlässigen können: Sie sind zu sehr ausgefüllt von ihren Problemen, um in der Gegenwart viel zu sehen, und wissen wohl, dass sie doch nicht, was sie wollen, in die Wirklichkeit des gemeinen Lebens übersetzen können. Ein Maler, der aufmerksam gemacht wurde auf die Häss-

lichkeit einer Strasse, meinte, die Welt sei ja nicht nur für die
Maler da: Eine pessimistische Trennung von Ideal und Wirklichkeit, die übrigens auch einem Künstler nicht zu verzeihen
ist und der Welt nicht geringen Schaden bringt, sofern die
Wirklichkeit dadurch als hoffnungslos preisgegeben wird.

Werden wir durch Reichthum glücklicher?

Wenn moralische, intellectuelle und ästhetische Bildung
die wesentlichsten unzweifelhaften Vehikel des Glückes sind,
so muss eine wesentliche Bedingung, sie zu erlangen, die ökonomische, jedenfalls für die Menschheit und meist auch für
den einzelnen gleichfalls eine Glücksbedingung sein. Und nur
wer das Thier, das übrigens auch nicht ohne zu wirtschaften
lebt — manche sorgen bekanntlich für einen ganzen Winter —
für das glücksfähigste Wesen hält, wird einen Reichthum, der
erst seine Erhebung darüber hinaus ermöglicht, für verwerflich
halten. Die Poesie der Armut (letzteren Begriff identificirt
übrigens selbst der Sprachgebrauch mit dem des Elendes)
ward hauptsächlich von den Religionen, besonders der „Bettel-
moral des Christenthums" besungen, erstlich und vornehmlich.
weil übermässiger Reichthum Bedingungen des Unglückes enthalten kann — schon weil er oft in Händen der Schwäche
und Unmündiger ist — ferner im Interesse einer Nivellirung·
der zufolge das bisherige Elend gehoben werden soll durch einfaches Aufgeben des Reichthums weniger. Es entspricht das der
bekannten Mantelmoral des heiligen Martin, die einen Irrthum
involvirt, dessen Besprechung wir uns für später lassen müssen :
Alle Menschen reich, nicht sie arm zu machen ist das Ziel. Hier
ist nur zu sagen, selbst wenn es jetzt noch so stünde — was
ja möglich ist — dass nur die Wahl offen bliebe, ob allen
Menschen durch eine gleiche Vertheilung die Möglichkeit zu

leben gegeben würde, aber nur auf dem Thierniveau, oder dass einige auf Kosten der anderen höhere Güter geniessen könnten, so lautete die Antwort, wie wir sie soeben bei Besprechung des Luxus in der Kunst gegeben. Und selbst wenn für die Gegenwart das Problem zweifelhaft wäre: Eine künftige Entwickelung zu grösserem Glücke ist nur dann möglich, wenn die Untauglichsten, und das sind meist auch die für höhere Lust Unfähigsten, sich opferten. Hier allein ruht das natürliche Recht des Reichthums, allerdings nur des Reichthums der Besten, und nicht darin, dass bei gleicher Vertheilung eines Zuwenig das Verhungern aller die Folge wäre: Sie müssten es alle, wenn es keinen Besten unter ihnen gäbe. Freilich ist die Frage, ob die Gegenwart nahe an diesem Zustande ist, ebenso wichtig als vielumstritten; ist übrigens eine Frage, deren Beantwortung jedenfalls zweifelhafter ist als die uns hier beschäftigende und unzweifelhaft zu beantwortende, dass ein gewisser Reichthum glücklicher macht. Dafür spricht schon einigermassen die Statistik, die zeigt, dass die Sterblichkeit unter den Reichen — was auch für das Elend viel besagt — geringer und ihre mittlere Lebensdauer höher ist. Auch gesteht das jeder zu, der Armut nicht willkürlich bloss als mässigen Reichthum definirt, sondern wirklich durch Noth, mit Schmutz, Kälte, Hunger und Krankheit in ihrem nothwendigen Gefolge. Durch ihre Vorschrift, Almosen zu geben, beweist die Religion, dass auch sie keine solche Armut will: Gegen solche Armut sich zu wehren, ist Instinct der Selbsterhaltung und heisst nicht dasselbe wie nach Reichthum streben. Aber selbst das sollen wir und sogar die Edelsten, der Menschenfreund wie der Apostel der Armut[27]): Ihr Streben nach mässigem Reichthum in diesem Sinne macht die Wahrscheinlichkeit sehr gross, dass sie damit ihre Ziele besser erreichen. Der jetzige Mittelstand z. B. ist schon allein durch seinen Reichthum und den damit gegebenen Freiheiten glücklicher als die Millionen Pyramiden bauenden Sklaven Aegyptens. Also in diesem Sinne heisst nach Geld streben auch wirklich nach Glück streben und ist eine Pflicht wie des einzelnen so der Menschheit, und gerade der besten unter den Menschen. Es heisst Verbrechen mindern, wenn natürlich auch nicht, wie socialistische Theoretiker glauben, alle, und heisst, die Menschen moralisch, intellectuell und ästhetisch veredeln. Und dieses Resultat bleibt in Geltung, wie immer die Grenzfragen nach dem richtigen Ausmasse des Reichthumes von Individualitäten und socialen Verhältnissen abhängen mögen. Der Behauptung der Religionen, dass ein Reicher nothwendig unsittlich oder unglücklich sei, steht gleichwertig der volksthümliche Glaube gegenüber, dass jeder Reiche edel und glücklich sei.

Die Entwickelung der einzelnen Factoren.

Wir haben in den bisherigen Untersuchungen als unzweifelhaft erkannt, dass moralische, intellectuelle, ästhetische Bildung und Reichthum wesentliche Factoren unseres Glückes oder wenigstens ein Mass für dasselbe, und zwar das einzig mögliche darstellen. Wir haben also die Frage nach dem Besserwerden in der Menschheit zu zerlegen in die Frage nach der Entwickelung dieser vier Momente. Es ist ja sonst, wie gesagt, auch für Gegner schlechterdings nicht einzusehen, wonach noch mit irgend einer Bestimmtheit gefragt werden könnte. Natürlich werden wir diese Fragen im einzelnen stellen müssen: Nach einer moralischen, intellectuellen, ästhetischen und ökonomischen Entwickelung, und das wollen wir im Folgenden thun.

Vorauszuschicken haben wir nur noch einiges auf Entwickelung sich Beziehendes.

Es wird bei jedem Punkte sowohl nach der bisherigen Entwickelung — wie weit es in der Welt besser geworden — als auch davon getrennt und immer darauf weiter bauend. nach einer möglichen künftigen Entwickelung zu fragen sein.

Die Wichtigkeit, ein Urtheil über die bisherige Entwickelung zu erlangen, wenn man über die künftige zu einem Glauben kommen will, ist gross, besonders gegenüber dem äusserst skeptischen Pessimismus. Wenn er dann auch behaupten wollte, dass aus einer steigenden Entwickelung bis zur Gegenwart wegen zahlreicher unvorhersehbarer Factoren für die Zukunft nichts folge — wegen zerstörender Erscheinungen im Weltall oder wegen Völkerwanderung, Pest, Krieg — so würde mit jenen einzig bestimmter aufweisbaren Ansatzpunkten auch die Behauptung einer künftigen Verschlimmerung illusorisch.

Bei der Schwierigkeit nun, der Frage einige Bestimmtheit zu geben, ist es nöthig, sie vor allem einzuschränken auf örtlich und zeitlich controlirbare, vor allem auf europäische oder diesen ähnliche Zustände in der historischen Zeit, historisch im engsten Sinne genommen.

Was die örtliche Ausdehnung anlangt, werden wir aber die Frage nicht in willkürlicher Weise einschränken dürfen, wie es häufig geschieht, wenn irgend ein höchst entwickeltes Volk des Alterthums, die Griechen, mit einem der niedersten des modernen Europa oder selbst nur mit den jetzigen Griechen verglichen wird. Vielmehr müssen wir fragen, ob es jetzt extensiv und intensiv mehr intellectuelle Bildung gebe, als z. B. zur Zeit der Griechen in ganz Europa. Das Product dieser beiden Factoren, des extensiven und intensiven, für so viele Welttheile als möglich, haben wir dann zum Masse zu nehmen, und zwar gleichviel, welches Schicksal die einzelnen Länder erfuhren, gleichviel ob Griechenland untergegangen ist.

ob das Erbe dieses Landes bloss eine Stadt wie London oder ein ganzer Welttheil angetreten hat. Erlaubte und nothwendige Einschränkungen sind bloss gegeben, wo gleiche Bevölkerungszahl und einheitliche, ähnliche Lebensbedingungen der verglichenen Völker, und zwar in möglichst weiten Gebieten nicht vorliegen, ebenso durch Grenzen jener Länder, deren mangelhafte Geschichte und Statistik die Erkenntnis ihrer Zustände verwehrten.

Ebenso wenig wie betreffs der räumlichen Ausdehnung unseres Forschungsgebietes darf Willkür herrschen in der zeitlichen. Und hier ist es weniger die sich selbst abwehrende Gefahr der Verwertung vorhistorischer Daten oder solcher aus Zeiten, die durch keinerlei statistische Aufzeichnungen die inneren Vorgänge eines Volkes aufhellen, sondern andere Fehler machen gewöhnlich Schlüsse auf Entwickelung wertlos, vor allem der zu kurze Zeitraum der Beobachtung. Das lehrreichste Beispiel bietet unser gegenwärtiges Jahrhundert. Wir haben zu wenig Daten, jedenfalls nicht jene gleichzeitigen Massenübersichten, wie sie die jetzige Statistik ermöglicht, um zu bestimmen, ob nicht z. B. die Erfindungen und Entdeckungen des 16. Jahrhunderts auch einen ähnlichen raschen Umschwung, wenigstens vieler innerer und äusserer Verhältnisse, veranlasst haben als im jetzigen. Es ist sogar zu glauben, dass solche Revolutionen schon oft in der Geschichte stattfanden, und dennoch hören wir immer in solchen Zeiten kurzsichtige Optimisten, und um die Wette mit ihnen Pessimisten, einige Augenblicke der Gegenwart zu fernsten Prophetien ausbeuten. Lediglich die Entdeckungen der Naturwissenschaften in unserem Jahrhunderte haben das gesammte Leben umgestaltet mittelst der von ihnen ersonnenen Maschinen, Verkehrsmittel und Theorien, von der Brot- und Vertheilungsfrage angefangen durch die gesellschaftliche Organisation bis zu den letzten Problemen der Kunst

und aller Wissenschaften, der Religion und Moral. Sehr viel
aber, was jetzt vorgeht, hat unzweifelhaft lediglich Durchgangs-
charakter, wenn damit auch die Möglichkeit tiefster Eingriffe
nicht ausgeschlossen ist. Aber ebenso wie das Unglück einen
Handarbeiter, den die Maschine brotlos gemacht, obwohl er
morgen eine selbst einträglichere andere Arbeit finden könnte,
dennoch gleich an seinem Lebensglück verzweifeln und zum
Verbrecher werden lässt, ebenso sind ganze Generationen der
Menschheit dauernd um ihre Ruhe, um das Schöne, um Glück
und Glauben gekommen, und selbst die Wurzeln ihrer Moral
sind gelockert, und alles ist ihnen auf ewig verloren. Wer aber
in solchen Erscheinungen nach Tagen zählt und aus dem
Heute das Morgen erkennen will, aus einer Handvoll Erkenntnissen Verallgemeinerungen zu machen wagt über Zu- oder
Abnahme von Verbrecherzahlen, grossstädtischem Irrsinn,
Selbstmord, Trunk- oder Nothzucht, der treibt Tagespolitik,
keine Wissenschaft. Diese Art Menschen war zu allen Zeiten
die herrschende, in der Welt und am Wirtshaustische; sie
rühmt die Gegenwart, preist die Vergangenheit oder klagt über
das Aussterben von Wissenschaft, Kunst, Religion und Moral.
Was aber bedeutet ein Menschenalter für die Entwickelung
neben Jahrtausenden? Seit Euripides — durch zwei Jahrtausende — gab es so gut wie keine dramatische Kunst;
dennoch hat Shakespeare gezeigt, dass sie in der Welt nicht
ausgestorben ist, und hat damit allen Voreiligen Vorsicht gelehrt in solchen Verallgemeinerungen.

Hier ist aber noch ein Wort zu sagen über das Bildungs-
kriterium in der Entwickelung, über das, was wir als Product
extensiver und intensiver Bildung bezeichnet haben. Das Plus,
auf das es dabei ankommt, z. B. an Intellect und Moral, ist
ein zweifaches: Es ist möglich, innewiewohlrhalb vager Grenzen,
von dem einen Factor. von der Frage der Intensität, abzu-

sehen, davon, ob die Werke Kants und Rafaels eine grössere
Kraft zeigen, einen grösseren Geist athmen als die des Aristoteles oder Phidias; es bliebe dann aber noch die Frage nach
der Extensität, ob es jetzt nicht mehr Menschen von gleicher,
durchschnittlicher Bildung, moralischer, intellectueller, ästhetischer, gibt als einst zur Zeit des alten Hellas. Dieses Plus wird
hier als Plus an extensiver Bildung bezeichnet und kann nach
seiner Entwickelung ebenso untersucht werden, sowohl betreffs der Moral, des Intellects, als des ästhetischen Gefühls.
Besonders das letztere erheischt, allein schon wegen der besseren Möglichkeit, seine Producte zu trennen, eine gesonderte
Behandlung der extensiven und intensiven Entwickelung.

Auch über den Vergleich von Intensitäten und Extensitäten
der Bildung — wenn ich also frage, ob Homer ein grösserer
Dichter war als Goethe, oder ob heute mehr gute Musik ge-
trieben wird als zur Zeit der Griechen — ist, wiewohl alle
Details auf später gelassen werden müssen, noch in zwei
Punkten Folgendes zu sagen:

1. Vor allem können wir hier niemals die Dispositions-
frage aufwerfen, weder sofern sie sich auf extensive, noch
sofern sie sich auf intensive Verhältnisse bezieht, und zwar
— ganz abgesehen von ihrer Lösbarkeit im einzelnen — weil
sie für die von uns geforderte Allgemeinheit unbrauchbar ist.

Was zunächst Extensives betrifft, ist es ersichtlich, dass
wir uns nur mit wenig Erfolg und nur wenig dafür werden
interessiren können, ob, wenn jetzt mehr Grammatik oder
Musik gelernt wird, das beweist, dass wir darum mehr Talent
dazu haben als die Griechen hatten, ob nicht vielmehr die
geordneten ökonomischen, moralischen, intellectuellen Bedingungen u. a. m. daran schuld sind und im übrigen die Anlagen des antiken Menschen denen des modernen nichts nachgeben. Genug, wenn wir den wirklichen Wert solcher Bildungs-

momente allgemein erkannt haben und constatiren können, wie viele dadurch wirklich gefördert wurden.

Ebenso werden wir, Intensitäten anlangend, niemals die Frage aufwerfen, ob ein Genie grösser oder kleiner ist. Den Grund dafür gibt schon die Schwierigkeit der Begriffsbestimmung des Genies. Alle Versuche, auch die vom Genie selbst, es in zwei Worten zu definiren, sind vergebens. „Von einem Gedanken ganz erfüllt sein" ist nur eine Eigenschaft des Dichters, und es in der „Vereinigung von Wille und Talent" suchen, heisst auf den zu weit gefassten Begriff des Talentes, dessen Abgrenzung übrigens auch eine willkürliche ist, alle Eigenschaften und Schwierigkeiten der Definition übertragen. Wir können nur wiederholen, dass dem künstlerischen Genius jedenfalls zahllose Fähigkeiten unentbehrlich sind, wie Phantasie mit allen ihren Eigenschaften, Drang nach Erkenntnissen, Bedürfnis, sie zu ordnen und zu äussern, die Factoren des sogenannten Spieltriebs; das Schönheitsbedürfnis, starke Affecte, Fähigkeit, von einer Idee beherrscht zu werden, Wille zur Concentration, grosses Wissensmateriale, gegeben durch Unterscheidungsfähigkeit und Gedächtnis; Können, vornehmlich psychologisches als Darstellungsmittel, ein gewisser Grad von Sittlichkeit, eine sittliche Weltanschauung — alles Factoren, deren Besitz in grösserer oder geringerer Zahl das Prädicat des Genies erwerben lässt.

Sollen wir also sagen, wer das grössere Genie ist, so kämen wir auf ein Vergleichen dieser einzelnen Momente und hätten überdies ausser den Unterschieden des Werkes selbst, Zeit und Umstände in ebenso unmöglicher Weise in Rechnung zu ziehen. Beethoven war z. B., wenn das „rein musikalische Talent" abzutrennen wäre, der grössere Mensch an Affecten und Ideen als Haydn, und seine wertvolleren Associationen hätten ihn wohl immer, auch bei gleichen ele-

mentaren musikalischen Anlagen, zur grösseren Künstlernatur
gemacht. Aber wer weiss, wie viel mehr Haydn trotzdem erreicht hätte, wenn er z. B. nur die Sonaten-Quartett- oder
Symphonienformen, die ganze Mozart'sche Musik, schon vor-
gefunden hätte? Ohne aber auch solche Fragen des Talentes
zu beantworten, werden wir doch sagen können: Die Kunst,
wie sie nach Beethoven vorlag, war eine reichere, grössere
als die Haydns. Damit behaupten wir aber nicht einmal nothwendig, dass Beethovens Genius in den meisten Punkten
grösser war als der seines Vorgängers, und lösen trotzdem die
Entwickelungsfrage, so weit sie uns beschäftigt. Diese Bemerkung
führt zum nächsten Punkte.

2. Wir dürfen nicht immer und nur auf jene seltenen
Werke von Künstlern achten, die alle Talente vereinigen.
Einzelne Fähigkeiten, das Können der Specialisten kann in
der Entwickelung einer Kunst durch Arbeitstheilung grosse
Bedeutung gewinnen, während solche Momente in dem alles
vereinigenden Genie gar nicht zur Ausbildung gelangen, z. B.
die Kunst der modernen Landschaftsmalerei neben der
grossen Malerei des 16. Jahrhunderts. Hier ist es das Gute,
nicht bloss das Beste, und natürlich innerhalb des Guten
nur das Neue das entscheidet, welches im Zweifelsfalle
die Richtung der Entwickelung kennzeichnet. Haydn würde,
nach Beethoven kommend, trotzdem er diesem, besonders z. B.
im Quartette, oft überlegen ist, nicht in gleicher Weise einen
Fortschritt bedeuten. Er wäre ein Besserer nur in Betreff einzelner vorhandener Formen. Beethoven aber brachte oft auch
mittelst aussermusikalischer Elemente seine grosse Natur in
einer neuen Weise zum Ausdruck, wie dies Haydn trotz
seines Beethoven gleichen Genies nicht konnte. In diesem
Sinne bedeutet auch Mozart — wenn wir von seinen Opern absehen, die übrigens als solche seine wahre Grösse nicht aus-

machen — keine Entwickelungsepoche[28]) wie Haydn. Und ähnliches gilt für alle Künste. Trotzdem wir Sophokles für die Entwickelung höher stellen als Aeschylos, kann dieser jenen doch im ganzen weit überragen und trotzdem uns zu dem Urtheile berechtigen, Sophokles habe die Kunst in manchen wichtigen · Punkten bereichert. Das haben in der Malerei moderne Realisten und Specialisten, Pleinairisten, Impressionisten, Seccessionisten auch gethan, ohne im entferntesten den Geist der Renaissance zu erreichen.

Es wird eben fast nie bedacht, dass es auch in der Kunst eine der Wissenschaft sehr ähnliche Entwickelung gibt. Es bedurfte z. B. dreier Jahrhunderte nach M. Angelo, um die Landschaftsmalerei auf jene Höhe zu bringen, wie die Gegenwart sie zeigt. Michel Angelo, auch wenn er solche Interessen gekannt oder jenen Specialismus gewollt hätte, hätte allein niemals mit all seinem Genie eine solche Entwickelung erzielen, die Landschaftsmalerei zu dieser Kunst erheben können. Demzufolge ist auch der Einwand abzulehnen, dass in der Kunst alles Individualität sei, welche die Kunst immer wieder neu zu schaffen habe. Besonders vergleichende Literarhistoriker sehen in der Kunst oft die Erscheinungen nur nebeneinander, nicht aber als Entwickelung, und besonders nicht als Fortschritt. Alles erscheint ihnen gleich wertvoll und lediglich aus der Umgebung erklärbar. Aber diese Art der Betrachtung betrifft lediglich das Genie und die Individualität und ist streng zu trennen von jener der Entwickelungsmomente. Wer sagen will, dass ihm ein vollendetes, einfaches Werk griechischer Kunst höher stehe als ein die schwierigeren, weil inhaltsvolleren Formen weniger beherrschendes späterer Zeit, spricht nur vom Höherstehen einzelner Eigenschaften einzelner Werke oder Künstler oder selbst vom Höherstehen einer Kunstrichtung in vielleicht selbst wesentlichen einzelnen Factoren, aber damit sagt er nichts gegen eine Entwickelung der Kunst im grossen Ganzen. Deshalb müssen wir also auch untergeordnete Momente, auch die Dii minorum gentium, auch die kleinsten Inseln beachten, ehe wir bloss von Wasserwüsten sprechen, wofern nur das Festland auf einen grossen Zusammenhang weist.

Die moralische Entwickelung.

Wir wollten bei der Besprechung der künftigen Entwickelung ausgehen von der bisherigen, müssen also auch bei der Frage nach einem moralischen Besser- oder Schlechterwerden der Menschheit zuerst von ihrer Vergangenheit sprechen.

Wir haben uns dazu schon in der Hauptsache klar gemacht, was gut und damit, was besser heisst. Besser als ein anderer kann ein Mensch heissen in dreifacher Art: Je nachdem er mehr oder weniger und richtige angeborene Gefühlsund Affectdispositionen, d. h. also solche hat, die in letzter Instanz der Gesammtheit und ihm glückbringend sind; ferner, sofern er darauf bezügliche und von jenen nicht völlig trennbar bessere und zahlreichere Principien des Handelns hat; und schliesslich, je nachdem er weitgehendere und richtigere Ueberlegungen in jener Richtung zu fällen im Stande und zu fällen gewöhnt ist. Also ist z. B. besser, wer mehr Mitleid hat oder weniger zornig ist; wer mehr Sätze, wie „Du sollst nicht stehlen", anerkennt und danach handelt, was ja zum Theile auch Mitleid voraussetzt; ferner wer bei seinen das Gemeinund eigene Wohl betreffenden Handlungen weitergehende Ueberlegungen, also nicht immer bloss die oft schädlichen Voraussichten nur für den nächsten Nutzen des Tages zu treffen die Gewohnheit hat.

Da in jedem Menschen diese Eigenschaften in verschiedensten Combinationen vereinigt sind und auch der schlech-

teste in gewissen Dispositionen oder Principien sehr gut geartet sein kann, so bezieht sich „besser" oder „schlechter"
im Zweifelsfall auf die für die Moral und die Gesammtheit
wichtigsten Eigenschaften. Wir werden also einen Mörder,
der zugleich ein ausgezeichneter Familienvater oder Taglöhner ist, schlechter taxiren als einen schlechten Vater oder
Taglöhner, der kein Mörder ist, da dessen Mitleidslosigkeit
jedenfalls eine der zerstörendsten Eigenschaften im Zusammensein der Menschen darstellt.

Vor der Verfolgung nun der einzelnen Entwickelungsmomente ist noch auf einen jene oft störenden Irrthum hinzuweisen. Er betrifft die moralische Beurtheilung von sittlichen
Wandlungen, zum Beispiel solche im Gefolge eines religiösen
Verfalles.

Es ist natürlich, dass wir uns bei jeder Schätzung der
Moral eines Volkes vor der gewöhnlichen Meinung hüten
müssen, den, der weniger Verbrechen begeht, besser zu nennen
als einen anderen, der bei sonst gleicher Disposition, vielleicht
einfach schwierigeren Verhältnissen, der Versuchung mehr ausgesetzt war. Wir schliessen ja aus der Handlung erst auf das
Motiv, aus diesem auf die gesammte Gesinnung und daraus
wieder erst auf die Wahrscheinlichkeit weiterer ähnlicher
Verbrechen; es sind uns aber die Motive des Verbrechens
meist verborgen und können oft selbst sittliche sein. Aus gleichen
Gründen nennen wir auch den, der ein Verbrechen aus Furcht
unterlässt, gleichviel ob vor der Züchtigung oder vor Gott,
deshalb nicht besser als einen anderen, auch den also nicht
schlechter, der zum Verbrecher wird, wenn diese Furcht ihn
nicht mehr abhält. Demzufolge müssen wir z. B. auch beim
Ungläubiggewordenen, der zum Mörder wird, zweierlei auseinander halten. Er kann zum Mörder geworden sein, nur weil er
aufgehört hat, sich vor der Hölle zu fürchten; dann ist er

nicht unsittlicher geworden und war seiner Anlage nach immer ein Mörder. Wie immer sein Unglaube dem Staate gefährlich und die Religion diesem wichtig sein mag, der Glaube hat mit der moralischen Beurtheilung nichts zu thun; anderenfalls müsste ja eine unter Umständen vielleicht in kürzester Zeit vollzogene Glaubensbekehrung, die gewiss Furchtmotive erregen kann, auch einen Wandel moralischer Dispositionen zur Folge haben können. Der weit seltenere Fall ist, dass der Ungläubig-gewordene mordet, weil ihm das Princip „du sollst nicht tödten" nicht mehr lebendig, d. h. nicht mehr Motiv der Abhaltung ist. Jenes war vielleicht mittelst einer religiösen Entwickelung und unter ihrem Drucke entstanden und ist vielleicht in einer religiös und sittlich verkommenen Umgebung verloren gegangen. Hier haben wir es mit schlechter gewordenen ethischen Principien zu thun, von denen es hinwiederum gleichgiltig ist, ob ihre Sanction eine religiöse oder eine andere ist. In vielen Fällen ist ja die Furcht nicht das Motiv der Unterlassung, sondern das Mittel ethischer Erziehung, wie in der Kindheit die Ruthe. Sie hat das Motiv oder das Princip „du sollst nicht tödten" erzeugt, und dieses ist dann ein sittliches, gleichviel, wie es entstanden, und der Verlust desselben ist gewiss ein moralischer Verfall.

Dieses Nichtauseinanderhalten der sittliche Principien erzeugenden Kraft der Strafe und des dem sittlichen Urtheile gleichgiltigen Motives der Furcht vor der Züchtigung erhält nicht nur grossentheils beständig die Frage nach der Möglichkeit der von der Religion unabhängigen Moral brennend, wir werden sehen, dass sie auch die ethische Beurtheilung stört.

Der Beweis, den wir nun antreten wollen, der natürlich nur mit Hilfe der Beobachtung geschichtlicher Thatsachen geführt werden kann, wird betreffs der einzelnen Beweismittel von sehr verschiedener Kraft sein; und es ist stets zu unterscheiden, was bloss Glaubenssache ist, und was allgemein anerkannt werden müsste. Z. B. glaube ich, dass die Menschen jetzt viel weitergehende Nützlichkeitsüberlegungen im Dienste ihres Glückes vornehmen als vor 3000 Jahren, vor allem, dass sie früher die künftigen Gefühle schlechter vorstellten, was auch jetzt noch bei Ungebildeten so häufig eine Hauptursache des Verbrechens ist; auch dass seit dieser Zeit ihr Stammschatz an ethischen Principien, wie sie sich in den Institutionen der Ehe, des Rechtes u. s. w. äussern, beträchtlich gewachsen ist; selbst an eine Entwickelung ethischer Dispositionen, wie Furcht, Zorn, Scham, Stolz, möchte ich glauben, die bei den Alten vielleicht mehr Aehnlichkeit hatten mit denen mancher wilden Stämme der Gegenwart, die noch wegen jedes Schimpfes sich im Zorn sofort tödten. Aber ein Beweis für diesen Glauben ist nicht erbringlich. Hingegen, dass Mitleid, der wichtigste Factor der Moral, mit seinen von den der Liebe nicht trennbaren Dispositionen zugenommen habe, ist allgemein erweislich. Dabei ist es gleichgiltig, dass es nicht möglich ist, anzugeben, welche Factoren des Mitleides vornehmlich sich entwickelt haben, ob Phantasie, Empfänglichkeit für eigenen Schmerz, Vorstellungsfähigkeit des fremden, bessere Erkenntnis des Ausdruckes, der Ursache etc. Es genügt, sich an das gesammte Mitleidsphänomen zu halten. Man mag selbst zweifeln, wie weit dabei mehr die ethischen Principien als die Disposition von der Wandlung getroffen wurden, was bei diesem von Principien kaum trennbaren Affect insofern besonders gleichgiltig ist, als ihm selbst intellectuelle Factoren, wie das Erkennen fremder Leiden, wesentlich sind.[29])

Die Entwickelung des Mitleides dürfte vor allem von denjenigen nicht geleugnet werden, welche aus Mangel an Kenntnis der historischen Menschheit wenigstens mit Männern der Geschichtsforschung nicht streiten können, die ihr Leben

der Entscheidung solcher Fragen widmen. Jene müssten mit
den Thatsachen zur Kenntnis des ganzen äusseren und inneren
Lebens eines Volkes besser ausgestattet sein, als nöthig ist,
um nur mit einigen Helden ein goldenes Zeitalter sich
aufzubauen; oder wenigstens müssten sie diese Helden
einer sorgfältigeren ethischen Prüfung unterziehen. Alkibiades
immer nur zu feiern, wie alle thun, die ihn nur von der
Schule her kennen, ohne zu wissen, dass er Sokrates öffentlich
den Antrag der Pädrastie[30]) machte, zeigt zum mindesten eine
einseitige „humane Bildung". Da aber die Unkenntnis des
Beweismateriales so schwierig zu constatiren ist wie die
Grenzen seines Wertes, so kann es auch hier Streit geben,
bei dem, wie in allen ähnlich complexen Problemen das
Evidenzphänomen bestehen kann, auch wo keine Ueberzeugung der Gegner möglich ist. Wenn diese aber selbst bei
Historikern nicht zu erzwingen ist trotz ihrer grössten
Detailkenntnisse, so handelt es sich entweder um eine
zu ethischer oder psychologischer Analyse, zur Constatirung
dessen, was moralisch Besser, was Entwickelung heisst, un-
genügende philosophische Bildung,[31]) oder — wovon wir später
reden werden — um mangelhafte Veranlagung zu psychologischer Beobachtung, wie wenn z. B. behauptet würde, die Folter
afficire die Menschen jetzt nicht mehr als einst und könnte
mittelst Gesetzen wieder allgemein eingeführt werden.

Wenn aber der den moralischen Fortschritt betreffende Beweis zu erbringen ist — vielleicht schon erbracht ist — ohne
doch für den nicht Vorbereiteten zwingend zu sein, so ist noch
weniger hier auf einigen Blättern von seiner mangelhaften Wiederholung zu erwarten; schon weil er, selbst in seinen Umrissen,
die Vereinigung grösseren historischen Materiales mit psychologischer Kritik erforderte. Demzufolge können die wenigen auffallenden Punkte, die hier wiederholt werden sollen aus dem, was

die ganze Sittengeschichte allgemein beweist, auch weniger
den Zweck haben, allgemein zu überzeugen, als auf den
Zusammenhang hinzulenken, der die Evidenz aber nur unter
jenen besprochenen Voraussetzungen hervorrufen muss.

Wir ordnen die Argumente nach ihrer Dignität in
solche: 1. Aus der Geschichte des Rechtes, 2. aus der Geschichte der Kunst, 3. aus Institutionen, 4. aus der Statistik,
5. aus der Entwickelungslehre.

Der Beweis aus der Rechtsgeschichte.

Der unzweifelhafteste Beweis für das moralische Besserwerden der Menschheit, und zwar ein, wie ich glaube, keiner
Widerlegung fähiger, ist gegeben — selbst wenn wir die Entwickelung des Privat-Völker- und Kriegsrechtes unberücksichtigt lassen — in der Geschichte des Beweisverfahrens, des
Strafvollzuges und des Strafrechtes, diesem am allgemeinsten
sanctionirten öffentlichen Gefühlsausdruck. Selbst wessen
Zweifelsinn im Strafrechte nicht eine Entwickelung des Mitleides
sehen könnte, muss doch in beiden ersteren Momenten eine seit
dem Alterthum immer steigende Mitleidsäusserung erkennen.

Für viele Strafrechtstheoretiker ist diese Auffassung so
über allen Zweifeln, dass einige unter ihnen, wiewohl in etwas
vorschneller Weise, aber bezeichnend genug, sogar einen
Parallelismus nachweisen wollten zwischen der Entwickelung
des Strafvollzuges und des Beweisverfahrens, sofern beide abnehmende Grausamkeit zeigen.[39]) Die Ordalien sollen dem Straf-
principe der Sühne entsprechen; die Folter der Strafe, sofern
sie als abschreckend gedacht ist; die modernen wissenschaftlichen Erforschungsmethoden dem Besserungsprincipe und den
die Gesellschaft bloss schützen sollenden, in Liebe verhängten
Strafen.

Um den Gefühlszustand vergangener Zeit zu kennzeichnen, genügt aber schon die blosse Nennung der Namen von Beweisverfahren, wie Ordalien oder Folter. Bei unbeträchtlichen Vergehen vom Untergehen eines Opfers im Wasser, vom Verletztwerden durch Feuer oder geschmolzenes Blei, vom tödtlichen Zweikampf Schulderkenntnis abhängig machen, ist ausgesucht thierisch, und nicht menschlicher ist später jene Erzwingung der Folterbekenntnisse, die zu Leiden führten, welche auch oft einen tödtlichen Ausgang nahmen. Die von der Inquisition verfassten, berüchtigten Torturvorschriften enthalten das Aeusserste, was menschliche Phantasie und Grausamkeit ersinnen können. Manche moderne Besucher von Folterkammern sollen beim blossen Anblick der Werkzeuge solcher Leiden einer Ohnmacht nahekommen, und die Gegenwart ist ja schon empört über Untersuchungsrichter, die durch Hunger oder des Nachts durch aufregendes, öfteres Aufwecken Geständnisse erlangen wollen.

Was den Strafvollzug selbst anbelangt, anstatt vieler Details über das Handabhacken, Augenausstechen oder das Baden in siedendem Oel, nur einige Worte über die Todesstrafe. Wir wissen, dass es kaum ein Vergehen noch so geringer Art gibt, auf das nicht irgendwann oder irgendwo Todesstrafe gesetzt war. Und welcher Art war sie im Verhältnisse zur Gegenwart? Wir sehen sie in modernen Ländern ganz abgeschafft, ob mit Recht oder nicht, und sehen die Entwickelung des Mitleides trotz aller Wiedereinführungsbestrebungen auf die allgemeine Abschaffung zielen, schon weil die Stelle eines Henkers immer schwerer zu besetzen ist. Wir hören, dass in den Ländern, wo sie besteht, z. B. in Oesterreich, zwischen 1863—1872 nur circa 8 Procent der zum Tode Verurtheilten[83]) hingerichtet wurden, dass die Hinrichtungen intramuran erfolgen, dass Vollstreckungsversuche gemacht werden, womöglich mit Elektricität u. s. w. Welche andere Gefühle zeigen dementgegen Hinrichtungen aus dem Mittelalter, wenn z. B. die Münzfälscherin verbrannt wurde, und zwar von Weibern und von ihnen mit Steinen beworfen wurde, oder wenn im Alterthum schuldlose Gefangene und Christen zu Gladiatorenspielen und Thierkämpfen verurtheilt wurden.

Nur ein Beispiel einer Hinrichtung aus der Zeit Shakespeares:

„Ein Augenzeuge berichtet über eine öffentliche Hinrichtung wegen Hochverrathes in England aus dem 16. Jahrhundert. Der jüngere Mann, nachdem er den Tod seines Oheims mitangesehen hatte — auch dessen übliche Viertheilung — wohl wissend und gewiss, dass ihm selbst Gleiches bevorstand, schien sehr reuig. Nachdem er kurze Zeit aufgehängt und dann heruntergeschnitten wurde, schlitzte ihn der Scherge auf, und während er ihm die Eingeweide herausnahm, schrie jener und rief aus: „O Herr, Herr, habe Gnade mit mir" und gab so seinen Geist auf. Dann, gleicherweise geviertheilt wie der andere, und nachdem ihre Eingeweide verbrannt worden waren, wie es Brauch ist, wurden ihre Körpertheile in einen Korb gepackt, der zu dem Zwecke da war, und so nach Newgate gebracht, wo sie zerkocht wurden; nachher wurden ihre Köpfe auf London bridge gesteckt und ihre Glieder auf Trockengitter der Stadt London gelegt, allen Verräthern und Rebellen ein Beispiel wegen begangenen Verrathes gegen Gott und ihren Fürsten." [34]

Dem gegenüber will man in unserer Zeit selbst bei Mördern nicht nur nichts von körperlicher Züchtigung wissen oder von Ketten in den Kerkern; diese werden auch immer mehr als Krankenhäuser bezeichnet. In ihre grossen Räume soll frische Luft und warme Sonne dringen, und durch Nahrung, Bewegung und Arbeit ist für den Sträfling so gesorgt, dass bekanntlich Verbrechen verübt werden, nur um dieses von der Armut mit Eifersucht betrachtete Sträflingslos für ein schlechteres einen Winter hindurch einzutauschen.

Nicht so zwingend zeigt diesen Fortschritt, wiewohl sie ihn auch wahrscheinlich macht, die Entwickelung der Strafgesetze, ihre absolut geringere Grausamkeit wie auch ihre weniger unbarmherzige Strenge für unbeträchtliche Vergehen. Sie ist ein treues Abbild steigender Menschenliebe. Ein Eingehen auf Details ist völlig unnöthig; allein das Beispiel, dass Kindesmord im Alterthum nicht nur legal, sondern unter Umständen Pflicht war, wäre entscheidend.

„Plutarchs Frage, ob die Kinder im Mutterleibe den Thieren gleich zu achten seien, wurde bekanntlich schon von Plato bejaht. Auch die Stoiker rechtfertigten von diesem Gesichtspunkte aus die Fruchtabtreibung. Nicht bloss in Sparta, sondern auch in Rom wurden krüppelhafte Kinder getödtet. Der Vater hatte das Recht über Leben und Tod der Kinder. Die Mädchen, wenn ihrer mehrere in einer Familie geboren wurden, hatten oft das Los, beiseite geschafft zu werden, wenn nicht (wie Terenz beweist) die Mütter durch Aussetzung sie zu retten suchten. Aristoteles gab den Rath, die Kinder, die nicht erhalten werden können, zu tödten oder die Frucht abzutreiben. Die Lex Cornelia, wie früher die Gesetze der Decemviri, autorisirten die Tödtung der Kinder mit dem Satze: Infans nondum homo est! Selbst ein Seneca und Tacitus vertheidigen das Recht der Kinderaussetzung. Darauf bezieht sich auch, was Augustin von der Göttin Levana sagt, quae recens natos (d. h. die Ausgesetzten) de terra levabat." [33])

Gesetze, die jedem Römer gestatten, seine Kinder zu tödten, seine Sclaven Muränen, wilden Thieren vorzuwerfen oder sie wegen Ungehorsamkeit zu kreuzigen, von welch letzterem Rechte selbst junge Römerinnen manchmal zu ihrer Belustigung Gebrauch gemacht haben sollen, sind der Ausdruck für andere Gefühle als ein modernes Gesetz, das den, der den Versuch, einen Ertrinkenden zu retten, unterlässt, straft, oder als moderne Thierschutzgesetze, die verbieten, Hühner an ihren zusammengebundenen Beinen zu tragen. Wer um diesen Wandel zu leugnen, von manchen elenden Gesetzen der Gegenwart spricht, von Harems-, Exportationsoder Militärstrafgesetzen, setzt Ausnahmen an Stelle der Regel.

Und alle diese Unterschiede dienen im Munde pessimistischer Laien immer nur als Folie für das Argument von den gepriesenen „stärkeren Nerven" unserer Ahnen; welche starke Nerven aber hier doch einfach nur geringeres Mitleid bedeuten. Eine Art von Grausamkeit ist für den nicht möglich, den der blosse Anblick von Blut ohnmächtig macht, so wenig als eine Art Muth: Er ist zum Räuber nicht geboren. Und wenn der Tyrann auch befiehlt, die Martern hinter seinem Rücken zu vollziehen, so beweist er damit doch neben anderen Gefühlen oder lebhafterer Phantasie den geringeren Muth, d. h. aber — wie immer damit noch andere Arten von Grausamkeit verträglich seien — weniger Grausamkeit. Ueberdies entzieht sich die ganze Thatsache der „stärkeren Nerven", wenn nicht als Mitleidsfrage gefasst, auch wenn sie für uns dann noch Interesse hätte, jeder Beweismöglichkeit.

Wer nun aber auch zugibt, dass das Schwinden eines Grausamkeitsfactors durch das Argument aus der Rechtsgeschichte erwiesen ist, könnte, als einen weit gewichtigeren als den früheren Einwand, sagen: Vielleicht ist der den Wandel der Strafe verursachende Sittlichkeitsfactor ein sehr kleiner, und andere unzweifelhaft anzuerkennende Factoren sind die entscheidenden. Z. B. könnte gesagt werden, die Folter sei abgeschafft worden infolge der Erkenntnis ihrer Irrthumsquellen und Zwecklosigkeit — was übrigens auch nicht allgemein einzuräumen ist — und die Richter würden sich an dieses Verfahren sehr bald wieder gewöhnen, wenn sie es für nöthig erachteten. Das heisst also, der Intellect würde die Ursache, und die Erscheinung mehr für seine Entwickelung ein Beweis sein als für jene der Sittlichkeit.

Vor allem brauchten wir uns über das Mehr oder Minder von Factoren nicht auseinanderzusetzen: Genügend für uns wäre, wenn einmal unzweifelhaft feststünde, dass die

Moral eine Ursache der Entwickelung auch des Strafrechtes ist und somit unzweifelhaft gestiegen ist. Dass sie auch
eine wichtige Ursache ist, dafür ist vor allem 1. in allerdings
nicht weiter discutirbarer Weise auf psychologische Beobachtungen hinzuweisen, z. B. dass die jetzige Menschheit, besonders
in so gebildeten Ständen, wie dem der Richter, durch keine
Gesetze mehr allgemein zur Folteranwendung zu bringen wäre;
2. auf den langsamen Wandel der Gesetze, wie dies der Parallelismus des Gefühlswandels erfordert, welch ersterer auch
gegen einen blossen Wandel sittlicher Principien und mehr für
den der Mitleidsdisposition spricht. Wären intellectuelle Gründe
massgebend, so müsste wenigstens ausnahmsweise und öfter, in
älteren Zeiten, z. B. in denen der intellectuell so hochstehenden Griechen, das Strafrecht einen milderen Charakter haben.
3. Ist auf folgenden Thatbestand hinzuweisen: Die für
die ganze Welt im Grossen einheitliche Entwickelung des
Strafrechtes müssten die verschiedensten Ueberlegungen in
den verschiedensten Ländern und Zeiten zahllose Ursachen
erklären, und doch hätten alle diese Ursachen dieselbe Wirkung. Andererseits bedingt die Annahme gesteigerten Mitleides nur eine Ursache, was schon nach dem Gesetze der
Wahrscheinlichkeit die wertvollere Hypothese bedeutet. Z. B.
müsste man sagen: Nicht Mitleid ist schuld, sondern die Hexenver-
brennungen wurden wegen ihrer Sinnlosigkeit abgeschafft; die
Kettenstrafen, weil es jetzt besser verschliessbare Kerker gibt;
die Prügelstrafe, weil sie oft gefährlich übertrieben wurde u. s. w.

Nur das zweite Argument vom Parallelismus und das
gegen die Vielfältigkeit der Ursachen, der dritte Punkt, bedarf noch weniger Bemerkungen.

Es wäre kein Einwand gegen die im zweiten Punkte
vertretene Ansicht, zu sagen, dass es hochgebildete alte Völker
gab, die sehr milde Strafgesetze hatten, z. B. die Inder und,

wenigstens soweit es sich um die obersten Classen handelt, Hellas und Rom, denn wir wissen über die Inder nichts oder jedenfalls nicht, wie weit ihre Milde, die möglicherweise nur die religiös entwickeltsten Gesetze wünschten, oder die auch nur die obersten Zehntausend betrifft, sich erstreckt.

Diese Classe darf uns auch bei den Griechen nicht entgegengehalten werden. Für die der Regierung nächste Classe hat es niemals Todesstrafe und immer nur Milde gegeben, und auch heute sind nicht nur Mitglieder der Regentenfamilien überhaupt unantastbar, auch wo es einen mächtigen Adel gibt, dort ist er, nicht vor dem Gesetze, aber so gut wie straf- gefeit. Die Processe werden niedergeschlagen, die Uebelthäter werden begnadigt etc.

Wollte man endlich die griechische und römische Barbarei in der Bestrafung der Sclaven damit entschuldigen, dass diese ihnen eigentlich als Thiere galten, so ist darauf zu sagen, ab- gesehen davon, dass es auch gegen Thiere Grausamkeit gibt, dass jene Erkenntnis, und selbst wenn sie Aristoteles theilte, eine des Kopfes und nicht des Herzens ist. Das Mitleid, wo es herrscht, ist zu tief gewurzelt, um sich mit solcher Irrlehre ent- wurzeln zu lassen. Sie hätten beim Kreuzigen eines Sclaven wohl den Menschen erkannt, wenn sie das Mitleid gehabt hätten, das uns jetzt auch gegen Thiere schon anders verfahren lässt. Uebrigens waren ihre Gesetze nicht bloss gegen Sclaven barbarisch, sie waren es auch gegenüber Kindern, Greisen und Frauen.

Und nun noch ein Wort über das Argument von der Vielfältigkeit der Ursachen. Ein Beispiel wird zeigen, wie trotz aller berechtigten Furcht vor einer einfachen Erklärung in so complexen Dingen eine solche nöthig ist, wenn wir nicht zu den vagsten Annahmen gedrängt werden wollen. Man hat z. B. gesagt, die letzte Veranlassung, dass die Todesstrafe in London intramuran vollstreckt wird, war der Andrang der Zuschauer, der zu grossen Geldgeschäften Anlass gegeben. Würde darauf gesagt, das sei nicht für alle Fälle richtig, die alte Form müsste wenigstens in anderen Städten beibehalten worden sein, so könnte erwidert werden, man habe Oeffentlichkeit allgemein abgeschafft, weil sie die Zuschauer verrohe. Obwohl dies Argument des höheren Zartgefühles schon ein bedenkliches ist, wäre auch noch darauf zu sagen, dass nach demselben vielleicht einzusehen ist, warum der Strafact ohne Beschauer vollzogen zu werden hat, aber nicht, warum dann, wie bei den besprochenen Hinrichtungen aus der Zeit Shakespeares, nicht auch jetzt noch den Opfern die Eingeweide aus dem Leibe gerissen werden. Die Todesstrafe sollte doch abschreckend wirken, auch wenn sie den Blicken verborgen vollzogen wird, und eine grausamere Todesart thut dies doch in noch erhöhterem Masse. Darauf zu sagen, dass die Strafe, je mehr sie in die Hände des objectiven Staates gelangt, immer mehr den Charakter der Rache verliere, gienge schwer an. Auch der Staat war früher grausam, und Grausamkeit ist geboten, wo das damals gewiss geltende Princip der Abschreckung es verlangt. Wird darauf erwidert, man dachte zuerst nicht an das Abschreckungsprincip, sonst hätte man jene Vollzugsart beibehalten, so könnte man dagegen fragen, ob sie also jetzt wieder eingeführt werden könnte. Aber vielleicht geschieht das nicht, weil die blosse Vorstellung schon verrohe oder die Moral der Henker darunter leiden würde. Darauf ist endgiltig ein Zweifaches zu sagen: Zuerst, dass die Menschheit als Ganzes ihre grossen Wandlungen nicht mittelst solcher Motive vollziehen kann — das sind Ueberlegungen zartfühlender Strafrechtstheoretiker — und zweitens, dass einfach die psychologische Beobachtung der Gegenwart und unserer Richter zeigt, dass nicht aus diesen Gründen, sondern weil der Menschheit jene Handlungen barbarisch und entsetzlich erscheinen, sie dieselben nicht will, weil sie ihr unerträglich sind. Und immer müssen wir wieder zum ersten psychologischen Argumente zurückkommen. Freilich könnte darüber noch gestritten werden, wer hier die bessere Psychologie treibt; denn wer Menschen besser kennt, wird mit mehr Recht Behauptungen aufstellen. Ich aber glaube, dass jene sie besser kennen, denen Mitleid der Hauptgrund ist, warum sich die Strafen gemildert haben, und sie dürfen jene Ursache aus diesen Wirkungen als eine berechtigte Folgerung betrachten.

In ähnlicher Weise wäre mit anderen Thatsachen als der Todesstrafe der Beweis zu vertiefen; er würde wohl auch für die schwersten Zweifler — die historische und psychologische Bildung vorausgesetzt — alle äusseren Verhältnisse als Hauptgründe ausschliessen.

Als Bestätigung dieser Meinung sei noch die Ansicht eines bekannten Historikers darüber hier angeführt.

„Die Wahrheit ist, dass das Strafgesetz in jedem Zeitalter sich in einem hohen Grade mit der volksthümlichen Schätzung der Schuld ändert. Philosophen haben viel über den rein präventiven Charakter der gesetzlichen Strafen geschrieben; aber es erfordert nur wenig Kenntnis der Geschichte oder sogar der menschlichen Natur, um zu zeigen, dass ein ganz und gar nach einem solchen Princip abgefasstes Gesetzbuch unmöglich ist. Wohl ist es wahr, dass alle von der Moral verurtheilten Handlungen nicht innerhalb des Gebietes des Gesetzgebers fallen, und dass diese Thatsache vollkommener begriffen wird, wie die Civilisation fortschreitet. Es ist auch wahr, dass auf einer frühen Bildungsstufe die Härte der Strafe in hohem Grade von der vorherrschenden Gleichgiltigkeit gegen Auferlegung von Leiden herrührt. Es ist sogar wahr, dass die besondere Bedeutsamkeit oder Gefährlichkeit eines gewissen Verbrechens die Menschen veranlasst, es eine Zeitlang mit Strafen zu belegen, die in keinem Verhältnisse zu seiner sittlichen Abscheulichkeit stehen. Doch glaube ich, bei Prüfung der Strafsysteme kann einem die Bemerkung unmöglich entgehen, dass sie während einer langen Zeitperiode nur wirksam sein können, wenn sie mit der volksthümlichen Schätzung der Abscheulichkeit der Schuld wesentlich übereinstimmen. Die von jedem Systeme zugegebenen mildernden Umstände und abgestuften Strafen bestätigen dies, und jedes Urtheil, das die Beurtheilung der öffentlichen Meinung durchmacht, ist wesentlich eine Berufung auf einen idealen Massstab. Wird eine Strafe für übertrieben erklärt, so bedeutet es, sie ist grösser als sie verdient war; wird sie für unangemessen erklärt, so bedeutet es, sie ist kleiner als sie verdient war. Ja, selbst wenn man das Gesetz einfach für eine Präventivmassregel hält, muss es als solche nothwendig die vorherrschende Schätzung der Schuld wiederspiegeln, denn sonst würde es mit der öffentlichen Meinung, die seiner Wirksamkeit unentbehrlich ist, in Widerstreit gerathen. So wurden gegen Ende des vorigen Jahrhunderts Mord und Pferdediebstahl (in England) mit Tod bestraft. Im ersten Falle sprachen die Geschworenen bereitwillig das Schuldig, das Publicum sanctionirte die Urtheile und das Gesetz war wirksam. Im zweiten Falle wurden die Verbrecher gewöhnlich freigesprochen, und sobald sie hingerichtet wurden, war die öffentliche Meinung beleidigt und empört. Der Grund hiervon war, dass die Menschen den Tod für eine der Schuld des Mordes nicht unangemessene, aber der des Diebstahles überaus unverhältnismässige Strafe ansahen. In dem Fortschritte der Civilisation liegt die Tendenz, die Strenge der Strafgesetze zu mildern, denn die Menschen lernen sich eine lebhaftere Vorstellung über das von ihnen verhängte Leiden machen, und sie werden zu gleicher Zeit empfindlicher für die Milderungsgründe der Schuld."[30])

Der Beweis aus der Kunstgeschichte.

Auch die Kunst spiegelt treu die moralische Entwickelung, den Fortschritt moralischer Anschauungen in der Auffassung der Ehe, der Pflichten gegen den Staat, der Handlungen des Zartgefühles, der Etikette: in allen Sitten und Gebräuchen mit ihrem mehr oder weniger wertvollen Inhalt. Unser Interesse geht wieder vornehmlich auf die Entwickelung des Mitleides, und wir brauchen hier nicht neuerdings den im Vorausgehenden besprochenen analogen Einwänden zu begegnen. So gewiss nicht jede Kampflust und jeder Kampf ausschliesslich Mitleidslosigkeit zum Motive hat oder geringes Mitleid bedeutet, so gewiss bedeutet die gesammte Abnahme aller Formen von Schlachten und Schlächterei vornehmlich geringere Grausamkeit. Es genügt zu diesem Erweise, besonders da wir später noch die Entwickelung der Kunst eingehend verfolgen müssen, uns auf einige Bemerkungen und ausschliesslich auf die Dichtkunst zu beschränken.

Man sieht in der Kunst der ersten Zeit die homerische Menschheit sich vor allem an den männermordenden Schlachten begeistern, in denen geschildert wird, wie die Pfeile und Lanzen durch das Zwerchfell und die Scham dringen, wie den Leichen von den Helden, die Ideale repräsentiren, Riemen durch die Fersen gezogen und sie um die Stadt geschleift werden, wie den Verwundeten mit den Fersen in die Weichen getreten wird, wie Telemach und zwei Hirten dem ungetreuen Melanchtos Nase und Ohren abschnitten, seine Schamtheile herausrissen, den Hunden zum Frasse vorwarfen und ihm seine Hände und Füsse abschnitten und zerschlugen. [37]) Die ethisch Höchststehenden in dieser Kunst raufen sich um die Siegesbeute, um ein Weib, an dem sie oft wenig mehr suchen als das Thier. Selbst von den Göttern heisst es auch bei ihren öffentlichen Begegnungen mit dem Weibe ohne viele Umschweife, dass sie „sich mischten". Polygamie wäre das wenigste gewesen: Die Pasiphae, Leda, Europa, Ganimed, Centauren etc. verherrlichen uns weit andere Verhältnisse, also selbst in der Religion, die auch ein treues Bild der Wirklichkeit gibt.

Und man täusche sich nicht darüber, in der sophokleischen Kunst ist der Fortschritt der Moral noch ein sehr mässiger. Dies zeigt uns schon der Oedipus. Nicht nur dass dort Irrthum und Schuld noch eins sind: Welcher Irrthum und welche Schuld werden uns hier vor Augen . geführt! Und welch barbarische Sühne in der Blendung, so unerträglich wie oft die körperlichen Leiden, des Philoktet, des Laokoon, der Niobiden.

Auch unsere Liebe, wie unser Mitleid, war den Griechen fremd.

Gustav Freytag sagt geradezu, dass, „da die griechische Bühne unsere Liebesscenen nicht kennt, so nehme die Anagnorosis, die Erkenntnisscene, eine ähnliche Stellung ein". Er fährt fort: „Seit frühester Zeit ist der deutschen Dichtung die Liebeswerbung, die Annäherung des jungen Helden an die Jungfrau, besonders reizvoll gewesen. Es war die herrschende poetische Neigung des Volkes, die Beziehungen der Liebenden vor der Vermählung mit einer Würde und einem Adel zu umgeben, von welchem die antike Welt nichts wusste. Nach keiner Richtung hat sich der Gegensatz der Deutschen zu den Völkern des Alterthums schärfer ausgeprägt, durch die gesammte Kunst des Mittelalters bis zur Gegenwart geht dieser bedeutsame Zug. Auch in dem ernsten Drama macht er sich mit hoher Berechtigung geltend. Das holdeste und lieblichste Verhältnis der Erde wird mit dem Finstern und Schrecklichen in Verbindung gebracht als ergänzender Gegensatz zur höchsten Steigerung der tragischen Wirkungen . . . . Der Kampf des griechischen Helden war ein egoistischer, seine Zwecke mit seinem Leben beendigt. Dem Helden der Germanen ist die Stellung zum Schicksal auch deshalb eine andere, weil ihm der Zweck des Daseins, der sittliche Inhalt, sein ideales Empfinden weit über das Leben selbst hinausreicht: Liebe, Ehre, Patriotismus . . . Die geheimen und reizvollen Kämpfe des Innern, welche von einer verhältnismässigen Ruhe bis zur Leidenschaft und zu einem Thun treiben, Zweifel und Regungen des Gewissens und wieder die Umänderungen, welche in Empfindung und Charakter durch ein ungeheueres Thun an dem Helden selbst hervorgebracht werden, erlaubt die Bühne des Sophokles nicht darzustellen."[38)]

Und wie trostlos sieht auch noch die Liebe und Moral in der mittelalterlichen Kunst aus, trotz der Ueberlegenheit des Germanischen in diesem Punkte über das Romanische: Die Roheit der Liebesprüfungen der Minnesänger, die abgehackte Finger fordert (was gewiss von der „gesunden Kraft" ihrer Leidenschaft sehr wohl zu unterscheiden ist); die Körperlichkeit

Brunhildens, die lediglich dem Stärksten ihre Liebe schenkt und alle tödtet, bis sie dem stärkeren Arm erliegt; die Rache Krimhildens und die Schlächtereien der Nibelungen; die in den typischen Wächterliedern verherrlichte Ehebruchspoesie u. s. w.

Man hat Dante den Entdecker der Menschlichkeit genannt. Trotz seiner „Hölle", die wohl an Grausamkeitsphantasie das Entsetzlichste ist, was je religiöser Fanatismus geschaffen, zeigt wirklich vieles, besonders seine „vita nuova", ein Feingefühl, das der Menschheit ein neues Leben ankündigt.

Shakespeare scheint einer der letzten zu sein, die als Spiegel ihrer Zeit mit Foltern und Blendung die Bühne vergewaltigten. Er lässt noch in seinen grössten Geisteswerken, neben Regungen höchster Menschlichkeit die gemeinsten Mörder als typische, ständige Gestalten auftreten und so viel morden, dass die Procentzahl der Ueberlebenden oft bedenklich wird.

Und wie gross ist, was neben Shakespeare Weimar am Anfange unseres Jahrhunderts für das Menschenideal, das des Mannes wie des Weibes, in „Wallenstein", in „Wilhelm Meister" geschaffen! Und trotzdem: schon ein Jahrhundert später wird selbst daran vieles unverständlich. Wir tadeln z. B. selbst an einem der humansten Werke menschlichen Geistes, an Goethes „Tasso", obwohl wir wissen, dass darin eine Schwäche Goethes selbst zum Ausdruck kommt, das Entsetzen, das unter so edlen Naturen die Liebe eines Dichters zu einer Prinzessin hervorruft, das so gross ist, um die Katastrophe herbeizuführen. Die ganze Ethik der Adelsprobleme war eben in der Kunst noch vor 100 Jahren wichtiger.

Nicht leicht wird die moralische Entwickelung in der Dichtkunst deutlicher, als wenn man ein von einem übrigens unbekannten modernen Dichter verfasstes Bühnenstück „Krimhilde" mit den Nibelungen des Mittelalters vergleicht. Die

Rache ist kein Mord, sondern das Untergraben der äusseren Existenzbedingungen. Und selbst diese Rache wird von einer barmherzigen Schwester, die den ganzen Contrast zur Zeit Krimhildens darstellt, als zwecklos und als nicht im Sinne des dem Mord zum Opfer gefallenen Gatten dargestellt. Wie immer hässlich die Probleme gegenwärtiger Dichtungen, Börsenspiel und Ehebruch, seien, es ist jedenfalls eine weit weniger gefährliche Unmoral als die von Gift und Dolch und ihrer Massenmorde, die noch auf der Shakespeare'schen Bühne zum Ausdrucke kommt.

Man könnte allgemein sagen, Entwickelung der Moral leugnen heisst diese Entwickelung der Kunst leugnen.

Der Beweis aus den Institutionen.

Von den wichtigsten Institutionen, deren Entwickelung die der Moral zeigt, wollen wir zuerst eine besprechen, die bestimmt ist, den directen Kampf gegen die Armut zu kämpfen, und die damit das immer steigende Mitleid demonstrirt. Und dann wollen wir diesem Beispiele von Wachsthum eine Institution entgegenstellen, der durch ihre Abnahme eine ähnliche Beweiskraft zukommt: die militärische, der „Geist des Militarismus" mit seinen „antisocialen, räuberischen" Instincten.

Beiden kommt nicht mehr dieselbe Beweiskraft zu, wie den vorher besprochenen. Der eingefleischte Pessimist kann bei einer Sammlung, die in London für eine Hungersnoth in Russland veranstaltet wird, finden, dass es sich dabei nur um die Eitelkeit, seinen Namen auf Wohlthätigkeitslisten zu sehen, handle. Ebenso kann er sagen, dass vor allem die öffentliche Armenpflege nur Ausdruck für Gleichgiltigkeit und gerade die private die eigentliche Wohlthätigkeit sei: dass jene mehr den Charakter der Abwehr oder des Egoistischen einer Unfallversicherung habe, als ein Beweis grösserer Menschlichkeit sei. Es ist wahrscheinlich, dass wir mit der Betonung einiger dem widersprechenden Daten jene Stimmen nicht widerlegen werden; sie aber mögen sicher sein, dass sie auch anderer Meinung nie widerlegen können: Mehr als früher könnten hier die historischen und psychologischen Voraussetzungen den Glaubensstreit beendigen.

. Aehnliches gilt vom Militarismus, bei dessen Abnahme unzweifelhaft intellectuelle Factoren, ökonomische Ueberlegungen u. dgl. eine so grosse Rolle spielen, dass z. B. ein Historiker wie Buckle das moralische Moment so gut wie übersehen konnte. Aber diese Abnahme ist ebenso unzweifelhaft Ausdruck gesteigerten Mitleides, wie die moderne Bewegung gegen den Krieg, und seine Unpopularität, vor der alle Regenten, die einen beginnen wollen, sich fürchten; sie ist der Ausdruck des gesteigerten Entsetzens der Menschheit vor seinen Greueln. Es ist eine gewaltige Einseitigkeit historischer Auffassung, zu meinen, dass das Kriegsleben wilder Stämme uns jetzt vollkommen behagte, wenn uns nicht Nützlichkeitsüberlegungen daran hinderten. Also wenigstens als dem gegentheiligen Glauben gleichwerthig gegenüberstehende Anschauungen müssen wir die beiden Punkte besprechen.

Für die Mitleidsfrage ist schon die Gegenüberstellung bezeichnend, dass es im Alterthum nicht nur keine staatlichen Armen-, Kranken- und ähnliche Versorgungshäuser gab, sondern dass im frühen Alterthum sogar alte oder kranke Sclaven einfach getödtet wurden, und dass hinwiederum in neuester Zeit ein Philosoph wie Spencer mit Rücksicht auf das übertriebene Mitleid der Gegenwart warnt vor dem zu kostspieligen Unterhalt von Arbeitsunfähigen auf Kosten junger Arbeitskräfte. [39)] Und mitleidslos wie die gesammte und besonders die stoische

Ethik, die eine mehr das Selbst bedenkende war als die christliche, so mitleidslos sind auch alle Aussprüche alter Schriftsteller über Armut.

„Für die Armen hatten selbst bessere Geister, wie Cicero und Seneca, nur wegwerfende Worte; sie erklären Mitleid und Barmherzigkeit als Schwäche und Fehler des Charakters. Horaz spottete über die „schmutzige Armut" und weiss ihr nicht genug Schmähworte nachzusagen. (Ingens vitium, magnum opprobrium, immunda pauperies.) Was man im gewöhnlichen Leben von der Armut und Barmherzigkeit dachte, hat Plautus in einem Bühnenstücke ausgedrückt, in dem der Sohn vom Vater folgende Belehrung erhält: Schlecht macht man sich um den armen Bettler verdient, wenn man ihm Speise oder Trank reicht; denn du verlierst, was du gibst, und verlängerst dem Armen doch nur ein elendes Leben." [40])

Bloss die Geschichte der christlichen Armenpflege müsste genügen, die Entwickelung zu zeigen, da es sich gerade im Christenthum meist nicht um staatliche, also öffentliche Wohlthätigkeit handelt, die gewiss auch oft Staatsinteressen ihren Ursprung verdankt. Und die neue Zeit scheint wieder der christlichen schon deswegen überlegen, weil das religiöse, respective das Furchtmoment, keine so grosse Rolle beim Handeln spielt. Schon die besonders in neuerer Zeit zunehmende Zahl der über das Familieninteresse hinausgehenden Legate, die immer mehr der Oeffentlichkeit zugewendet werden, beweisen, angesichts des Todes gemacht, dass doch nicht immer alles der Eitelkeit seinen Ursprung verdankt. Aber auch die öffentliche Wohlthätigkeit — und je einsichtiger die Menschen werden, desto mehr muss sie einen indirecten Charakter annehmen, wenn sie wirklich nützen soll — zeigt eine Entwickelung, die gegen bloss kalte Berechnung spricht.

Bei gleicher oder verminderter Zahl der Unterstützten steigen die verwendeten Unterstützungsgelder — was, da die Statistik erst so kurzen Datums, allerdings wenigsagend ist — in den Culturländern in einer früheren Zeiten unverständlichen Weise. Z. B. unterstützte Hamburg in den allgemeinen Armenanstalten im Durchschnitt des Jahres 1821 bis 1830 2562 Familien mit 68·6 Mark, und des Jahres 1871 bis 1880 3050 Familien mit 118 Mark. Und in Frankreich wachsen die sociétés de secours mutuels, private und öffentliche, in den Jahren 1853—77 von 2555 mit 318.256 Mitgliedern auf 5078 mit 945.649 Mitgliedern. Also in 25 Jahren hat die Mitgliederzahl sich fast verdreifacht — was keinerlei Parallelismus mit der Bevölkerungszunahme und, wie wir sehen werden, mit der steigenden Armut, noch mit dem steigenden Reichthum der Mitglieder zeigt. Auch wäre es ein bezeichnendes Symptom, wenn dabei in gleicher Weise wie bisher, die Betheiligung der Frauen im Verhältnis zu den Männern eine zunehmende bliebe."[1]) Schliesslich ist es auch ein Beweis von grösserer Fürsorge, dass immer weitere Kreise in freiester Weise zu Instituten wie Erziehungshäusern, Bildungsanstalten, Spitälern mit ihren Aerzten etc., Zutritt haben.

Der Wert oder Unwert solcher Daten und ihrer Deutung müsste ja aus dem Bisherigen schon ersichtlich werden.

Alles dies, so weit es sich auf die modernsten Daten bezieht, beweist wenn keine veränderte Disposition, die bei den älteren Angaben gewiss in Frage kommt, mindestens eine gesteigerte Erkenntnis und eine Auslösung vorhandener Kräfte, wie sie bedingt wird, durch das intensive Zusammenleben und Zusammenleiden ganzer Welttheile in der gegenwärtigen rasch mittheilsamen Zeit.

Und nun einige Bemerkungen über die oft unterschätzte ethische Bedeutung der Abnahme des Geistes des Militarismus. .

Was darunter zu verstehen ist, hat die Sociologie[2]) zur Genüge dargethan. Auch ist als bekannt vorauszusetzen, dass jener Geist moralisch, nicht bloss intellectuell, der gefährlichste, gefährlicher als der theologische ist; wenigstens ist das für die früheste menschliche Entwickelung selbstverständlich. Wir sehen noch jetzt an wilden Stämmen, die ausschliesslich eine kriegerische Lebensweise führen, welche niederen Zustände dieser Geist, natürlich auch im Frieden, bedingt. Er ist aber in entwickelteren Zuständen nicht weniger gefährlich und seine Moral ist mit Nothwendigkeit eine tiefstehende. Das ist, obwohl noch immer die Waffen Gegenstand poetischer Verklärungen sind, jetzt noch in jedem Culturlande, das stehende Heere hat, täglich zu demonstriren, und dafür spricht schon die Seelenlosigkeit eines Berufes, der lediglich Mittel ist (oft im Dienste einer Laune); die Sieger sind ja gezählt, die der Zufall für eine Idee kämpfen liess. Selbstzweck ist der meist erwünschte Krieg. Dadurch ist auch jener barbarische Ehrencodex bedingt, den vor allem Herrschsucht, Hohn und Verachtung gegenüber anderen Berufen dictirten. Tolstoi charakterisirt den Officier der Gegenwart: Es sei für ihn wohl Ehrensache, Spielschulden zu zahlen, aber nicht eine Schneiderrechnung; jedermann beleidigen, eine Frau zu verführen sei gestattet, wenn man nur dann eine Herausforderung annehme; und er schildert einen adeligen Cavallerieofficier — diese Vereinigung war und bleibt ja immer die bedenklichste — folgendermassen:

„In seiner Petersburger Welt zerfielen für ihn alle Menschen in zwei verschiedene Arten. Zu der einen, der niedrigeren Art, gehörten: Alle gemeinen, dummen und vor allem lächerlichen Menschen, welche der Ansicht waren, ein Mann müsse mit der Frau leben, die ihm angetraut war, ein junges Mädchen müsse unschuldig sein, die Frau züchtig, der Mann männlich, charakterfest und sich beherrschend, man müsse sich der Erziehung der Kinder widmen, sein Brot verdienen, seine Schulden bezahlen u. dgl. Unsinn mehr. Dies waren die altmodischen, lächerlichen Menschen. Ihr gegenüber stand eine andere Sorte richtiger, echter Menschen, nämlich die, zu welchen er und seinesgleichen gehörten, wo es hauptsächlich darauf ankam, elegant aufzutreten, schön, hochherzig, freigebig, tapfer und lustig zu sein, sich jeder Leidenschaft ohne Erröthen hinzugeben und über alles Uebrige zu lachen."⁴⁵)

Gewiss ist nicht jeder Soldat wie dieser, und es gibt die männlichsten Charaktere unter ihnen, aber das ist noch der Geist vieler Berufskrieger.

Ein wesentlicher Theil der entsittlichenden Wirkung liegt auch in dem Herrscher- und Sclaventhum, das sich ausbilden muss — ähnlich wie in dem feineren, aber lügenhafteren Beamtengeiste — und damit in dem Formalismus, der Titel- und Rangsucht, die sich schon im Auftreten äussern. Das Sichbehängen mit Ordensbändern erscheint kaum weniger sonderbar, auch schon für die untersten Stände, als das Bestreben, mit Federn oder Rossschweifen in den Haaren noch immer verderbenbringend auszusehen.

Es genügt, zu betonen, dass, so lange Heere bestanden und bestehen, moralisch tiefstes Elend Ursache,⁷ Parallelerscheinung, und auch eine nothwendige Folge ist. Das ist auch von vorneherein einzusehen, schon wegen der nahezu unbedingten Macht so vieler Ungebildeter — die auch den Besten eine grosse Versuchung ist — deren naturnothwendige beständige Knechtungen, die besonders unter dem Vorwande der Abhärtung noch jede Roheit und Grausamkeit zulassen, selbst zu Massen-Selbstmorden führen müssen.

Wenn selbst Vertreter der Ethik als Wissenschaft allen diesen und anderen Nachtheilen gegenüber noch immer jene Soldatenmoral für ungefährlich halten und sogar vertheidigen,⁴⁶) als nöthig für die „Züchtung der Männlichkeit", so sollten sie versuchen, zu beweisen, dass diese z. B. in Ländern wie Nordamerika nicht existirt oder nicht anders zu er-

angen ist, und ebenso versuchen, den allgemeinen Nützlich-
keitsbeweis für die geringeren Nachtheile dieser Institution. an-
zutreten. Wir brauchen solche Beweise nicht zu führen und
können uns mit dem nachweisbaren namenlosen Elend be-
nügen, das jedermann einräumt. So lange aber jene Denker
solches nicht können. ist ihre Theorie ein Frevel, oder sie sind
selbst, als im trüben Geiste des Militarismus auferzogen, nicht
ernst zu nehmen. Die Rolle, die das Militär im Westen Europas in den moralisch und intellectuell hochgebildetsten Ländern
spielt, spricht mehr als alles andere gegen den Wert dieser
Barbarenpädagogik.

Was die Abnahme jenes Geistes nun betrifft, können wir
die sociologische Lehre als zugestanden voraussetzen, dass der
Militarismus nicht nur seit der Zeit der Aegypter in stärkster
Abnahme und nicht mehr im entferntesten der herrschende
sei, sondern dass er auch in seiner civilisirtesten Form abgenommen habe. Den Beweis würde auch nur die Ausführlichkeit der Geschichte geben können. Der Wert der christlichen Liebesmoral, wie immer schwer einzelnenfalls die Grenze
von der selbstaufgebenden Hingebung zu der Vertheidigungs-
oder Rechtsnothwendigkeit zu ziehen sei, wurde immer mehr
erkannt, selbst in den jetzigen Zeiten, wo vom alten Christenthum
wenig mehr als der Name übrig ist. Der friedlichere „indu-
trielle Geist", wie er genannt wurde, ist im Staate an Stelle
des militärischen und damit der juristische im Einzelkampfe
der herrschende geworden. Gewiss ist im Verhältnisse zu der
christlichen die noch immer herrschende Juristenmoral mit
ihrem Standpunkte des „Kampfes ums Recht" — ein herz-
loser, wiewohl alle Gesetze ihn unterstützen, ja den noch ein
völliger Heiligenschein umgibt — keine erhabene; gewiss ist
der Standpunkt des Streites um des Streites willen, wonach
wir, selbst wo wir geneigt wären, einem anderen eine uns

wenig mühende Gefälligkeit zu erweisen, auf der Strasse einander auszuweichen, es nicht dürfen, um der Männlichkeit nicht zu vergeben, nicht der letzte; und gewiss ist es auch von der Gerichtsklage und selbst von freiwillig ernannten Schiedsämtern, die einen grossen Fortschritt bedeuten, noch weit zu einem Verkehr, den die Liebe beherrscht: Aber trotz alledem ist das Sinken des militärischen Geistes unverkennbar. Wie im Strafrechte so auch im täglichen Verkehre herrscht die Tendenz, die auch moderne psychiatrische Erkenntnisse — die den Begriff der Krankheit so sehr erweiterten — verbreiten, Feinde, alle Menschen nach einem milderen Masse und mit Liebe angesichts der Nothwendigkeit zu beurtheilen. Der immer allgemeinere Verkehr aller Berufszweige stellt auch jeden besonderen Moralcodex verschiedener Stände, also auch des Militärs. immer mehr an den Pranger öffentlicher Kritik.

Es sind die Reste des noch im Rechte verborgenen militärischen Geistes, der nicht zugibt, dass, wer ein Dummkopf genannt wird, nichts antwortet, als dass er dafür Mitleid verdient. Davor hindert uns lediglich noch, ausser der geringen Einsicht in den Zweck jeder Abwehr von Beleidigungen, der nur erfüllt ist, wenn der Beleidigte vor aller Augen reingewaschen wird, jener Geist, der will, dass der Beleidiger gestraft und, was in höchst seltenen Fällen überhaupt geschehen kann, gehindert werde, weiteres Unrecht zu thun. Aber die Erkenntnis wird allgemeiner, dass jede Handlung, die lediglich um der Ehre willen geschieht, diese, als eine Anerkennung eben der Motive, ja niemals erlangen kann: Dementgegen will die Soldaten- und Advocatenmoral immer noch, dass die Ehre, das Urtheil anderer wichtiger ist als die Befriedigung des eigenen Gewissens, das so geartet ist, dass es uns eher alle Erbärmlichkeit begehen, als dass es uns mit einem Toilettefehler unter Menschen treten lässt.⁴⁵)

Es bildet selbstverständlich gegen die Behauptung der Abnahme des Militarismus keinen Einwand, wenn einzelne Länder, oder vielleicht ganz Europa, jetzt selbst im Frieden grössere Heere halten als einst in der Zeit des Krieges. Denn die Länder, in denen das Militär den herrschenden Stand bildet, werden nicht nur täglich weniger, auch das Ansehen dieses Standes wird in den hervorragendsten Militärstaaten selbst immer geringer, und das ist das Wesentliche. Es ist ja natürlich, dass in einzelnen Ländern jeweils nach siegreichen Kriegen immer wieder der Militarismus gehoben wird und schon in der Kinderstube Vergiftungen anrichtet. Aber die Zahl der Erwachsenen, die dieser Beruf begeistert, ohne dass die Unfähigkeit zu anderen sie dazu zwingt, denen die Bildung und Macht eines Officiers sehr imponirte, wird täglich kleiner, und die Zahl jener nimmt zu, die den Verkehr sogar überhaupt meidet mit Menschen von so fremder Lebensauffassung, die ausserhalb der bürgerlichen Gesetze stehen (dass im Mittelalter den Soldaten der Aufenthalt in den Städten nicht gestattet wurde, zeigt die Entwickelung dieses Verhältnisses). Sie haben nur noch Macht, wo sie als Freunde und oft noch letzte Stütze morscher Principien herrschen, und hier herrscht auch das Faustrecht,[46]) mit dem allein gegen ihre Gewaltthätigkeit etwas zu erlangen ist. Aber alle bürgerlichen Institutionen, besonders das Volksheerwesen, die steigende Macht der mittleren und der untersten Stände, haben den Geist des Militarismus in der Wurzel getroffen und damit auch indirect der Moral zum Wachsthum verholfen.

Der Beweis aus der Statistik.

Wir wollen nun die Gründe angeben, warum für die Lösung des Problems nach dem Besserwerden der Menschheit, von der Statistik, von der gewöhnlich dafür sehr viel erwartet wird, bisher nichts zu erlangen war und in Zukunft sehr wenig zu erhoffen ist.

Zunächst die Criminalstatistik. Sie stellt ja natürlich sehr complexe Functionen der moralischen Entwickelung dar, und zum mindesten von dieser so abweichende, als die Moral selbst von den jeweiligen Begriffsbestimmungen, welche die Staatsmoral vom Verbrechen gibt. Auch haben wenige europäische Länder überhaupt eine hier in Frage kommende Statistik, die viel vor die Mitte dieses Jahrhunderts reichen würde, höchstens Frankreich seit 1826. Ferner ist jede Constanz in der Entwickelung, wie jeder Vergleich zwischen einzelnen Ländern, z. B. ob Engländer oder Italiener mehr Verbrechen begehen, nicht nur wegen ihrer verschiedenen Gesetze und der beständigen Veränderungen derselben, sondern auch wegen der völlig verschiedenen Daten, die für die Beurtheilung massgebend erschienen, fast ausgeschlossen.

Z. B. die officiellen oder auf solcher Basis verfertigten Berichte zählen:[47])

In Frankreich seit 1826 die schwurgerichtlich Abgeurtheilten;

in England und Wales seit 1857 die zur Anklage gebrachten;

in Oesterreich seit 1860 die wegen Verbrechen verurtheilten;

in Preussen seit 1854 die neueingeleiteten Untersuchungen;

in Italien seit 1862 die Verurtheilten in den Gefängnissen.

Wie gross nun die Meinungsdivergenzen, mit Rücksicht auf solche Fehlerquellen, zwischen den Statistikern nur betreffs der Frage nach der Zunahme der Verbrechen und Vergehen sind, zeigen schon die Erörterungen über ein einzelnes Land, wie z. B. Preussen, und hier selbst über Daten nach

dem Jahre 1871. Ein angesehener Statistiker las aus denselben
eine gewaltige Verschlimmerung; ein zweiter widerspricht
dieser Leseart und constatirt aus den gleichen Daten ein
Besserwerden; ein dritter*) endlich — und dies alles in besonders
ausführlichen, diesem Thema gewidmeten Schriften — tadelt
wieder diesen Optimismus und verhält sich selbst völlig skeptisch.

„Er sagt, dass man mit unserer heutigen Criminalstatistik noch alles
anzufangen, noch alles zu erweisen, wie zu widerlegen im Stande ist . . . .
die eigentlichen individuellen Beweggründe menschlicher Handlungen bleiben
. . . . für alle Zeiten statistisch-irrationelle Grössen . . . dass schliesslich
nur ein sehr begrenztes Gebiet concreter praktischer Fragen übrig bleibt,
über welche die Criminalstatistik Aufschluss und Belehrung zu geben berufen ist."

Die Gründe für diesen, wie ich glaube, völlig berechtigten
Skepticismus, schon in Betreff der blossen Zahlen der Verbrechen, sind ja leicht ersichtlich zu machen. Immer handelt
es sich um das Dilemma: Längere Zeitspannen mit total anderen Verhältnissen, oder kürzere, in denen jedes einfluss-
reichere Ereignis alles fälschen kann. Solche allgemein bekannte und grobe Fehlerquellen sind: Ein Theuerungsjahr mit
grossem Nothstande; ein Kriegsjahr, das alle Aufsichtsorgane
in Anspruch nimmt und die Verfolgung einschränkt; die Vermehrung der Sicherheitsorgane (in Frankreich z. B. von 1841 bis
78 im Verhältnis von 100 bis 135); Erfindungen, wie der
Photographie oder des Telegraphen, die deren Thätigkeit intensiver macht; bessere Strassenbeleuchtung oder das Reisen
mit Eisenbahnen; die häufigere Constatirungsmöglichkeit von
Vergiftungen; Veränderung in der Begriffsbestimmung eines
Verbrechens, die neue Merkmale aufnimmt (z. B. Wissen um
die Folgen einer That); neue, strengere oder mildere Gesetze,
die mehr oder weniger abschrecken oder gewisse Vergehen
Corrections-, selbst Irrenhäusern zuweisen; grössere Schwierig-

keit, Banknoten zu imitiren; die Bevölkerungszunahme, besonders sofern sie, wie in Grossstädten, Dichtigkeit der Bevölkerung erzeugt, von welcher man schon nach Quadratmeilen eine gesetzmässige Verbrechenszunahme voraussagen wollte etc. etc.

Solche Fehlerquellen haben dazu geführt,[*]) Verschlimmerungen sogar lediglich aus milderen Strafgesetzen zu erklären.

Trotz aller dieser Schwierigkeiten will die Statistik doch in einigen Punkten zu einheitlichen Resultaten gelangen, wie dass die Criminalität in neuester Zeit in allen civilisirten Ländern im allgemeinen zugenommen habe, oder dass einige schwere Verbrechensformen, wie Mord — wie es gewöhnlich heisst „eher" „plutôt" — abgenommen, hingegen andere, wie die gegen die Sittlichkeit, stark zugenommen haben. Einige Bemerkungen zuerst über diese beiden Thatsachen selbst, dann über ihre Bedeutung werden uns bald bedenklich machen, sowohl gegen allen Optimismus wie Pessimismus der Criminalstatistiker.

Den Mord betreffend, finden wir die älteste Statistik in England. Man schätzte nach den verlässlicheren Daten von Yorkshire (coroners'rolls) aus dem Jahre 1348 in folgender Weise die Abnahme der Morde in dieser Grafschaft.

1873 wurden constatirt 14 (willful) Morde und 19 Fälle von (manslaughter) Todschlag, bei einer Bevölkerung von $2\frac{1}{2}$ Millionen. Da die Bevölkerung von ganz England mehr als das Fünffache beträgt als im Jahre vor dem schwarzen Tode und sie in Yorkshire rascher gewachsen ist, und dort, selbst ums Jahr 1600, nicht über ein Sechstel betrug, so ist, selbst für 1348 die gleiche Zahl angenommen, die Zahl der Verdicte mit 6 zu multipliciren. Den 88 damaligen Verdicten würden also entsprechen 528, oder 16mal so viel als Mord und Todschlag von heute zusammen, welche damals nicht getrennt

verzeichnet wurden. Dabei sind die Kindesmorde nicht ein-
gerechnet, die in keinem besseren Verhältnisse gestanden sein
dürften. Ueberdies ist zu bedenken, dass zahllose manslaughters,
die gegenwärtig oft durch einfache Fahrlässigkeit zu Stande
kommen bei den grossen Gefahren des Bahnverkehres, des
Wagenverkehres in Grossstädten, durch Maschinenfabriken
und andere moderne Institutionen, die eine Zahl vermehren
und in der anderen nicht gerechnet waren. Würde demzufolge die heutige Zahl der Morde allein verglichen mit jener
Zeit, so ergibt sich eine 37mal, jedenfalls keine unter 16mal
grössere Zahl von Verurtheilungen vor 500 Jahren, ganz abgesehen, was sehr wichtig ist, von den damals zahllosen
durch Räuber verübten und anderen nicht „eingebrachten"
Morden.

Wir haben angedeutet, welcher Wert allen solchen, also
auch diesem, wiewohl gewissenhaften Calcül zukommt. Aber
selbst wenn er ein getreues Bild der Mitleidsentwickelung seit
dem Ende des Mittelalters darstellte, wie nicht unwahrscheinlich, schon nach dem Bilde, das wir uns vom Besserwerden früher aus allgemeinen Gründen machen konnten: es
ist nicht einmal derselbe Klarheitsgrad aus den Daten moderner
Zeit über dieses Verbrechen zu erlangen. Ich will nur zeigen,
was bei der angeblichen Uebereinstimmung der Zahlen in
neuer Zeit Uebereinstimmung bedeutet.

Frankreich zeigt von 1826 bis 1880 eine Vermehrung der
Morde; Preussen zeigt von 1854 bis 1878 eine Vermehrung
der Morde; Oesterreich zeigt von 1860 bis 1880 eine Vermehrung, von 1881 bis 1889 eine Verminderung der Morde; England zeigt 1830 bis 1859 eine Vermehrung der Morde; England
und Wales zeigt 1860 bis 1873 eine Verminderung der Morde.

Wenn wir noch bedenken, wie in diesen Angaben die
Begriffsbestimmungen ineinander übergehen, dass Mord und

Todschlag in Deutschland etwas anderes bedeutet als in Oesterreich, was Assasinat und Meurtre, manslaughter und murder bedeuten, so zeigen die Daten unzweifelhaft, dass von einer durch Zahlen constatirbaren allgemeinen Abnahme der Morde, die übrigens jährlich noch immer 100.000 in Europa (exclusive der Türkei) betragen sollen, jedenfalls erst seit einem Menschenalter die Rede sein könne. Aber auch dann sind trotz der sonstigen Brauchbarkeit der Daten grosse Fehlerquellen zu berücksichtigen; z. B. sind solche in Deutschland gegeben durch die Einführung des neuen einheitlichen Strafrechtes im Jahre 1871; oder in Oesterreich durch die Einführung des Geschwornengerichtes im Jahre 1874. Jedenfalls wäre mit Rücksicht auf diese kurze Spanne Zeit eine darüber erzielte Einigkeit völlig gleichgiltig.

Die Statistik nun der Sittlichkeitsverbrechen, jener — das Motiv betreffend — nicht weniger klaren und einfachen Verbrechensformen, hat folgenden Charakter:

In Deutschland haben die Verbrechen und Vergehen gegen die Sittlichkeit von 1871 bis 1878 relativ zur Einwohnerzahl um 150 Procent zugenommen. „In Preussen (alte Provinz) stiegen von 1855 bis 1869 die Nothzuchtverbrechen in constantem Fortschritt von 325 bis 925. In dem Kriegsjahre 1871 sank die letzte Ziffer (inclusive neue Provinzen) auf 501, um sodann von 1872 ab in unheimlicher Progression zu steigen (614, 752, 982, 1013, 1382, 1975 und im Jahre 1878: 2105).''

In Frankreich ist die Zahl der Nothzuchtsverbrechen an Kindern von 1832 bis 1860 um 350 Procent gestiegen, und es werden für 30 Jahre über 15.000 Fälle gezählt. Auch gibt es für Paris selbst eine Statistik der „Tribaden'', welche die Behauptung aufstellt, dass von den Pariser Prostituirten der vierte Theil der lesbischen Liebe ergeben sei.

England verzeichnet von 1857 bis 1878 Nothzuchtsverbrechen im Verhältnisse von 134 bis 317 und Sodomie und
Versuch dazu von 99·4 auf 123.

Würden wir die Zahlen nur für die gravirendsten dieser
und aller Verbrechensformen besehen, die Nothzuchtsfälle —
die übrigens in vielen Ländern nicht besonders gezählt werden,
sondern nur die Sittlichkeitsdelicte, worunter auch leichtere
Arten, wie Kuppelei. gerechnet werden — so blieben doch
auch über ihre Genauigkeit gewaltige Bedenken. Die Gründe
z. B. der so sehr gestiegenen Verbrecherzahl können schon
in veränderten Gesetzen liegen, die den Begriff des Kindesalters
von 10 auf 13 Jahre fixiren, oder welche die Initiative zur
Anzeige dem Staate zu- oder von ihm abwälzen, und selbst
in der gesteigerten Sittlichkeit, die jetzt mehr Fälle zur Anzeige bringt, indem sie selbst Schamhaftigkeit überwindet.
Wer dies alles berücksichtigt, wird die Zahlen dieser Criminalstatistik nicht mehr für sehr wertvoll erachten.

Auf eine weitere Discussion, auf eine solche ähnlicher
Resultate betreffs Betrug oder Diebstahl, die sich auch vermehrt haben sollen, hat hier einzugehen, wie gesagt, auch
deshalb keinen Zweck, weil die kurze Spanne Zeit allgemein
zugestanden wird, uns aber nicht die Verbrecherzahl von
Wert ist, sondern ihre Deutung, und für diese ist selbst ein
Jahrhundert wenig besagend, besonders wenn es das Jahrhundert der Maschinen und Krisen ist. Knüpfen wir dennoch
an jene Resultate die Frage, unter der Voraussetzung ihrer
Zwecklosigkeit, nach ihrer Bedeutung an. Was sollen diese
durch einige Menschenalter vermehrten oder verminderten
Mord- oder Nothzuchtsattentate für den Wandel ethischer Disposition oder Principien bedeuten? Was vorerst die Morde?

Die französische Statistik allein versucht, über Motive
Aufschlüsse zu geben, natürlich mit sehr wenig Erfolg. So

9*

lange uns die Statistik z. B. nicht wenigstens versichert, dass
nicht, wie oft behauptet wird, die modernen Morde immer
mehr den Charakter der Grausamkeit, besonders in Lust- oder
Raubmorden, annehmen und immer weniger den von Eifersucht und Rache — jener ist beispielsweise in Paris vorherrschend, dieser in Corsica — so bedeutet Abnahme sehr wenig.
Und was wichtiger ist: Weniger Morde muss nichts weiter
als eine grosse Furcht vor den in neuerer Zeit immer siche-
reren Mitteln der Entdeckung bedeuten, oder die Einsicht, dass
es einträglicher ist, sich auf den Betrug zu verlegen.

Etwas anders stünde es mit den Nothzuchtsattentaten,
besonders an Kindern. Wäre ihre grosse Zahl wirklich constatirt, so würden wir ethischen Momenten vielleicht näher kommen,
aber jedenfalls höchstens auf verwildetere Principien, nicht
auf andere Dispositionen schliessen dürfen. Innerhalb hundert
Jahren eine allgemeine Steigerung der Sinnlichkeit, worauf
diese Verbrechen zunächst schliessen lassen, zu constatiren, wird
niemand wagen wollen. Freilich einfach durch die stärkere
Versuchung in Grossstädten und ihre „Ausstrahlungen" allein
ist dieses Phänomen kaum zu erklären, da gerade dort die
Prostitution dieses Verbrechen verdrängt und es mehr auf
dem Lande nistet. Höchstens könnte man sagen, dass Städte
die Unsittlichkeit im allgemeinen fördern; aber jedenfalls wäre
für die Erklärung nicht einmal die Annahme veränderter ethischer Principien nöthig. Die gesteigerte Trunksucht, die grössere, wenn auch nur vorübergehend durch Arbeitsstauungen
veranlasste Geldnoth, die das Verschweigen nicht erkaufen
kann, und weder Ehe noch Prostitution als Befriedigungsmittel
einer rohen Sinnlichkeit möglich macht, auch gesteigerter Irrsinn, an dessen Grenzen die Moral solcher Attentate oft liegt,
können das Verbrechen begünstigen. Auch kann die Erscheinung theilweise erklärt werden durch die überhandnehmende

Irreligiosität, was nicht nothwendig Sittenverrohung, wie wir sagten, im Sinne schlechter Principien bedeutet, sondern einfach grössere Zahl von Verbrechen bei vielleicht ganz gleich veranlagten ethischen Naturen. Irreligiosität und ihre Folgen scheinen ja ein nothwendiges Durchgangsstadium der intellectuellen Entwickelung der Menschheit zu sein; aber über die Bedeutung jener entsittlichenden Wirkungen im Verhältnisse zu diesen intellectuellen Werten können 100 Jahre nichts entscheiden.

Also spiegelt die Zunahme dieser Verbrechen, selbst wenn erweisbar, nicht dauernde Schäden, jedenfalls nicht der ethischen Dispositionen, sondern höchstens eine Verwilderung in den Principien und erziehenden Momenten. Die Erscheinung ist, wie die gesammte der vermehrten Verbrechen, eine, die nur im Zusammenhange mit dem dreifachen Elende zu betrachten ist, das die letzte Zeit aufweist: mit der wahrscheinlichen, wiewohl statistisch schwer erweisbaren Zunahme des Irrsinns, der Selbstmorde und der Trunksucht. Besonders das immer häufigere Auftreten dieser drei Uebel auch im frühen Kindesalter und die häufigen Vererbungsfälle erregten die grössten Bedenken. Sie haben gewiss auch, wie alle Entwickelungskrankheiten, vielleicht selbst dauernde, aber für die Entwickelung im ganzen vielleicht nothwendige Schädigungen im Gefolge. Möglicherweise sind diese Producte modernen Lebens nicht erschreckender als vielleicht ähnliche, nur nicht so gut beobachtete Erscheinungen, z. B. des dreissigjährigen Krieges, und sie können mit ihren Ursachen schwinden wie jene. Sie sind jedenfalls sehr complexer Natur. Nicht die grossen ökonomischen Krisen, wiewohl diese vielleicht vornehmlich, nicht das concentrirte Leben der Grossstädte, nicht die intellectuelle, zunächst den Confessionalismus zerstörende Entwickelung, keine von diesen Ursachen allein genügt zur Erklärung, vielleicht sie alle zusammen nicht.

Mit den Beispielen jener zwei Verbrechensarten haben wir zum Theil schon das Problem erledigt, das wir jetzt nur zu verallgemeinern brauchen: Was die Criminalstatistik, falls sie überhaupt zu einheitlichen Resultaten führte, für die Frage nach dem Besserwerden bedeutet und in Zukunft bedeuten könnte. Die meisten Verbrechen bilden — wir können von den Vergehen aus naheliegenden Gründen ganz absehen — wie wir sagten, einen in allen Abstufungen sehr mangelhaften Ausdruck der Unsittlichkeit, schon weil es nur wenige Arten gibt, die nicht eine Tugend bedeuten könnten. Diese Erkenntnis ist zu allgemein zugestanden, als dass wir hier mehr zu thun brauchen, als einige jener extremen Fälle zu demonstriren, in denen die Verbrechen der Criminalstatistik nicht nur keinerlei Unsittlichkeit, ja sogar manchmal wertvolle Eigenschaften zum Ausdruck bringen. Einige Beispiele:

Hochverrath bezeichnet in seltenen Fällen Immoralität. Wer heute in bester Absicht zur Abtrennung eines Theiles eines Reiches auffordert zum Heil desselben oder des ganzen Continentes, ist ebenso wie derjenige, der morgen, falls diese erfolgt wäre, für die Wiedervereinigung spricht, Hochverräther. Dieses Verbrechen bestimmt der Staat ja ganz, je nachdem er glaubt, sein Interesse damit zu wahren und vor allem die Herrscherfamilien; und wie viele von ihnen würden ihren Thronen im Interesse natürlicher Völkervereinigungen entsagen, auch wenn ihnen bewiesen würde, dass das Glück eines Continentes daran hängt?

Ebenso wenn Majestätsbeleidigung oder Beleidigung eines selbst längst verstorbenen Mitgliedes der Herrscherfamilie, die mit grosser Wahrscheinlichkeit wie so viele andere Familien Minderwertigkeiten in ihrer Mitte birgt, als Verbrechen aufgefasst wird, so geschieht das aus vielleicht dem Staate wichtigen Nützlichkeitsgründen, aber das Verbrechen hat

oft so gut wie nichts mit Moral zu thun. Bei einem so unentwickelten Gesellschaftszustande, in dem man es noch für
nöthig hält, und es vielleicht, wiewohl seltener, als die Gewohnheit meistens glaubt, wirklich noch nöthig ist, die heiligsten
Interessen, die höchste Macht, Entscheidungen über Krieg und
Frieden von dem Zufall der Geburt abhängig zu machen, und
wo der Befähigungsnachweis lediglich durch Constatirung einer
Geisteskrankheit controlirt werden darf — ist es doch nicht
immer als eine unentwickeltere Sittlichkeit zu bezeichnen, wenn
die Menschen mehr Kritik an solchen öffentlichen Personen
üben. Oft sind die Gründe, warum Kritiken von den moralisch
Gebildeteren seltener geübt werden, entweder Folge complicir-
terer Ueberlegungen des Staatsinteresses, Furcht, das Regierungs-
princip zu untergraben, oder die Einsicht des geringen Nutzens
bei unverhältnismässigem Einsatz und meist der Egoismus.

Nicht anders als mit den politischen, und das bedarf
noch weniger einer Betonung, steht es mit religiösen Verbrechen. Wer in der Absicht aufzuklären, confessionelle Beschränktheit als solche bezeichnet, lächerliche Ceremonien
lächerlich macht, begeht ein Verbrechen, welches aber wie
z. B. bei Voltair mit den höchsten Absichten verträglich ist.

Aehnliches gilt von dem in nächster Beziehung mit dieser
Art Verbrechen stehenden Meineide. Auch dieser kann, für
den Fall, dass er von einem Nichtgläubigen geschworen
wird, ein sehr mildes Vergehen sein, nichts weiter als eine
Nothlüge, und im Dienste einer höheren Sache von diesem
geradezu für Pflicht gehalten werden. Der ethische Wert
solcher Institutionen ist ähnlich dem von Regierungen erzwungenen Masseneiden der Beamten und Soldaten, und wie viele
Beamte, wenn sie ihre Gesinnung ehrlich prüfen, verstossen
nicht in ihren täglichen Handlungen gegen Eide, die sie veralteten Principien geschworen haben? Lichtenberg hielt daher

auch ein Gelübde zu thun für eine grössere Sünde, als es zu brechen.

Gewiss gibt es Verbrechen, die einen besseren Ausdruck der Moral darstellen, z. B. Betrug oder Diebstahl; aber auch sie, in wie weiten Grenzen! Es sind ja selbst für den Laien Gemeinplätze, dass es grosse Nachsicht verdient, wenn eine Mutter stiehlt, um ihr hungerndes Kind am Leben zu erhalten, oder das zum Diebstahl erzogene Kind, das so den Unterhalt zu suchen gewöhnt wurde, und dass alles dies nichts bedeutet gegenüber gerichtlich noch nicht einmal als Betrug belangbaren Handlungen des reichen Speculanten, der den Selbstmord seines Opfers und den Untergang einer Familie vielleicht voraussieht, ja sogar bezweckt. In diesem letzten Falle hätten wir es unzweifelhaft mit einer Grausamkeitsdisposition zu thun, die gewiss strenger zu beurtheilen ist als z. B. ein Mord aus Eifersucht.

Selbst das Verbrechen des Mordes gibt kein viel getreueres Abbild der Moralität. Z. B. ist der eben besprochene Mord jedenfalls ganz anders zu rubriciren, wenn es sich um Motive handelt für eine Moralstatistik. Diese hätte, nach Motiven classificirend, nicht nur viele gewöhnlich getrennte Verbrecherrubriken zu vereinigen und innerhalb dieser vieles zu scheiden, sie hätte auch einzugestehen, dass vieles, was Mord heisst. ein mässiges Vergehen, vieles, was nicht so heisst, mehr als Mord bedeutet. Die französischen Statistiker versuchten, auf die Motive dieses Verbrechens einzugehen, und Ansätze dazu finden sich überall. Der Mord der Mutter, die ihr Kind aussetzt, vielleicht mit dem dunklen Nebengedanken, es zu retten, wurde vom Raubmorde nicht nur immer unterschieden, sondern wird überhaupt nicht als Mord bezeichnet. Aber welche Scala von Motiven von der Tugend bis zum Laster liegt noch inzwischen! Denken wir an den Mord in „Wilhelm Tell", an den Mord aus Eifersucht, an den Mord für die Familienehre, aus Rache, an den Mord (nicht Todschlag) im Zorne des Streites; andererseits an die beispiellose Grausamkeit, nicht bloss Ueberlegtheit des Duellroutiniers, der als geübter Schütze auf wenige Schritte Distanz mehreremale auf sein Opfer schiessen darf, ohne von Gesetz und Gesellschaft als Mörder behandelt oder verurtheilt zu werden. Nehmen wir zu allen diesen Beispielen noch die vielen Fälle von nicht erreichter Absicht oder von Versuch mit untauglichen Mitteln, die, in alle moralische Beurtheilung störender, mildester Weise, gerichtet werden, so sehen wir, dass wenige Verbrechen überhaupt tauglich sind, einen Ausdruck für Motive der Sittlichkeit zu geben. Sollte die Statistik hierzu nützen, so müsste sie doch wenigstens Möglichkeiten als ausgeschlossen zeigen, wie dass sittliche und unsittliche Handlungen beide gleichermassen zunehmen. Jedenfalls gibt es aber noch keine Statistik der Tugend, daher denn auch noch jede Art von Behauptung in der Statistik eine Stütze findet und selbst die extreme Bemerkung [50]) nicht wertlos ist, dass man aus der steigenden Zahl der Verbrechen vielleicht sogar auf eine consequent steigende Sittlichkeit schliessen könne. Danach zu fragen, wäre wenigstens nicht sinnlos in einem Jahrhundert der Krisen und Uebergänge, des Umsturzes aller gesellschaftlichen und religiösen Begriffe und Einrichtungen, angesichts von Erfindungen, die plötzliche Verarmung ganzer Länder verursachen. Es ist hinwiederum kaum nöthig, zu bemerken, dass dieser im einzelnen mangelhafte Parallelismus von Sittlichkeit und Verbrechen nichts besagt gegen die frühere Behauptung, die sich auf das Gesammtphänomen der Entwickelung von Verbrechen durch Jahrtausende bezog.

Solchen Thatsachen gegenüber ist es also von Wert, allgemein zu sagen, was Statistik bestenfalls unserem Problem

leisten kann oder können wird. Natürlich nicht jene kindliche
Staatsstatistik, die noch immerfort die confessionslosen oder un-
verehelichten Verbrecher zählt, ohne überhaupt an Ziele zu denken. Es ist ja z. B. zweifellos, dass selbst wenn sie nachgewiesen
hätte, dass alle Mörder Junggesellen sind, daraus nichts für die
sittliche Wirkung der Ehe, vielleicht nur die Wahrscheinlichkeit
für die schon früher vorhandene, grössere Sittlichkeit derjenigen
folgen würde, die sich verehelichen, was auch ohne Statistik klar ist. So betriebene Statistik wird nie andere Werte
bekommen, als die sie allerdings schon jetzt hat: Voraussichten zu gewähren für die nöthige Vergrösserung der Straf-
anstalten oder für die Vermehrung des Richterstandes. Für
die Moral ist bestenfalls, selbst wenn Statistik nach Motiven
classificiren könnte, nur Allgemeinstes zu erwarten, der Nachweis der Verschlimmerung oder Besserung einiger ethischer
Principien oder allenfalls dreier Dispositionen: Zorn, Sinnlichkeit, Grausamkeit; aber auch das erst nach einigen Jahrhunderten resignirten Zählens — betrieben ausschliesslich von dazu
befähigten, psychologisch gebildeten Fachmännern — und zwar
weder aller neu „eingeleiteten Untersuchungen" noch der
„Freisprechungen" noch der „rückfälligen Kinder", sondern
lediglich der Motive.

Aber auch dabei begegnen uns keine kleinen Schwierigkeiten. Das Brauchbarste, das eine Moralstatistik betreffs der Motive leisten könnte, z. B. für Mord, wäre Folgendes: Wenn durch
mehrere Jahrhunderte für diese eine Verbrechensart ein Abneh-
men constatirt würde, und zwar von überlegten Raubmorden,
unter ähnlichen grausamen Formen vollbracht, von geistig normalen Individuen nur zwischen 20 bis 30 Jahren, unter gleich-
bleibenden oder auf solche reducirbare Bedingungen, bei
gleicher Zahl der Bevölkerung, Ein- und Auswanderung,
gleicher Theuerung, unter Verhältnissen, die eine gleich geprüfte

Tugend zeigen, bei gleicher Entdeckungsmöglichkeit, gleich abschreckenden Strafen, gleicher Religion, respective Glauben, gleichen Gesetzen, gleicher intellectueller Bildung, gleicher Möglichkeit, z. B. auf dem Wege des Betruges dieselben Vortheile als durch Mord zu erlangen u. s. w.: Dann können wir entweder sagen, die Principien sind schlechter, oder wenn die Fehlerquellen aus einem ausreichend grossen Untersuchungsgebiet ausgeschieden sind, und Sanction und ethische Principien der Umgebung, also die Erziehung, als gleiche angenommen werden können, die Mitleidsdisposition ist schlechter. Nur wer an die Möglichkeit eines solchen Verfahrens glaubt, darf an die Moralstatistik, zum Unterschiede von der blossen Criminalstatistik, glauben.

Und man sage nichts von den grossen Zahlen der Statistik, die alle diese Vorsicht unnöthig machen. Die Factoren. die sie hier eliminiren können, sind, wenn nicht Jahrtausende mit ihren übrigens wieder nothwendig anderen Verhältnissen in Betracht kommen sollen, für ein so complexes Inductionsmaterial verschwindend.

Der Beweis aus der Entwickelungslehre.

Ob die Entwickelungslehre zu Argumenten für eine moralische Vervollkommnung führt, darüber scheint für ihre übereifrigen Anhänger so wenig ein Zweifel gestattet, als darüber, dass ein Affenmensch höher steht als ein Menschenaffe. Gewiss ist für alle, die an die Entwickelungslehre glauben, eines der wertvollsten Argumente für die bisherige moralische Entwickelung das der Entwickelung der Menschen aus niederen Formen, und niemand wird die Möglichkeit einer Vervielfältigung des bisherigen Abstandes vom Thierreiche leugnen wollen. Aber weil wir über die Zukunft etwas wissen wollen,

ist es nöthig, über die Thatsachen hinaus auch ihre Gründe
kennen zu lernen und, wie weit wir es hier mit Wahrscheinlichkeiten, die die Entwickelungslehre übrigens nicht einmal für
die Thierwelt erweist, zu thun haben. Ueber die An-
wendbarkeit jener Principien auf die complexesten menschlichen Beziehungen zur Klarheit zu kommen, ist allerdings für jene moralische und intellectuelle Derbheit wenig
Aussicht, die uns schon ins Gesicht schlägt mit ihren Analysen
und ihren Zuchtwahlexempeln aus dem Stalle, die ohneweiters auf das Leben eines Sokrates und Goethe übertragen
werden, ohne dass überhaupt Unterschiede gesehen werden. Es
ist aber gewiss, dass mit der Entwickelungslehre im ethischen
Gebiete bis jetzt so gut wie alles, oder besser gar nichts zu
erklären ist; das ist leicht einzusehen durch die Kritik lediglich
einiger jener Termini, deren Kenntnis nicht bloss die meisten
Laien befriedigt, sondern welche auch in philosophischen Werken
die Anwendungsart der Lehre zeigt.

Gewöhnlich wird an den Kämpfen der Hühnerhöfe die
Lehre illustrirt und beginnt der Gang jeder Argumentation
einfach mit dem Satze: Das stärkere Thier muss im
Kampfe ums Dasein überleben. Da jene Theoretiker von
dieser zunächst egoistischen Thatsache ausgehen, um eine
moralische Entwickelung daraus zu erklären, gleichviel wie sie
es thun, so müssen wir vor allem die Behauptung zu verstehen trachten und fragen, was heisst bei Thieren und in
der menschlichen Gesellschaft, wie sie jetzt besteht, „der
Stärkere", was „Kampf ums Dasein" und was „muss überleben?" Vielleicht bleibt uns schon mit dieser Präcisirung jede
weitere Auseinandersetzung erspart.

Das Wort „stärker" ist bekanntlich für die Entwickelungslehre, selbst wo sie die Entwickelung niederster Thier- und
Pflanzenformen erklärt, unbrauchbar. Ein Thier, das überlebt,

weil es die Nahrung seiner Umgebung besser verträgt als ein anderes, ist nicht das stärkere, sondern das geeignetere. Da aber eine der Erfahrung vorausgehende Kenntnis dieser Beziehungen selten möglich ist, sie vielmehr erst nachträglich erschlossen werden muss, so wäre eher umgekehrt zu sagen: Das Ueberbleibende ist das Geeignetste. D. h. also für die menschliche Gesellschaft: Der für seine Erhaltung Geeignetste bleibt über. Ist dies nun der Stärkste im moralischen Sinn, und wie können wir das anders wissen als a posteriore?

Ohne Zweifel heisst „geeignet" auch der psychischen Umgebung angepasst. Selbst der stärkste Hahn des Geflügelstalles wird, wenn er mit zu egoistischen Ansprüchen seine Umgebung belästigt, von ihr unschädlich gemacht werden; die schwächsten kleinen Vögel vereinigen sich oft mit Erfolg gegen den Raubvogel und sehen hierin ihren Vortheil. Es muss sich also auch beim Thier zum Ueberleben um ein Geeignetsein für die Gesellschaft handeln neben dem einfachen Stärkersein. Auf die Menschen übertragen, zeigt schon die Statistik den grossen Procentsatz der von der Gesellschaft geahndeten Morde, jener Handlungen des stärksten Egoismus, und das Strafgesetz zeigt die Kraft der Umgebung, die jede Art stärkeren Egoismus erschwert. Es sind also hier gewiss schon die Ansätze zu moralischen Momenten im Begriffe des Geeigneteren ersichtlich.

Es gibt aber noch weitere Tendenzen für eine moralische Entwickelung. Sie zeigen sich gerade, wenn man versuchen wollte — was ja auch nur mit den grössten Einschränkungen angeht — einfach den als den Stärkeren zu bezeichnen, der der Schlauere ist, der mit unauffälligen kleinen Verbrechen seinen Vortheil sucht. Es wäre dies deshalb im Sinne einer sittlichen Wirkung der Entwickelung, soferne durch beständige Unterdrückung der schlechten Motive

diese schliesslich verkümmern müssten. Wird die Nothwendigkeit gesteigerten Intellects zugegeben zur Erlangung egoistischer
Tendenzen, die ja auch ohne weitgehende Ueberlegung und
Unterdrückung blinder Affecte nicht möglich sind, so wird die
Entwickelung des Intellects, gleichviel, ob das Individuum allein
lebte oder nicht, zum Besserwerden tendiren, und es werden
im Zusammenleben, gleichviel, ob mit oder ohne Vererbung,
die Ueberlebenden als die Intellectuelleren zugleich die Moralischeren innerhalb bestimmter Grenzen sein.

Aber auch diese gewöhnlich gegebene Erklärung der
ethischen Entwickelung reicht noch ganz und gar nicht aus,
um allgemein den Moralischeren als den Stärkeren zu bezeichnen. Moralisch ist nur ein Entwickelungsmoment,
neben dem aber auch das intellectuelle in Recht besteht.
Nach wie vor bleibt der Schlauere wie auch der physisch
Ueberlegene ein Stärkerer, d. h. ein Geeigneterer. Eine
wie grosse Rolle aber in der Begriffsbestimmung des „stärker"
der moralische Factor spielt, hängt von dem jeweiligen
Stande der mehr oder weniger moralisch und intellectuell entwickelten Gesellschaft und von der Disposition der Individuen
ab. Die Entscheidung der Frage nach dem Stärkeren ist nicht
unzweifelhaft und wird zu der bekannten complicirten und nicht
allgemein lösbaren Nützlichkeitsüberlegung, wie weit der Intellect
jedes einzelnen bei Erlangung des eigenen Wohles fremdes
berücksichtigen muss. Diese fällt anders aus im Idealstaat als
im jetzigen Staate des Mangels oder im Thierstaate, in denen
allen doch eine ethische Entwickelung existirt und erklärt
werden soll.

Nicht mehr Präcision begegnet uns in der Verwendung
des Terminus „Kampf ums Dasein". Einige Beispiele genügen,
zu zeigen, was bei jener Unbestimmtheit des Begriffes „stärker"
noch alles „Kampf ums Dasein" heissen müsste. Vor allem

ist klar: Nur die wirklich böswillige und verhetzende Art der Deutung, besonders im Dienste von Lehren, welche die Gesellschaft umstürzen sollen, kann zu der Meinung führen, dass „Kampf ums Dasein" immer nur aufzufassen ist als Kampf im engeren Sinne, und damit zur Meinung von einer entsittlichenden Wirkung der ganzen so grossartigen Entwickelungslehre.

Ganz unbrauchbar zeigte sich ja besonders die gewöhnliche Auffassung, dass es immer ein bewusster Kampf, besonders zwischen Individuen derselben Species sei; was nur ein möglicher von vielen Fällen ist. Auch findet diese Art Kampf nicht so häufig statt. Wenn ein Handwerk zu viele Kräfte hat und der Untergang unkräftigerer Berufsgenossen von den stärkeren nicht abzuwehren ist, so mag er von diesen selbst sehr schmerzlich bedauert werden; und es werden doch auch als Kämpfe um den Unterhalt aus der umgebenden Natur, selbst die unbewussten Nahrungskämpfe im Leben der Pflanzen von der Entwickelungslehre als Kampf ums Dasein bezeichnet. Aber völlig ins Gegentheil schlägt der Sinn dieses Wortes um, wenn selbst das Vererben der Eigenschaften des grösseren Mitleides, z. B. einer Mutter und damit das Ueberbleiben der „stärkeren" auch zu einem Resultate des „Kampfes ums Dasein" wird.

Welche Verwendung bleibt demnach noch für den Begriff „überleben müssen"?

Jeder Zoologe weiss, wie häufig gerade die gegentheiligen jener Eigenschaften, die in den Eltern besonders ausgebildet waren, überleben müssen. Schon die einfache Thatsache, dass alle Länder ihre schwersten Verbrecher an der Fortpflanzung ihrer Instincte hindern und sie ebenfalls hindern, erziehend zu wirken, sollte vorsichtig machen und nicht minder der Umstand, dass diese Elenden, gerade wie alle Besten, auch Gefallen an Schönheit und Nachgiebigkeit finden und bei ihrer „Zuchtwahl" durchaus nicht ihre eigenen Eigenschaften suchen und damit auch diese in der nächsten Generation nicht verstärken müssen. Aber diese Argumente sind schwach gegenüber dem vorher Angedeuteten, das alle zu paralysiren scheint. Sollen auch von den Müttern nur die stärksten im Sinne von egoistischesten überleben, d. h. diejenigen, die wohl auch ihr Kind mit der geringsten Liebe erziehen, oder die mitleidsvollsten? Oder will sich die Theorie hier eine Kräftecombination als die „geeignete" zurechtmachen? Selbst für diesen Fall wären Mitleid und Liebe ebenso wie intellectuelle und Körperkraft und auch einiger Egoismus als Eigenschaften des Stärkeren zu bezeichnen, als Eigenschaften, die im „Kampf ums Dasein" überleben müssen. Wie Spencer,[*]) der bekanntlich die Entwickelung oder Ausbildung des Mitleides im Herdeleben schildert mittelst einer sehr friedlichen Hypothese des Aneinandergewöhnens beim Nahrungsuchen, so scheint es, müssten auch wir bei dieser Frage nicht bloss das individuelle, sondern auch das Familien- oder Stammesinteresse betonen. Damit wird aber erst recht ersichtlich, dass, je nachdem Eigenschaften auf Stamm und Familie oder auf das Individuum bezogen werden, verschiedene als die stärkeren und überlebenden zu bezeichnen sind. Von zwei Völkern, die sich bekämpfen, siegt vielleicht dasjenige, in dem es mehr Mitleid gibt, d. h. dessen Individuen besser „angepasst" sind dem Stamme; oder vielleicht wird ein roheres, kräftigeres Volk — als Ganzes einem weiteren Bedingungskreise der Umgebung besser angepasst — siegen. Fragen wir aber hier, ein wie grosser Umkreis, welche Umgebung und welche Anpassung die entscheidende ist, welche Eigenschaften überleben werden, so sehen wir bald, wie im voraus gar nichts zu bestimmen ist. Als Beispiel dieser Unbestimmbarkeit ist schon die grosse Furcht der modernen Civilisation mit ihren reicheren inneren Kräften vor den roheren des Ostens anzuführen, die jene möglicherweise doch einmal verschlingen könnten, und ebenso die Wertlosigkeit von Lehren, nach welchen der Entwickelungstheorie zufolge als die in der Zukunft herrschenden, d. h. anpassungsfähigsten Racen die Nordafrikaner, die Chinesen oder die Stämme im Norden unserer Hemisphäre bezeichnet werden.[52]) Und dass wir in vielen Fällen nicht einmal nachträglich wissen, warum der „Stärkere" der Ueberlebende war, beweist z. B. auch die nothwendig dauernde Unkenntnis der wahren Gründe für den Verfall des römischen Reiches.

Diese wenigen kritischen Bemerkungen über jene drei vagen Termini, die, wie alle genügend dehnbaren, jeder Theorie dienstlich sind, zeigen uns die völlige Unbrauchbarkeit jener ausschliesslich botanischen und zoologischen Theorie (diese als richtig vorausgesetzt) für die Entscheidung einer so complexen Frage, wie es die der moralischen Entwickelung ist. Es treten ja beständig Factoren auf, die ebenso zur Entwickelung höherer ethischer Vollkommenheit wie zum Gegentheile führen können: Sowohl Vererbung als Zuchtwahl, Anpassung, Differenzirung wie Arbeitstheilung und selbst die einfache Concurrenz. Wie weit aber alle diese Momente die Entwickelung zum Besseren beeinflussen oder mehr im Dienste des Egoismus zum Schlechteren führen, darüber könnte ja nur ein Glaubensstreit sich erheben. Jedenfalls ist von einem Erweis einer nothwendigen Verschlimmerung durch die Entwickelungsgesetze und einer entsittlichenden Wirkung derselben so wenig zu sprechen als von einer nothwendigen Vervollkommnung. Sogar die Möglichkeit eines Daseins ohne Entwickelung oder eines Rückschrittes wenigstens für sehr lange Zeiträume und selbst bei bildungsfähigen Racen, nicht bloss bei Wilden, zeigen stabile Zustände, wie z. B. in China.

Nicht gleichgiltig für unseren Standpunkt ist es, dass selbst der grösste Vertreter der Entwickelungslehre, Darwin, in unserem Probleme ebenso wie in den teleologischen sich viel weniger kaiserlich zeigte als der Haufe seiner Anhänger, den er, wie jeder bahnbrechende Geist, wohl nur mit Scheu und Mitleid betrachtet haben muss. Ich citire nur einige seiner Worte:

„Man könnte aber nun fragen: Woher kam es, dass innerhalb der Grenzen eines und desselben Stammes eine grössere Anzahl seiner Glieder zuerst mit socialen und moralischen Eigenschaften begabt wurde, und wodurch wurde der Massstab der Vorzüglichkeit erhöht? Es ist äusserst zweifelhaft, ob Nachkommen der sympathischeren und wohlwollenderen Eltern oder derjenigen, welche ihren Kameraden am treuesten waren, in einer grösseren Anzahl aufgezogen wurden als Kinder selbstsüchtiger und verrätherischer Eltern desselben Stammes. Wer bereit war, sein Leben eher zu opfern als seine Kameraden zu verrathen, wie es gar mancher Wilde gethan hat, der wird oft keine Nachkommen hinterlassen, welche seine edle Natur erben könnten. Die tapfersten Leute, welche sich stets willig fanden, sich im Kriege an die Spitze ihrer Genossen zu stellen, und welche bereitwillig ihr Leben für andere in die Schanze schlugen, werden im Durchschnitte in einer grösseren Zahl umkommen als andere Menschen. Es scheint daher kaum wahrscheinlich, dass die Zahl mit solchen Tugenden ausgerüsteter Menschen oder der Massstab ihrer Vortrefflichkeit durch natürliche Zuchtwahl, d. b. durch das Ueberlebenbleiben des Passendsten erhöht werden könnte; denn davon sprechen wir hier nicht, dass ein Stamm aus einem Kampfe mit einem anderen siegreich hervorgeht . . . . . . Es ist indessen sehr schwer, sich irgend ein Urtheil darüber zu bilden, warum ein besonderer Stamm und nicht ein anderer erfolgreich gewesen und in der Civilisationsstufe gestiegen ist. Viele Wilde sind noch in demselben Zustande, in welchem sie sich vor mehreren Jahrhunderten befanden, als sie entdeckt wurden . . . .

Es ist von mehreren Schriftstellern hervorgehoben worden, dass, weil hohe intellectuelle Kräfte einer Nation vortheilhaft sind, die alten Griechen, welche in Bezug auf den Intellect doch einige Grade höher gestanden haben als irgend eine Race, welche je existirt hat, in ihrer ganzen Entwickelung noch höher gestiegen, an Zahl noch mehr zugenommen und ganz Europa bevölkert haben müssten, wenn die Wirksamkeit der natürlichen Zuchtwahl wirklich bestände. Wir sehen hier die stillschweigende Annahme, die so oft in Bezug auf körperliche Bildung gemacht wird, dass irgend ein angeborenes Streben zu einer beständigen Weiterentwickelung an Geist und Körper vorhanden sei. Aber Entwickelung aller Art hängt von vielen zusammenwirkenden günstigen Umständen ab. Natürliche Zuchtwahl wirkt nur in der Weise eines Versuches. Individuen und Racen mögen gewisse unbestreitbare Vortheile erlangt haben und können doch, weil ihnen andere Charaktere fehlen, untergegangen sein. Die Griechen können wegen eines Mangels an Zusammenhalten zwischen den vielen kleinen Staaten, wegen der geringen Grösse ihres ganzen Landes rückwärts geschritten sein, ebenso wegen der Ausübung der Sclaverei oder wegen ihrer extremen Sinnlichkeit." [53])

Darwin erklärt hier selbst, dass auf eine nothwendige Entwickelung zum Besseren nach seiner Theorie durchaus ohneweiters nicht geschlossen werden dürfe, und er gibt im weiteren nur einige Wahrscheinlichkeitsgründe an.

Im Anschlusse an jene Aeusserungen ist auch zu bemerken, was aus der Bedeutung, die wir den einzelnen bedingenden Factoren bisher beigemessen haben, ersichtlich ist, dass hier unter Entwickelungslehre nie die Abstractionen H. Spencers verstanden wurden, welchen zufolge ein „nisus formativus", wie man es nannte, in der Natur zur Entwickelung drängt. [54]) Entwickelung ist für unsere Auffassung kein metaphysisches, · kein Gesetz überhaupt, sondern eine Folge von Gesetzen, die unter Umständen auch einen Rückgang zum Ausgangspunkte bedingen könnten, wenn auch die Beobachtung einen solchen nicht wahrscheinlich macht. Für uns involvirt Entwickelung immer die Vorstellung einer Bewegung nach einem bekannten Ziele, wie Vervollkommnung eine solche nach Zwecken, und verliert jeden Sinn, wenn bloss, wie bei Spencer, von beständiger Differenzirung, Integration u. dgl. gesprochen würde. Insoferne heisst Annahme der Entwickelungslehre schon immer in gewissem Sinne an Glücksentwickelung glauben, da ja Glück.

wie wir sahen, auch das Kriterium eines höheren Intellectes
ist. Ein blosses Mehr ist so wenig Entwickelung als ein blosses
Anders; man müsste denn bloss nach Zahlen die Richtung bestimmen wollen. Ob der Körper des Menschen entwickelter
ist als der einer Monere, darüber entscheidet nicht, dass vielleicht, wenn dort vier, hier nur zwei Elemente sich so oder
anders gruppiren, sondern ihre grössere Eignung zu menschlichen Zwecken. Ohne diese Rücksicht ist ein Uhrwerk nicht
organisirter als ein Haufen Sand. Das Böse ist oft ein ebenso
reiches Entwickelungsproduct als das Gute.

Schliesslich wäre noch ein ganz unzulässiger Weg für die
Entscheidung der Frage nach einem moralischen Fortschritte
aus der Entwickelungslehre, die Anwendung des biogeneti-
schen Grundgesetzes auf Verbrecher. Weil bekannt ist, dass bei
Individuen zwischen 20 bis 30 Jahren die Criminalität am
grössten ist und man meint, dass im ersten Kindesalter keinerlei Mitleid zu constatiren sei, so hat man hier einen Parallelismus finden wollen mit der moralischen Entwickelung der
Menschheit, woraus sich der Hinweis auf ein nothwendiges
Besserwerden derselben ergeben würde, je mehr sie ihrem
Alter zueilt.

Diese Thatsache ist zweifelhaft wie ihre Anwendungen.
Wenn auch wahr ist, dass das Kind im frühesten Alter wenig
Mitleid äussert, gleichviel warum, so kann man doch nicht ebenso
allgemein sagen, dass die Menschen zwischen 10 und 20 Jahren
grausamer, positiv schlechter sind, als zwischen 20 bis 30 Jahren,
ebensowenig als dass sie im Greisenalter besser sind, dessen
Schwäche allein schon von Verbrechen abhalten kann, die
vielleicht durch stärkere Begehrungen und Triebe der Jugend
erklärlich sind. Angenommen aber, man könnte diese Thatsachen feststellen: Wo ist die Philogenese zu dieser Onto-
genesis, respective zu welchem Stamme sollen jeweils die In-

dividuen gezählt werden? Dürfen wir in der Descendenztheorie
auch, wie bei allgemeinen Betrachtungen von den alten Griechen
oder von modernen Wilden absehen, und nur von einem einzelnen Menschenstamme sprechen, oder müssen wir von der
Menschheit als Ganzes reden, in welchem Falle ja die zu be-
weisende Thatsache des Schlechtergewesenseins schon vorausgesetzt wäre? Und wenn selbst dies, woher wissen wir, in
welchem Alter die Menschheit sich jetzt befindet, ob sie nicht
einem langen Stadium der Verschlimmerung entgegen- oder
zugrunde geht, ehe sie ihr sittliches Alter erreicht?

Einige allgemeine Argumente.

Zum Schluss noch eine Klarlegung einiger allgemeinster,
gewöhnlicher Irrthümer, die moralische Entwickelung betreffend.

Der eine bezieht sich auf die Schamhaftigkeit. Man sagt,
dass jetzt ebenso viel Verbrechen, z. B. der Unzucht begangen
werden, wie einst und immer, nur waren die Alten ehrlicher,
indem sie ihre Handlungen offener, kindlicher zur Schau trugen.

Dagegen ist, um dies an jenem Verbrechen zu demonstriren, zu sagen, dass eben in jener entwickelteren Scham-
disposition oder den höheren sie bedingenden Erkenntnissen
der Fortschritt liegt. Sie bezeugt das gewachsene Gewissen,
in Fällen, wo das Schuldgefühl den Griechen völlig mangelte.
Dieses Gefühl hat ohne Zweifel mehr Wert, als die Lüge
aus Scham gefährlich ist, und umsomehr, als in den meisten
Fällen einfaches Stillschweigen die Lüge zu umgehen hofft.
Mit dem gleichen Argumente könnte ja auch die Schamhaftigkeit gegenüber dem Nackten, die seit den gewiss nicht
keuscheren Griechen gestiegen ist, angegriffen werden.

Dass Unzucht in Wahrheit als ein grosses Verbrechen
gilt,[55] dafür bürgt schon das grössere Ansehen der Ehe. Ob-

wohl jetzt noch Polyandrie und Polygamie, selbst Pädrastie in manchen Städten vielleicht wie im Alterthum herrschen — die Statistik der unehelichen Kinder, circa 700.000 lebend geborene jährlich in Europa, und der Prostituirten, an 100.000 allein gegenwärtig in Paris, beweist es — so ist doch Ansehen und Verbreitung der Ehe weit gestiegen, nicht nur seit 2000, selbst seit 200 Jahren. Könige wie Bauern wagen nicht mehr so offen zu sündigen, wie in den Zeiten der bekannten russischen Kaiserinnen oder der französischen Könige mit ihren vom Reiche gezahlten Thronbuhlen und Buhlerinnen. Auch ist jedenfalls kein Einwand gegen das immer wachsende Ansehen der Ehe die Behauptung, der gewöhnlich am meisten Wert beigelegt wird, von den immer zahlreicher werdenden Scheidungen, welche ja ebenso als Zeichen eines höheren Bedürfnisses aufgefasst werden könnten.

Ein anderer Einwand sagt, dass, wenn man früher gemordet, man jetzt betrügt und es sich hier nur um eine andere Form des Unsittlichen handelt; die Zahl der Verbrechen habe sich nicht geändert, besser sei dabei gar nichts geworden. Dagegen ist natürlich daran zu erinnern, dass die Zahl der Verbrechen als eine gleiche nicht erweisbar ist und ferner. dass Betrug ein geringeres, ein mehr durch Erziehung beeinflussbares Verbrechen ist als die unzweifelhaft angeborene Grausamkeit, die meist ein Mord voraussetzt. Wenn das eine Delict nicht grösser als das andere wäre. würden nicht alle Strafgesetze übereinstimmend sie mit so ungleichem Strafausmasse bedenken. Nur in einer sehr seltenen Form ist, wie wir gesehen. Betrug kein geringeres Verbrechen: wenn ein Wissen vorhanden ist von den Folgen, vom Familienuntergang, Selbstmord etc., welche überdies, wenn beabsichtigt, die Handlung, wenigstens vor der Moral nicht als Betrug, sondern als Mord qualificirten.

Kaum Erwähnung verdient das weitere Argument, das ungefähr sagt, die Bestie sterbe nie aus, sie schlummere nur im Menschen, niedergehalten durch die Gesetze; jeder ungeordnete Zustand, jede Revolution zeige sie entfesselt in aller Furchtbarkeit. Hier wäre zu erweisen, ob jene, wie immer entsetzlich, wirklich jetzt noch mit der Furchtbarkeit z. B. eines Aufstandes im alten Rom zu vergleichen ist, was allgemein schwer gelingen wird. Ueberdies zeigen gerade jene Gesetze, die jetzt auch eine viel längere Ruhe zu erhalten vermögen als einst, eher die Gewalt einer Sittlichkeit, die allein Gesetze, denen wirklich gehorcht wird, erzeugen kann.

Eine ganze Reihe von Argumenten ähnlicher Dignität ist beständig aus dem Munde von Laien zu hören; leider entscheiden sie über die Weltanschauungen von Hunderttausenden.

Welche Hoffnungen dürfen wir uns nach alledem, die künftige Entwickelung betreffend, machen?

1. Aus der bisherigen Entwickelung — und wir haben besprochen, welche Dignität diesem Argument zukommt — konnten wir keinerlei Verschlimmerung der Moral constatiren, und es ist daher auch jede pessimistische Voraussicht als unbegründet zurückzuweisen. Vielmehr hätten wir an ein Besserwerden von Dispositionen besonders des Mitleides, zu glauben, und von Principien und sittlichen Ueberlegungen. Im schlechtesten Falle könnte der Pessimismus, dem unser Glaube an die Zukunft mit diesen gewiss wenigen Beweisdaten vielleicht zu schwach gestützt scheint, von uns verlangen, uns jedes Urtheiles zu enthalten, was aber, da wir ein Gleiches von ihm verlangten, seinen positiven Behauptungen gegenüber auch eine Widerlegung ist.

2. Das zweite Argument für ein künftiges Besserwerden der Moral ist gegeben durch die mit ihrer Entwickelung in nothwendigem Parallelismus ablaufenden anderen Entwickelungen. Vorausgesetzt, dass es uns später gelingt, besonders

von der intellectuellen Entwickelung einen Fortschritt nach-
zuweisen, die gegenseitige Beeinflussung beider ist gewiss. Wir
haben ja gesehen, wie der Intellect zusammen mit dem Egoismus die Moral, wenigstens auf dem Wege der Gewöhnung und
durch Vererbung, heben muss und umsomehr, je längere causale Ketten von Motivationen er zu übersehen ermöglicht. Das
ist so gewiss, dass man selbst gesagt hat, auch Thiere müssten,
mit mehr Intellect begabt, moralische Wesen werden. Jedenfalls
sind, wenigstens im allgemeinen, die intellectuell entwickeltsten
auch die moralischesten. Aehnliches gilt auch von der ökonomischen Entwickelung mit ihren direct und indirect vom Elend
befreienden Kräften. Nicht bloss, dass Aufhören der Noth
Unsittlichkeit mindert; wer einfach anerkennt, dass die Menschen auch fernerhin ein starkes Streben nach Wohlstand
haben werden, glaubt damit schon im gewissen Sinne an eine
Entwickelung des stärksten Mittels, ihn zu erlangen, des Intellectes, und mittelst beider auch der Moral.

Von gleicher Dignität wie diese beiden Argumente sind
kaum mehr andere, da diese auch starke Ansätze für einen
Verfall bieten können. Unter anderem könnte noch als ein
Argument, das übrigens mehr im guten Sinne zu wirken
scheint, die durch den intensiven Weltverkehr, die grosse
Volksvermehrung und den Andrang in Grossstädten immer
mehr steigende Wirkung des Beispieles gelten. Das Beispiel
muss, besonders bei der Schwäche der Menschen, ihre Hand-
ungen mehr von Ehrbegriffen und dem, was andere dazu
sagen, als von ihren eigenen Principien abhängig zu machen,
die Tugend steigern und die Laster vermindern. Täglich können
sich Millionen von Menschen in einigen Augenblicken ein Bild
des Elendes und Glückes der ganzen Welt vor Augen bringen,
deren Handlungen mit ihren Wirkungen und dem Urtheile
der Welt. Was man gemeiniglich als rascheres Leben der

Gegenwart bezeichnet, ist so zum Theile nothwendig ein rascheres Besserwerden der Welt.

Fragen wir aber lieber, an welchen Punkten der bisherigen Entwickelung die künftige anknüpfen könnte, welcherlei Vervollkommnung schon öfter in der Geschichte angestrebt wurde oder selbst von grösseren Massen auch jetzt angestrebt wird, so ist zu sagen, dass vornehmlich an den Egoismus und die Ueberlegungen des entwickelteren Intellectes die bessere Moral anknüpfen kann, deren Entwickelung vornehmlich drei Wege offen stehen: Eine solche 1. durch weitergehende bessere und consequentere Nützlichkeitsüberlegungen, zunächst im Dienste des „besseren" Egoismus. Ihren Nutzen macht besonders die moderne Wissenschaft klar. Vom Trunke wird sich eher enthalten, wer die Statistiken der Trunksucht einmal eingesehen hat, jene der Erblichkeit, der Irrenhäuser, der Strafhäuser, die volkswirtschaftlichen, die uns die Millionen Menschen vorzählen, die ihr Leben lang ihre Arbeit für ganz zwecklosen Gaumenluxus vergeuden müssen; 2. im Dienste der Liebe, die ja unzweifelhaft in der Menschheit schon so erstarkt ist, dass die Kenntnis der richtigen Mittel den von ihr gewünschten Zielen wichtig erscheint. Die Schonung der Gesundheit vor jedem Windhauch, die wir uns selbst angedeihen lassen, z. B. Untergebenen nicht zu gestatten, ist in ihren Folgen eine oft selbst dem Morde sehr verwandte Handlung, die beständig von scheinbar ganz unschuldigen Menschen, mit denen wir täglich verkehren, begangen wird, die aber mit ihrer Bornirtheit und ihrem kleinen Egoismus mehr Unglück in die Welt bringen als Verbrecher, die auf Galgen und Schaffot enden; 3. durch die erweiterte Einsicht von der Nothwendigkeit, nicht immer nach Ueberlegungen von Fall zu Fall, sondern mittelst Verallgemeinerungen und Grundsätzen zu handeln: sie scheinen fast verloren bei allen nicht Gläubigen. Und es sind hier nicht einmal solche Sätze gemeint, wie dass es auch ein Sündigen im Geiste gibt, obwohl die Erkenntnis, dass ein vorgestellter Ehebruch oft genug der Beginn des wirklichen ist, allgemein verständlich scheint — sondern viel einfachere, deren Anerkennung der sicheren Erreichung jener Ziele sich immer als unentbehrlich darstellt. Die Menschheit muss zur Erkenntnis gelangen, dass es neben der Sonntagsmoral, die noch immer nur auf dem Theater und für Kinder gilt, keine Wochentagsmoral geben kann, dass z. B. das allgemeine Princip, nicht zu lügen, nicht durch nächste Zwecke beständige Ausnahmen erleiden kann, und dass die Menschen und Fälle gezählt sind, die eine Lüge gestatten. Das wird einem entwickelten Intellect so gewiss werden, wie es uns jetzt schon ist, dass Militär ohne Disciplin unmöglich ist, dass eine Wache ihren Posten nicht verlassen darf, auch wenn die eigenen kurzsichtigeren Ueberlegungen sie vor zwecklosem Tode retten könnten. Bloss die Zulassung der so tief verächtlichen gesellschaftlichen Lüge führt jetzt schon zu einer Vertrauenslosigkeit, die jeden gesellschaftlichen Verkehr untergräbt und die tüchtigsten Menschen dafür oft ganz unmöglich macht. Zu solcher Erkenntnis werden den Einsichtigen nicht nur die erbärmlichen Verlegenheiten führen, die das schlechte Gedächtnis dem Lügner beständig bereitet: Wir werden wahrer werden, weil wir uns nicht mehr auf die Lüge verlassen können. Dass z. B. unter 100 Ehemännern 90 vor der Ehe geschlechtlichen Verkehr getrieben, macht sie zu Lügnern vor der Braut, zu Verbrechern, wenn nicht vor dem Gesetze, vor der Moral: denn in der Ehe ist jede Lüge, jedes Geheimnis eine Todsünde, und jene treten mit einer solchen in den Bund, wodurch Ehebruch und jedes weitere Verbrechen eingeführt ist. Es werden aber Anschauungen und selbst Gesetze kommen (und es gibt jetzt schon solche), zunächst noch nicht zur Wahrung des

Glückes der Frau, sondern um der Gesundheit der Nachkommenschaft willen, die wenigstens solche Wahrheiten von diesem
Bunde erzwingen. Und ähnlichermassen, wenn es der Pessimist
nicht anders glauben und sich vorstellen will, kann sich jede
Wahrheit, jede Tugend in Zukunft Bahn brechen.

Es ist also vor allem der Intellect und der Egoismus, auf
die wir unser Hoffen stützen müssen, die uns einen Halt geben,
selbst wenn wir uns auch über die langsam sich vollziehenden
Wandlungen von angeborenen moralischen Dispositionen nicht
bestimmteren Hoffnungen hinzugeben wagen. Immer haben
jene diesen vorausgearbeitet, der Imperativ: Was du nicht
willst, dass dir geschehe, das thu' auch anderen nicht, dem
Imperativ: Liebe deinen Nächsten wie dich selbst. Obwohl
es auch für die tägliche Erfahrung gewiss ist, dass Krieg unter
den Menschen erst dann völlig aufhören wird, wenn sie ihn
nicht nur wegen der Verwüstungen, die er anrichtet, ver-
wünschen, sondern wenn sie aufhören werden, sich untereinander einzeln zu bekriegen, wenn sie sich nicht mehr hassen
und die Liebe unter ihnen siegt, so ist es doch, wenn wir
fragen wollen, was in nächster Zeit einen solchen Wandel
herbeiführen wird, vornehmlich das eigenste Interesse der
Menschen, der Völker und Regenten. Und auf diesen eigensten
Interessen müssen, wie aus den Strafen des Kindes, dann die
Rücksichten für die fremden erwachsen.

In dieser Weise ist auch erklärbar, wie der Glaube mehr
als blosser Wunsch ist, dass der Egoismus selbst auch eine
Liebe für die weiteren Kreise der Menschheit züchten wird;
auch dazu zeigen sich schon die Ansätze in der gegenwärtigen
Entwickelung. Im Verkehre, selbst mit den weitesten Kreisen,
beginnt der Wert der Liebe erkannt zu werden; selbst in den
tiefststehenden Schichten, wenigstens sofern sie das Interesse
des Zusammenwirkens haben und andere Völker besser kennen

und damit besser verstehen und beurtheilen lernen. Dem Griechen der Gegenwart ist der Nichtgrieche kein Todfeind mehr; die Schicksale aller Menschen, auch anderer Continente, sind uns nicht mehr so gleichgiltig, wie selbst noch der Unbildung des vorigen Jahrhunderts.

Allerdings, für diese weitesten Beziehungen scheint noch das Meiste hoffnungslos. Hier starrt noch eine Mauer des Vorurtheiles vor den Köpfen und Herzen: die barbarischen, besonders die Gegenwart völlig verthierenden Interessen der Nationalitäten, jene allzu grosse Vaterlandsliebe, die aufhört, eine Tugend zu sein, welche die Kehrseite ist von politischer Intoleranz und Herrschsucht, die trotz aller Begeisterung, selbst der Dichter, für Macht und Grösse eines Landes, ein grösseres Verbrechen ist als Landesverrath, wenn auch die Gesetze noch für diese Art Hochverrath an der Menschheit keine Todesstrafen verhängen. Noch immer hindert diese nur unentwickelten Völkern wichtige Liebe, die einfachsten Interessen der Gemeinschaft zu wahren, jede Handlung für die Gemeinde gilt ja dem Bauern als Vernachlässigung der Familie. Sie hindert Europa, zu einer Einigkeit zu gelangen, wie sie Amerika in gleichem Umfange schon lange besitzt. Es brennt noch der Streit an jeder Sprachengrenze, und oft schürt der Herrscherehrgeiz noch die Flammen in den patriotischen Reden an die Heere. Eine an die Grenze des Absichtlichen dringende Unwissenheit verwechselt jedes höhere Einheitsstreben, die Liebe zur Welt, mit dem Hasse gegen das Vaterland. Aber die fortschreitende Erkenntnis der Völker wird auch hier Liebe erzwingen, und die Entwickelung schlägt jetzt schon sonderbare Wege ein. Selbst die Ungebildetsten empfinden, um Arbeit in anderen Ländern zu finden, gleicherweise wie die Gelehrten und Politiker, sofern sie der Weltverkehr zwingt, sich zu verständigen, schon das Elend Babels und sehen das Bedürfnis einer einheit-

lichen Sprache, und diese wird kommen und eine grössere Annäherung bedingen. Und wenn zur Einigung der Wunsch.
Gesellschaftszustände, die Eunuchen und Harems und Christen-
verfolgungen bedingen, aus den Eingeweiden der Civilisation
zu tilgen, nicht genügt, so weist, mit Vernichtung drohend, die
Entwickelung auf die gemeinsamen Interessen. Kriegsrüstungen.
Zölle. Hunger müssen die Arbeit von Ländern vernichten,
der Wahnwitz der Anarchie sein Feuer in schuldlose Städte
schleudern, eine Pest muss uns zu ihrer Bekämpfung einigen:
Das sind die Mittel zum Frieden, so predigt die Weltgeschichte
Liebe. Die Einigungsmöglichkeit des ganzen Welttheiles liegt
in dieser Weise nicht viel ferner als die der Vereinigungen
einzelner kleinerer Länder, und diese werden schon oft, selbst
in den Kreisen der Arbeiter, als gleichgiltige bezeichnet gegenüber jener grossen Vereinigung, die endlich zu einem Bunde
der Welt führen soll. Freilich der Geist allein vermag das
alles nicht, ohne dass auch die Liebe noch weiter wachse wie
bisher.

Die intellectuelle Entwickelung.

Was wir unter intellectueller Bildung zu verstehen haben, wissen wir bereits. Wir werden bei Beantwortung der Frage nach ihrer Entwickelung trachten, die früher gemachten Unterscheidungen, die angeborenen Factoren und die im weitesten Sinne so bezeichneten anerzogenen auseinander zu halten und besonders jene Bildung, die wir als höherstehende bezeichnet haben, zu trennen von der nur nächsten Zwecken dienenden. Ueber diese Momente ist allgemein einiges vorauszuschicken.

So gut wie keinerlei Wissen haben wir über die angeborenen Factoren. Ob sich Sinne, Gedächtnis, Aufmerksamkeit, Phantasie, alles, was dem Intellecte angeboren ist, in historischer Zeit nachweisbar entwickelt habe, darauf fällt die Antwort sehr kurz aus. Wenn wir einstweilen von den allgemeinen Argumenten der Entwickelungslehre absehen und die Beweiskraft der psychologisch beobachteten Thatsachen allein prüfen wollen, müssen wir sagen, dass wir darüber zu keinerlei Erfahrungen gelangen können. Ob die intellectuelle Disposition eines griechischen Denkers oder eines phönizischen Krämers, der eines modernen Denkers oder Bauern überlegen ist, ist nicht constatirbar; ja nicht einmal über die Entwickelung eines Sinnes, des Auges oder Ohres, seit den Griechen sind wir zu widerspruchslosen Resultaten gelangt. Wie wenig wir über diese Verhältnisse überhaupt wissen

können, werden wir schon gewahr, wenn wir einfach die
grosse Bedeutung der Uebung, des Wissens, des erziehenden
Einflusses im weitesten Sinne bedenken, der, wiewohl unzweifelhaft erwiesen, doch einzelnenfalls, selbst in der unmittelbaren Beobachtung, so schwierig zu sondern ist. Er ist
gewaltig in der Erzeugung einer völlig veränderten Bildungs-
gestalt und gerade dort, wo grössere angeborene Anlagen vorhanden sind. Welcher Psychologe würde es wagen, lediglich von
Erziehungseinflüssen zu sprechen, wenn ihm z. B. ein zweiter
Goethe vor Augen geführt würde. der unmittelbar nach seiner
Geburt. sagen wir, unter Feuerländer gerathen und dort erzogen worden wäre? Was wäre aus diesen reichen Anlagen
geworden? Nach seinem Körper und Geist zu urtheilen, weder
ein gewaltiger Häuptling noch ein verschmitzter Händler, und
nach den dortigen Bedingungen unmöglich ein Reformator,
Gelehrter oder Dichter. wahrscheinlich ein etwas nachdenk-
licher, im übrigen ziemlich sehr handlungsuntüchtiger, einfach
ein unbrauchbarer Feuerländer. Und noch grösseren Schwierigkeiten begegnen wir in weniger extremen Fällen, wie z. B. bei
einem Taglöhner, den vielleicht nur Willenseigenschaften gehemmt haben. seine Talente selbst zu einer höheren Staats-
anstellung zu verwerten.

Hinwieder ist auch daran zu denken, dass auch angeborene Unfähigkeiten verdeckt und, wenn nicht zu hohen Talenten gebildet werden, doch einen theilweisen Ersatz finden
können durch Erziehung, mittelst Entwickelung von Interessen,
Uebung des Gedächtnisses, Begründung von Associationen,
Mittheilung von Wissen, und dass in dieser Weise oft mancher-
lei Mängel ganz verborgen bleiben können.

Wenn es aber schon so schwer fällt, über Angeborenes
und Anerzogenes vor unseren Augen zu entscheiden, so ist
es völlig aussichtslos, über ein Besser oder Schlechter ange-

borener Anlagen aus der Beobachtung in der historischen Entwickelung etwas zu sagen.

Fragen wir nun weiter, ob Erziehung im weitesten Sinne
grösseren Einfluss gewonnen hat, deren Sonderung, wenigstens
die einzelner Elemente, von den allgemeinen Dispositionen bis
zu bestimmten Grenzen leichter gelingt, so werden wir sehr
leicht Kriterien finden. diesen zu zeigen, und Gründe mit Bestimmtheit zu antworten, dass er nach Intensität und Extensität unabsehbar gestiegen ist. Und wir werden es nach der
gegebenen Bestimmung von intellectueller Bildung als keinen
Einwand gelten lassen, wenn beständig betont wird, dass die
Menschen nicht im höchsten Sinne gebildeter geworden sind.
oder dass sie es nur dazu gebracht haben, „besser zu buch-
stabiren oder schneller zu reisen" und „im wesentlichen dieselben geblieben sind". Was der zweite Theil des Einwandes
bedeutet. haben wir schon angedeutet und wurden darüber
schon an dem Beispiele Goethes klar, den wir gewiss intellectuell höherstehend nennen müssten als einen Ungebildeten
mit Goethes Dispositionen. Die ganze Bedeutung dieses Unter-
schiedes müsste auch der anerkennen, der allem Sprachgebrauch
zum Trotz, hier mit Rücksicht auf die gleichen Dispositionen.
von keinem höheren Intellecte sprechen wollte. In diesem Sinne
müssen wir gewiss z. B. ein Volk, das Laboratorien und Obser-
vatorien hat. gebildeter nennen als ein anderes und diesen Fortschritt hat selbst die tiefste, historische Unbildung nicht leugnen
können, oder nur mittelst falscher Argumente ihren Wert
bezweifeln wollen. Der erste Theil des Einwandes aber beruht
auf der Verwechslung dieser unzweifelhaften Bildungswerte
mit jener höchsten Art von Bildung, über deren Verbreitung und Entwickelung in historischer Zeit gewiss Streit
herrschen kann. Freilich ist es eine ganz andere Frage, ob wir
gebildeter im Sinne eines Sokrates geworden sind. Hierauf

fällt die Antwort weit bescheidener aus. Vor allem ist das, was wir als solche wahre Bildung bezeichnet haben, so selten, weil sie, ausser hoch entwickelten moralischen Eigenschaften, in hohem Masse angeborene Anlagen, besonders auch Phantasie, richtiges Vorstellen und Erinnern von Gefühlen zum Zwecke der Wahl richtiger Ziele, Berufe u. a. m. voraussetzt, und vor allem Erziehung, nicht bloss Unterricht, zu welcher selten die Bedingungen vorhanden sind. Wenn es jetzt mehr Philologen oder Historiker gibt, die an Universitäten stoische Philosophie lehren, so heisst das ja nicht, dass es mehr stoische Philosophen gibt. Jene Charaktereigenschaften, welche die Fähigkeit zu Nützlichkeitsüberlegungen bedingen, die über die engsten Fachgrenzen gehen und den Weisen mit charakterisiren, sind so selten, dass zu sagen ist, dass auf 1000 sehr grosse Gelehrte kaum ein kleiner Weise komme. Wir können nicht mit Bestimmtheit sagen, dass die Menschen jetzt den Tod weniger fürchten oder besser wüssten als einst, worin ihr Glück besteht, oder was zu ihrem Glücke führt; höchstens können wir erweisen, dass wir unseren Kindern ein in jenem Sinne wertvolleres Wissen mitgeben als in Zeiten, wo ihnen gar nichts gelehrt wurde: Und dass wir einiges trotz alledem auch im besten Sinne an intellectueller Bildung gewonnen haben, dafür genügt allein das angeführte Beispiel Goethes.

Zur Constatirung der Entwickelung nun dürfen wir uns nicht mit allgemeinen Argumenten begnügen. Es gibt ja solche von unzweifelhafter Bedeutung — z. B. dass soferne die Moral gestiegen ist, auch die Ziele und Mittel des Glückes richtiger erkannt werden müssen — trotzdem aber kann uns in letzter Linie nur das Beobachtungsdetail Ueberzeugung geben.

Die Gründe für eine intellectuelle Entwickelung entnehmen wir, ähnlich wie für die moralische, wieder geschichtlichen

Beobachtungen. Von denselben, betreffs welcher auch die früher gemachten Bemerkungen gelten, sind besonders zu besprechen jene 1. aus der Geschichte des Rechtes, 2. der Wissenschaften, 3. von Institutionen, 4. der Statistik, 5. der Entwickelungslehre.

Der Beweis aus der Rechtsgeschichte.

Wieder sind es Gesetze, in denen die allgemein gefällten Urtheile versteinert zu lesen sind, und zwar für die intellectuelle Entwickelung weniger die Strafgesetze (wir wollen nur einige Beispiele aus dem Beweisverfahren kennen lernen), als jene, die auf religiöse und Vorurtheile der Standesunterschiede Bezug nehmen. Sie sind ein Zeugnis nicht nur gestiegener Kenntnisse, sondern wirklicher höherer intellectueller Bildung.

Dass die schon besprochenen Ordalien, Wasser-, Feuerproben, Gottesurtheile, die sich in älteren Zeiten allgemeinster öffentlicher Zustimmung erfreuten, einen Beweis tiefststehender intellectueller Zustände geben, wird zugestanden werden, ebenso wie dass in unseren Zeiten ein Gerichtsverfahren unmöglich wäre, in dem mittelst der Folter jemand dazu gedrängt wird, oft das Gegentheil des wahren Thatbestandes auszusagen, und auf Grund so erzwungener Aussagen als schuldig erkannt wird. Auch sind uns Zeiten nicht mehr verständlich, in denen Gerichte allgemein Thieren den Process gemacht haben, sie hinrichteten, wenn sie ein Unheil verursachten, oder es als einen Beweis für Bestialität angesehen haben, wenn bei einer Confrontirung der Thiere mit den Angeklagten das Thier sich seinem Herrn angenähert hat. Auf Grund solcher Indicien wurden zahlreiche Menschen sammt den Thieren einem qualvollen Tode überliefert.[56])

Von derselben intellectuellen Entwickelung geben die religiösen Gesetze Zeugenschaft. In ihnen müssen sich unzweifelhaft auch Thatsachen spiegeln, wie dass jetzt weniger Menschen
an die Wunder der confessionellen Mythologien glauben als vor
1000 Jahren, dass die heiligen Thiere wie die Gesetze gegen
ihre Nichtachtung ausgestorben sind, oder Gesetze gegen die
Nichtheiligung lebloser Gegenstände, Fetische oder andere für
göttlich gehaltene Dinge. Was bedeutet neben alledem noch
in katholischen Ländern der Zwang, den Hut vor Umzügen
mit Hostien abzunehmen? In ähnlicher Weise gab es Gesetze
zur Unterstützung jeder Art von Aberglauben, und noch zu
Beginn der Neuzeit hatten Städte ihre öffentlich angestellten
Astrologen, von deren Ausspruch sie ihre wichtigsten Handlungen, selbst Kriegszüge abhängig machen mussten. Jedermann
bekannt sind auch die Gesetze gegen Zauberer und Hexen.
Wie allgemein dieser Glaube die Geister beherrschte, zeigen
nicht so sehr Thatsachen, wie dass allein in der Provinz Como
z. B. in 10 Jahren 1000 Verbrennungen stattfanden, sondern
die Details solcher Gerichtsverhandlungen. Es schützte in
Deutschland z. B. der Nachweis, dass eine Unglückliche nachts
zu Hause im Bette schlief, nicht vor dem Verdachte, auf dem
Blocksberge gewesen zu sein, indem eine Art zweiten Ichs für
sie eintreten konnte. Wurde ein Cardinal unter dem Bette
einer Buhlerin angetroffen, so genügte der Oeffentlichkeit die
Erklärung, der Teufel habe seine Gestalt angenommen. Auch
die Gesetze gegen Lycanthropie gehören hierher. Verständlich
werden solche Thatsachen nur, wenn man den intellectuellen
Zustand der grössten Geister in solchen Zeiten prüft und
unter **Hexengläubigen** und Verfolgern Namen findet, wie
Th. v. Aquin, Hobbes, Bacon, Newton, Pascal, Luther und
noch Shakespeare, dessen Hexenscenen den treuesten Ausdruck
für seinen Glauben und seine Zeit bilden.[57])

Dass solche Männer für Ketzer und Inquisition noch mehr Verständnis haben mussten als für Hexen, Zauberer und Besessene, und was die Geschichte der Inquisition für unsere Frage lehrt, kann als zugestanden angenommen werden. Nur ein Beispiel für viele. Man denke, ob es jetzt noch einem Herrscher möglich wäre, folgende von der Oeffentlichkeit sanctionirte Handlung zu begehen. Es handelt sich um Jakob I. von England, als er einen Sturm auf dem Meere mitmachte:

„Dieser Sturm war Grund von einer der schauderhaftesten unter den vielen verzeichneten schrecklichen Untersuchungen in Schottland. Auf einen Dr. Fian fiel der Argwohn, den Wind erregt zu haben, und ihm wurde durch die Tortur ein Geständnis entlockt, das er aber beinahe unmittelbar darauf widerrief. Alle Arten der Tortur wurden vergeblich zur Ueberwältigung seiner Verstocktheit angewendet. Die Knochen der Beine wurden in den spanischen Stiefeln in kleine Stücke zerbrochen, und alle Torturen, welche das schottische Gesetz kannte, wurden nacheinander angewendet. Zuletzt fiel dem Könige (der persönlich den Vorsitz bei den Torturen führte) eine neue List ein. Dem Gefangenen, der während der Berathung weggeführt worden war, wurden (ich führe den Bericht eines Zeitgenossen an) „die Nägel auf allen Fingern gespalten und mit einem Instrumente, das im Schottischen ein Turkas und in England eine Kneipzange (a payre of pincers) heisst, abgerissen, und unter jedem Nagel wurden zwei Nadeln bis zum Kopfe hineingetrieben". Trotz alledem aber „war der Teufel so tief in sein Herz gedrungen, dass er ganz und gar das leugnete, was er früher eingestanden hatte", und er wurde ohne Geständnis verbrannt."[38])

Andersgläubigkeit ist im jetzigen Europa noch vielfach Gegenstand der Verfolgung, staatlicher und privater, aber nur selten noch gesetzlicher. Zwang zu gewissen Sacramenten besteht selbst kaum mehr in Ländern, wo es noch Institutionen wie eine Staatsreligion gibt.

Eine Reihe nicht weniger sprechender Gesetze sind die zur Ehre geheiligter Personen, deren Schatten noch in der Macht der Priester und Päpste zu sehen sind, in den Herrschern, die zugleich erste kirchliche Stellen bekleiden, und

in dem religiös schon sehr unbetonten Gottesgnadenkönig-
thum.

Neben den religiösen Gesetzen sind zur Beurtheilung des
intellectuellen Wandels wichtiger als die sich auf Abschaffung
z. B. des Faustrechtes beziehenden jene, die sich auf Ungleich-
heit der Menschen untereinander beziehen. Von den Zeiten Iphi-
geniens, wo selbst dem edelsten Könige jeder Fremde als Verbrecher und dem Tode verfallen, jeder Sclave selbst den besten
Denkern dem Thiere gleich galt, bis auf die modernen, internationalen Gleichheits- und Vereinigungsbestrebungen, denen selbst
die grösste Beschränktheit schon huldigt, liegt eine Unendlichkeit
intellectueller Vervollkommnung. Sie zeigt sich, gleicherweise wie
in der nationalen Toleranz, auch in den Gesetzen gegen die
Frauen. Es gab Gesetze, neben denen das jus primae noctis
ein aufgeklärtes war, nach welchen eine Türkin dem Thiere
gleich und der geschlechtliche Verkehr mit ihr als Sodomie erachtet wurde. Für die veränderte Stellung der Frau in den
cultivirtesten Ländern, besonders Amerikas, gegenüber der des
Alterthums und heute noch des Orientes sprechen die Wahl-
rechts- und Emancipationsbestrebungen der Gegenwart mehr
als alle veralteten Gesetze auf dem Papiere, die noch dem
Manne gestatten, das „Eheweib zu züchtigen". Nicht nur veränderte Gefühle, auch ein wesentlich anderer intellectueller Zustand spricht aus dem modernen Verhältnis zwischen Mann
und Frau; es ist ein anderes geworden, nicht bloss ein für
beide Theile in gleichem Verhältnisse höheres. Derselbe Fortschritt zeigt sich auch in den Gesetzen, welche die Standesunterschiede fixiren, die vor allem auf die Adeligen und die
Erbrechte Bezug nehmen. Ihre Veränderungen zu verfolgen,
ist keinem Geschichtskundigen nöthig, und wir werden bei Gelegenheit der Besprechung adeliger Institutionen noch einiges
darüber bemerken.

Der Beweis aus der Geschichte der Wissenschaft.

Die Entwickelung der Wissenschaften, die hier zu verfolgen wäre, kann nur an wichtigen Beispielen, zuerst aus der reinen und dann der angewandten Wissenschaft gezeigt werden. In welcher Weise demonstrirt sie die intellectuelle Entwickelung? Gewiss nicht nur in jener handgreiflichen Weise, wie es auf Grund einer Entwickelungslehre der Wissenschaften, wie Comte sie erdachte, die als Resultat von Abstractionen schon oft als ungenügend erwiesen wurde, scheint. Nicht allein im Fortschritte der einfachen zu den zusammengesetzten — viele zusammengesetztere haben ja, wie immer mangelhaft, vor den einfachen existirt[*⁰]) — jede Wissenschaft für sich zeigt die gleichen Fortschritte des Denkens. Und dieser Fortschritt, der eine intellectuelle Entwickelung spiegelt, zeigt diese sowohl extensiv als intensiv. Denn nicht bloss extensiv ist der Fortschritt gewiss, dass weit mehr Menschen wissenschaftlich denken, dass das gewaltigste Material sich angehäuft hat in der schriftlichen Tradition: Damit parallel geht eine intensive Entwickelung. Diese ist selbst im abstractesten Denken zu verzeichnen, z. B. im Fortschritt von der Lehre Spinozas zum Monismus eines Lotze, und zwar sowohl nach Schulung und Methode, als nach jenem umfangreichen, alle Details des jeweiligen Standes der Erkenntnis berücksichtigenden Wissen. In alledem ist, wie in manchem anderen, der moderne Denker dem älteren überlegen, wie immer auch jener das grössere Genie sein möge. Dieser Art zeigt schon der Durchschnitt der Universitätslehrer der Gegenwart, sowohl mit ihrer Schulung als ihrem Wissen, die intensive Entwickelung des Denkens, und nur die oberflächliche Beobachtung kann das Gegentheil behaupten. Das gewöhnliche Urtheil, z. B. das 16. oder das vorige Jahrhundert sei intellectuell höher gestanden, heisst höchstens, es ist an Genies reicher gewesen. Aber ist auch nur das richtig? Selbst wenn wir, da ein solcher Beweis sich doch nicht mit einfachen Zählungen begnügen könnte, nur von zufälligen individuellen Momenten sprechen, von der immer seltenen künstlerischen Begabung z. B. eines Voltaires, wissen wir denn, ob Voltaire nach seiner angeborenen intellectuellen Disposition einem Gauss überlegen war, in dessen Beschränkung auf ein engeres Gebiet sich schon die Kraft dieses Geistes zeigen kann? Das sind Vergleiche, die man nur bei sehr willkürlicher Bestimmung des Wortes Genie vornehmen kann. Weder die Zahl, noch die Art der Phantasievorstellungen eines Gauss, die Schärfe seiner Unterscheidungen, der Umfang seines Gedächtnisses, sein Wissen, die Grösse seiner Uebung können geringere gewesen sein; sie glänzten nur nicht durch Allseitigkeit. Und wenn wir die übrigens unzweifelhaften Popularisirungstalente Voltaires weglassen, sprechen jene Anlagen nicht zu seinem Vortheil. Hinwiederum sind aber auch Voltaires Talente und seine moralische Agressivität nicht gering zu schätzen, und es ist auch wieder lediglich Sache der Mode, die Wissenschaftlichkeit eines Mathematikers neben solcher praktischeren Thätigkeit so hoch zu stellen. Jene Geringschätzung, die in jeder Art umstürzenden Thätigkeit, wie Voltaire sie trieb, einfach unreife Hitzköpfigkeit sieht, neben der oft nur ruhig seinen Egoismus bedenkenden Weise des Gelehrten der Gegenwart, zeigt die gleiche Dogmatik der Oberflächlichkeit. Schliesslich kann auch der Umstand, dass Voltaire mehr die höchsten Probleme beschäftigten — er hat sich schlecht genug damit abgefunden — allein so wenig entscheiden, als wenn er in seiner Lebensführung wirklich mehr Philosoph gewesen wäre als Gauss.

Wir müssen aber die einzelnen der wichtigsten Momente im Fortschritt der Wissenschaft bedenken. Sie lassen sich in folgende ineinander übergreifende Gruppen gliedern:

1. Der Begriff der Wissenschaft selbst ist weit bestimmter abgegrenzt, sowohl gegen die praktischen Thätigkeiten als gegen die Kunst und Religion. Es ist schwer, in der Gegenwart noch Beispiele von Begriffsverwirrung zu finden, wie sie noch das Mittelalter durchaus beherrschten. Der gegenwärtig brennende, sogenannte Methodenstreit der Nationalökonomie, der grösstentheils die Unfähigkeit beweist, Statistik oder Socialpolitik von theoretischer Nationalökonomie zu trennen, ist ein Beispiel solcher Art wissenschaftlicher Anschauungen, wie sie in jenen Zeiten allgemein waren, die Geometrie als Feldmesskunst zur reinen Wissenschaft rechneten. Ebenso, wenn die Pythagoräer Musik als Wissenschaft von der Kunst nicht trennten, ist dem in der Gegenwart nur als Analogie an die Seite zu stellen, dass es noch Magister „artium liberalium" gibt. Ein ähnlicher Anachronismus ist es, wenn die Theologie anstatt Praxis zu üben an Universitäten gelehrt wird, und, wie einst die „Wissenschaft" heilige Bücher interpretirte, die Dogmatik der Hostie mit Hilfe von „Dingen an sich" erklärt. Alles dies sind nur Reste der früher allgemeinen Unklarheiten der Wissenschaft, die ursprünglich lediglich im Dienste der Praxis und Religion stand und womöglich ihre Erkenntnisse in Versen darlegte.

2. Die Begriffe innerhalb jeder Wissenschaft sind nach Umfang und Inhalt bestimmter geworden. Im Alterthum wussten die Erbauer luftiger Weltsysteme meist noch nicht Möglichkeiten, einer Phantasie entsprungen, die nur ästhetische Fesseln kannte, von Wahrscheinlichkeit zu unterscheiden.

„Die antike und die moderne Wissenschaft scheiden sich vielleicht in keinem Punkte deutlicher als darin, dass die Logik der Alten sich befriedigt bei der Subsumtion jedes Gegebenen unter einen allgemeinen Begriff, in welchem eine Reihe kleiner Unterschiede verschwinden; die thatsächlich geübte Logik der Neuern aber, der freilich die Theorie noch unvollständig gefolgt ist, die ganz bestimmte Besonderung dieses allgemeinen Begriffes verlangt, welche den individuellen Unterschied voll ausdrückt." [60])

Alles, was an Nebelhaftigkeit erinnert, wird (z. B. in der Physik gegenwärtig selbst der Begriff Kraft) eliminirt. Die immer mehr quantitativen Charakter annehmenden Wissenschaften, die Methoden auch der Geisteswissenschaften, der historischen Kritik, der Sprachwissenschaft, erhalten sich in Traditionen schon in der wissenschaftlichen Sprache, die selbst den Schüler oft tiefer und rascher in den Geist der Probleme dringen lassen, als einst den Denker. Die Entwickelung der Sprache allein könnte schon ein Bild der intellectuellen Entwickelung geben.

3. Die Begriffe sind reicher nach Umfang und Inhalt. Die Hypothesen haben einen complexeren, die Gesetze einen allgemeineren Charakter erlangt; das bezeugen schon einzelne Worte wie Intregral, Potential, Aequivalenz. Der Beweis des Pythagoras unterscheidet sich von denen eines Gauss so weit, wie die Theorie der sich sammelnden zerstreuten Glieder der Organismen bei Empedokles von der modernen Entwickelungslehre.

4. Mehr Begriffe werden durch ein erweitertes Beobachtungsgebiet in das Bereich der Combination gezogen. Wenn es richtig ist, dass am spätesten Wissenschaft wird, was die Menschen am frühesten wissen, so ist die Wissenschaftsentwickelung in einem sehr späten Stadium; denn selbst Ackerbau und Geldwesen sind in diesem Jahrhundert und Ende des vorigen der wissenschaftlichen Untersuchung unterzogen worden. Und — wie wenig auch Sociologie den Charakter einer Wissenschaft jemals erlangen kann — selbst der Begriff der Gesellschaft und der nothwendigen Entwickelung jedes ihrer Elemente durch zeitliche Vorbereitungen und solche durch die Umgebung, die Machtlosigkeit einzelner in der Gesammtentwickelung etc., sind Erkenntnisse und ein wichtiges Gemeingut geworden.

5. Die wissenschaftlichen Erklärungen zeigen eine immer weitgehendere Zurückführung auf Elemente überdies in ge-

ringerer Zahl. Die Kräfte der Physiologie z. B. suchen ihre Erklärung in denen der Chemie, diese in denen der Physik, und auch diese sucht ihre Elemente auf letzte Thatsachen der Wahrnehmung zu reduciren.

6. Die Erkenntnisse sind gegliederter, übersichtlicher gruppirt, systemisirt, was eine sehr grosse Oekonomie der Auffassung und Mittheilung ermöglicht. Bekanntlich wurde diese Eigenschaft allein schon oft als Kriterium der Wissenschaft bezeichnet.

7. Die Wissenschaften als Ganzes sind differenzirter — wir schreiben nicht mehr wie die Griechen immer περι φυσεως, und wie Aristoteles oder Plinius, über alles — und auch die einzelnen Wissenschaften zerfallen immer mehr. Im Augenblick sehen wir z. B. die Physiologie, die noch vor 100 Jahren keine selbständige Wissenschaft war, zerfallen in die Histologie, in physiologische Chemie und Physik, und sie muss Theile ihres früheren Arbeitsgebietes der Psychologie überlassen. Die dadurch gegebene nothwendige Arbeitstheilung macht nicht nur das Handwerk vielen und weniger Begabten möglich, sondern hat auch zu der immer weiteren, bestimmteren Abgrenzung der einzelnen Probleme und damit auch zu grösserer Bestimmtheit geführt.

8. Unter diesen Bedingungen können die Voraussichten weitergehende werden, was auch oft als Kriterium der Wissenschaft gilt. Nicht nur eine oder die andere Sonnenfinsternis, wie sie die griechischen Weisen auch schon vorhersahen: in den verschiedensten Gebieten sind uns Voraussichten möglich und überdies bis in die kleinsten Bruchtheile von Zeit-, Gewichts- und Raummassen ausdrückbar.

Gleicherweise wie die reine Wissenschaft zeigt auch die angewandte direct und indirect unsere gewaltige Ueberlegenheit früherem Denken gegenüber. Wir haben besprochen, warum und in welcher Weise jede Erfindung als Zeichen eines intellectuellen Fortschrittes bezeichnet werden müsse. In diesem Sinne ist es also auch ein solcher, wenn die moderne Physik unsere Sinne zu schärfen oder den geistigen und äusseren Verkehr der Menschen umzugestalten weiss oder die Chemie die gesammte Technik neu schafft und damit einen Einfluss selbst auf die sociale Gestaltung nimmt, oder wenn neue Heilmethoden, besonders operative, Leidende in früheren Zeiten nicht vergleichbaren Procentverhältnissen heilen, wenn die Hygiene Epidemien von ganzen Ländern abwehrt, und was vor allem als Bildungswert zu gelten hätte, selbst die mittlere Lebensdauer erhöht und die Sterblichkeit vermindert hat (was für ganze Länder wahrscheinlich, für einzelne Städte durch Zahlen erwiesen ist). Jedermann, der nur bedenkt, was an Arbeit gewonnen wurde allein durch die Erfindung der Uhr, wird diese für eine intellectuell zu berücksichtigende That-sache erachten.

Dieses Wissen zusammen mit den neuen astronomischen, geographischen, geologischen Erkenntnissen und jenen der Entwickelungslehre repräsentirt auch indirect die intellectuelle Entwickelung durch den entscheidenden Einfluss, den es auf die gesammte Weltanschauung, auf Recht, Moral und Religion genommen hat. Und wenn dieses Licht ausser den bösen, den menschenfeindlichen, oft auch gute Geister aus Wäldern und Bergen verscheucht, so geschieht dies weder mit Allgemein-heit noch mit Nothwendigkeit.

Das alles aber nicht intellectuelle Bildung nennen, heisst die über solches Wissen verfügenden, sich in jeder grösseren Stadt täglich mehrenden zahllosen Menschen intellectuell nicht höher stellen als die Wilden.

Der Beweis aus den Institutionen.

Die Organisation verschiedener moderner Institutionen zeigt, wie die moralische, so auch die höhere intellectuelle Entwickelung. Gleicherweise zeigt sie auch der Verfall anderer z. B. der adeligen Institutionen, insbesondere des Erbkönigthums.

Zahlreiche moderne Institutionen setzen in jedem einzelnen und somit in zahllosen Menschen grosse Kräfte zu ihrem einfachen Bestande voraus. Von der übereinstimmenden und allgemein verbreiteten Organisation aller Arten von Schulen und ihrer Entwickelung gar nicht zu sprechen, jeder Verwaltungskörper, wie der der Banken, Posten, Bahnen, der Ministerien von modernen Grossmächten, der Gerichte, des Militärs auch im Frieden, selbst jedes grössere Theater- oder Geschäftsunternehmen, sie alle bis herab zu den verhältnismässig niedrigsten Stellen erfordern noch Kenntnisse, Uebung und Anlagen, ja einen Willen, wie das im Alterthum in jener Ausdehnung zu finden unmöglich war. Zum Theil giengen schon daran die grossen Reiche des Alterthums und Mittelalters zugrunde; und in diesem Sinne ist allein der Bestand der nordamerikanischen Republik ein Zeugnis einer höheren intellectuellen Entwickelung.

Dieselbe Beweiskraft kommt auch dem Verfall der erblichen adeligen Institutionen zu. Und es ist so wenig ein Argument gegen jenen als es eines gegen den Verfall des Militarismus war, dass es noch Länder mit einem zahlreichen Adel als Kaste und in Ansehen gibt. Es sind die in der moralischen und intellectuellen Entwickelung durch unglückliche Verhältnisse zurückgebliebensten; und auch in Ländern, wie Italien, Oesterreich oder Russland ist, trotz seiner Zahl seine Macht sehr eingeschränkt. („In ganz Europa soll auf

109 Einwohner ein Adeliger kommen. Die Zahl der Adeligen wurde berechnet auf 2,807.600 Köpfe. Allein fast eine Million kommt auf Russland und über 800.600 auf Oesterreich, fast 500.000 auf Spanien und beinahe 200.000 auf Italien.")⁶¹) Den erfolgreichsten Vernichtungskampf gegen den Adel kämpfen jene Länder selbst durch die neuen massenhaften Ernennungen eines Adelsproletariats. Fast überall sind dem Adel seine Herrscherrechte, Gerichtsbarkeit u. s. w., zu den Schatten von erblichen Rechten und schattenhaften gesetzgebenden Körpern verblasst. Vornehmlich wo sie Reichthum besitzen, herrschen sie, und mehr mit diesem, nicht anders wie der so stark gewachsene Mittelstand. Ihre Titel haben so wenig Bedeutung mehr, dass einen Gebildeten damit anzusprechen, man sich fast schämt, und der öffentliche Verzicht, der, bei höheren Titeln wenigstens, wichtig wäre, erscheint vielen nicht mehr der Mühe wert. Es ist bezeichnend für die Gegenwart, dass in der französischen Kammer, die den Abschaffungsantrag für Adelstitel gestellt, dieser nahezu eine Majorität erlangte; und, wie gesagt, es sind auch die Kämpfe schon in Abnahme begriffen, die Romane und Bühnenwerke gegen die Moral adeligen Stolzes und adeliger Lieblosigkeit, die ja noch immer Menschenglück zertreten, kämpften.

Für die intellectuelle und ethische Beurtheilung besonders wichtig aber zeigt sich die Macht dieser Institution im Erbmonarchismus, besonders in jenen Gefühlen der Loyalität, denen es ja wesentlich ist, ohne Rücksicht auf den persönlichen Wert ihrer Objecte zu entstehen. Allerdings ertheilen diese Gefühle noch immer denen, die Geburt zu Königen macht — und das mit diesem Zufall so oft verbundene Unglück ist der wesentlichste Unterschied von den gewiss auch Elend ermöglichenden Wahlinstitútionen — die Rechte höherer Wesen, welche den ersten Diener des Volkes zu dessen Herrn machen. Aber solche hohe Wesen muss es so lange geben, als es eine grosse Zahl unter den Gebildeten gibt, die es noch natürlich findet, dass ihre Töchter zu schlecht seien für einen Königssohn, die mit Menschen verkehrt, die sie nicht für ihresgleichen erachten. Aber Millionen allein von Europäern kennen jene Einrichtungen nicht mehr, sie glauben nicht mehr an Würden von Säuglingen und Knaben; und was darauf bezügliche Gesetze noch länger in Kraft erhält, sind nicht zum mindesten jene Gebildeten, die glauben, Achtung vor ihnen heucheln zu sollen. Der Bürgerstand[40]) beginnt neben jenen „Staatszwecken" (sie steigen von dem Throne herab, um sich oben zu erhalten) in den Culturstaaten andere Rechte und Stellungen zu behaupten, so dass schon eine hundertjährige Vergangenheit, in der ein Mozart und ein Haydn noch am Dienertische gespeist wurde, unverständlich wird. Dass Absolutismus noch in Europa existirt, beweist in keiner Weise etwas gegen die Entwickelung, die zu immer zahlreicheren republikanischen Institutionen[41]) führt, die selbst oft in Königreichen die eigentlich herrschenden sind. Die Entwickelung des Staatsrechtes allein zeigt in diesem Sinne den Fortschritt vom Alterthum, mit einem Könige und seinen „Unterthanen", die ihr Leben an seinem Felsengrabe vergruben, bis zu der jeder Logik ins Gesicht schlagenden, beleidigenden Auffassung des modernen constitutionellen Königs als einer Puppe, die machtlos sein, zugleich aber doch die Macht, Gutes zu thun, haben und ganz eigentlich nur den Streit um die höchste Machtstellung verhindern soll.

Der Beweis aus der Statistik.

In selbstverständlicher Weise, und nur der Systematik wegen anzudeuten, zeigt die Statistik, so weit sie reicht, eine

Zunahme der intellectuellen Entwickelung, also besonders in den letzten hundert Jahren, von denen aber zu bemerken ist, dass auch diese kurze Zeitspanne für den intellectuellen Fortschritt mehr zu besagen hat, als für den moralischen. Vor allem, weil die intellectuelle Bildung sich leichter mittheilt, rascher verbreitet und sich in gewissem Sinne aufbewahren, geradezu aufspeichern lässt, auch, wenigstens in ihren praktischen Wirkungen, schwieriger verloren geht und in einzelnen Factoren nahezu unverlierbare Resultate darstellt.

Ein intensiver und extensiver Fortschritt ist statistisch in folgenden Punkten erweislich:

1. An Elementarbildung, wie sie der Volksschulunterricht gibt. Und es ist unnöthig, aus Verbrecher- und Recruten-Statistiken oder der Zunahme der Volksschulen in den letzten Zeiten hier ihr Mass zu bestimmen; sie ist allgemein zugestanden wie der Fortschritt in ihr. Allein der Umstand entscheidet, dass es vor 100 Jahren noch im Herzen von Europa Schulen gab, in denen wöchentlich nur zweimal gelehrt wurde, und in denen Handwerker, selbst 15jährige Jungen die Lehrer sein konnten."[)]

2. An der Zunahme an höherer Bildung, wie sie in der steigenden Zahl der eine solche voraussetzenden Berufe ihren Ausdruck finden.

3. An der für die Bildung nicht gleichgiltigen Thatsache, dass die Welt gegenwärtig z. B. einige 100 Universitäten und einige 1000 Gymnasien, von anderen höheren und mittleren Schulen abgesehen, zählt. Selbst unter der Annahme, dass diese Zunahme höherer Schulen in einigen Ländern nur relativ zur Volkszunahme stattfindet — was wahrscheinlich auch erklärlich wäre durch grössere Frequenz anderer Schularten oder Schulen in anderen Ländern — bedeutet auch diese absolute Zunahme schon viel. Was an Bildung von 10 Aerzten unter die Men-

schen dringt, ist etwas Bestimmtes, Dauerndes, gleichviel wie viele Menschen es seien, und ist bei 10.000 Menschen nicht zehnmal weniger, als bei 1000, eher zehnmal mehr. Auch sind für unsere Betrachtungsweise gewisse Intensitätsgrade dieser jeweiligen Bildung ziemlich gleichgiltig, ob z. B. die modernen Strömungen gerade durch einige Decennien hindurch eine mehr humane oder mehr realistische Bildung bedingen: beide repräsentiren bedeutende Werte.

4. An der ins Unabsehbare gehenden Zunahme des Mittheilungs- und Aufnahmsbedürfnisses, wie es sich ausdrückt in den jährlich erscheinenden Druckschriften. In Deutschland allein erscheinen täglich circa 40, die Zeitschriften ausgenommen, und von diesen z. B. wurden allein in Europa 1880 an 14 Millionen versandt.[65]) Wie immer Momente, wie grösserer Wohlstand, zur Erklärung dieser Thatsachen beitragen mögen, und wie immer unbeträchtlich sie als Bildungsausdruck im höheren Sinne seien, sie bekunden doch unzweifelhaft grosse Bedürfnisse und eine Summe von neuen Erkenntnissen, besonders für alle, die, wie die Landbewohner, sonst ohne Bildungsmittel blieben, denen eine Zeitschrift eine Welt bedeutet. Ueber die Qualität dieses Wissens ist zu wiederholen, was über die vorgeschritteneren modernen Wissenschaften schon gesagt wurde, und diesbezüglich sind Erscheinungen auch zu berücksichtigen, wie die Abnahme der theologischen Schriften,[44]) die, selbst wenn sie nur Ausdruck einer materialistischen Bewegung wäre, wie gesagt, wertvoll ist als Durchgangsform wie alle Art Zweifel.

5. An der Zunahme jener dem Unterrichtsbedürfnisse parallel gehenden Bildungs- und Unterrichtsmittel und ihrer leichten Zugänglichkeit. Schon allein die Bibliotheken mit Karten, Lexica und Compendien machen das gesammte Wissen, übersichtlich geordnet und leicht fasslich, allen Menschen in

einer Weise zugänglich, wie es noch in der Renaissance nicht den reichsten Büchersammlern möglich war. Auch die besseren, am meisten gekauften Bücher sind schon wegen ihrer absoluten Zahl sprechend.

Alles dieses Material anders zu deuten, als hier geschieht, bedarf der künstlichsten Hypothesen.

Der Beweis aus der Entwickelungslehre.

Die Entwickelungslehre gilt auch jenen, welchen sie einen moralischen Fortschritt nicht zu verbürgen scheint, als geeignet, für den intellectuellen einen ausreichenden Beweis erbringen zu können. Es ist aber diesem Irrthume gegenüber, mit Modificationen das schon betreffs der moralischen Entwickelung Gesagte zu wiederholen und nur durch drei Punkte zu ergänzen.

1. Schon die Begriffsbestimmungen für intellectuelle Bildung müsste die Lehre nach ihren Bedürfnissen, und zwar erst nachträglich, fixiren. Die Generation eines grossen Gelehrten, dessen Körper oft nahezu einem Verkümmerungsprocesse anheimfällt, würde der geistig weniger hochstehenden jedes Sportsman an Dauerbarkeit nachstehen. Da aber eine solche Art Vererbung die Menschheit zu ihrem geistigen Untergange zu führen scheint, so müsste man wohl dem gegenüber sagen, nur jene Gelehrsamkeit ist die eines weisen Mannes würdige, die ihn eben auch körperlich nicht zugrunde richtet. Mit dieser Bestimmung wäre aber die Gefahr nicht nothwendig ausgeschlossen, die Bildung geistig sehr untergeordneter Menschen als höchste bezeichnen zu müssen, und wir begegnen hier wieder jenem „geeigneter" zum Zwecke des Ueberlebens, das von jeweiligen, zahllosen Beschränkungen der Um-

gebung abhängt, und hätten z. B., von allen anderen Mängeln absehend, einen Stamm intellectueller zu nennen, der
kriegstüchtiger ist oder einfach in kälteren Klimaten besser
besteht.

2. Damit parallel kann als weiterer Factor wirken, dass
die immer raschere Differenzirung und Arbeitstheilung möglicherweise zu geistiger Beschränktheit, selbst zu gefährlichen Ungleichheiten unter den Menschen führen kann. Dieser
Einfluss auf die gesammte Entwickelung ist so gross und so
schwierig zu schätzen, dass man vielleicht darüber streiten
könnte, nicht welche Bildung, sondern welche Art Unbildung
die geeignetere für das Ueberleben ist. Und mit alledem ist sehr
wohl verträglich, dass Arbeitstheilung, gleicherweise wie Kampf.
bisher die Menschen intellectuell kräftigte; nur von einer Nothwendigkeit und von Grenzbestimmungen ist so wenig zu
sprechen, dass kaum mehr an Prophetie erübrigt als die bekannte Thatsache, dass der Intellect den Menschen nützt.

3. Die Unbestimmtheiten der Voraussagen der Entwickelungslehre in den complexen Gebieten des Geisteslebens wachsen,
wenn die neue, noch viel bekämpfte Kritik der Vererbungs-
theorie [67]) richtig wäre. Gewiss lässt sich Vervollkommnung auch
ohne Vererbung erworbener Eigenschaften denken, mittelst
Ueberbleiben zufälliger Variationen und besonders der Besten
im Kampf ums Dasein; jedenfalls ist aber die Unbestimmtheit
von Voraussagen über die Entwickelung damit eine weit grössere, schon wegen der unabsehbar längeren Zeit, die vorausgesetzt werden müsste. Es wird kaum die Richtung der Entwickelung im voraus anzugeben möglich sein, wenn die von
Individuen erkämpften Vorzüge wieder zum grössten Theile
verloren gehen können; und die Unbestimmtheit wird keine
kleinere betreffs dessen, was jeweils unter geeignet zum Ueberleben zu verstehen ist. Eine Entscheidung dieses Streites ist aber

jedenfalls durch die einfachen Thatsachen der Naturhistorie, wie z. B. mit dem bekannten Argumente vom erblichen Präputiummangel bei Juden, weit eher zu schlichten, als im psychologischen Gebiete mit den so schwer zu trennenden Dispositionen. Es ist ja bekannt, wie wenig für die Prüfung des Erziehungseinflusses die Experimente mit Hottentotten, die im Kindesalter nach England gebracht wurden, ergeben haben. Wenigstens bis zu der Entscheidung der Zoologen und Botaniker sollte die Anwendung solcher Theorien auf unsere Probleme unterbleiben. [68])

Was nun die künftige Entwickelung betrifft, haben wir, wie bei Besprechung der moralischen Entwickelung, auch hier zu sagen, dass, da aus der bisherigen intellectuellen Entwickelung keinerlei Verschlimmerung ersichtlich ist, dem Pessimismus jeder Halt für Voraussichten genommen ist. Aber selbst der Zustand der Unentschiedenheit ist uns für diese Frage nur betreffs der intellectuellen Dispositionen [69]) und jener höchst seltenen Formen intellectueller Bildung, wie die Weisheit eines Sokrates, gestattet. Hingegen ist aus der bisherigen gewaltigen Steigerung von Uebung, Wissen und auch wirklicher Bildungsmomente für die nächste Zeit ein Glaube an eine ähnliche Entwickelung Pflicht. Und wer unter dieser Voraussetzung annehmen will, dass auch Dispositionsänderungen stattfinden werden, könnte in der Entwickelungslehre zur Stützung wenigstens eines Glaubens bessere allgemeine Argumente finden, als diese sie im besonderen gibt.

Noch ein weiterer Grund einer künftigen günstigen Entwickelung liegt wieder vor in der parallel gehenden moralischen und auch, wenn uns der Nachweis gelingt, in der ökonomischen. Wenn die moralischen Bedürfnisse sich mehren, egoistische Freuden höhere Formen annehmen und altruistische Gefühle stärker werden, so muss auch das Mittel ihrer Befriedigung, vornehmlich der Intellect mit seiner weitgehenden Voraussicht, entwickelter werden — ein Argument, das gerade für die höhere Form der Bildung von Wichtigkeit wäre. Auch wird, wenn Wissenschaftlichkeit vor allem Wahrhaftigkeit ist (das gibt schon der Doppelsinn des Wortes Wahrheit), jene mit dieser gehoben werden.

Damit parallel gienge mittelst der ökonomischen Entwickelung das Freiwerden des Wissensdranges, der in jedem Menschen liegt und nur ruht, so lange er durch stärkere Triebe gehemmt wird. Ebenso werden, was direct von einer grösseren Wohlhabenheit zu erwarten ist, mit ihr die unzweifelhaft grossen, auch erblichen intellectuellen Degenerationserscheinungen des Elendes sich mindern.

Betreffs der wichtigsten Anknüpfungspunkte der künftigen an die gegenwärtige Entwickelung sind wieder egoistische und altruistische Momente anzuführen.

Vom Egoismus ist, wie bisher, auch künftig das wichtigste für die Geistesdifferenzirung zu erwarten, gewiss noch mehr als von der moralischen Entwickelung. Der Selbsterhaltungstrieb und seine Concurrenzkämpfe, die auch zur Arbeitstheilung geführt haben und zum Theil wahrscheinlich die bisherige Entwickelung erklären, wird nicht aufhören. Und wenn schon jetzt zahlreiche Berufsthätigkeiten nur einem geschulten Geiste möglich sind — man hört oft die Behauptung, dass zum einfachen Verstehen eines modernen Coursbuches schon Universitätsbildung gehöre — die Zahl jener Berufe wird immer steigen. Die Nutzpotenzen der höheren wissenschaftlichen Bildung, auch für den höheren Wohlstand, werden immer klarer werden, die Menschen, welche über sie verfügen, immer unentbehrlicher. So ist selbst der Weg zu einer vollkommeneren menschlichen Ausbildung vorgezeichnet. Denn von der Lehre, dass die Menschen durch weitergehende Ueberlegungen, durch eine bessere Art Egoismus zu höherem Glücke gelangen, ist eine der wichtigsten Consequenzen, die auch der Gegenwart schon wichtig zu werden beginnt, die Nothwendigkeit eigener vielseitigerer Ausbildung zum Unterschiede von jener völligen Einseitigkeit und Vernachlässigung der meisten körperlichen, geistigen und moralischen Kräfte, welche die Menschen im Dienste eigener und fremder, gerade höherer Zwecke nöthig und durch sie entschuldigt glauben. Die Arbeitstheilung führt aber gewiss nur als Durchgang zu jenen körperlichen, geistigen und moralischen Verkrüppelungen, zu jenen Gehirnprotuberanzen, jenem Berufsegoismus, der Unbildung in allen menschlichen Dingen geradezu für Pflicht hält. Denn damit ist gleichzeitig ein Verkommungsprocess gegeben, der nicht nur die Nachkommenschaft ernstlich gefährdet, sondern uns selbst lebensunfähig macht. Dergleichen mag das nothwendige Product der Verhältnisse unbemittelter Stände sein; dass es aber nicht ein Menschenideal werde, dafür wird das Uebel im Gefolge dieser Entwickelungen Sorge tragen. Selbst schon die ökonomischen Einsichten beginnen dagegen anzukämpfen: Jedem Arbeiter wird der Wert von Kenntnissen ersichtlich, die den Wechsel des Handwerkes erleichtern. Wie anders übrigens schon andere Zeiten darüber dachten, nicht nur die Griechen, deren Ethik weit mehr als die moderne das Selbst bedachte, dazu genügte es, hinzuweisen auf die lebensfarbigen Biographien aus der Renaissance, die Albertis oder Lionardos. Wenn nur ein Theil von den Berichten über sie wahr ist, nach welchen sie nahezu alles gekonnt haben, was Menschen je geübt, sie wären leuchtende Beispiele für alle Zukunft.[70])

Die Ansatzpunkte, die der Altruismus der intellectuellen Entwickelung bietet, sind wieder vor allem in seinen einfachsten Formen zu suchen, wo er noch an den Grenzen des

Egoismus steht: in der Erziehung und vor allem in dem natürlich weit beeinflussbareren Unterricht, in jenen Factoren, die
auch bisher die Bildung so sehr gefördert.

Denken wir zunächst an die weiteste Vorsorge, die für
die nächste Generation getroffen werden kann, so ist klar,
dass die modernen Erkenntnisse über Vererbung der Geistes-
und Geschlechtskrankheiten, Tuberculose, über die Kinder, die
im Rausch gezeugt sind etc., zu Eheverboten führen müssen,
wenigstens betreffs der unzweifelhaftesten Formen jener Degene-
rationen. Ebenso wird die für den Staat erkannte Gefahr zu der
im Alterthum allgemeinen staatlichen Erziehung der Kinder
wenigstens jener Eltern führen, deren Verkommenheit die ver-
lorensten Erziehungsproducte erzeugen muss, falls die Kinder
nicht schon in frühester Jugend ihrem Einflusse entzogen
werden. Von grösstem Einflusse wird ferner die allgemein
werdende Erkenntnis besonders dreier Momente sein. Vorerst
wird der schon jetzt immer mehr schwindende Confessionalismus mit seinem in jedem Lande wechselnden Wunderglauben
nicht schon das kindliche Denken verwirren.[71] Ferner, was
besonders von einer einheitlichen Weltanschauung zu erwarten
ist, wird das Volk wieder Bildungsmittel in die Hand bekommen,
ähnlich denen, die ihm einst religiöse Bücher waren. Es wird
als wichtigste Aufgabe, an deren Lösung sich die ersten Geister
in heiligem Wetteifer betheiligen können, die Nothwendigkeit
erkannt werden, wieder die besten Erkenntnisse in volksthümlicher Art zu gestalten. Mit Ausnahme der obersten Zehntausend des Geistes ist ja die gesammte Menschheit betreffs
der Bildung, besonders der ethischen (Romane oder confessionelle Velleitäten ausgenommen) ohne Führer. Endlich wird
das Ueberhandnehmen der Frauenerziehung und ihrer Bildung
von unübersehbarem Einflusse auf die Menschenerziehung sein.
Sie bedeutet nicht nur eine Erziehung besserer Mütter, sondern

dadurch, dass das Verhältnis von Mann und Weib völlig geändert wird, wie dies jetzt schon die richtige Emancipation zeigt, wird die Ehe nicht mehr eine Institution der geistigen Degeneration des Mannes bleiben.⁷³)

Nicht weniger ist wie bisher vom Unterrichte zu erhoffen. Die Erkenntnis der richtigen Erziehungszwecke ist im Zunehmen, und der Wert richtigen Wissens wird sich immer unabweislicher aufdrängen. Die moderne Pädagogik hat ja längst auf Grund ethischer und psychologischer Erkenntnisse die Wichtigkeit betont, von Gegenständen wie Physiologie, den Grundbegriffen der Medicin, der Pädagogik, des Rechtes, der politischen Oekonomie, der Sociologie und schliesslich einer Philosophie, die einer sittlichen Weltordnung nicht widerspricht. Die Schule wird weit mehr streben, das noch ungelöste Problem zu lösen, mit der formellen Geistesbildung eine reichere und richtigere inhaltliche zu vereinigen, schon weil das täglich sich anhäufende Wissensmaterial sich auch täglich als unentbehrlicher erweist. Ebenso drängt, wie gesagt, das Einheitsbedürfnis und die allgemeine Verständigung zur Erlernung einer zweiten Sprache (vielleicht der schon ganze Weltheile beherrschenden englischen). Diese Bedürfnisse kommen jetzt schon in Kampf mit dem Bedürfnis nach formaler Bildung, das bisher noch vornehmlich die alten Sprachen befriedigen. Sie werden es noch weiter, aber nur solange kein Ersatz für sie gefunden: Beruhigen wird sich die Zukunft mit dieser Lösung nicht; denn ihre Inhalte sind aufgenommen in unsere Civilisation und ihre ethischen Werte weit überholt, und jene Wertgebungen sind nur noch historisch zu erklären. Ihre unzweifelhafte Ueberlegenheit in der Schulung des Geistes allein kann sie aber gegenüber anderen Bedürfnissen nicht dauernd halten, und so wird ein Ersatz jetzt schon immer energischer gesucht und bald gefunden werden, der endlich die noch immer brach liegenden jugendlichen Geister auch zu einem reicheren Inhalte bildet. Mit dieser Reorganisation in den Erziehungswerten ist besonders eine andere gegeben.

Die beste Form kann nur einer Schule eigen sein, eben der „einheitlichen", von der ein Theil einen gewissen Bildungsabschnitt geben muss. Bei den durch die moderne Arbeitstheilung und grosse Verschiedenheit der Berufe gegebenen Schwierigkeiten wird sie, noch ohne Berücksichtigung von Individualitäten, dennoch die wertvollste Vorbereitung für jede Art höheren Brotstudiums und höherer Ausbildung sein müssen. Denn jene um dieser willen vernachlässigen, ist sittenlos, wenn die Vereinigung irgend möglich ist. Sie wird ohne Zweifel, sobald die ökonomischen Kräfte es gestatten, wie jetzt der Volksschulunterricht, in ihren ersten Theilen zwangsweise und auch in den späteren für beiderlei Geschlechter gleichmässig eingerichtet werden.

Schliesslich wird schon das Argument von der Schwierigkeit der Berufserlangung und das Bedürfnis, die freie Wahl möglichst lange offen zu lassen, dazu führen, auch die Hochschulen, deren Resultate jetzt schon die tiefste Unbefriedigung allgemein hervorrufen, zu Bildungsanstalten zu machen, besondere Facultäten, neben und vor den Fachschulen, einzuführen, die wenigstens die Möglichkeit geben, auf Grund einer mehrjährigen Thätigkeit zu einer vielseitigen Bildung zu gelangen, die alle weiteren Brotstudien leicht und in kurzer Zeit ermöglicht. So allein ist zu hindern, was jetzt noch möglich ist und alle Denkenden entrüstet, Doctor dreier Facultäten zu sein, ohne gelernt zu haben, wodurch sich die beiden Geschlechter voneinander unterscheiden.

Alle diese Mittel knüpfen zum Theil an Bestehendes an, und es ist nichts Unerhörtes, sie einmal verwirklicht zu denken und damit auch einen intellectuellen Zustand an-

zubahnen, in dem es nicht nur mehr Geister gibt gleich dem
Newtons, sondern auch einige mehr gleich dem des Sokrates,
in dem jedenfalls Bildung etwas anderes heissen wird als ein
gefährliches Gemisch von zwecklosem Wissen und Etiquette,
die den wahrhaft Gebildeten noch jetzt in den herrschenden
Kreisen unmöglich macht.

Die ästhetische Entwickelung.

Damit, dass wir die ästhetischen Gefühle zu den höheren Lustformen gerechnet haben, gilt von jenen, was wir über diese und über die Art von Objectivität darauf bezüglicher Urtheile gesagt haben. Hinzuzufügen ist nur, dass wir das Schöne vom Angenehmen nicht mittelst Merkmalen, wie Allgemeinheit oder Nothwendigkeit des Gefallens, noch durch ein solches ohne Interesse trennen, sondern, wie die moderne Aesthetik es bestimmt, lediglich dadurch, dass das Gefühl des Schönen erst durch einen Empfindungscomplex erregt wird. Nicht das einfache Roth ist schon als schön zu bezeichnen, sondern erst seine Beziehungen zu anderen Farben oder solche innerhalb ein und derselben Farbe; z. B. erst eine glatte, gleichförmig rothe Fläche oder die Freude, dass jemandem eine einfache Empfindung gefällt, also die Vorstellung des Angenehmen. kann ästhetisch wirken. Auch wenn man aber nur schön nennen wollte, was die höhere Lustform unmittelbar aus dem Sinnlichen schöpft, um damit den Unterschied von den ethischen Freuden zu bestimmen, so wäre damit jedenfalls die Dichtkunst, in der auch Willensverhältnisse ästhetisch wirken. aus dem Bereich des Schönen gestrichen und selbst, wenigstens die complexeren, associativen Wirkungen der bildenden Kunst.

Wichtig ist auch noch, zu betonen, dass darüber, was schöner und in der Entwickelung vollkommener heisst, deshalb die Einigung so schwierig ist, weil die Entscheidung, ob es sich um die gleichen Objecte des Urtheiles, ja selbst um einen Mangel, der jedes Urtheil wertlos macht, handle, wie beim Geschmack, häufig gar nicht oder sehr schwer zu fällen ist. Dennoch existiren solche Schwierigkeiten, wie gesagt, in weit selteneren Fällen, als es der rasche und häufige Abschluss „de gustibus non est disputandum" meint. Wenn wir von zurechnungsfähigen Kunstrichtern bestimmte angeborene Anlagen voraussetzten, mindestens normale Sinne, Kenntnisse, Uebung, moralische Eigenschaften, die Fähigkeit zu weitgehenderen Nützlichkeitsüberlegungen, so werden wir wenigstens über ganze Kunstrichtungen entscheiden können; wenn wir das alles voraussetzen, so wird in den meisten Punkten eine Entscheidung, natürlich nie über den Tisch, aber bei gutem Willen wenigstens nach längerer Zeit möglich sein. Wir müssen z. B. Fehlerquellen des Gesichtes oder Gehöres prüfen, was allein schon in vielen ästhetischen Divergenzen des täglichen Lebens jedes Streitobject eliminirte, auch die Kenntnis eines Werkes, die im ernsteren ästhetischen Streite bis zur freien Reproduction gehen sollte, festsetzen, und wir können oft auch noch darüber Einigung erzielen, ob vielleicht der ethische oder logische Antheil des Werkes den Geniessenden verletzt oder nicht, und in dieser Weise wenigstens entscheiden, was in den gewöhnlichen Streitigkeiten nicht einmal geschieht, ob der Geschmack des Aburtheilenden über oder unter dem des Schöpfers des Kunstwerkes steht. Trotz alledem: Die Schwierigkeit der Constatirung besonders der gleichen Uebung und Gewöhnung, schon die ausserordentliche der Sinne bei Künstlern, bleibt noch immer in Kraft. Die zwei bekannten Briefe Webers[73]) über Beethovens Symphonie ein Jahr, bevor er sich an die neuen Formen gewöhnte, zeigen Uebung und Geschmackswandel in paradigmatischer Weise in ihrer ganzen Bedeutung.

Wenn wir aber bei der Verfolgung der ästhetischen Entwickelung alle diese Schwierigkeiten auch nicht eliminiren und das
Lustgefühl selbst, wie immer zusammengesetzt die Dispositions-
summanden sein mögen, nicht zerlegen können: wir können
das subjective Element stark reduciren.

Vor allem werden wir einige Anhaltspunkte der Beurtheilung des ästhetischen Wohlgefallens in Theil- und Parallelerscheinungen suchen, denen als Kriterium wenigstens einige
Wahrscheinlichkeit zukommt. Sie lassen sich, soweit Inhalt
und Form überhaupt trennbar sind, für alle Künste allgemein
nach folgenden wichtigeren Punkten berücksichtigen: 1. Nach
dem Inhalte, weniger dem sinnlichen als dem ethischen, wie
er direct oder mittelst Associationen die Form erfüllt, 2. nach
der Richtigkeit, mit welcher der Inhalt die Form erfüllt und
diese ihm angepasst ist, 3. nach der Zahl der Formelemente,
4. nach dem Umfange ihrer Combinationen im Verhältnis zum
Reichthum der Elemente. — Die Beachtung dieser Punkte hat
ja auch die Erkenntnis so wichtiger Entwickelungsmomente,
wie die des Charakterisirens und Idealisirens zur Folge.

Ob nun eine ästhetische Entwickelung, in welcher Richtung und wie weit stattgefunden hat, müssen wir natürlich an
den einzelnen Künsten erörtern; sonst würden wir den Streit
pessimistischer Laien wiederholen, die, wenn sie in ihren
Büchern sagen, die Kunst sei im Verfall, so wenig überzeugen,
schon weil der eine an neuere Musik denkt und der andere
an griechische Plastik. Und da in jeder dieser Künste der
Fortschritt durch einen beständigen Kampf, wie man es nannte,
zwischen Inhalt und Form gekennzeichnet wird, müssen wir
die einzelnen Momente ihrer Geschichte verfolgen, natürlich
nur so viele, als für unseren Zusammenhang wichtig scheint.

Wir beginnen also die Reihe der Künste, die wir nach
der ethischen Bedeutung, dem intellectuellen Gehalte und dem

Grade von Bestimmtheit, mit der sie beide zum Ausdrucke
bringen können, ordnen wollen — nur so ist den alten Classi-
ficationsstreitigkeiten der Aesthetiker und Künstler ein Sinn zu
geben — mit der Architektur, lassen dann Musik, Sculptur und
Malerei folgen und schliessen mit der Dichtkunst.

Die Architektur.

In der Architektur ist unter Inhalt ein Mehrfaches zu
verstehen. Nicht nur der Zweck, dem die architektonischen
Formen im Ganzen dienen, nicht bloss das Bedürfnis, das einen
Tempel, ein Grabmal, ein Kaufhaus will, bedingen einen Inhalt, auch nicht bloss Gefühle der Unendlichkeit, wie sie eine
Kuppel ausdrückt: Inhalt ist in jedem Ornament durch die
Associationen an Schwere gegeben, welche die einzelnen Theile
erregen, deren dadurch bedingte Zweckmässigkeit untrennbar
und wesentlich das Gefühl des Wohlgefallens bestimmt. Nur
selten wird dieses in einfachsten Linien und Ornamenten lediglich durch symmetrische Lage, Einheit des Mannigfaltigen und
ähnliche Gesetze zu erklären sein; diese genügen nicht einmal
für das Verständnis der Thatsache, dass zwei aufeinander senk-
rechte Linien uns weniger gefallen, wenn die verticale sehr
lang ist. Wer die Erklärung durch Associationen an den Buch-
staben T geben wollte, würde nicht bedenken, dass das Ge-
fällige in seiner Form auch schon bestimmt wird durch Association an eine schwere Platte, die in der Mitte durch ein
Prisma unterstützt wird, das uns tragkräftig, also nicht zu lang
und dünn erscheinen muss. In dieser Weise wirkt das Con-
vexe abstossend, das Concave hineinziehend, drückt die auf-
steigende Schlangenlinie Bewegung aus: alles dies, lediglich
die Associationen der dritten Dimension ausgenommen, ist
als Inhalt anzusehen. Es ist bekannt, wie solcher Art die

Aesthetik in den grössten Werken der Architektur den reichsten Inhalt analysirt und seine Entwickelung in jedes Element
verfolgbar macht. Unschönheiten mancher Stile erklären sich
durch den Mangel an solchen Inhalten, durch Mängel, wie sie
orientalische Stile zeigen, der Zopfstil, die lediglich ornamen-
tal und ohne vernünftigen Inhalt sind, oder, wie die Gothik
der Venezianer, in der die Elemente ihre Zwecke verloren
haben und zu blosser Decoration geworden sind. Fechner
erklärte selbst das Wohlgefallen (der Bewohner Bencoolens) an
Säulen, die nach unten spitz zulaufen, aus Zwecken und Bedürfnissen.") Die Wichtigkeit dieser Verhältnisse ist eine so
grosse, dass man sie zum Kriterium der Kunst gemacht und
gesagt hat, dass aus dem Bauhandwerk erst Kunst wird, wenn
die Massen, die den Raum umgeben, und die Stützen gegen
ihren Druck, nicht bloss als Mittel benützt, sondern als solche
gezeigt werden, und das Ganze in aufstrebenden Stützen und
in Lasten gegliedert wird."*)

In diesem Sinne werden wir also bei der Entwickelung
der Architektur von der Richtigkeit sprechen, mit der Inhalt
und Form einander angepasst sind, wie weit das Aeussere
Ausdruck des Inneren ist, sowohl bei den Verhältnissen von einfachen Säulen, die das Gewicht eines Giebels zu tragen haben,
als auch bei der Rücksichtnahme auf das Material und seine
Tragkraft und bei den letzten Zwecken eines Baues. Die Hässlichkeit dünner Eisensäulen ist ebenso ein Problem, als die
Frage, wie weit für ein grosses Krankenhaus mit allen Anforderungen der modernen Hygiene die Formen gefunden sind, oder
wie weit diese Aufgabe jetzt schwieriger ist als bei den Anforderungen, die noch im 15. Jahrhunderte gestellt wurden, z. B.
an Brunelleschis bekanntes Findelhaus.

Und nun die wesentlichsten Momente der Entwickelung.

Wir finden die Architektur ursprünglich nicht getrennt von der Sculptur, noch ohne Zusammenhang mit der Umgebung, ohne Rücksicht auf das Klima und die Bedürfnisse und in sinnlosester Symbolik befangen. Wir sehen im alten Nordamerika aufgewühlte Erdbauten, 700 Fuss lange Schlangen oder 100 Fuss lange Menschenleiber, auf deren Rücken ein kleiner Altar ruht, oder riesige Steinmauern in Kreuzes- oder Ovalform angeordnet, heilige Zahlen unüberblickbar ausdrückend. Wir finden in Aegypten die dicksten Säulen bei erdrückender Niedrigkeit der Grottentempel, himmelansteigende Pyramiden, deren Inneres einen ganz kleinen Raum birgt oder deren Spitze, wie das Cyrus-Grab, einen kleinen Tempel trägt. Alles Inhalte, die entweder gar nicht zum Ausdrucke gekommen sind oder in mangelhafter Weise, die mit anderen Mitteln als denen der Architektur besser zu erzielen waren.

Wie alle diese Missverhältnisse von Inhalt und Form von der griechischen Architektur in Harmonie gelöst wurden, ist zwecklos zu wiederholen. Allein die Entwickelung eines Elementes wie der Säule, würde es zeigen. Ihre Kürze und Dicke in der vorgriechischen Architektur ohne die Gliederung in die drei Abschnitte, die tragende Capitälknospe, die nach unten statt nach oben angeschwellt war, und der schmale Würfel, der die grossen Lasten tragen sollte. Welcher Schritt von alledem zur dorischen und von dieser zur jonischen und korinthischen Säule! Die Platte gegen das Einsinken in den Boden, die Schnur oben und unten gegen das Sichspalten des Stammes, dessen Cannelirung als Association an die Rohrbündel, die den Palmenstamm festigend umgeben und das Aufstreben vermehren, ebenso wie die sich spaltenden Zweige und Blätter, die das Tragen versinnlichen; selbst die jonischen Voluten müssen einen mehr als ornamentalen Sinn erhalten, zu Rollungen des Akanthusblattes werden und auch diese noch durch den Druck erklärbar sein.

Weniger betont als diese Vorzüge sind die grossen Mängel der griechischen Baukunst, die aber für die Entwickelung zu betonen sind. Es war leichter, jene bei so einfachen Verhältnissen der Vollendung nahe zu bringen; sie ist aber eben wegen jener Einfachheit kein selbstverständliches Kriterium der Ueberlegenheit des Griechenthums. Zahllose Aufgaben, die die Griechen nicht kannten, wären ja für den Vergleich zu berücksichtigen, und es wäre zu fragen, wie ihr Genius sie gelöst, oder umgekehrt, ob die grossen Talente der Renaissance, im Alterthum geboren, mit gleicher Begabung nicht Gleiches geleistet hätten.

Die Aufgaben der Griechen waren klein. Z. B. Stockwerke kannte die Säulenbaukunst so gut wie nicht. Nicht nur war alles gleich hoch, auch der Grundriss hatte die einfachste Form des Kreises oder des Rechteckes und war ohne einspringende Winkel; decorirt war nur die Aussenhalle, die eigentliche Raumumschliessung war massenhaftes, nicht stilisirtes Mauerwerk, kaum mit Oeffnungen für Licht. Noch mangelhafter war das einfache Innere, das schon wegen seiner balkenüberspannten Enge die Stimmung des Erhabenen ausschloss. Und alles dies war nur zweckmässig für das südliche Klima und das religiöse Bedürfnis; andere als Tempelarchitektur liegt so gut wie keine vor.

Da den Römern fast alle jene weit schwierigeren Probleme zur Lösung vererbt wurden, so ist auch nicht ohneweiters, wie gewöhnlich geschieht, ihr architektonischer Geschmack zurückzusetzen. Sie hatten ein Forum zu errichten, Colosseen, Wohnhäuser, Triumphbogen, Paläste, Profanbauten mit vielen Stockwerken, mit reichen Grundrissen, Vorhallen und complicirten lichten Innenräumen, die auch decorirt sein

sollten. Sie hatten grosse Räume zu überspannen und zuerst
Kuppeln und Pfeiler wirklich in Verwendung gebracht. Wie
immer derb sie dies alles thaten, eine Tragödie ist eben eine
schwierigere Kunstform als ein Gedicht.

In gewissen Punkten zeigt selbst die an griechische Einfachheit grenzende Basilika der ersten christlichen Bauweise
grosse Fortschritte, sofern die Aufgaben, welche die inneren
Verhältnisse betreffen, ernsthaft in Angriff genommen werden.
Das Bedürfnis führt zu mehreren Schiffen, zu einem Streben
nach oben als Ausdruck stärkerer Gefühle, zu einer Perspective,
zur Altarnische, zu grösseren Fenstern, die eine Malerei zwischen
ihnen bedingen; es entstehen Ansätze zu einer wirklichen Façade.

Aber erst der romanische Stil findet die gleichmässige
Betonung von innen und aussen. Auch verbindet er zuerst
die Träger durch Rundbogen, um auf diese die Lasten zu
legen, was für die inneren Höhen den gewaltigsten Fortschritt
bedeutet. Wenn die Römer noch der Vorwurf einer sinnlosen
Verwendung griechischer Elemente zu den neuen Bedürfnissen
trifft, besonders der Säulen, oft als blosser Decoration, so wird
jetzt alles, innen wie aussen, organische Gliederung: Die Mauern,
die bloss kuppeltragend waren, werden jetzt mittelst Pfeilern
ein „erzeugendes Motiv", sie erscheinen, die Kuppel hebend,
in aufstrebender Thätigkeit; die Kuppel wird mit dem Lang-
bau vereinigt; Thürme, nach innen und aussen angepasst, sind
dem Ganzen angefügt; das Kreuzgewölbe vermittelt „hoch und
lang, rund und gerade"; selbst die „Fenster und Portale
zeigen mit Säulchen und Rundbogensäumen das Bildungsgesetz
der Massen"; auch innen wird schon den reichsten Bedürfnissen durch Kanzeln, Altäre, abschliessende Gitter u. s. w.
entsprochen.

Schwieriger ist die Frage des Fortschrittes für den
gothischen Stil zu beantworten. Ist es ein Fortschritt, wenn es

immer von ihm heisst, er löse das ruhige Gleichgewicht des romanischen Stiles auf mit seinem ausschliesslichen Aufstreben, verflüchtige alles in die Höhen, in den Fialen und tragenden Spitzbogen, leugne allen Gegensatz von Last und Trägern, löse die Säulen in aufsteigendes Linienwerk auf, selbst die Massen mittelst der Fenster? Oder wenn diesem Stile selbst die Kuppel den Himmel zu wenig versinnbildlicht? Das ganze Schiff muss Kuppel sein, und die Unendlichkeit soll nicht bloss in einem Raume, sondern in der mystischen Färbung, dem Dunkel zahlloser Winkelausblicke zum Ausdrucke kommen. Es gibt Kunstrichter und selbst grosse Künstler, welche die Frage bejahen, und die, auch abgesehen von der Grossartigkeit und Schönheit, von allen reichen Motivirungen im Aeusseren eines Domes, den Stil fähig finden auch mit seinen gigantischen Innenverhältnissen, erhabene Stimmungen auszudrücken wie kein anderer, selbst weit über den romanischen. Darüber aber mag Zweifel bei anderen herrschen, auch bei den kundigsten; aber die Gothik unzweifelhaft als einen Rückschritt neben dem romanischen Stil, seine Dome als stehen gebliebene Gerüste oder düstere Pfeilerhaufen zu bezeichnen, sind Urtheile, die kein grosser Name unterzeichnete; sie für richtig anzuerkennen, müsste auch unter den Autoritäten des Geschmackes mehr Einigkeit herrschen als bis jetzt.

Noch zweifelhafter ist die oft gehörte Ansicht, dass die Entwickelung mit diesem „letzten Stil" eigentlich zu Ende sei, dass die Renaissance bloss eine Zusammentragung einzelner Elemente des Alterthums darstelle, die in der Aesthetik als nicht einheitlicher Stil gar nicht in Betracht komme. Was läge daran, wenn man als consequenten Stil nur den griechischen und nordgothischen zulassen will und der Renaissance dieses Prädicat verweigerte? Ebensowenig, als wenn man

immer nur von ihren antiken Elementen spricht. Zu der Art
ihrer harmonischen Vereinigung, zur Grösse ihrer Verhältnisse
kann es eines Formengenies bedurft haben, wie zu irgend
einem Stile, und diese Wirkung kann an Neuheit und Erhabenheit allem Vergangenen gleichstehen. Und das war der Fall
mit der Renaissance, mit den Palästen und Kirchen der Früh-
und Hochrenaissance. Kunstkenner sagen z. B. nur über die
unvollendeten Pläne der Peterskirche, von deren Schönheit
man sich keine Vorstellung zu bilden vermögen soll, dass die
Griechen die ersten gewesen wären, für solche Aufgaben ihre
Formen in ähnlichem Sinne umzuwandeln. [76]) Selbst M. Angelo
sagt, Bramante sei an Grösse jedem Meister seit dem Alterthum vergleichbar. [77]) Und es ist auch nicht einzusehen, warum
Brunelleschis Schönheitsgefühl, unter Griechen gebildet, unter
der Einwirkung damaliger Kunstanschauungen und Umgebung
ihn nicht auch hätte die einfacheren Verhältnisse eines griechischen Tempels finden lassen sollen. Das sind alles unlösbare Talentfragen.

Bis zu Palladios Tode, um 1600, ist gewiss von einem
allgemeinen Verfall der Architektur gegenüber den Griechen
nicht zu sprechen.

Wir müssen aber diesen einräumen für den Barokstil in
allen seinen Formen und Entwickelungen. und zwar für zwei
Jahrhunderte. Warum nach dem 16. Jahrhundert der Verfall
eintrat, dafür sind die Gründe complexer Natur und hier nicht
zu besprechen, aber jedenfalls so zahlreich, dass es sehr
oberflächlich wäre, einfach Geschmack und Talent für ausgestorben zu erklären. Es lässt sich dies von dieser Zeit so-
wenig als von der neuesten sagen, von der wir geradezu vor
Augen sehen, warum es ihr bisher unmöglich war, zu Werken,
die in Annäherung an jene der Renaissance gestellt werden
können, zu gelangen.

Denn auch für die Architektur der Gegenwart ist Verfall einzuräumen, trotz aller ernsten Bestrebungen nach Stileinigung, trotz Anpassung und Rückgang auf alte Stile bis auf den Classicismus. Es bleibt bei einem Versuchen und Tasten für die neuen Aufgaben, denen doch die Formen erst angepasst werden können, wenn jene, anstatt sich täglich zu modificiren, fertig und klar vorliegen. Und hier liegen die wahrscheinlichen Gründe für die Unmöglichkeit einer grossen Baukunst in der Gegenwart. Zuerst mussten die neuen Bedürfnisse befriedigt werden; dass eine Hütte Schutz gewähre, muss die Menschen früher beschäftigen als ihre Architektur. Die technischen und socialen Umgestaltungen sind aber in solchem Masse und so rasch erfolgt, dass ein ästhetisches Bewusstsein nicht zu erlangen war, ganz abgesehen von anderen modernen Interessenrichtungen. Die Kunst ist weder den Aufgaben gefolgt, die in neuem Material durch die Ziegel-, Glas- und Eisenconstructionen von Bahnhöfen und Eisenbahnbrücken gegeben wurden, noch jenen Aufgaben, welche die neuen socialen Verhältnisse verlangten: billige, grosse, öffentliche Anstalten oder Privatmassenwohnungen mit tausendfältigen neuen Problemen und Anforderungen an Licht, Raum, Hygiene etc. Diese führten z. B. in Amerika zu thurmartigen Häusern mit über 20 Stockwerken, und es heisst sogar, die grossstädtische Entwickelung bedinge einheitliche Façaden, die nur für ganze Strassen zu denken seien. Und nicht von geringerem Einflusse als die modernen Anforderungen war das Verschwinden des Palastbedürfnisses der reichen Privaten und die steigende Anerkennung menschlicher Thätigkeit, die wenigstens jede Art Pyramiden-Sclavenarbeit unmöglich macht. Aber aller Schönheitssinn, selbst der Griechen, genügte nicht zur Bewältigung solcher Probleme und damit zur Hintanhaltung eines Verfalles bis in die Gegenwart, der nicht bloss zuzugeben, sondern als nothwendig, wenn auch nur als zeitweilig zu erklären ist.

Fragen wir nun, ob aus einer mehrtausendjährigen Entwickelung einerseits und aus diesen drei Jahrhunderten des
Verfalles andererseits für die Zukunft Schlüsse auf einen dauernden Verfall zu ziehen sind, so ist zu sagen, ohne Zweifel
keine zwingenden, nicht einmal wenn die Erklärung, die wir
für das letzte Jahrhundert gegeben, falsch wäre. So lange es
Menschen gibt, werden sie bauen, und so lange es Menschen
gibt, die über die Bedürfnisse der Fischerhütte hinauskommen,
werden sie Baukunst treiben. Woferne wir also nicht annehmen,
dass plötzlich der Sinn für die Schönheit, welcher Tausende von
Jahren die Menschen in allen Künsten geleitet, sie verliesse,
so ist höchstens in Frage zu lassen, ob der Geschmack sich
nach der bisherigen Entwickelung weiterbilden oder stehen
bleiben werde.

Jede bestimmte Voraussage aber, wie sie Aesthetiker und
Künstler wollen, z. B. über Details, wie die Entstehung eines
künftigen Stils, ist kleinlich. Die Möglichkeit eines neuen leugnen,
was ja oft, trotz der unendlichen Combinationsmöglichkeiten
einfacher Linienelemente geschieht, ist nicht weniger sinnlos,
als seine Anknüpfungspunkte an bisherige Stilarten bestimmen
zu wollen. Besonders die Gründe, warum letzteres ein vages
Construieren bleiben muss, sind leicht anzugeben. Die Aesthetiker haben Recht, wenn sie bei der Frage nach dem Stil der
Zukunft weit ausholen und einen neuen Stil abhängig machen
z. B. auch von einer eventuellen neuen Religion. Aber wer
würde es wagen, ihn nach den Bedürfnissen einer neuen Cultus-
form vorauszubestimmen und, wie von Aesthetikern [78]) schon
geschehen, dabei von der besonderen Nothwendigkeit von
Kanzeln u. dgl. zu sprechen? Und es kommen in den neuen,
weniger religiösen Zeiten auch noch weit andere Bedürfnisse,
und nicht weniger unberechenbare in Frage, vor allem die
technischen und nicht weniger die der socialen Umgestaltungen.

Welche Materialien, welche Art der Construction die Kühnheit künftiger Erfindungen für die Kunst nothwendig machen wird, ist unabsehbar, und dieser Einfluss ist vielleicht noch klein neben dem der gesellschaftlichen Umgestaltungen. Wird die Architektur noch fernerhin die politische Macht einzelner von Königen und Höfen, oder nicht viel mehr von einem einigen, grossen Bürgerthume spiegeln? Werden die Grossstädte, ihre Massenbedürfnisse, ihre noch heute und täglich sich ändernden Ansprüche fortfahren zu wachsen, oder führen diese der Vernichtung der Grossstädte entgegen und lassen sie, was das Wünschenswerteste ist, zu blossen Versammlungsorten, administrativen Centren zusammenschrumpfen und bedingen, dass das Landleben mit seinen Villen den Stil der Wohnhäuser bestimmt? Im ersteren Falle ist es möglich, dass Zinshäuser, Bahnhöfe. Brücken etc. jeden wertvolleren Stil unmöglich machen oder zu noch ganz unausdenkbaren Massenfaçaden führen, im zweiten hängt alles wieder ab vom Verhältnis des Privatreichthums zu dem des Staates. Es ist eine Zukunft denkbar, die, ohne dass sie socialistische Form annähme, doch solche Annäherungen daran zeigt, dass die Kunst in den Händen der Privaten nur der anspruchlosesten Mittel sich bedienen dürfte.

Bei solchen Unbestimmtheiten sind Voraussichten unmöglich, damit aber, unter Berücksichtigung der grossen Architekturentwickelung der Vergangenheit auch Hoffnungen auf eine weit ästhetischere Zukunft nicht zu entwurzeln. Gab es doch schon einmal Städte von der Schönheit der italienischen, von denen nur einzelne Theile über die Welt verbreitet gedacht, diese in ein Paradies von Architektur verwandelten. Wenn auch die sociale Umgestaltung vielleicht Verhältnisse wie die Venedigs mit seinen vielen Palästen für so wenige Glückliche nicht mehr gestattet, bleiben dennoch Möglichkeiten genug für die Zukunft, die bei dem genügenden Spielraume, welcher der Phantasie bleibt, nicht alles in Nacht und Hässlichkeit versinken lassen müssten, auch selbst dann nicht, wenn wir die grossstädtische Kunstentwickelung der nächsten Jahrhunderte ganz preisgeben wollten.

Wer also fragen will nach den Anknüpfungspunkten eines richtigen Stiles auch nur für die allernächsten Tage und Bedürfnisse, dem ist zu sagen: Von den bisherigen taugen dazu alle und keiner, oder von jedem so viel, als die wahre Befriedigung wahrer Bedürfnisse, die sorgsam zu beobachten ist, will, und die ganz weder der gothische Dom, noch der Stil der Griechen, noch ein anderer alter Stil mehr geben kann. Griechische Tempel im Norden bauen und Rauchfänge hinter Ornamenten verbergen müssen, das sind ästhetische Lügen.

Schliesslich ist eine extensive günstigere Entwickelung der Architektur, trotz aller Unselbständigkeit, ästhetischer und anderer Bedürfnislosigkeit der Reichen, selbst bis in die neueste Zeit nicht zu leugnen. Eine einzige italienische Stadt zeigt fast so viele Architekturdenkmäler als das gesammte alte Griechenland, in dessen wenigen Städten alles vereinigt war; und es war der Zahl nach fast nichts im Verhältnis zu dem, was später über alle Städte, Länder, über ganz Europa verbreitet war. Es gibt fast keine Stadt, die nicht ein Rathhaus, ein Dom oder sonst ein Kleinod der Architektur zierte; und welche Unzahl von Villen und Palästen sind entstanden; noch im 17. Jahrhunderte alles in voller Entwickelung. Aber auch jetzt sind anmuthige Privatbauten neben vielen, wenigstens nicht geschmacklosen öffentlichen, mit denen die immer zunehmende Zahl unabhängiger Reicher ihr Vaterland schmückte, im Zunehmen.

Auch betreffs des Kunstgewerbes sind die Klagen der Gegenwart nicht berechtigt. Die herrlichen Zeiten, wo Menschen aus prächtigen Pokalen und getriebenen goldenen Schüsseln ihre Nahrung nahmen, sind Träume, das zeigt uns die Geschichte zur Genüge. Das alles war das Vorrecht nur sehr weniger Auserwählter, und es ist keine Frage, dass besonders durch die grosse Verbreitung der vervielfältigenden Technik gerade in der Gegenwart Geschirr, Geräthe, Möbel und Stoffe den Geschmack eines weit grösseren Kreises befriedigen und kundgeben.

Was die Zukunft bezüglich der extensiven Entwickelung bringen wird, auch darüber ist nach dem Bisherigen der Pessimismus wenig begründet. Wieder ist alles von ökonomischen Veränderungen, von hygienischen und anderen Erkenntnissen abhängig. Jedes Wohnhaus zeigt, dass Bedürfnis und Wert hoher und lichter Räume nicht allein durch den Geschmack gegeben wird. Besonders höhere Bedürfnisse werden immer ebenso selten sein wie die Kunst, sie zu befriedigen, und eine grosse Kunst braucht hohe Bedürfnisse. Sie setzt noch weniger reiche als grosse Menschen voraus, die einen hohen, schönen Raum suchen, der sie zur Andacht stimmt und zu einem würdigen Leben. Diese aber wollen wirken in einem Hause aus echtem Material, wie immer klein, mit grossen Verhältnissen. welche Kraft vereint mit schöner Ruhe zeigen, in einer freien Umgebung, vermittelt durch den Garten, der das Bedürfnis nach Abgeschlossenheit von der Welt darstellt, an den Statuen die Objecte der Verehrung, durch den weiten Ausblick den Freiheitssinn. Wer ein Zimmer nur mit kindischen Jagdtrophäen, Tabak-, Reit- oder Saufgeräthen ziert oder ein Leben voll Unruhe und Kampf gleich dem der Gegenwart führt, tödtet alle Kunst. auch wenn er den Künstlern Schätze zu verbauen gäbe. Allgemein können wir sagen: Wie immer die Architektur mit ihren reinen Formen den Menschen stets die schwierigste Kunst bleiben wird, sie wird sich so schnell entwickeln als der Geist unter ihnen; durch ihn allein ist ihre wahre Grösse bedingt.

Die Musik.

In der Musik ist, wenn wir den sinnlichen Inhalt des Tones nicht berücksichtigen, wie in der Architektur unter Inhalt nicht nur der gedankliche, der ethische oder der, den das Wort in Verbindung mit dem Liede ausspricht, zu verstehen: Alles ist Inhalt, was die Instrumentalmusik direct oder durch Associationen ausdrückt, alle mehr oder weniger bestimmten Affecte, Gefühle und Vorstellungen. Und zwar handelt es sich nicht bloss um allgemeine, angenehme oder unangenehme Gefühle, sondern auch um bestimmtere, der Trauer oder Freude; ein aufgelöster Septimenaccord gibt das Gefühl der Befreiung, die mächtigen Tonmassen der Posaune des Gewaltigen oder Schrecklichen, die Violine des Flehens und Zitterns u. s. w. Ebenso erregt Musik bestimmte Vorstellungen, und zwar durch Nachahmung von Geräuschen, Natur- oder Thierlauten, mittelst Rhythmen die des Gehens, Laufens, Tanzens, Drängens, eines ungestümen Unterbrechens zarter Gefühle u. s. w. Alle diese Inhalte kommen durch Mittel zum Ausdruck, wie Tonstärke, Dauer, Rhythmik, Klangfarbe, Melodie und Harmonie.

Es erscheint nun fast unnöthig, die Entwickelung dieser Elemente zu verfolgen; es ist selbstverständlich, dass die Musik die Kunst der Gegenwart ist, dass sie die höchste Höhe im Vaterlande Haydns, Mozarts, Schuberts erlangt hat, und zwar eine solche, die das Volk, dem sie angehören, ausser jeden Wettstreit und mit diesem Antheile an der Culturentwickelung der Menschheit so hoch wie irgend eines stellt. Dennoch haben sich Zweifelstimmen gefunden, welche selbst hier die Griechen nicht aus ihrem Olymp verdrängen lassen wollen. Besonders solchen Irrthümern gegenüber sind einige Worte der Verständigung nöthig. Zwei Gründe sind es, welche die moderne Musik als die von „Barbaren" erscheinen liessen; der erste, weil unser Gehör mangelhafter sein soll, da wir die

$^1/_4$-Töne der griechischen Scala nicht verwenden, der zweite, weil wir nicht wie die Alten ausschliesslich an der Melodie Gefallen, sondern erst mit der Harmonie eine abschliessende Befriedigung finden. Ehe wir diesen beiden Einwänden einzeln begegnen, muss in einem Worte geschildert werden, was den Griechen überhaupt Musik war.

Ihr grosses Verdienst um dieselbe wollen wir nicht schmälern. Wir wissen zur Genüge, dass wir ihnen die Gliederung des Tonmateriales verdanken: Scalen, Tonarten, Geschlechter und Rhythmik; auch einige wertvollere Instrumente erfanden sie. Aber was haben sie mit alledem gemacht? Die Griechen kannten nur wenig selbständige Musik. Der Fall der Vergötterung einer Flötenbläserin ist der seltenere gegenüber der Ansicht, dass der Flötist als der dümmste erscheint, weil er nicht zugleich spielen und reden kann. Ihre Instrumente waren, ihre übrigens harmonielosen Synaulien ausgenommen, noch in wenig oder keiner Uebereinstimmung, was allein schon jede Entwickelung hinderte. Sie hatten auch wahrscheinlich nicht nur keine Harmonie, nicht einmal Terzen und Dreiklänge, sondern auch so gut wie keine Melodie und erfreuten sich oft schon am Abspielen einer einfachen Scala, weshalb wohl auch ihre Instrumentalmusik von den Philosophen in den Dienst niedrigster Zwecke gewiesen wurde, wie Kriegsmusik und Tanz. Sie sollten sich ja durch diese Kunst nicht aufreizen und entnerven lassen. Auch rhythmisch war die Musik, selbst die dithyrambische Weise kaum rasch bewegt, und Gemüthsstimmungen wurden wiedergegeben einfach durch bestimmte Instrumente, Lagen, Ton- und Taktarten, die in gleicher Weise in religiösen und dramatischen Situationen immer wiederkehrten. Bezeichnend genug für das, was den Griechen erregtes Gefühl ist, wäre, wenn die Philologie es richtig verstanden, dass Dur ihnen erschlaffend klang und Moll besonders er-

hebend, was gewiss nicht als „Zeichen grosser Kraft", sondern
eher von völliger musikalischer Unbildung erscheint, die von
jeder Art Musik gerührt wird, und die auch jede Art aufzuregen
vermag.

Damit ist auch schon der Uebergang zu der Erkenntnis
geschaffen, was den Griechen die Musik als das Wort begleitend
war. Die Lyra begleitet mit einzelnen Tönen, meist mit Octaven,
mit Quinten, und, uns geradezu in die Flucht jagend, auch mit
Quarten die halb oder ganz declamatorische Rede, die sich
jedenfalls nie zum Liede erhebt. Selbst die Chöre sind nur
monodisch, und wie wenig musikalisch sie in der Tragödie
waren, darauf werden wir bei der Frage nach dem Werte der
dramatischen Musik noch zurückkommen.

So sieht die Musik bei den Griechen aus; darin stimmen
ihre hervorragendsten Kenner überein, und die philologische
Forschung und die neuesten Funde, wie der der delphischen
Apollo-Hymne,[*)]) ändern daran gewiss nichts. Wollte jemand
die diesbezüglichen Resultate angreifen und sagen, dass wir
über die Musik der Griechen nichts wissen, so wollen wir seine
Argumente hören; aber er seinerseits möge dann auch nicht
genug wissen wollen zur Behauptung, dass Beethoven'sche Musik
neben der der Alten eine barbarische ist. Es ist gewiss nicht
wertlos, wenn wir in die Nebel des Alterthums goldene
Zeitalter träumen, nur können wir diesen Milch- und Honig-
glauben nicht zugeben auf Kosten der Gegenwart, besonders
wenn er dazu ausgebeutet wird, diese in den Koth zu ziehen.

Kommen wir jetzt zurück auf die beiden gegen sie er-
hobenen Vorwürfe.

Vor allem ist eine Scala mit $\frac{1}{4}$-Tönen nicht nur kein
Vortheil, sondern ein Nachtheil jeder höheren Entwickelung,
was die Griechen dadurch selbst zugestanden, dass sie sie
später aufgegeben haben. Das Hören von $\frac{1}{4}$-Tönen ist keinerlei

Beweis für ein feines Ohr: jedes normale Ohr der Gegenwart würde ebensolche und natürlich noch viel feinere Unterschiede als ¼-Töne wahrnehmen können, da Geübtere Töne von
1000 bis 1015 Schwingungen in der Secunde unterscheiden, und
ein wirklich besseres Gehör der Griechen aus keiner Quelle
constatirt, noch vermutlich zu constatiren ist. Uebrigens wird
auch kaum jemand sich getrauen, zu behaupten, dass sie musikalisch schlechter veranlagt waren als wir, niemand der weiss,
was Uebung und Bildung in der Kunst vermag. Jede neue,
schwierigere Musik, welche wir ein halbes dutzendmal hören
müssen, bis wir Wesentliches daraus nachsingen und verstehen können, sollte uns vorsichtig machen betreffs solcher
Urtheile. Demnach wäre ja auch a priori die Möglichkeit nicht zu
leugnen, dass die Griechen, vielleicht feiner geübt als wir, wirklich mit der ¼-Tonscala mehr anzufangen wussten; aber uns
handelt es sich um einen Beweis dafür, der nicht erbracht ist.

Aber auch jede Melodie und Harmonie wird durch die
¼-Tonscala viel schwerer möglich; denn sie kann gerade
wegen ihrer zahlreichen Stufen nur einen kleinen Umfang haben,
keine Höhe und Tiefe, und macht auf die Dauer der klaren
Unterscheidung grössere Schwierigkeiten, was besonders dem
Gedächtnis zur Last fällt und das Merken, respective Erfassen
der Theile einer Melodie und ihres Ganzen illusorisch macht.
Auch gleicht das annähernde Continuum so wenig unterschie-
dener Töne, wie man sagte, eher einem Hundegeheul — alles
Mängel, welche eben zur ¼-Tonscala als der brauchbarsten
führten. Diese Thatsachen lassen es wahrscheinlicher erscheinen,
dass jene begeisterten Anhänger griechischer Musik eher
Philologen als Musiker sind, und solche Pessimisten psychologisch
auf ihr Gehör zu prüfen, ob nicht manche von ihnen ¼-Töne
überhaupt nicht unterscheiden können, würde die apriorische
Frage rascher und endgiltig entscheiden.

Mit anderen Gegnern haben wir es beim zweiten Einwand zu thun. Rousseau war selbst Musiker, jedenfalls unzweifelhaft musikalisch. Wie kam er dazu, die Harmonie zu verwerfen? Vielleicht hätte er es nicht mehr gethan, wenn er unsere Classiker gekannt und geübt hätte. Aber mit solchen vielleicht können wir uns nicht begnügen; er kannte eine sehr entwickelte Musik. Gewiss haben wir hier einzugestehen und zu betonen, dass die Möglichkeit einer grossen Musik ohne Harmonie nicht ausgeschlossen ist, das zeigt die gregorianische Weise und der cantus firmus aus der Blüthezeit des Acapellagesanges, die ihrem Wesen nach auf dem Secundenschritt gebildet, nicht auf Accordtönen gebaut sind. Aber der Thatsachenbeweis ist entscheidend, und zwar gewiss eher für eine Musik mit als ohne Harmonie. Zunächst also: Wozu dient Harmonie im engeren oder weiteren Sinne?

Auch wer Melodie Anfang und Ende aller Musik nennt, muss Harmonie schon deswegen anerkennen, weil die höhere Entwickelung der Melodie ohne sie wenigstens schwer möglich ist. Eine Melodie ist keine blosse Reihe von Tönen; sie ist Einheit in der Mannigfaltigkeit, und jede Wiederkehr ihrer Elemente hat nur Sinn, wenn die Erinnerung Vorgefühle zum Gesammtbilde hinzubringt. Wenn aber Melodie auch nicht bloss successive Auflösung der Töne eines Accordes ist, so ist doch der Accord meist die feste Grundlage, das was sie „umspinnt", von dem die Bewegung ausgeht, und wohin sie zurückkehrt, mit einem Streben zum Grundton, das wir stets empfinden. Man hat gesagt, die Harmonie sei es, die über das einfache Linienziehen hinausgeht, das bloss von einem Moment zum anderen vorschreitet und damit zwar einen klaren, aber auch leeren Eindruck macht. Wir brauchen ein Tonganzes, zur Längendimension Breite und Tiefe, zum dünnen Laute den volleren, wärmeren Klang, zum Tonumriss die Färbung. Dem tonus

vagus, der auf den Stufen der Leiter auf- und abirrt, werden
der bestimmte Ton und bestimmte Klangverhältnisse beigefügt,
die ein wichtiges Element der Gesetzmässigkeit in die Musik
bringen, neben Wärme Strenge und Tiefe, Objectivität zum
Subjectiven, den Hintergrund, auf dem alles sich bewegt. Die
Harmonie gibt sogar Freiheit, so dass mehr Stimmen unabhängig nebeneinander einzelne Wege gehen und doch zusammen zur grossen Gesammtwirkung beitragen können.[80])
    Dem gegenüber nennt Rousseau alle Harmonie eine
gothisch barbarische Erfindung, die nicht entstanden wäre,
wenn die müden Völker mehr Gefühl für die wahrhaft natürliche griechische Einfachheit hätten — die bekannte Verwechslung erhabener Einfachheit mit Einfalt. Er war eben ein grösserer Moralist als Musiker, und man hat mit Recht seine Meinung erklärt aus seinen Kämpfen für Einfachheit, gegen das
vorrevolutionäre Frankreich, das auch das Harmonisiren übertrieben hat. Hat es doch Zeiten gegeben, in denen ein Engel
achtstimmig singen musste oder als Demonstration gegen die
einfache Melodie verschiedene Melodien gleichzeitig durchein-
ander gesungen wurden: und der gereizte Geisteszustand
Rousseaus bedurfte nicht einmal solcher Auswüchse, um seine
Begeisterung für die Flöte des Schäfers zur Theorie zu erheben. Dementgegen ist es bezeichnend, dass der Streit über
die Bedeutung der delphischen Hymne gegenwärtig zum grossen
Theile über die ihr zugrunde liegen sollende Harmonie geführt wird. Der Umstand allein, dass in germanischen Ländern
selbst im Volkslied so viel mehrstimmig gesungen wird, zeigt,
dass diese den romanischen — sie waren nur die Wiege der
Musik — weit überlegen sind.
    Haben wir Rousseau mit alledem überzeugt? So wenig
als dies in den meisten ästhetischen Streiten geschieht. Wir
müssten es versuchen unter den Sonnengluten und Wogen-

gebrause einer Beethoven'schen Symphonie, und wenn es auch dann nicht glückte, bliebe nur das Mitleid, dass dieser Herrschergeist in der Welt der Töne ein Schäfer geblieben. Und dieser Vorwurf trifft jeden, der den Streit nicht mit apriorischen Gründen führt, angenommen, wir räumten ihm alle ein, sondern der ihn auf Grund der vorhandenen überlieferten Musik führen will im Vergleich zur modernen.

Gegenüber diesem gewaltigen Irrthume über die Bedeutung der antiken Musik ist die Entrüstung derjenigen verständlich, die behaupten, der Katholicismus habe erst die Musik entdeckt. In der That haben die den Griechen völlig unbekannten Gemüthsbedürfnisse des Christenthums eine Epoche geschaffen, von welcher aus die Musik Schritt für Schritt in unzweifelhafter Weise die Entwickelung über Niederländer, Italiener, Engländer, Franzosen, Deutsche nimmt und ihren Siegeslauf verfolgt bis zur Gegenwart. Es ist nicht nöthig, dies im einzelnen zu verfolgen: Erst Vertiefung und Verinnerlichung zu feierlicher Begleitung der Gebete, dann Mehrstimmigkeit und schon Ende des Mittelalters die Polyphonie; Auftreten derselben Melodie in anderen Tonarten, in Moll und Dur; später Accordenverbindung, Fortschreitung und Auflösung; ein- und mehrfacher Contrapunkt mit seiner Rückwirkung auf die Entwickelung der Melodien, deren Ausdruck noch besonders durch die dramatische Musik gefördert wird; Individualisirung und Affectausdruck, auch bessere, noch durch die Hilfe der Virtuosen ausgebildete Instrumentirung — alles trägt bei zum richtigeren Gestalten von Inhalt und Form.

Aber bald wird uns hier wieder ein Problem des Streites gegeben durch die Erscheinung von Händels Zeitgenossen, der ihn an Bedeutung noch übertraf, durch die Erscheinung Bachs, vor dessen Gewalt alle grösseren späteren Musiker sich in den

Staub warfen; sein Geist macht es auch verständlich, wenn
man von ihm wieder einen Rückschritt datiren will, selbst zu
Beethoven.

Diese Annahme würde den Entwickelungsgedanken nicht
beeinträchtigen, da sie aber in ihren Consequenzen doch
mehrere 100 Jahre in Anspruch nehmen könnte, so wollen wir
auch diesen Irrthum aus dem Wege zu räumen trachten.

Bach wird in dieser Frage immer mit Beethoven verglichen, und wir können auch an diesem Vergleiche das Problem klar machen. Es ist ja kein Zufall, dass er nicht z. B.
mit Haydn verglichen wird. Bach hat eine Eigenschaft, in der
er, wie Beethoven, Haydn so sehr überlegen ist, dass andere
grössere Eigenschaften Haydns dagegen klein erscheinen.
Neben dem Ernste, der Gewaltigkeit seiner Affecte, den grossen,
tragischen Erlebnissen erscheint wenigstens eine grosse Zahl
Haydn'scher Werke, die neben vielen, auch grössten Stiles
diesen doch den Charakter gibt, wie innige, lyrische Erlebnisse, wie Erzählungen und Märchen. Hier ist Bach selbst
Beethoven insofern überlegen, als er den Ausdruck noch
künstlerisch beherrscht und nicht, wie Beethoven z. B. in seinen
letzten Quartetten, an den zweiten Theil des „Faust" gemah-
nend, die Schönheits- und damit Kunstgrenzen oft überschritt.
Gedankliche Associationen unterbrechen bei ihnen die musikalische Entwickelung oft sehr; das bezeugen schon die Ueber-
schriften: „Der schwer gefasste Entschluss", „Heiliger Dank-
gesang eines Genesenen", „Neue Kraft fühlend" etc. Hierin
wird ja auch Mozart, der als Mensch kleiner war, höher als
Beethoven gestellt, da auch er in seinen grössten Gedanken
immer Musiker bleibt. Also es ist zuzugestehen: Bach war
eine grosse, ethische Natur, wie Beethoven, und kein kleineres,
musikalisches Talent, und er war auch ein grosser, künstlerischer Charakter und sein Können nicht geringer als das

Beethovens; auch sein Affect, sein Gefühl war nicht weniger tief und ernst, wie seine gewaltigen Melodien zeigen, das alles hatte er mit ihm gemein; aber er war von geringerem Gedankeninhalte, von zu naiver Religiosität und dem entsprechend von weniger zusammenhängenden grossen Erlebnissen. Beethoven war neben alledem reicher und vielseitiger in seinen Gefühlen und Affecten, was sich in der Beherrschung auch des Scherzhaften und Lieblichen äusserte, die er harmonisch verschmolz. Wie Sophokles neben dem härteren Aeschylus konnte er seine Kräfte zur zusammenhängenderen Form vereinigen; gleichviel — das können wir nicht überschauen — wie weit durch die Auffindung musikalischer Formen, wie der Sonate, von Quartett und Symphonie vor Beethoven, sein Genie unterstützt wurde. Aber auch im Gebiete reinster Musik leidet Bach noch gewaltig unter seinen contrapunktlichen Formen, dem Staunensobjecte des Theoretikers, die ihm selbst noch zu neu waren, um sie voll ausfüllen zu können. Ueberdies leiden diese sehr, was auch wichtig ist, durch seine mangelhafte Orchestrirung und besonders durch den Gesang. Schliesslich hat Beethoven auch in der Form der Messe, die nicht im Dienste der reinen Musik steht, in Bachs eigentlichem Arbeitsgebiete, dem religiösen, besonders in seiner D-Messe, ein Werk geschaffen, das selbst vor der hohen Messe Bachs nicht zurücksteht. Vergleichen wir aber nicht die Künstler, nicht einzelne auffallende Kräfte solcher Geister, nicht einzelne Werke, sondern, was besonders unser Problem interessirt, fragen wir nach der Befriedigung, die den höchsten Bedürfnissen durch die Sonaten, Quartette und Symphonien, wie sie Beethoven schuf, zum Unterschiede von den Werken Bachs gewährt wird, so werden die Künstler wie die Kenner mit den seltensten Ausnahmen, und ohne Bach verkürzen zu wollen, übereinstimmend die mehr als hundertjährige Entwickelung bis zu Beethoven anerkennen und einen Fortschritt der Musik in Anspruch nehmen.

Es ist sehr schwierig und setzte ein Eingehen in alle technischen Details voraus, auch die Bereicherung des Inhaltes von Bach bis Beethoven nach der parallelen Formenentwickelung zu verfolgen. Wenn wir nur Allgemeinstes über diese Fortschritte anführen, so hätten wir ausser den schon angedeuteten neuen Formen, wie der Sonate, des Quartettes, der Symphonie und ihres der Affectentwickelung entsprechenden glücklicheren Satzbaues, der Art seiner vierfachen Gliederung und der reichen Instrumentation — Bach kannte z. B. noch das Violoncell nicht — zu beachten: den Rhythmus, die Melodie und Harmonie.

Was den Takt betrifft, finden wir raschere Tempi, das häufige Prestissimo statt des Presto, das sich bis zum Rhythmus von mehreren Takttheilen steigert und trotzdem noch immer, z. B. im Scherzo, reiche Harmonien und polyphonische Verarbeitung zeigt, den häufigen Tempowechsel, die Rolle der Synkopen.

Eben solche Neuerungen zeigen in der Melodie die Gegensätze des Piano zum Forte und Fortissimo, die langen, grossen Steigerungen, der häufige Wechsel und ihre starken oft unmittelbaren Gegensätze. Die Melodie zeigt grössere, schwerer übersichtliche, mehr Theile — plötzliches Auftreten scheinbar unvermittelter Töne — in jedem Satze mehrere Themen, deren Vermittlung früher so schwierig erschien, überdies alle in reichster Verarbeitung.

Damit zusammenhängend ist der Wandel in der Harmonie. Viele Harmonien, die bei Bach vereinzelt entstehen, spielen auch durch ihre Häufigkeit bei Beethoven eine charakteristische Rolle. Die stärkeren Dissonanzen setzen frei, oft selbst zu Anfang eines Werkes ein, sind von längerer Dauer; mehrfache

Septimenaccorde, die Auflösung verzögernd, geben eine Kraft des Ringens, der Sehnsucht, der Unbefriedigung, auf die dann eine überirdische Aufhellung folgt. Auch finden wir das kühnste, unvermitteltste Nebeneinanderstellen in der Accordfolge, häufigeren Stimmungswechsel durch Dur und Moll, reichere Modulation, Abwechslung mit Tonarten; all dies kann mehr, andere und doch ähnliche Affecte ausdrücken. Wie immer Bach in diesen einzelnen Factoren schon Beethoven ähnliches schuf, das hier gegebene Gesammtbild trifft nur diesen.

Schliesslich hat die Musik Beethovens gegenüber der Bach'schen sich völlig befreit von dem Dienst der Religion und dennoch Probleme von einer Höhe gelöst, wie es der unabhängigen Kunst, die Poesie höchstens ausgenommen, bisher nicht annähernd gelungen ist. Deshalb gilt er als der grösste Künstler.[81])

Wenn wir also trotz Bachs Auftreten behaupten können, dass die Musik seit den Griechen eine ansteigende Entwickelung bis Beethoven zeigt, so ist nur noch zu sagen, dass zu irgendwelcher Art Pessimismus in dieser Kunst, in dem ohnehin auch nicht in Frage kommenden halben Jahrhundert nach ihm, wenn es auch keine Epochen wie Beethoven und Haydn mehr aufweist, von einem Verfall zu sprechen, keinerlei Anlass ist. Die grossartigste Entwickelung hat in den einzelnen Richtungen stattgefunden. Schubert, noch als Zeitgenosse Beethovens, hat, ihn im Liede weit übertreffend, darin eine Epoche bezeichnet. Der Romantiker Schumann mit seiner reichen, wenn auch nicht die gesunde Kraft eines Schubert zeigenden Lyrik, hat neue Probleme in diese Kunst einbezogen, auch Brahms grosse, neue Inhalte geschaffen. Endlich haben Weber und Wagner die dramatische Musik sowohl wie ihre Stoffe, und die Instrumentation weit über Mozart hinausgehoben. Sie haben auch in vielen Punkten den richtigen Weg betreten, die dramatische Musik zu ihrer höchsten Form zu führen, wenn

ihnen auch oft die Kraft fehlte, alle richtigen Principien zu
verkörpern.

Da aber die dramatische Musik der jüngsten Zeit oft als
ein gewaltiger Fortschritt gegenüber der Beethovens, und zwar
jene Richtung als eine höhere, selbst nothwendig höhere, ja
als die höchste Form der Kunst überhaupt bezeichnet wird,
so ist es noch nöthig, besonders im Interesse der Frage nach
der Richtung einer möglichen künftigen Entwickelung, diesen
Irrthum nach Möglichkeit auch allgemein zurückzuweisen.

Wir können behaupten: Wie immer man dieser Kunstgattung eine reichere Entwickelung und die Möglichkeit, noch
weit höhere Wirkungen zu erzielen, zugestehen mag, sie kann
dennoch niemals, was die meisten Aesthetiker und viele Musiker noch immer glauben, die höchste Form der Musik darstellen.

Bei Beantwortung der allgemeinen Frage, ob die vereinigte Vocal- und Instrumentalmusik überhaupt eine sehr
hohe Kunstform bilden kann, wird sich auch ergeben, was für
die Zukunft wichtig ist, welche Form derselben und ob überhaupt die Oper die höchste ist.

Fragen wir zunächst, in welchem Verhältnisse sich
Worte und Musik unterstützen können, so ist aus der
allgemeinen musikalischen Erfahrung Folgendes gewiss: Musik
verstärkt, ohne den Gedankeninhalt wesentlich vermehren zu
können, die Stimmungen, Affecte und Gefühle, die Gedichte erregen. Schuberts Lieder beweisen es. Aber auch die
Wirkung der Musik wird durch manche Gedichte verstärkt.
Schuberts Erlkönig, lediglich auf dem Clavier vorgetragen, ist
von überwältigender Wirkung durch seine Associationen. Hinwiederum wird der Zauber, der Gedankenreichthum und zarte
Inhalt manchen Gedichtes durch die Musik unverständlich,
verstreut, zerstört: In Schuberts Lied „Auf dem See" z. B.

die Stelle „feuchte Nebel trinken", trotz der an sich lieblichen
Musik. Schliesslich wird Musik durch einen banalen Inhalt ge-
schädigt, durch Stellen, wie im Don Juan, in welchen Begriffe
musikalisch verwendet werden, wie: Pudding, Limonade, Kaffee
und Chocolade. Allgemein ist natürlich hier mit Hilfe des
moralästhetischen Massstabes nichts zu entscheiden: Eine erhabene Sentenz, in Musik gesetzt, braucht gar keine Wirkung
hervorzurufen, während die einfachste wortlose Tanzmelodie uns
in freudigste Erhebung versetzen kann. Es sind eben in der
Zusammenwirkung der Instrumentalmusik und der Texte sehr
bestimmte Grenzen zu ziehen. Und darüber entscheidet auch
nicht, dass die Instrumentalmusik als solche weit beweglicher
ist als die reine Vocalmusik, von weit reicheren Klangfarben,
grösserem Umfange, reicherer Harmonie, mit Hilfe derer sie
die vollständigsten Consequenzen in den Ausdruck des intim-
sten und erhabensten Affectlebens bringen kann. Wenn dementgegen die Vocalmusik grössere Schwerfälligkeit und Armut
zeigt, könnte diese durch die höhere Wirkung des Wortes, das
Affecte und ethische Inhalte bestimmt wiedergeben kann, ausgeglichen werden. Aber diese Affecte bringen für die reine
musikalische Entwickelung zu jener Armut noch zwei Einschränkungen mit sich. Sie müssen mittelst ihrer Entwickelung Associationen theilweise stören, da die musikalische mit
der Gedankenentwickelung sich nicht immer ganz decken kann.
Dergleichen wie die musikalische Inconsequenz, dass ein
Posaunenstoss oder ein Paukenschlag ein Flötenpianissimo
und damit die Consequenz in dem Ausdrucke von Affecten
unterbreche, ist nicht ganz vermeidlich. Ferner kann der
ersetzende Gefühls-, respective Gedankeninhalt kein sehr complexer sein, nicht nur wegen jenes Parallelismus von Wort und
Ton. sondern schon deshalb, weil als unleugbare Thatsache
ein solcher Inhalt verloren geht, nicht aufgefasst, selbst im

monodischen Gesang grossentheils nicht verstanden werden
kann. Dennoch hindert die Aesthetiker dieser Mangel nicht, an
die gemischte Musik, besonders an die Oper als höchste musikalische Kunstform zu glauben, auch jene nicht, welche selbst
von einem „beständigen Uebergreifen und Nachgeben" sprechen,
einem „nothwendigen Kampf, wie im constitutionellen Staat".
Schon der Act des Componirens muss durch die in das andere Gebiet übergreifenden Associationen beständig zerstört
werden, da ja die Entwickelung jedes Gebietes für sich solche
störende Eingriffe bedingt. Wir wiederholen als Beispiel die
letzten Compositionen Beethovens, in denen neben einzelnen
herrlichsten Stellen sich viele finden mit alle Formen über-
strömenden Gedankeninhalten, was nur zum Theil durch ver-
siegende Productivität zu erklären ist.

Ueber die Extreme also besteht betreffs dieser Verhältnisse kein Streit. Wenn Musik nach ihrer Entstehungsweise
neben ihren unmittelbar lusterregenden Harmonien auch Ausdruck von starken, vornehmlich Lustaffecten ist, so ist die
beste Musik die, in welcher der Mensch auch am reinsten
starke Affecte ausdrückt; nur dann singt der Mensch, oder was
immer dasselbe bleibt, dann wird der Ausdruck musikalisch.
Die Consequenzen, die eine Rechenoperation fordert, würden,
wenn diese gesungen würden, die musikalische Entwickelung
der Affecte am vollkommensten stören.

Beträchtlich schwächer als für den reinen Affectausdruck
wird die Stellung der Vocalmusik, wenn sie nicht grosse
Affecte ausdrückt, sondern schwächere und unterbrochene.
Hier entfernen wir uns von der Entstehungsart der Musik
immer mehr, bis zur sogenannten Stimmung verstärkenden,
recitatorischen, der gehobenen Rede Homers. Richtet in dieser
die Musik sich im allgemeinen nach der Stimmung des
Gedankens, so leidet der Ausdruck im einzelnen; richtet sie

sich nach den Gefühlen, welche die einzelnen Sätze oder Worte ausdrücken, so leidet die Affectentwickelung des Ganzen. Es liegen eben zwei getrennte, nicht parallele und unvereinbare Gefühlsentwickelungen vor, die beide ihre Consequenzen wollen nach Rhythmik, Stärke, Dauer, Klang, Farbe etc., so zwar, dass in der epischen Musik noch mehr als in der lyrischen nothwendig Posaunenstösse unter die zitternden Flöten gerathen müssen. Was am vollkommensten das Lied mit dem einfachen Ausdruck einfacher Gedanken, starker Stimmungen und Gefühle kann, kann schon das epische Gedicht, die Ballade, nicht mehr, in der überdies mehrere Strophen die gleiche Melodie wiederholen. Und noch mehr muss die Arie, die falschermassen höher gestellt wird, weil sie mit den Vortheilen des Liedes die Fähigkeit recitativer Charakteristik verbindet, jene grossen Mängel zeigen.

Schliesslich ist betreffs jenes schwierigen Parallelismus zu bemerken — und es wird dies bei den complicirten Inhalten, besonders der dramatischen Musik, immer wichtiger — dass Töne auch bestimmte Naturgeschehnisse nachahmen können, was ja auch ein Motiv in der Entstehung der Musik gewesen sein mag. In ihrer Vollendung erschüttert sie uns aber weniger durch naturalistische Nachahmung, z. B. des Donners oder eines Streites, als indem sie durch Wucht und Kraft nur die mit grossen Natur- oder anderen Erscheinungen verbundenen Gefühle, ähnlich denen, die ein Sturm oder ein Gepolter hervorruft, erregt[83]) — vielleicht mittelst Wirkungen der Instincte, die, wie unser Schauer vor dem Donner, wie die Furcht des Küchleins vor dem Schrei des Habichts, angeboren sein dürften. Besonders also sofern Musik sich viel mit Concretem zu thun macht, direct und ausserhalb der Affectentwickelung nachahmt, ist sie nicht Kunst, sondern schlechter Donner, ein Sturm im Wasserglase. Aber auch die richtige

Imitation stört die musikalische Entwickelung nothwendig, und ein Inhalt, der diese Fähigkeit der Musik oft in Anspruch nimmt, drückt Musik jedenfalls ganz in den Dienst der Gedankenentwickelung. Das müssen aber vor allem complexe dramatische Vorgänge.

Zusammen nun mit diesem letzten Momente ergeben sich drei Punkte als wichtig für eine richtige Vertheilung zwischen Vocal- und Instrumentalmusik. Sofern Musik bloss imitirt, ist sie keine oder wenig verwendbare Musik; sofern sie, die einzelnen Worte oder Gedanken verstärkend, einer ihr fremden Entwickelung folgt, ist sie schlechte Musik; wenn der Inhalt ihrer allgemeinen Entwickelung sich unterordnet, kann sie bei grossen Mängeln desselben bessere Musik werden, und schön ist sie nur als Ausdruck von starken Affecten, wenn ein verhältnismässig einfacher lyrischer Inhalt ihr vornehmlich dient, die Affecte klar zu bestimmen.

Die vereinigte Vocal- und Instrumentalmusik dennoch als höchste Form zu erhalten, gab es nur ein Mittel: es sollten die höheren Inhalte die Geschmacksdefecte retten, das Kunststück, mittelst einer Art ästhetischer Chemie für das Gemisch oft leerer Worte und unangenehmer Geräusche doch die Möglichkeit eines neuen Plus von Schönheit zu behaupten. Fragen wir zunächst, ehe wir die Anwendung dieses Resultates auf die dramatische Musik machen, nach den Richtern, die in diesem Geschmacksstreit von beiden Parteien zugelassen würden, so wird vieles klarer. Autoritäten, die das dichterische Genie Goethes und das musikalische Beethovens in sich vereinigen, werden gegen diese Chemie entscheiden. Grillparzer z. B. that es, und Brahms thut es auch, aber leider bilden beide nicht eine Wesenseinheit, sonst könnten sie annähernd jene Autorität repräsentiren. Und von den vielen Anhängern der Richtung, die bekannt sind, ist,

soweit meine Kenntnis reicht, keiner, der in beiden Künsten voll
zuzurechnen wäre; was also thun? Es bleibt noch zu behaupten, jenes mystische Plus zu finden, sei für Dichter oder
Musiker „alten Stils" geradezu erschwert, es könne gerade
durch so ausgeprägte Bedürfnisse in beiden Richtungen gestört
werden. Und eben dieser letzte Ausweg wurde betreten. Man
sagte, Goethe und Beethoven seien durch die Beschäftigung
mit ihren „Theilkünsten" zu Richtern verdorben. Auch im
Richter müsse sich eine Art Chemie vorfinden, die allein jene
Freuden erfassen kann; d. h. aber, die Richter müssten
weniger Entrüstung für schlechte Kunst haben, der schlechtere
Musiker und Dichter wäre künftig der beste Richter. Ob eine
solche Geschmacksentwickelung glaubwürdig ist, darüber kann
wieder, wie in allen complexen Fragen, Evidenz bestehen, ohne
sich allgemeine Ueberzeugung erzwingen zu können. Jedenfalls
ist sie nicht zu erlangen mit der grossen Zahl jener künstlerisch
oft ganz ungebildeten Theoretiker, mit denen schon deshalb nicht
zu rechten ist, weil sie einfach Freuden bloss an Imitationen
suchen oder an der minutiösen Kenntnis von musikalischen Motiven, die wiederkehren, so oft der Name eines Helden
ausgesprochen wird. Ihnen ist die Verarbeitung der Themen,
die oft nur Ausdruck völliger musikalischer und poetischer
Impotenz sind, ein genügendes Object des Studiums. Wenn aber
unser Glaube an Richtern festhält, deren Urtheil wir allein
achten, die vollkommene Dichter und Musiker sind, so werden
wir leicht begründen können, warum Oper oder Musikdrama
nicht nur keine höchste Kunstform und keine höchste musikalische Kunstform, sondern warum sie wahrscheinlich auch
nicht einmal die höchste Form der Vereinigung von Vocal-
und Instrumentalmusik repräsentiren.[83])
    Aus den Bedingungen, die wir der gemischten Musik
stellten, ergibt sich auch für ihre höchste Form, dass das

Wort, durch das Wesen der Musik zurückgedrängt, immer das unwichtigere in diesem Bunde sein muss, dass selbst noch weit eher mit schlechten Worten ein Genuss möglich ist als umgekehrt — d. h. die Vereinigung muss immer und hauptsächlich Musik bleiben (dafür kann der Unmusikalische ja den Grund natürlich nicht einsehen). Und damit ergeben sich schon die wesentlichsten Vorschriften für die Musik wie für das Wort.

Für die Musik sind die Bedingungen, dass sie der Hauptsache nach lyrisch bleiben, wie in ihrem Ursprunge besonders Gefühle, Affecte und Stimmungen ausdrücken muss, Freude, Schmerz, Liebessehnsucht, Andacht (natürlich nicht alle Affecte: die Eifersucht eines Othello so wenig als die kalte Berechnung des Neides eines Jago). Verlangen grössere Musikwerke schon wegen der nothwendigen Abwechslung auch recitativische Musik, so soll sie nur in mässiger Verwendung und lange gefühlsleere Dialoge ganz ausgeschieden bleiben.

Ferner fordert die Unterbrechung der Monotonie Duette, Terzette und Chöre, wie immer besonders letztere die Worte wie die Gedanken, trotz unnatürlichster Betonung, fast unverständlich machen; für das Epische und Dramatische ist die Massenwirkung am wenigsten entbehrlich. Schliesslich soll die übrigens unentbehrliche Imitationsmusik am allerwenigsten Verwendung finden.

Nicht weniger klar folgen aus den Voraussetzungen die Bedingungen des Gedankeninhaltes und seiner Formen. Die wesentlichste ist die grösste Einfachheit, gegen die auch nicht verstossen werden darf, selbst wenn — eine Zuflucht, die schon gefährlich ist — die Textkenntnis vorausgesetzt würde; denn durch die blosse Erinnerung müssen gerade die wertvollen Einzelbeziehungen der Gedanken- und musikalischen Entwickelung verloren gehen. Durch diese Einfachheit ist aber

jede ethische Gleichsetzung mit den Gedanken und Wirkungen
der Tragödie ausgeschlossen, sowohl mit dem Reichthum
ihrer Handlung als den Motiven ihrer Helden. Diese müssen
ohne Fleisch und Blut, ohne Seele und damit ohne unser
höchstes Interesse, unsere dauernde Liebe bleiben. Und dieser
geringwertigere Inhalt kann durch die nur die Affecte verstärkende Musik niemals reicher werden, wenigstens nicht an bestimmten Gedanken. Auch muss wegen der, wenige Gedanken
vertragenden kräftigen Handlung, und eben wegen der dramatischen Musik, die zu den Worten passen soll, die Handlung einfacher sein, denn die Worte müssen musikalisch belebbar sein.
Mit alledem sind aber die wichtigsten Stoffe der Oper gegeben:
die immer wiederkehrenden Märsche, Tänze, Trinklieder, Ständ-
chen, Kämpfe, Gebete. Nehmen wir noch dazu die nothwendige
dramatische Stärke der Affecte, so hat sich der Charakter des
Opernhaften mit seinen „blindgeladenen Helden" fast als eine
Nothwendigkeit vor uns entwickelt, über welche Mängel reicher
Inhalt, Sentenzen, Erzählungen und lange Dialoge, nur mittelst
Langeweile hinausführen. Die bekannte kritische Bemerkung:
langweilig oder opernhaft, verräth einen vollkommen richtigen
Blick. Selten ist eine glückliche Umseglung wenigstens der
beiden Hauptklippen in der Entwickelung der Oper zu Stande
gekommen, nur in ihren letzten grösseren Werken. Webers
Freischütz, Wagners Lohengrin und Meistersinger zeigen eine
Höhe des Gehaltes, dessen Steigerung die Oper nur schwer
ertragen wird (wie die Faust- und Hamletverstümmlungen
einerseits, Wagners letzte Werke andererseits dargethan).

Es wäre noch zu fragen, ob nicht das Oratorium in einer
seiner vielen, besonders lyrischen Arten, eine höhere Kunstgattung repräsentirt, eben sofern es weniger dramatische
Musik, also besonders das Lyrische betont, und sofern es
weniger Imitationsmusik bedarf. Ohne Zweifel ist aber die

Gefahr anderer Extreme hier wieder gross: epische Breite und überwuchernde Vocalmusik. Daraus scheint es nur eine Rettung zu geben, das starke Zurücktreten der Vocal-gegen die Instrumentalmusik und das blosse Andeuten und Klären eines vornehmlich lyrischen Inhaltes durch Worte, was selbst das lyrische Oratorium und die uns schon unbrauchbar gewordene Form der Messe kaum bietet. In diesem Sinne gehört Beethovens 9. Symphonie zu dem grössten, was die Musik geschaffen hat, und kein Richter, wie wir ihn schilderten, wird ihre Wirkung mit der irgend eines epischen oder dramatischen Musikwerkes auf gleiche Stufe stellen. Sonach könnte im Bereiche ähnlicher Formen, wie der einer Chor-Symphonie, was unter der Annahme einer höheren Geschmacksentwickelung auch die Frage nach der künftigen Entwickelung entscheiden würde, die höchste Form vereinigter Vocal- und Instrumentalmusik liegen und vom Genie gesucht werden. Ob aber selbst diese von höherer Wirkung ist als die der reinen Musik, bleibt Glaubenssache.

Aus dem vorausgehenden Ueberblick der Musikentwickelung wird wohl nur grosse Oberflächlichkeit oder Voreingenommenheit sich auf Prophetien über einen künftigen Verfall dieser Kunst einlassen wollen. Warum es in Zukunft an neuen Stoffen und an Talenten, an denen es bisher nicht fehlte, fehlen soll, und ob diese grösser oder kleiner als bisher sein werden, ist anzugeben so wenig möglich wie Form und Inhalt oder Instrumente, deren sich die Production bedienen wird. Hier wie überall kann die Formen nur das Genie selbst finden, und zwar aus dem Rohmateriale, das besonders die ethische und intellectuelle Entwickelung geben muss. Und ebensowenig ist zu bestimmen, was musikalische Gewöhnung als neue Stoffe bezeichnen und im Laufe späterer Zeiten die Menschen lehren wird. Wir finden jetzt schon

Themen selbst aus Beethovens Symphonien, die noch vor einem
Menschenalter selbst den Componisten als das schwierigste
galten, in Anthologien für Kinder; sie könnten einst ähnlich
populär werden, wie jetzt dem gebildeten Musiker italienische
Opern. Auch wird es niemand wagen wollen, etwas über die
musikalischen Bedürfnisse, besonders der religiösen oder rein
ethischen Volksvereinigungen der Zukunft zu sagen. Alles,
was geschehen kann, ist, zu sagen, dass bei gleicher
Weiterentwickelung der Kunst und des musikalischen Geschmackes die dramatische Musik wahrscheinlich immer mehr
an Wert verlieren wird — eine Prophetie, die dem einfluss-
reichsten Irrthum vorbeugen und die Künstler vor falschen
Idealen bewahren und sie bedeuten kann, in welcher Richtung
sie wenigstens das Höchste nicht suchen sollen. Das allein
kann die Aesthetik für die Zukunft.

Werfen wir noch einen Blick auf die extensive Verbreitung
der Musik.

Das Glück, das Musik in weitesten Kreisen dem Menschen
spendet, ist unabsehbar gewachsen, sowohl in seiner Intensität
als seiner Verbreitung. Der Geschmack des Volkes ist ein
wertvollerer geworden. Eine der bezeichnendsten Thatsachen
dafür sind die Schubert'schen Lieder; viele der schönsten sind
schon an Stelle des Volksliedes getreten, ähnlich wie die
Opernmusik in Italien, und was sind diese Lieder den Menschen
geworden? Fast so untrennbar sind sie von Erinnerungen an
junges Glück und Liebe wie Frühling und Mondschein; sie sind
ihnen der Ausdruck für ihre unsagbaren, höchsten Erlebnisse.
Selbst Romane und Bühnenwerke bringen sie damit in Beziehung und charakterisiren so Stimmungen und Menschen; und
die Sonaten Beethovens beginnen eine ähnliche Stelle im Herzen
der Menschen einzunehmen. Gleichviel, ob Musse oder Talent
der Menge gestiegen ist, dieses höhere Bedürfnis ist Thatsache.

Es spiegelt sich auch in der Rolle, welche der Musik in der modernen Erziehung angewiesen wird, und zwar oft mit der ganz bestimmten Rücksichtnahme auf das „res severa est verum gaudium". Viele in reicheren Verhältnissen lebende Eltern lehren ihre Kinder auf langem Wege verschiedene Instrumente und erziehen sie zum Genuss der schwersten Form, zur Kammer-Musik. Auch die Concertgeschichte zeigt immer mehr die Verdrängung des Virtuosenthums, besonders der Blasinstrumente, durch ernste Musik und vor allem das Ueberhandnehmen des Quartetts.

Nichts anderes sehen wir, wenn wir die äussere Seite dieses Phänomens verfolgen.

Musik ist nicht mehr ausschliesslich für den Genuss einiger Auserwählter da, das zeigt die geographische und die Verbreitung der Zahl ihrer Werke. Schuberts Lieder fanden sich in den Händen sehr wenig civilisirter Menschen in Australien, und ich möchte hier nicht an die Zahl volksthümlicher Ausgaben appelliren, die laut spricht für die Verbreitung auch der schwierigsten Form der Musik, der Symphonien und Sonaten Mozarts und Beethovens. Aehnliche Resultate zeigt die immer wachsende Zahl der Opernhäuser und Concertsäle in allen Städten, der klassischen Volksconcerte, der Pflege des Chorgesanges, die Zahl der Lehrer niederer und höherer Musikschulen, der Städte, Bezirke oder Dörfer, die vom Baue von Instrumenten leben, die ganze Berufsstatistik.

Nur für die Systematik des Pessimismus, die das alles noch als Mode und Eitelkeiten bezeichnen muss, müssen wir es aufgeben, auf diese Thatsachen Hoffnungen für die Zukunft zu bauen.

Die Sculptur.

In der Sculptur kann ausser dem klar ausgesprochenen Gedanken einer Gruppe oder Figur, wie desjenigen der Niobe, jede Bewegung, jeder Muskel, jede Gewandfalte einen Inhalt äussern. Es bedarf dies keiner Betonung, seitdem die moderne Psychologie des Schönen mit ihren Analysen die Theorie von der „architektonischen Schönheit der Menschengestalt" so sehr eingeschränkt hat; sie zeigte, um es kurz an Schillers bekanntem Beispiel anzudeuten, dass ein „Tiger in Menschengestalt" etwas Unmögliches ist, weil diese entsprechende Affecte zum Ausdrucke bringen und mit diesem Inhalt jene Form sprengen müsste.

An der menschlichen Gestalt, am Antlitz sowohl als an den meisten ihrer Theile, gefallen oder missfallen ausser der ohne Associationen an Zweckmässigkeiten ziemlich geringfügigen „reinen Schönheit" sehr wichtige Inhalte, die jene ausdrückt: Affecte und Thätigkeiten (an die auch noch die Ruhe associirt) der ganzen Gestalt und ihrer Theile, selbst der Hände und Finger; auch Kraft und Gesundheit, wie Schwäche und pathologische Zustände, spiegeln sich z. B. im Auge, in der Farbe des Gesichtes, der Lippen etc.; und schliesslich — was über Sympathien und Antipathien im ersten Eindruck so oft entscheidet — Thierähnlichkeiten associiren zahlreiche psychische Eigenschaften. Winckelmann wies auf Löwenstirnknochen und Mähne am Zeus von Otricoli, und wir begegnen täglich analogen Erscheinungen: flachgedrückten Gesichtern mit Hakennasen und abstehenden Ohren, die an Eulen erinnern, mit Jochbeinen, die an Raubthiere, einem Kinne, das an das Schaf erinnert u. s. w. Umgekehrt erklären ja Associationen an Menschen ebenso die verschiedenen Arten von Possirlichkeiten bei Thieren und unsere Sympathien für sie. In diesem Sinne ist der Fall einer geistlosen Schönheit die Ausnahme und auch hier das Gefallen grossentheils durch irregeleitete Associationen bestimmt.

Jene Inhalte, sie können Inhalte niedriger Ordnung genannt werden, geben Anlass zu unseren Vergleichen der Details eines Kunstwerkes mit der Wirklichkeit und helfen die Freude an der Wahrheit der Darstellung erklären, oder an der charakteristischen Hervorhebung der wertvollen Elemente, die ebenso wichtig ist als das Weglassen des nicht Typischen oder Hässlichen. Diese Inhalte, wiewohl niederer Ordnung, werden vor allem von Künstlern wegen der Schwierigkeit ihrer Darstellung betont, besonders den Laien gegenüber, die gewöhnlich nur den Hauptinhalt, den Gedanken suchen, der verhältnismässig leicht ausgedrückt ist. Diesem gegenüber werden oft jene Inhalte auch noch als Form bezeichnet; aber bei dieser von ihnen absehen, hiesse ja nur Linienverhältnisse, und zwar auch nur solche, die keinerlei Associationen erregen, als Form ansehen wollen. Höchstens die einfachen Inhalte der Architektur könnte die Sculptur lediglich als Form gelten lassen.

In diesem Sinne wurde als die Aufgabe der Plastik bezeichnet: „Die Durchdringung eines individuellen geistigen Lebens mit seiner körperlichen Organisation darzustellen, und zwar so, dass der Körper nicht bloss leidend und als benutzbares Material einem einzelnen Impuls des Geistes gehorcht, sondern im ganzen Bau als ein vollständiger Ausdruck für das Ganze dieses individuellen Lebens erscheint."[84])

Betreffs der Entwickelung derselben ist es nun völlig zwecklos, ihre Höhe in der griechischen Plastik auch nur im Umrisse zu besprechen. Diese ist schon deshalb von solcher Bedeutung, weil selbst die inhaltlichen Mängel der Probleme Vortheile für die Aufgaben der Plastik darstellen. Die Phantasie der Griechen wurde als so entschieden plastisch bezeichnet, dass man sagen kann, Darstellung des Wesens der Bildhauerei falle mit der Darstellung derselben bei den Griechen in einer Weise zusammen, welche fast keine weitere Entwickelung übrig lässt. Diese geht bei ihnen vom strengen oder harten Stil durch den hohen und erhabenen zum einfach schönen und rührenden; im letzteren besonders finden sich auch schon die Probleme des Naturalismus: übertriebene Bewegung und Affecte, die Betonung des Portraits und Reliefs, auch neue Techniken und Materiale etc.

Wollen wir nun fragen, in welchem Sinne von einer weiteren Entwickelung die Rede sein könnte, so werden wir besser anstatt aller Details einfach die Punkte aufzählen, die der griechischen Kunst oder allgemein dem sogenannten plastischen Stil wesentlich sind.

Wenn der ganze Körper Ausdruck, somit sichtbar sein soll, so war ein Klima, welches das Nackte zur täglichen Erscheinung brachte, und eine Gewandung, welche die Form kaum verbarg, das günstigste; ebenso jene die Körperausbildung bedingende, noch einfache Lebensweise, die in Spielen und Kämpfen eine Hauptbethätigung der Lust und des Ernstes fand, und der der Körper nicht weniger wichtig war als der Geist.

Und damit, dass der ganze Körper dem Ausdruck diente, konnte die Aufmerksamkeit auch nicht im Uebermass vom Gesichtsausdruck in Anspruch genommen werden. Alles Individuelle, tiefer Innerliche, sehr complexe Affecte, wie Neid, Reue, Andacht, selbst wenn sie ohne reiche Handlung ausdrückbar wären, sind damit ausgeschlossen; ebenso flüchtige oder unterdrückte Affecte. Den Griechen ist ja noch fast ebenso wichtig wie der geistige Ausdruck, ein Moment, wie die keine Schatten werfen sollende, stark wirkende, ungebrochene Stirn- und Nasenlinie, die keineswegs einem antiken Typus, sondern der einfach kindlichen Art zu charakterisiren, die in der Gruppe der Aegineten noch besonders auffällig ist, entspricht. Auch sind die höchsten Ideen in der antiken Religion anschaulicher Art und durch die ruhige Haltung allgemein verständlicher und bekannter Göttergestalten leicht ausdrückbar. In ihnen ist das Schöne und Gute weniger durch innere Kämpfe vereinigt, als es in glücklicher Anlage noch nicht getrennt ist.

Diese Momente unterstützen auch solche, die für die Sculptur im allgemeinen gelten.

Das Material bedingt härtere Züge, eine ruhige Grösse sowohl in den Affecten — mehr das Dauernde als den jähen Ausbruch des Schmerzes — als in den gesammten Bewegungen. mehr das Beschauliche als das Heftige; in diesem Sinne drückt die Juno Ludovisi oder die Venus von Melos auch mehr den griechischen Geist aus als der Laokoon oder der borghesische Fechter. Ebenso bedingt das Material eine geringe Zahl von Figuren und eine einfache, leicht verständliche, keine historische Handlung. Auch der der Plastik nothwendige Mangel an Umgebung und ihrer motivirenden Hilfen macht reichere Beziehungen unmöglich; schon damit ist das Hässliche, das kein Selbstzweck ist und als Mittel keinen Raum findet, in allen Formen (das Abgehärmte, Kranke, greisenhafte Schwäche, alles Genrehafte) ausgeschlossen.

Das sind und waren die Bedingungen für eine grosse Plastik. Wo ihnen entsprochen wird, kann sie aufblühen, überall sonst ist nothwendiger Verfall.

Die spätere Entwickelung führte die Griechen selbst, und zwar in der dritten Epoche ihrer Kunst, über diese Stilgrenzen hinaus. Schon Skopas und Praxiteles brachten in die Kunst neue Effecte und Bewegungen, aber sie zeigen damit den Uebergang von der Würde zur Anmuth: im Eros, der knidischen Aphrodite im Apollo sauroktonos; und Lisippos, der schon fast ausschliesslich Erzgiesser war, bildet keine Götter mehr, nur Halbgötter, charakterisirt stark in Portraitstatuen, macht den Anfang mit grossen Compositionen, einer Alexanderschlacht und Löwenjagd, und stellt auch Thiere dar. Schon sein Schüler steht an der Spitze der Schule von Rhodus, der Laokoon entstammt, und in der Pergamenischen Schule finden wir bereits den sterbenden Gallier mit nicht griechischen Zügen und Probleme mit „ergreifenden, erschütternden Wahrheiten", wie Arria und Pätus, der Gallier, der sich und sein Weib tödtet.

Damit aber ist der Verfall und der Uebergang zu den Römern gegeben, und es ist zum Apollo von Belvedere, der trotz aller Schönheit auf theatralische Wirkung berechnet ist, nicht mehr weit. Bekanntlich sind Roms beste Werke, wie die Venus von Medici, der Torso des Belvedere, die vaticanische Karyatide, der farnesische Herkules, der borghesische Fechter, nur Anlehnungen an eine grössere vergangene Zeit, und jedenfalls Rückschritt. Das beweist auch, dass Roms Hauptkräfte in profanen Problemen liegen, in Kaiserverherrlichungen, wie an den Triumphbögen und der Trajanssäule, im Relief, in Schlachten, im Portrait.

Wahrhaft neue Elemente kommen erst im Mittelalter in Frage durch die Verinnerlichung des Christenthums mit seiner Andacht, Demuth, Reue, Busse, Zerknirschung. Aber fast alles dies ist plastisch gar nicht, oder nur wenig und nur im Gesichte ausdrückbar. Es führt zur Darstellung hässlicher, verkümmerter, abgehärmter Körper, wie die Leiche Christi, oder von Gewandungen, die mehr durch die Schönheit des im wesentlichen unplastischen Faltenwurfes wirken.

Das Höchste, was die christliche Plastik, einschliesslich der deutschen, erreichte, besonders in der mit Nikolaus Pisanus beginnenden, durch Donatello zu M. Angelo ansteigenden Periode, leidet unter dem Drucke der Gesetze der Sculptur. Selbst M. Angelo, der, noch einmal mit gigantischer Gewalt gegen ein Jahrtausend ankämpfend, das Nackte retten und

15*

als echter Bildhauer den Körper auf Kosten des Gesichtsaus-
druckes wieder betonen will, muss entweder zu nicht sehr
vielsagenden Problemen, wie eine kräftige männliche Gestalt,
die den Tag oder Abend ausdrücken soll, greifen, oder bei der
Darstellung der Nacht, zu Mitteln, wie der Abgehärmtheit und
den Formen der Mütterlichkeit. Gewiss bezeichnen diese Werke.
vor allem sein „Moses", Kunstschöpfungen gewaltigster Art.
aber neben den klaren Göttergestalten der Griechen wenig
anderen Fortschritt, als den modernen Gefühlen Gedanken
näher gebracht zu haben, die doch den plastischen Charakter
unwiederbringlich verloren haben.

Völlig überflüssig ist es, die neuesten Versuche einer
Rückkehr zur Antike, schwächliche oder bedeutendere, wie die
Canovas oder Thorwaldsens zu besprechen. Es sind bestenfalls
griechische Tragödien auf einer modernen Bühne, alles Formen
ohne Leben. Auch wenn beim Portrait oder Relief der Gegenwart von einer Charakteristik gesprochen wird, die mit der
darin erreichten Höhe den Alten fremd war, so wird auch
diese meist nur mit den dem Gebiete der Malerei angehörigen
Mitteln erreicht.

Wenn sonach unzweifelhaft die Sculptur seit der Zeit der
Griechen als in ununterbrochenem Verfall zu bezeichnen ist.
was folgt aus dem hier angedeuteten Weg, den die Sculptur
einschlug, für die künftige Entwickelung?

Sowohl aus ihren eigentlichsten Bedingungen als der bisherigen Entwickelung der Sculptur ist mit Wahrscheinlichkeit
zu behaupten, dass alle Hoffnung auf eine künftige grosse
Entwickelung wenigstens dieser einen Kunst verloren ist. Schon
jene Bedingungen sind zwingend.

Nicht nur ist der nackte Körper der Beobachtung entzogen und unserem Verständnisse fremd, nicht nur kann unser
Gewand kein plastisches mehr sein oder werden. auch unser

ganzes Interesse ist auf complexere Ideen gerichtet, die höchstens die Gesichtszüge zum Ausdruck bringen könnten, und vor allem sind unsere ethischen Anschauungen den plastischen Problemen sogar feindlich. Weder athletische Gestalten sind uns so wichtig, noch imponiren der Menschheit jetzt mehr deren Augiasstallarbeiten wie einst; und die wichtigsten Probleme der Plastik, in denen der Körper am schönsten und immer wieder in neuen Lagen gezeigt wurde, im physischen Kampfe, werden uns immer mehr ein Gegenstand des Abscheues. Besehen wir bloss eine Gruppe von Werken neuerer und alter Plastik, wie sie zufällig in Florenz die Loggia dei Lanzi vereinigt, so finden wir nichts als Kampf und Mord: Herkules erschlägt den Centauren Nessus, Perseus setzt den Fuss auf den Körper der getödteten Meduse und hält, wie gleich nebenan Judith, das Haupt des Opfers in der Hand; in einer anderen Gruppe hält ein Held, der mit dem Schwerte in dem einen Arme auf ein Weib einhaut, mit dem anderen den Liebesraub hoch empor; endlich ein Raub der Sabinerinnen: unter den Füssen des Römers wieder der besiegte Feind. Die Zukunft wird sich entscheiden müssen, ob sie solche Stoffe ausscheiden oder ob sie es dauernd für richtig erachten will, dass der moderne Beschauer stets vergewaltigt werde durch solche Inhalte; ob ihre Künstler mit einer Kunst, die sie in der Darstellung einzelner Glieder zeigen, Werte schaffen können, die jene Inhalte so weit überbieten; ob das nicht nur eine sehr gedankenlose Kunst, zum mindesten für gedankenlose Beschauer wäre, die dabei so wenig denken sollen, als moderne Christen beim gekreuzigten Christus, dessen beständiger Anblick ja sonst unerträglich würde. Diese Stoffwahl ist aber auch für Production und Behandlung bis ins einzelne entscheidend. Es kann ja auch für den Künstler nicht gleichgiltig sein, ob er künftig eine Gestalt „Venus" nennt oder

„Mädchen mit einem Spiegel", und hier sehen wir klar die
Kluft, die den modernen Geist von dieser Kunst trennt. Menschen, die beständig Gesetze vor Augen haben, die Handlungen, wie sie in jenen Kämpfen immer wiederkehren, mit
Mord, Entführung und Nothzucht classificiren, können an
solchen Aufgaben sich nicht mehr dauernd erfreuen. Das allein
zeigt schon das vornehmlich historische Interesse, dass es uns
nicht stört, als Zimmerdecorationen beständig Gestalten mit
gebrochenen Armen zu dulden.

Durch die Veränderung aber des ethischen Stoffgebietes im
Sinne der modernen ethischen Entwickelung sind die Probleme
der Sculptur in ihrer Wurzel getroffen. Und auch von einer
künftigen Religion, sollten sich die Menschen noch jemals dazu
vereinigen, ist nichts mehr von plastischer Anschaulichkeit,
sind nur noch abstractere Vorstellungen zu erwarten als vom
Christenthume.

Demnach scheint alles, die Aufgaben wie die für den
reicheren Gedankenausdruck zur Nothwendigkeit gewordene
Umgebung, selbst Material und Dimensionen, die Zukunft auf
zwei Formen zu drängen: das Portrait und das Relief. Aber
auch hier werden sofort Grenzen sichtbar, die eine hohe Entwickelung hemmen müssen.

Sehen wir bei der Portraitstatue ganz ab von den gegenwärtigen Gewandschwierigkeiten, z. B. von der Aesthetik eines
in Erz gegossenen, endlosen, glänzenden Feldherrnrückens, der
nur durch die drei Rocknähte unterbrochen ist — es ist ja
überhaupt nicht wahrscheinlich, dass jemals noch eine plastische Gewandform sich entwickelt. Soll also. ein Napoleon
oder gar ein körperloser Gelehrter nicht nackt dargestellt
werden, so bleibt nothwendig bloss die ganze Nichtigkeit einer
modernen Gewandfigur, bei der — alle Symbolik von Waffen,
Papierrollen, Sceptern, Tintenfässern in Ehren — aller Inhalt

sich im Gesicht concentrirt, das überdies als kleinster Theil in höchster Höhe kaum sichtbar ist, das Ganze meist ohne Zusammenhang mit der Architektur, ohne Hintergrund in die leere Luft ragend.

Diesem Schicksale zu entgehen, böte sich noch die Büste dar. d. h. die Herme, die brauchbarer ist als die Büste. Ihre Höhe schon ist wenigstens erträglicher als die jedem Griechen unverständlichen abgeschnittenen Köpfe, die Siegeldrückern ähnlich ohne Vermittlung aus Boden und Wänden schiessen; für jene kann auch die Architektur einen besseren Hintergrund bilden. Aber auch hier ergeben sich die grössten Schwierigkeiten, vor allem durch die modernen, weichen Gesichtszüge. Die sogenannten „blonden Köpfe" sind, ebenso wie die nothwendige Charakteristik eines reicheren modernen Innenlebens, ein unplastischer Vorwurf für den Stein, so dass man die Frage in Erwägung gezogen hat, ob Züge, z. B. wie die Schuberts, nicht überhaupt von der Sculptur auszuschliessen seien.

Beim Relief hinwiederum, von dessen Figurenreichthum und Ausdrucksfähigkeit durch die dargestellte Umgebung so viel erwartet wird, begegnen wir ausser diesen Schwierigkeiten noch anderen; wir gelangen damit sehr bald in das Gebiet der Malerei. Trotz aller Versuche z. B. durch Darstellung von Bäumen, Flüssen, Wäldern, Häusern und Zimmern, Hintergrund und Umgebung zu erlangen, kann eigentliche Perspective kaum gewonnen werden. Alles Zurücktreten einzelner Figuren geschieht bekanntlich entweder auf Kosten eines Theiles einer Gestalt, der von der vorderen gedeckt, also abgeschnitten wird, oder durch kleinere und flachere Darstellung. Da aber auch das Flachbilden der Figuren, also das weniger hohe Relief, keinerlei Ersatz gibt, wenigstens für die Luftperspective, so ist schliesslich die Folge dieser Armut das Aufgeben der Tiefen- und die Bevorzugung der Breitenentwickelung

und die Folge davon die starre, reihenweise Anordnung der
Figuren, wenn sie einigermassen zahlreicher werden, oder das
zusammenhanglose Nebeneinanderreihen eigentlich zusammen-
hangloser Kunstwerke, wie in Bacchus- oder Alexanderzügen.
Ghibertis berühmte Thürreliefs z. B. stören bei aller Schönheit der Compositionen und Darstellungen im einzelnen durch
das sichtbarwerdende und nicht erreichte beständige Bestreben,
perspectivische Wirkungen malerischer Art hervorzubringen.
Wenn aber von der Umgebung und einer grösseren Figurenzahl
nicht viel zu erhoffen bleibt, ist es fraglich, ob überhaupt vom
Relief eine sehr complexe Handlung zu erwarten ist. Gewiss
wird auch dieses die Mängel der Plastik nie decken.

Mit alledem wird nun nicht gesagt, dass in Zukunft alle
Plastik unmöglich ist, und dass besonders die an Wänden und die
decorative oder die Herme zur Verherrlichung grosser Männer,
vielleicht mit malerischen oder Reliefdarstellungen aus ihren
Thaten, an den Wänden besonders dazu bestimmter Tempel
nicht wirken soll: Nur die grössten Aufgaben scheinen dieser
Kunst in der Zukunft verschlossen bleiben zu müssen.

Zur Bestätigung dieser Behauptung, um nochmals klar zu
machen, was in der Plastik Inhalt sein soll, und welche Rolle
einerseits dem Religiösen, andererseits der dem modernen
Geist so wenig ziemenden Ruhe zukommt, hören wir schliesslich noch ein Wort Schellings, ohne uns durch seine darin
verflochtene Metaphysik stören zu lassen:

„Die Plastik kann sich einzig durch Darstellung von Göttern genügen. Und diese Behauptung ist nicht empirisch gemeint, nämlich so,
dass die plastische Kunst niemals ihre Höhe erreicht hätte, wäre sie nicht
durch die Religion aufgefordert worden, Götter darzustellen. Die Meinung
sei eigentlich diese, dass die Plastik an und für sich selbst, und wenn sie
nur sich selbst und ihren besonderen Forderungen genügen will, Götter
darstellen muss. Denn ihre besondere Aufgabe sei eben, das absolut Ideale
zugleich als das Reale, und demnach eine Indifferenz darzustellen, die an

und für sich selbst nur in göttlichen Naturen sein könne. Man könne deshalb sagen, dass jedes höhere Werk der Plastik an und für sich selbst
eine Gottheit sei, gesetzt auch, dass noch kein Name für sie existire,
und dass die Plastik, wenn sie nur sich selbst überlassen, alle Möglichkeiten,
die in jener höchsten und absoluten Indifferenz beschlossen liegen, als
Wirklichkeiten darstellte, dadurch von sich selbst den ganzen Kreis göttlicher Bildungen erfüllen und die Götter erfinden müsste, wenn sie nicht
wären."[55])

Wenn wir noch über die extensive Entwickelung in der
Sculptur sprechen wollen, so dürfen wir uns nicht täuschen
lassen durch den Umstand, dass wahres Verständnis für diese
Kunst unter dem Volke vielleicht nicht intensiver geworden ist,
als es unter den griechischen Sclaven war. Damit verhält es
sich nicht viel anders als in der Musik und Architektur. Es
ist auch Fortschritt, wenn lediglich eine grosse Verbreitung
der Interessen ohne intensives Wachsthum zu constatiren ist.
Und deshalb darf es uns auch nicht stören, dass diese auf den
ersten Blick eigentlich mehr für die hoffnungsloseste Geschmack-
losigkeit zeugt. Denn das thun gewiss die zahllosen verwa-
schenen Reproductionen in den unmöglichsten Verkleinerungen,
die auch nicht die Ahnung des Originales geben, jene an den
ungeeignetsten Plätzen neben dem profansten Hausgeräth an-
angebrachte Legion von Büsten, die keinerlei anderen Eindruck
gewähren sollen, als bestenfalls Erinnerung an einen grossen
Mann; das alles ist ja einzuräumen. Trotzdem ist zu sagen,
dass im jetzigen Europa weit mehr gute Sculptur, gleichviel,
ob Original oder Reproduction, in den meisten Städten in Mu-
seen, an Gebäuden, in Gärten und Zimmern verbreitet ist als
zur Zeit der Griechen; und dass auch die Zahl derjenigen, die
wenigstens Liebe dafür haben, keine kleine ist, zeigt schon
die grosse, immer wachsende Zahl der Bildhauer, der Schulen
und Lehrer.

Für die Zukunft ist auch viel von einer steigenden intellectuellen Entwickelung zu erwarten, wonach wenigstens die Führer im geistigen Leben, sofern sie ihr Unvermögen in Kunstdingen einsehen, sich nicht mehr, wie meist heute noch, ästhetisch so weit erniedrigen, mit einer Schiller- oder Venusstatue aus Gyps ihre Oefen zu zieren; auch ist zu hoffen, dass Aesthetiker und Kunsthistoriker über die ausschliesslichen Interessen für den plumpsten Gedankeninhalt mittelst ernsterer künstlerischer Schulung hinauskommen und sich nicht mehr mit der Meinung, dass mit dem Erkennen der „richtigen Anatomie" eines Herkules-Torso schon das Wesen des Werkes ergründet sei, der Geringschätzung aller Künstler preisgeben. Nur wer selbst auch Künstler ist, das sollten die Kritiker bedenken. ein Dramatiker, wie Lessing, hat ein Recht, über Dramen zu richten.

Schliesslich beginnt die Erkenntnis allgemeiner zu werden, dass plastische Werke schon wegen ihres Inhaltes einem grossen Raume eher zu erhabener Stimmung verhelfen als die Malerei, besonders als Staffeleibilder; wenigstens ist die Wichtigkeit, die der Plastik in der Verwendung für öffentliche Gebäude zukommt, zugestanden. Dem steigenden Geschmacke wird aber auch für das Haus und für seine nächste Umgebung, für den Garten, besonders die Herme ein grösseres Bedürfnis werden. Ihr weisser Glanz, am Teiche, in den immergrünen, mondbeglänzten Laubgängen italienischer Gartenkunst wird immer von hoher Wirkung bleiben, von einer Wirkung, für die allerdings selbst dem Italien der Gegenwart das Verständnis abhanden gekommen ist, für die es aber auch grösserer Menschen bedarf, die in der Natur mehr als bloss Frische, Schatten und Erholung suchen.

Betreffs negativer Vorschriften dessen, was besonders bei Errichtung von Statuen für die Zukunft vom Staate zu vermeiden und unterlassen ist, sind grosse Hoffnungen hier wie in aller bildenden Kunst auf die wachsende Erkenntnis zu setzen, dass die Künstler in allen sie betreffenden Entscheidungen zu immer grösserer Macht gelangen sollen. Sie werden dann auch die Einsicht für richtige Inhalte verbreiten helfen, dass z. B. unbedeutende Staatsmänner und Feldherren ohne höhere sittliche Ideen keine würdigen Objecte künstlerischer Verherrlichung sind.[96])

Die Malerei.

In der Malerei ist alles das Inhalt, was uns für die Architektur und Plastik Inhalt war: Alle Associationen von Vorstellungen, Gedanken. Gefühlen und Affecten an die Formelemente, die Linien. Durch die Malerei kommen nun zu diesen Inhalten noch vor allem die Farbenassociationen hinzu, zu dem von der Sculptur über den menschlichen Körper Gesagten auch noch ausser den einfachen Farbenassociationen diejenigen complexerer Gefühle, die Farben erregen können: die rothe Wange als Ausdruck der Heiterkeit und Jugend, die fahle Lippe, das gebrochene Auge als Ausdruck des Leidens. Und nicht weniger führt über den Reichthum des Inhaltes der Sculptur die der Malerei zugängliche Darstellung unbelebter Objecte und ihrer Associationen hinaus, vor allem der Natur. Auch diese drückt nicht nur im grossen Stimmungen aus, sie zeigt seelischen Ausdruck und erregt (im Bilde oft, ohne dass es der Künstler weiss oder will) Wohlgefallen oder Missbehagen durch jedes ihrer Elemente; Bezeichnungen, wie Trauerweide, stolze Tanne, kühler Grund, lauschige Bank, brennender Kies, schauriger Absturz, gewitterschwarze Wolken, stiller Abend, beweisen es. Niemand kann beim Anblicke eines Sonnenunterganges Gedanken unterdrücken, die weit über den Eindruck von gelben und rothen Farben hinausgehen. Ebenso verhält es sich aber mit allen anderen Objecten der Darstellung: Ein Stuhl, ein Kleidungsstück, eine Zimmereinrichtung, ein Haus, Ruinen, eine Stadt, sind alles gedanken- und gefühlserregende Summanden für einen Eindruck, der eben ein Bild von einem färbigen Teppich unterscheidet. Mittelst dieser Objecte sind Reichthum und Bestimmtheit in die Inhalte der Darstellung zu bringen, und ist es in einer Weise möglich, zu charakterisiren und zu idealisiren, die weit die Mittel der Sculptur übersteigt.

Die Entwickelung nun zeigt uns bei den Griechen das, was den plastischen Stil zu solcher Höhe gestaltete, als gerade das Malerische bei ihnen hemmend. Ihre Malerei hatte die complexen Handlungen, die ihre ungebildeteren Vorgänger noch vornehmlich darstellten — wie Kinder, die mit ganzen Erzählungen zu zeichnen beginnen — einschränken müssen, schon weil sie einen Hintergrund, für den sie sich auch nicht interessirten, bei ihrer unzulänglichen Linien- und dem Mangel jeglicher Luftperspective nicht darstellen konnten. Die meist ganz nackten Figuren sollten sich weder verdecken noch beschatten; sie standen ruhig nebeneinander, ohne zu handeln, ohne Gesichtsausdruck; alle Kunst war auf die Zeichnung verwendet, und die Farbe diente bloss dazu, jene mit gleichmässigem Anstriche abzuheben.

Die Römer zeigen schon in der pompeianischen Decorationsmalerei, z. B. an der odysseeischen Landschaft, wahre Tiefenverwendung und erweitern das Stoffgebiet auch durch Portrait, Genre, Thier- und Fruchtstück. Im besonderen aber ist für unser Problem die Malerei des Alterthums zu besprechen so unnöthig, als es die Plastik der Neuzeit war.

Auch das christliche Mittelalter kommt erst um das 13. Jahrhundert zu einer reicheren Entwickelung, bis zu welcher Zeit, wie die Reste der Katakombenmalerei, das rohe Mosaik und die Härten der byzantinischen altchristlichen Kunst zeigen, die Formen wenig beherrscht wurden. Mit dem Ausgange des Mittelalters erst beginnt das Vorherrschen des Ausdruckes über die Form, ein Wettstreit, der das wichtigste Entwickelungsmoment in der Malerei darstellt. Es heisst, wie die antike Kunst zuerst den Körper beseelte und ihm Schönheit und Wahrheit der Form auf Grund freier Naturbeobachtung gibt bei oft leerem Ausdrucke der noch scharfen Gesichtszüge, so nimmt die neue Kunst ihren Ausgang von der Beobachtung der Seele, zunächst der Gesichtszüge, während Körper und Gewandform noch leer und steif bleiben.

Vom Werden aber und von der Höhe der christlichen Malerei ums Jahr 1500 sind uns nur die Anknüpfungspunkte der weiteren Entwickelung zu besprechen nöthig, also mehr die Probleme, in denen das Vollkommenste nicht erreicht wurde. Die beiden sich theilweise ergänzenden Hauptrichtungen führen zu ihren Höhepunkten in Italien unter Rafael, M. Angelo und Tizian, in Deutschland unter Dürer und Holbein. Wiewohl aber in Italien durch die Errungenschaften seit Cimabue, von Giotto, Orcagna, Massaccio, Fiesole etc. bis Perugino alle einzelnen Formenelemente gewonnen waren: beiderlei Arten Perspective, anatomische Richtigkeit, Scorzirung, Modellirung, grosser Reichthum in Colorit und Bewegung, Composition, dramatische Affecte, grosse Innigkeit des Ausdruckes, was alles in idealer Vereinigung auftrat in jenen drei Gestirnen — der italienische Stil blieb auch unter ihnen ein vornehmlich plastischer. Wir finden thronende Madonnen, eine ruhende Venus, Bevorzugung des Nackten, ruhige und noch wenig gegeneinander bewegte Figuren ohne Zusammenhang mit der Umgebung, wenig Handlung, wenig Charakteristik, so dass oft alledem noch ein blosser Goldhintergrund genügen konnte. Für M. Angelo z. B. spielt die Umgebung gar keine Rolle, Gefühle für landschaftliche Reize sind ihm völlig fremd gewesen, und alles andere als der menschliche Körper war ihm nach seinem eigenen Ausspruche kein Gegenstand der Kunst; von der Technik, die für solche Details die geeignetste wäre, der Oelfarbe, sagt er, „sie sei nur für Weiber".[87])

In der deutschen Entwickelung hingegen finden wir die complicirteste bewegteste Handlung und Darstellung derselben besonders im Ausdrucke und in Beziehung zur Umgebung, ebenso Studium der Landschaft, sorgfältige, oft naturalistische Nachbildung alles Unbelebten, Verwendung des Hässlichen und Komischen, nur zu viel Genre und einen Gedankenreichthum, der oft die Grenzen zur Poesie überschreitet. Das Streben nach Charakteristik und die geringe Grazie des deutschen Typus führen aber zu Eckigkeiten und Manieren, die auf die ganze Richtung nicht ohne den störendsten Einfluss blieben, so dass er sich selbst auf den grössten Werken deutscher Kunst, Holbeins Madonna zeigt, z. B. in dem Gesichtsausdrucke des Bürgermeisters. Rafael hätte nie eine Madonna durch solche Stifterportraits und „Kartoffelnasen" entstellt.

Beide Stile, die sich gegenseitig zu beeinflussen suchen, finden ihre Fortentwickelung und Vereinigung, wiewohl mit theilweiser Aufopferung italienischer Schönheit und deutscher Innigkeit, in den Niederlanden, besonders durch den den malerischen Stil in höchster Potenz repräsentirenden Rubens. Sein Stil wurde nicht ohne Grund mit dem Shakespeares verglichen. Er zeigt reichste Bewegung in Beziehung zur reichsten Umgebung und vereinigt damit die Plastik der wenigstens nicht ausschliesslich nackten Figuren, deren Farbe oft die der Venezianer, deren Zeichnung oft die Michel Angelos erreicht. Rubens stellt sich Aufgaben grösster Art, die auch die Betonung der Gesichtszüge erfordern, und das Stoffgebiet ist ins Unendliche erweitert durch Stilleben, Landschaft, Portrait, Genre, Jagden,

Schlachten, Geschichte, Religion und Mythologie. Aber auch diese grossen Schöpfungen leiden, ausser an seiner eigenen derben Natur und seinen nationalen Typen, an seinem nichts weniger als jungfräulichen Ideal — „la femme de 30 ans" — und an seinem Realismus, der oft an das Gemeine grenzt.

Jedenfalls ist mit Rubens die religiöse Malerei grossen Stiles, sind die grossen malerischen Ideen abgeschlossen, und die Entwickelung ist nur noch in der Ausbildung einzelner Formelemente zu finden. Was aber diesbezüglich in verhältnismässig grossem Stile durch begabte Specialisten geschieht, ist gewiss nicht als Verfall zu bezeichnen. Und diese Entwickelung geht von Rembrandt, Teniers, Ruysdal, die durch Colorit, Charakteristik und Naturwahrheit zeigen, wie viel der Realismus, allerdings nie der Naturalismus, ohne eigentliche höhere Gedanken in der bildenden Kunst erreichen kann, bis zur Gegenwart. Aber diese Details zu verfolgen, ist für uns ebenso gleichgiltig als die Frage, ob das vorige Jahrhundert jene Entwickelung des Specialismus fortsetzt oder unterbricht, denn gewiss geschieht die Fortentwickelung durch das unserige.

Der Gegenwart nun ist das Streben nach Wahrheit und unverfälschter nüchternster Naturerkenntnis charakteristisch, und trotz aller ihrer neuen oder verfehlten, oft an das Pathologische grenzenden Versuche und Richtungen sind diese eher als nothwendiger Durchgang denn als Verfall zu bezeichnen. Schon die Architektur, die jetzt mit Rücksicht auf die neuen Probleme brach liegt, musste ihre Tochterkunst veröden, ganz abgesehen von dem naturwissenschaftlichen Gedränge am Anfange und dem socialen am Ende dieses Entwickelungsjahrhunderts, und von allen Interessen, die jede ruhige Anschauung, die malerische Form annehmen könnte, unterdrücken. Bei solchen Problemen bleibt es beim blossen Suchen nach neuen Formelementen. Aber gesucht wird die Wahrheit; mit allen Mitteln moderner

Technik werden die Detailstudien, besonders der Bewegung und Farbe, unterstützt; die Künstler wollen besser, neu sehen lernen, unbefriedigt von Farben und Formen früherer Jahrhunderte. Und so zeigt sich auch hier ein Fortschritt in Licht- und Farbengebung, Modellirung, in der Tiefengebung und Luftperspective eine unzweifelhafte Entwickelung in der Darstellung von Costümen, im Portrait, Genre, Schlachtenbild und besonders in der Landschaftsmalerei, neben der die Ansätze des 16. Jahrhunderts ohne Zweifel kindisch erscheinen. Und dass es auch nicht ganz an Ideen fehlt, zeigen Männer wie Schwind, Menzel, Böcklin. Zu warten ist nur auf die den Menschen und den Ideen nothwendige Schaffensruhe, die jenen Geist zeitigt, der kommen soll, die disjecta membra zu vereinigen. Das ist aber mehr eine Sache des Zufalles, nicht bloss der Verhältnisse, der Individualität, die jedenfalls eine solche Entwickelung mitbestimmt, wenn diese auch kein ausschliessliches Product der Subjectivität ist.

Ueber die künftige Entwickelung aber ist zu sagen: Weder aus der bisherigen Entwickelung haben wir ein Recht auf einen künftigen Verfall der Malerei zu schliessen, noch ist ein solcher zu erwarten aus einer Gegenüberstellung des modernen Geistes mit dem, was sich aus dem Bisherigen als malerischer Stil ergeben hat. Es ist leicht klar zu machen, dass der malerische Stil, dessen Begriffsbestimmung natürlich nicht mit einem Worte oder einer unwesentlichen Eigenschaft, wie „das Historische an den Dingen'' zu geben ist,[*]) mit der Zukunft in ähnlicher Beziehung steht, wie der plastische Stil mit der Vergangenheit.

Vor allem ist das der neuen Zeit ungewohnte Nackte der Malerei auch grössten Stiles nicht wesentlich. Das ist begründet sowohl durch die Farbe als die Grössenverhältnisse und durch das Gewand selbst. Man denke sich ein plastisches

Problem, eine nackte Figur, von übermenschlicher Höhe, ruhig stehend und ohne Hintergrund gemalt, so ist vor allem klar, dass die Farbe theils ein mangelhaftes Mittel des Ersatzes für die Tiefengebung des Bildhauers ist, theils ein gefährliches durch ihre „sinnliche Wahrheit". Um mit der Sculptur concurriren zu können, bedarf die Malerei schon wegen der Modellirung des Hintergrundes. Dieser verlangt aber kleinere Verhältnisse. Die Räume können nicht in wirklicher Grösse dargestellt werden, und auch bedingt in ihnen z. B. der grössere Figurenreichthum, der durch die Handlung, welche die plastischen Mängel ersetzen soll, gefordert ist, kleinere Dimensionen. Aber Figurenreichthum und Handlung drängen zu einem complexeren Gesichtsausdrucke, neben welchem der Körper mehr zurücktreten muss, oder was dasselbe heisst, er ist durch den Verlust der Nacktheit weniger benachtheiligt als in der Sculptur und bedarf sogar des Gewandes zur Charakteristik. Da das Gewand hinwiederum durch Farben und Faltenreichthum gewinnt, wird es, besonders wenn es nicht mehr, wie in der Sculptur, vornehmlich die Körperformen zeigen muss, den Körper noch mehr hinter die Gestalt zurücktreten lassen. Wir sprechen von einer malerischen Gestalt, aber nicht von einem malerischen Körper, und eine Körperstellung, die der Plastik schlecht ansteht, muss nicht unschön im Bilde sein. Selbst viele nackte Figuren geben keinen Ersatz für jene Mängel, und ihre Vortheile beweisen nichts gegen die Gesetze des Malerischen, denn bekanntlich führt eine solche Anhäufung kaum zu grösseren Inhalten als zu Bade- oder Kampfscenen. Es ist also nur wünschenswert und gewiss nicht ausgeschlossen, dass die Zukunft wieder weit mehr als die Gegenwart zu malerischen Gewandformen und Farben kommt, besonders wenn falsche asketische und sociale Lehren ihr nicht mehr verbieten, sich am Leben zu freuen.

Nicht weniger als die Gesetze der Malerei drängen auch die modernen Bedürfnisse zu complexerem Gesichtsausdrucke und zu mehr Handlung. Dies würde ganz besonders entscheidend werden, wenn jene Bedürfnisse zu einer religiösen Weltanschauung führten, deren abstracte Vorstellungen, wie gesagt, jede plastische, übrigens vielleicht selbst auch oft die malerische Darstellung illusorisch machen würden.

Zur Steigerung der Ausdrucksfähigkeit wird aber die künftige Malerei sich als Mittel auch der Umgebung, bedienen müssen, vornehmlich der Landschaft, deren Entdeckung und deren lyrische Elemente ganz der Neuzeit angehören, und nicht nur der unbelebten Umgebung, der ganzen Natur. Ferner wird die Malerei das Genrehafte und als Mittel natürlich selbst das Hässliche nicht ausschliessen.

Grossentheils schon mit diesen Bedingungen sind die Stoffe gegeben, denen sich in Zukunft der grosse Stil nur zuwenden kann. Für kleine Aufgaben sie zu finden, ist weniger wichtig — das Genrehafte und die Specialkünste werden nie aussterben — für das Genie aber, das natürlich wieder nicht entbehrt werden kann, schon um die von ihm abstrahirten Regeln auszufüllen, sind solche Voraussichten ein Schutz vor langem Tasten im Irrthume; es kann wenigstens aufmerksam gemacht werden auf das, was es nicht thun soll. Denn über das Stoffgebiet, das vor allem von der künftigen gesellschaftlichen Entwickelung und deren Aufgaben abhängig ist, ist nichts Positives vorauszusagen. Wie z. B. das Gewand der Frau, die mit anderen Thätigkeiten anderen Zielen und Idealen nachstrebt, die vielleicht selbst ihren Körper umbilden könnten, einst aussehen wird, lässt sich nicht bestimmen. Negatives ist aber Folgendes zu sagen:

Nicht die Staffeleimalerei, das Anpassen an die Aufgaben der Architektur wird immer die grosse Aufgabe bleiben.

Die grössten Stoffe können auch, wie bisher, keine vornehmlich historischen sein wegen der Schwierigkeit, in einfacher Weise complexe Vorgänge klar zu motiviren, und weil deren Bekanntschaft selten allgemein vorauszusetzen ist.

Die alten religiösen Stoffe sind bei dem immer seltener werdenden confessionellen Glauben völlig unmöglich, besonders wenn die Künstler selbst den kindlichen Formen des Glaubens fremd sind und nur nothgedrungen ihre Ideen in jene pferchen. Wer bestimmte Affecte nicht kennt, kann ihren Ausdruck nicht verstehen und wiedergeben, schon aus Mangel an Associationen. Es führt das zu jenen „Madonna" genannten Modellen, die jedes gläubige Gemüth verletzen und auch dem Künstler die Wiedergabe schlichter Wahrheit stören. Alles dies gilt in erhöhtem Masse von mythologischen Stoffen — der Allegorien gar nicht zu gedenken — welche höchstens als Landschaftsstaffage brauchbar sind. Auch werden, den Menschen grosse Thaten zu zeigen, Schlachten in Zukunft nicht mehr die geeigneten Objecte sein. Mit Wahrheit und gar lebensgross dargestellt, führen die furchtbar entfesselten, thierartigen Leidenschaften, wie wir von der Plastik sagten. moralische Elemente mit sich, die dem modernen Menschen den ästhetischen Genuss stören müssen. Aber selbst im Dienste einer grossen Idee sind solche Thaten auch des einzelnen wegen der dauernd gemachten Affecte mehr Gegenstand der Dichtung, die darüber rasch zur Darstellung der Zwecke schreiten kann. Und ähnliches gilt von der Darstellung von Jagdscenen, rohen Vergnügungen unserer Väter, den feingearteten Gemüthern der Gegenwart schon wegen des wachsenden lyrischen und Natursinnes fremd; ihnen kommt beim Anblicke eines Rehes im Frühlinge anderes in den Sinn als thierische Verfolgungsinstincte. Für die Kunst aber sind diese Stoffe verloren, sobald die Reichen, anstatt das Wild zu ihrer Belustigung zu

16*

züchten, das wirkliche Ausrotten desselben dem handwerks-
mässigen Betriebe, wie jetzt das Rind den Fleischern, überlassen werden.

Aber mit alledem ist die Kunst nicht ausschliesslich auf
Dichterwerke oder Volksmärchen verwiesen. Es wird auch in
Zukunft erhabene, einfache menschliche Vorgänge geben, welche
Ideen in sinnlicher Darstellung noch verkörpern. Auch können
diese, trotz aller Einfachheit, und sollen womöglich, wie alle
grosse Malerei gethan, auf eine sittliche Weltordnung hin-
weisen, deren Wert für die malerischen Stoffe anzuerkennen,
nicht bloss die Theorie, sondern auch die hervorragendsten
Künstler aller Zeiten, selbst solche der Gegenwart nicht unter-
liessen. Führich z. B. behauptet in seinen Aufzeichnungen, deren
allzu katholische Färbung uns nicht abschrecken darf, gerade
das Gegentheil der landläufigen Lehren, wonach einerseits
Kunst den Glauben ersetzen könne, andererseits mit ihm nichts
zu schaffen habe.

„Der Kunstgeist, von welchem die Künste einzelne Ausdrucksformen
und Manifestationen sind, ist heimisch in einer Zeit und bei einem Volke,
welche und welches in der sinnlichen Welt und Natur die ausser- und
übersinnliche Welt sucht, ahnt und sieht. Es ist dies die Welt des Glaubens "
„Die Afterphilosophie unserer Tage, welche durch Aufhebung der Widersätze
im diesseitigen Leben eine Art Harmonie herzustellen bestrebt ist und auf
diese sogar eine Lehre vom Schönen aufzubauen den Versuch wagt, wie
es Vischer mit viel dialektischem Aufwande in seiner Aesthetik thut, weiss
nicht oder will nicht wissen, dass das Ideal eben dasjenige ist, was wir
durch die Schuld verloren haben und nur durch die Versöhnung wieder
erreichen können. Dies und kein anderes, wenn auch noch so verhüllt,
verunstaltet und dämonisch ausgenützt, war auch das Ideal der Griechen
und aller Völker, welche Tempel bauten, Bilder machten und — opferten.
— Die möglichste Verdrängung des Uebersinnlichen aus dem Kunstbegriffe
und dessen Beschränkung auf die Darstellung der Sinnenwelt und die
Formulirung des Schönheitsbegriffes bloss aus der sichtbaren Erscheinung,
wie sie seit Lessing als ästhetisches Princip festgehalten und weitergebildet

wurde, ... wird von all den Millionen Menschen Lügen gestraft und instinctmässig desavouirt, welche, abgesehen von den eigentlichen Künsten, in ihrem Zusammenhange mit der übersinnlichen Welt ein wahres und allseitiges Kunstleben lebten und zum Theile noch leben." „Die Kunst und das Leben blühen, wo der Tod verstanden wird."[89])

Solche Ideen sind der Menschheit nie völlig abhanden gekommen, und ihr Licht wird auch immer wieder die oft dicht geballten Nebel am Horizonte der bildenden Kunst durchbrechen. Die Kunst aber, die sich jetzt übt, wahre Menschen in wahrer Umgebung darzustellen, einen Meeressturm, ein Schlachtengetümmel, in dessen Rauch und Staub die Natur so treu wieder zu finden ist, dass sich Reiter, Wolken und Feuer untrennbar zu durchdringen scheinen: diese Kunst mag einst, wenn sie jene Nebel und Flammen bilden wird, aus denen der Geist emporsteigt, Grösseres leisten als es jemals eine vor ihr gethan.

Was die extensive Entwickelung betrifft, ist darauf zu verweisen und wenig mehr zu thun, als das zu wiederholen, was über die Sculptur gesagt wurde. Trotz des Umstandes, dass Malerei wegen ihres reicheren Inhaltes dem Laien leichter verständlich erscheint, und dass schon damit das Unkünstlerische so grosse Verbreitung erfährt — die vielen Portraits, Reproductionen, Illustrationen beweisen es — ist das Interesse und Verständnis für Malerei in weitesten Kreisen, wie die Zahl der Vervielfältigungen auch ihrer besten Werke allein seit diesem Jahrhundert unendlich gewachsen. Zahllose Städte, Räume, Häuser, die grössten Denkmäler der gegenwärtigen Architektur ziert diese Kunst, die einstmals nur wenigen Palastbewohnern in wenigen Städten gehörte. Auch Kunstschulen und Sammlungen zeigen keinen geringeren Zuwachs, und es sind wenigstens für die Zukunft keine gleichgiltigen statistischen Daten aus der Gegenwart, wenn z. B. im Königreiche Sachsen vom Jahre 1840 bis 1875 sich als aufnahmsfähigster Beruf erwies: „Die künstlerischen Betriebe für gewerbliche Zwecke mit 434·2 Procent."[90]) Gewiss ist kein Grund einzusehen, warum die Malerei nicht auch einst dem Volke wie den Gebildeten — deren Geschmack jetzt allerdings noch oft von den barbarischesten farbigen Reproductionen in gleicher Weise befriedigt wird wie der ihrer Diener — noch weit mehr reinere und höhere, auf die Ideale der Menschen Einfluss nehmende Freuden spenden sollte als jetzt.

Eine Reihe von Gründen, welche die Entwickelung der gesammten bildenden Kunst treffen, sind hier nicht abzuhandeln. Das ihr wesentliche Wohlstandsproblem werden wir bei der Frage nach der ökonomischen Entwickelung besprechen; und gegen jede Furcht vor gesellschaftlichen Umstürzen und dem dadurch bedingten Verfall der Künste ist auf jenen Trieb zu weisen, der, so lange es Menschen gibt und solche, die nur einen Augenblick über ihre täglichen Bedürfnisse Arbeitsrast haben, nicht aussterben kann. Auch ist es wahrscheinlich, dass auch in Zukunft die Besseren, wie immer gering ihre Zahl sei, wie bisher auch die Stärkeren und die Schützer der Künste bleiben werden, und dass ihre stetige Zunahme und Einigkeit physische und geistige Vandalenzüge immer seltener machen wird. Es ist trostreich, dass selbst die Völkerwanderungszeit es nicht vermocht hat, die Kunst von der Erde zu tilgen.

Die Dichtkunst.

In der Dichtkunst sind die Formelemente — Empfindungen, die Reim und Metrum erzeugen, ausgenommen — nicht wie in den anderen Künsten durch die äussere Wahrnehmung gegeben, sie sind nicht Linien, Farben oder Töne, noch auch Worte, an die ja eine Vorstellung erst associirt werden muss, sondern die Vorstellungen selbst, Affecte und Gefühle, deren Vereinigungen den Inhalt geben. Auch in der Dichtkunst ist unter Inhalt nicht bloss der Gedankengang einer Tragödie, die Stimmung, die ein Gedicht als Ganzes erregt, zu verstehen — jede Lust, jede Erkenntnis und ihre Freude kann einen Inhalt bilden. In diesem Sinne ist Inhalt, wie wir es nannten, niederer Ordnung, jeder Vergleich, jedes Bild, wie es ein Epitheton ausdrückt. Und alle Arten von Freuden, selbst solche Freuden, wie sie Schilderungen aus dem Gebiete anderer Künste gewähren, sind Inhalt für die Dichtkunst, und vor allem die ethischen und Erkenntnisfreuden, die zu erregen keine Kunst so geeignet ist als die Poesie.

Hier sehen wir aber schon, wie unmerklich die Uebergänge von dem, was Inhalt heisst, zur Form sind, wie wenig allgemein durch das variable ästhetische Gefühl entscheidbar ist, welche Associationen — deren Zuströmen ist ja nicht bloss von unserer Bildung, sondern von der Stellung jedes Wortes zu anderen, von der jeweiligen Stimmung abhängig — schon als ästhetische Inhalte zu bezeichnen sind. Mit den einfachsten Begriffen, wie Wald, Abend, Meer ist diese Thatsache an den verschiedenen Individualitäten zu erproben. Jedenfalls ist das Verhältnis in der Poesie noch schwieriger als in der Malerei abzugrenzen, wo uns das Beispiel von dem glatten Roth mit seiner Beziehung wenigstens zweier Empfindungen, den Uebergang von Formelementen zu ästhetischen zeigte. Zusammengesetzte Worte, wie Trauerweide, lebensmüde, Lebenstraum, drücken unzweifelhaft schon ästhetische Gefühlselemente aus, deren Summirung die reiche dichterische Sprache und damit auch einen grossen Theil des poetischen Inhaltes bedingt.

Die poetischen Inhalte niedriger Ordnung werden im gewöhnlichen Sprachgebrauch oft noch als Form bezeichnet. In diesem Sinne bedeutet aber dann, wie aus dem Vorausgehenden ersichtlich ist, eine andere ästhetische Form einen anderen ästhetischen Inhalt. Der Begriff des classischen Stiles, selbst der der Prosa, ist niemals ohne eine grössere Summe von ästhetischen Inhalten zu bestimmen, welche Stilunterschiede, wie die zwischen einem „König Lear auf dem Dorfe" und dem Shakespeares mitbegründen. Die Grenzen der Dichtungsarten, wie die der Poesie überhaupt, sind deshalb so schwer zu ziehen, weil es dabei lediglich auf Inhalte ankommt. Auch die ganze Abgrenzung der Dichtungsformen wäre eine sehr mangelhafte, sofern sie in Wahrheit nur auf Formen basirte. Sie würde entweder von Aeusserlichkeiten, den nicht poetischen Inhalten sprechen, die natürlich auch ein ganzes Drama ausfüllen können, oder es muss anerkannt werden, dass auch ein lyrisches Gedicht dramatisch sein kann. Ebenso ist es auch unmöglich, ohne jene Inhalte einen Begriff, wie „realistisch", zu bestimmen. Denn wenn ich frage, welche Elemente ich weglassen, welche andere und wie zahlreiche ich aufnehmen darf, um die Darstellung wahr zu machen, so nehme ich Rücksicht auf einen bis ins einzelne gehenden Vergleich mit der Wirklichkeit und die durch sie erregte ästhetische Lust. Selbst die poetische, reichere Sprache, die ich dem kleinsten Gedichte, das ich formvollendet nenne, nachrühme, beurtheile ich so mit Bezug auf diese ästhetischen Inhalte niederer Ordnung.

Nach alledem ist unter poetischer Form lediglich eine Beziehung von Inhalten zu verstehen. von nicht ästhetischen, oder sie kann sich auch aus ästhetischen niederer Ordnung zusammensetzen, in Bezug auf welche dann jene höherer Ordnung als Inhalte in engerem Sinne gelten.

Wir werden nun die Entwickelung der Epik, Lyrik und Dramatik der Reihe nach verfolgen, und zwar, wie es unseren Beweiszwecken genügt und am wichtigsten ist, vornehmlich mit Rücksicht auf den Unterschied zwischen dem so hoch entwickelten griechischen Alterthum und der Neuzeit. Was die Anord-

nung anbelangt, ist zu bemerken, dass, wenn auch die Lyrik
nach ihrem Ursprunge als vornehmlicher Ausdruck von Affecten
gleichzeitig mit der Musik entsteht und früher als die Epik,
doch diese als wirkliche Kunstform die früheste ist. Wie beim
Kinde zeigen beide, wenigstens in den zuerst gepriesenen Thaten
der Götter und Menschen, eine noch wenig differenzirte Einheit, in der aber das Lyrische im Hintergrunde steht neben
dem Epischen. Wir beginnen also mit der Epik.

Wie sehr der griechische Geist verwandt ist mit der
epischen Dichtung, und warum sie durch ihn, besonders in
der frühesten Zeit, zu solcher unerreichten Höhe kam, zeigt
die einfache Aufzählung einiger wesentlicher Merkmale dieser
Dichtungsgattung, mit denen sie in ziemlicher Uebereinstimmung
die Aesthetik seit Schiller und Goethe kennzeichnet.

Eine vergangene Begebenheit soll von objectiv darge-
stellten Charakteren erzählt werden, ohne viel Tendenz, ohne
dass eine von den vielen sich ergebenden Lehren besonders
betont werde, sie soll wirken gleich einer Erweiterung des Gemüthes auf einer Reise, kein rascher Fortschritt, kein Drängen
und Sehnen nach dem Ziele, alles gleich breit, eher verzögernde
Elemente, breite Gleichnisse, anstatt Spannungen und Kata-
strophen, wie sie das Drama braucht. Die Fabel soll mehr
eine äusserliche Einheit zeigen, ein Stück Menschenleben, wie
es immer gewesen und so fortzugehen scheint, und dennoch
kein Idyll sein, eine heroische, eine Göttergeschichte, die zugleich einen Weltausschnitt gibt. Ein ganzes, langes Leben
vieler soll gezeigt werden, deren Charakter beständig durchsichtig, einfach erscheint, wenig Reflexion, keine lyrischen Ergüsse oder gar Entwickelungsgeschichte, die Motive mehr in
äusseren Anlässen als in Individualitäten begründet. Schliesslich soll der Dichter mit Ruhe dem Ganzen gegenüber wie ein
Gott über den Weltereignissen stehen.

Die meisten dieser Züge treffen mit dem zusammen, was wir früher den plastischen Stil genannt haben. Diese für das heroische Jugendalter griechischer Helden — mit ihren sichtbaren Thaten und ihren sich oft widersprechenden Eigenschaften, der Gutmüthigkeit und Roheit — bezeichnenden, volksthümlichen Züge, zusammen mit anderen der antiken Weltanschauung, veranlassten auch Aesthetiker zu der Behauptung, die Griechen zeigten besonders in der Iliade die epische Dichtung in ihrer Vollendung, und ebenso wie ihre Plastik, ohne weitere Entwickelungsmöglichkeit.[91]) Jedenfalls können wir den Vertretern dieser Ansicht wenigstens die Thatsache des späteren Verfalles einräumen; diesen bezeugt ja bloss der Hinweis auf einige Haupterscheinungen epischer Dichtung.

Schon die modernere und humanere Odysse, der „Urroman" nimmt zahlreiche subjective, lyrische und idyllenhafte Momente auf, vom Odysseus angefangen, der am Meer hinausweint nach der Heimat, bis zur Beschreibung des Sauhirten, des Hofhundes und des Hausgeräthes. Und die Römer sind durch Virgil geradezu die Schöpfer der Gattung des Kunstepos. Das deutsche mittelalterliche Epos, Nibelungen und Gudrun, zeigt sogar schon einen gefährlichen dramatischen Geist; die Handlung drängt zu einem tragischen Ende. Zwar ist der Held ohne besondere Principien, aber er nimmt, die Folgen seiner Handlungsweise ganz bewusst voraussehend, selbst den Tod auf sich — ein den Alten völlig fremder Charakterzug. Das noch unepischere, mehr lyrische als dramatische, ritterliche, höfische Epos mit seiner Romantik und Auffassung der Liebe drängt schon völlig zum Roman: Wolfram und Gottfried zeigen im Epos die grössten Stilschwankungen. In Italien leidet Dantes Werk trotz seiner Grösse an den Mängeln jedes religiösen Epos und an den complicirteren unanschaulichen christlichen Gedanken: Mönchische Askese. Scholastik, Symbolik, Aristotelismus, Mythologie, Tagesgeschichte und Politik und jenes Höllenweltgericht, dessen barbarische Greuel, wie gesagt, wohl die höchste Ausgeburt christlicher Irrlehren darstellt. Auch Tasso, der in bedenklicher Weise Geschichte und romantische Sage verwebt, erreicht gewiss im Epos nicht das Höchste. Und gehen wir auf die Neuzeit über, gleich zu Byrons Tendenzlyrik, zu Klopstocks schon jetzt allgemein gerichteter „Messiade" und zu Goethes „Hermann und Dorothea", deren Vorzüge — als Idyll — gewiss hoch stehen, so ist zu sagen, dass alle diese Werke in Zeiten und unter Bedingungen entstanden sind, die dem griechischen Geiste und seinem epischen Stil völlig ferne liegen. Ihre Mängel zeigen doch nur seine Bedeutung, und ihre Urheber selbst waren die letzten, die mit Homer in die Schranken treten wollten. Es bliebe also nur der Roman, diese modernste epische Dichtungsart, nach ihrer Bedeutung zu prüfen.

Diese den Griechen fremde Form beginnt mit der Novellistik der Renaissance, mit den Italienern, die übrigens, ausser mit einzelnen Werken in neuester Zeit, nichts Wesentliches mehr zum gewaltigen Anschwellen jenes Stromes beitrugen, der bis in die unmittelbarste Gegenwart einen solchen Reichthum reinsten Goldes mit sich führt, wie selten noch eine andere Kunst.

In der neueren Zeit sind es vornehmlich Werke englischer, russischer und deutscher Sprache, die eine Epoche bezeichnen. Englands grosser Antheil ist bekannt, wie die Spitzen seiner idealistischen Bewegung, ebenso die realistische Strömung im gegenwärtigen Russland, deren Häupter, ein Dichterpsychologe und ein Dichterreformator Turgeniew und Tolstoi sind, welch letzteren schon der Titel eines russischen Homers ziert. Die deutschen Lande, die keinen einzigen Vertreter von solcher Productivität zeigen, liefern eine, wenn auch kleine Reihe von Werken, die aber zu dem Vollendetsten zählen. Wie weit nun die moderne Kunst, die Kunst überhaupt, durch diese Literatur sich bereichert hat, ist genügend gekennzeichnet, wenn wir einzelne Entwickelungsmomente betonen.

Dass die Phantasie für das Intime einen anderen Aufschwung genommen, als sich noch in den typischen, sich beständig wiederholenden Epitheta bei Homer zeigt, ist gewiss und ebenso, dass die Schilderungen von Schlachten, Bränden, einer Pest, von Festen und Tänzen lebendiger sind, dass besonders die grossen Naturschilderungen, die überhaupt erst der Neuzeit angehören, selbst schon wieder seit W. Scott eine weit grössere Charakteristik zeigen, dass Charaktere und Handlungen complexer, realistischer sind und trotzdem eine ethische Höhe, Ideale darstellen, die das Alterthum nicht ahnen konnte. Alles das verschwindet aber fast neben dem Umstande, dass der Roman eine gewaltige Lücke des antiken Lebens ausfüllt, indem es ja als dessen Aufgabe gilt, Erziehung und Entwickelung nicht fertiger, bildsamer Naturen zu schildern, was weder Epos noch Drama im nöthigen Detail können.

Allerdings aber würden diese Vorzüge gegenüber dem antiken Epos für die Vertreter jener Ansicht schwinden, welche die Form des Romanes einfach als eine mangelhafte, das hiesse also, von unbedingt schwächerer ästhetischer Wirkung erachten. Aber nicht nur sind die Aesthetiker in dieser Ansicht uneins, zum Glück brauchen auch wir uns darüber kein Urtheil zu bilden; wir haben nur auf ein mögliches Missverständnis aufmerksam zu machen. Dem Vorwurf würde schon viel Herbheit genommen durch die Hebung häufiger, aber gewiss nicht nothwendiger Mängel von Roman und Novelle, einestheils der als Mittel zur Charakterisirung oft wertvollen, aber übertriebenen Detailschilderungen, die zu ohnmächtigen Schilderungen ausarten, die in das Gebiet der Malerei gehören, zu Selbstzwecken, anderentheils des jeden Idealismus schädigenden unnöthigen Realismus, besonders jenes sinnlosen Naturalismus, der in seinen Consequenzen sich aufzulösen sucht in Schilderungen einer Reihe völlig gleichgiltiger, aufeinander folgender Ereignisse, womit uns eben schon jeder Tag genügend langweilt. Wer aber nur irgend Stoffe auswählt, ist nicht mehr Naturalist, und wer vernünftig ist, wird per se in dieser Wahl das Vernünftige betonen. Wozu auch die Mühe, jeden Fleck auf einem Beinkleide zu schildern, wenn sie zu nichts gut sein kann, als dass sie der armseligen Vergleichsfreude und nicht einmal der Charakteristik dienen kann? Auch Homer schildert die Aufzäumung eines Rosses, wenn er dessen bedarf, um seine Griechen zu charakterisiren, aber kein Grieche ertrüge es, in eben ganz unnöthiger Ausführlichkeit auch den Gestank des Stalles oder den Schmutz des Rosselenkers sich schildern zu lassen. Dies alles — und das hat allein die typische Gestalt Wilhelm Meisters, bei dem es gewiss an Realismus auch nicht fehlt, für ewige Zeiten dargethan — ist kein wesentliches Erfordernis des Romanes und kommt lediglich auf Rechnung kleiner Seelen, die ihre armseligen Bedürfnisse anderen zum Ekel in der Kunst befriedigen wollen. Will man trotz aller dieser Läuterungen dennoch von einer niedrigeren Dichtungsart sprechen, so ist darüber schwer zu einer Entscheidung zu kommen und hier nur zu sagen, dass selbst dann von einem Verfall der Dichtkunst als Ganzes mit grosser Vorsicht zu sprechen wäre, so lange solche neue Elemente in solcher Kraft zu Tage treten, vor allem nicht, wenn — und danach wäre sogleich weiter zu fragen — von einem Verfall, ausser in der epischen, in keiner anderen Dichtungsart, weder in der lyrischen noch besonders der höchst gestellten dramatischen die Rede sein kann.

Wie die blosse Nennung der dem Epos wesentlichen Bestimmungen schon den Hinweis auf antike Lebensverhält-

nisse enthält, so jene der Lyrik den auf moderne. Wesentlich
ist ihr der Ursprung aus einer bestimmten Gelegenheit, die
subjective Auffassung, die ganz in der Gegenwart aufgehende
Stimmung eines einzelnen, der das Unbestimmte eigen ist,
wie der Musik. Und um, nicht wie diese, „bloss den Duft,
auch die Blume zu zeigen", bedarf es der Andeutung von
Begehrungen in Vergleich und Bildern. Der Charakter des Zufälligen des Leidens, der leicht den des pathologischen annimmt,
ist vorherrschend, muss aber einen Aufschwung des Gemüthes
gestatten durch einen befreienden Blick ins Licht, in den Zusammenhang und die Berechtigung des Leidens.

Im Alterthum sind die zwei Hauptrichtungen der Lyrik
überhaupt nicht oder jedenfalls noch nicht so klar getrennt wie
in der Neuzeit. Dennoch wird in jenem mehr ausgegangen
von einem einzelnen Umstande und zu einem klareren Resultate gelangt, in dieser von einer allgemeinen Stimmung, die
wiedergegeben werden soll. Die Gedankenlyrik, mit noch epi-
schem Charakter, ist dem objectiveren Griechenthum bei seinem
Mangel an innigeren differenzirten Gefühlen durchaus eigen. Bei
Sappho und Anakreon, die, was auch bezeichnend ist, uns fast
so wenig mehr wie Pindar geniessbar sind, wird die Liebe in ein
äusseres Object getragen, was, wie in den religiösen Hymnen,
zu einer Art Anbetung des Gottes Amor wird; ausserdem
muss die begleitende Musik die reine Stimmung gestört haben,
gleicherweise wie bei den Dithyramben und Oden. Ganz Aehnliches finden wir bei den Römern in der gnomischen, der
Lyrik der Betrachtung, der episch-didaktischen, wie sie besonders Horaz vertritt. Auch die germanischen, die religiösen
Hymnen des Mittelalters an Maria und die Heiligen haben
noch ähnlichen Charakter. Diesen verleugnen auch nicht in
späteren Zeiten die gesammten romanischen Völker, von denen
bekannt ist, dass sie mehr zur Romanze und Ballade neigen

oder zu einer Lyrik der Betrachtung, die diese Kunstgattung mehr an den Grenzen, beinahe in Auflösung zeigt wie in Elegie, Sonett und Epigramm.

Beachten wir dem gegenüber, was die Gegenwart nur seit Goethes Liedern als Lyrik kennt, ihre zahllosen Ergüsse noch in der späteren Zeit und selbst die vielen verkannten und in der der Aufnahme ungünstigen Gegenwart wenig gekannten Dichter, die oft in den kleinsten und dunkelsten Archiven aus ihrem Actenstaub die herrlichsten Blüthen ans Licht führten![92]) Alledem gegenüber, ja allein neben einigen Gedichten Goethes, den herrlichsten wie: an den Mond, Wanderers Nachtlied, die Lieder aus Wilhelm Meister, ist doch vom Griechenthum nur als von Ansätzen und kindlichen Tastversuchen einer Lyrik zu sprechen und einfach zu sagen, dass „erst die moderne Poesie eine wahre und volle Lyrik hat schaffen können, denn es ist nur der gebildete Geist, der die reichen Negationen durchlaufen und überwunden hat, welche alles hervorlocken, was im Grunde des Menschenherzens schlummert'".

Für die Entwickelung der dramatischen Kunst wollen wir lediglich die griechische Tragödie — an der Entwickelung des Lustspieles zweifelt ja niemand — mit der modernen vergleichen, und zwar im besonderen die des Sophokles, welcher als Vertreter des classischen Stiles gilt. Denn schon unter Euripides beginnt jener Stil, der bei modernerem, reicherem Inhalte schon einen Verfall jenes auch oft als plastischen Stil bezeichneten darstellt. Zu besprechen sind, wenn wir absehen wollen von aller mythologischen und mythischen inhaltlichen Einfalt, zunächst einige ethische Unterschiede, dann soweit dies trennbar ist, psychologische und endlich auch solche der Bühneneinrichtung.

Gehen wir von der Thatsache aus, die wir mit Bezug auf die moralische Entwickelung schon besprochen haben, dass die Griechen ethisch weit unter der Culturmenschheit der Gegenwart standen,[93]) dass neben Menschenidealen, wie sie bloss Deutschland Ende des vorigen Jahrhunderts schuf, viele Probleme der Alten Roheiten und Naivitäten repräsentiren, so ergeben sich schon damit auch für die Tragödie nothwendige und wichtige Mängel, von denen wir die charakteristischen hervorheben wollen.

Eine gewisse Armut ist nothwendig in einer Tragödie, in der die Leiden des Helden theils körperlicher Art, theils, wie schon durch naive Probleme, wie z. B. des Philoktet bedingt ist, psychisch sehr einfache sind; sie können damit moralisch gleichfalls nur sehr wenig entwickelter Art sein. Jede zartere Motivirung, wie Goethe bei seiner Iphigenie später schmerzlich empfand, ist eben „verteufelt human". Natürlich, weil eine solche in für uns so fremden Verhältnissen, in denen jeder, der ein Land betritt, bloss weil er ein Fremder, dem Tode verfallen ist, völlig unverständlich bleibt. Damit dass aber jeder complexere Zwiespalt ausgeschlossen ist, ist wieder jene plastische Ruhe bedingt und leicht gegeben, die, wie wir sagten, nicht Folge innerer Kämpfe, sondern vor allen Kämpfen liegt. Diese wäre für die Liebesaffecte Romeo und Juliens schwieriger zu bewahren. Solche kannten aber die Griechen nicht. Und man denke, was es allein bedeutet, dass sie keine Liebesscenen kannten und die Erkennungsscenen ihre Rolle vertraten, dass die Rolle des Weibes eine so andere war? Die Würde des Weibes wurde ja erst durch das Christenthum mit Maria in die Welt eingeführt. Aus ähnlichen Gründen hatten auch die Griechen für manche Arten tragischer Handlungen nicht viel Sympathien, was das ganze Wesen des Tragischen bei ihnen sehr vereinfachte. Der Held, der unterliegt, hat für sie etwas Verächtliches; schon ein starkes Schwanken in seinen Entschlüssen oder gar seine Bekehrung scheint ihnen eine

Schwäche. Ferner sind ihre ganzen Kämpfe weit mehr egoistische: keine Ideen über den Tod hinaus, noch eine verstärkende Wirkung solcher durch ihn und nach ihm; denn auch der Begriff einer vernünftigen Weltordnung, die bei den Modernen in der tragischen Wirkung eine so grosse Rolle spielt, ist bei ihnen noch mangelhaft entwickelt. Ihre Tragik ist in unserem Sinne, wie immer sittlich, oft irreligiös, und wir finden manchmal noch das zweckloseste Vernichten durch Götterlaune, was zu einer Unbefriedigtheit führt, die der moderne Geist — der unglückliche Zufälle nur als Mittel verwendet — durch die Tragödie selbst lösen zu müssen glaubt, der Grieche aber nur durch das damit wenig Zusammenhang zeigende Satyrspiel nach ihrem Schlusse löst. Diese tragische Wirkung ist eben mehr der dionysische Rausch, und — so weit wir es der fast völlig unentzifferbaren aristotelischen Lehre, die den subjectivsten Interpretationen zugänglich ist, entnehmen können — eine weit einfachere als die moderne.

Die psychologischen Mängel sind ähnliche. Die Entscheidung des Deus ex machina macht jede complexere Motivation unmöglich, und diese Mängel würden auch dann nicht gehoben sein, wenn wirklich der ganze Begriff der Schicksalstragödie, wie man angenommen hat, für die Griechen nicht wesentlich wäre. Ihre Motivirungen sind kindlich neben denen Shakespeares, der selbst jeden Sagenstoff, wie die Prophetien aus Macbeth, z. B. den vorrückenden Birnamwald etc. motivirt.

Schon das zeigt, wie schwer die Motivirung den Griechen war, dass oft das Wichtigste vor der Bühnenhandlung als schon geschehen nur erzählt wird. Zu reicherer Motivirung sind die Charaktere nicht nur zu einfach, sie sind ohne jeden Realismus im guten Sinne, jener Wahrheit, die dient, den Märchenglauben wahr zu machen; sie sind typisch und un-

beweglich wie ihre Masken, mit beständig gleichem Ausdruck.
Natürlich war auch das Komische in der Tragödie fremd, wie
jede ernste Charakteristik, wie alles, was nicht königliche Ruhe
zeigt, wie alles Bürgerliche. Dass das alles zu einer viel
schwächeren, nicht zu einer höheren Wirkung führt, dafür
sind schon die zehn Stunden, die Schauspieler und Zuschauer
ausdauern konnten, ein Beweis.

Auch die Bühneneinrichtungen, die inneren wie äusseren,
geben ähnliche Belege. Der Chor hemmte jede lebhafte Entwickelung, und da die Worte des Schauspielers oft gesungen
wurden und die mangelhafte griechische Musik, selbst Tanz
sie in ernstester wie lebhaftester Rede begleiten musste —
was gewiss eine noch unentwickelte Einheit, nicht eine Vereinigung höherer Entwickelung bedeutet — so erhält die alte
Tragödie Momente, die sie oft unserer Oper ähnlicher machen
als unserem Drama. Wie sehr aber Gedankengehalt und Entwickelung schon durch diese musikalische Begleitung leiden
mussten, ist bei Besprechung der Oper angedeutet worden.
Schon dadurch sind zum Theil die kleinen Handlungen bedingt: sie sind nur Ansätze zum complexen Aufbau, zu den
Haupt- und Nebenhandlungen der modernen Dramatik. Die
ganze Einheit der Handlung wie die der Zeit und des Ortes
hat sich als ein unnatürliches, gleichgiltiges oder schädliches
Gesetz herausgestellt. Bezeichnend ist auch für die geringe
Abwechslung, die alle jene Mängel bedingten, „dass die Scenen
je nach ihrem Inhalt einen verschiedenen, regelmässig wiederkehrenden Bau erhalten, Dialog- und Bodenscenen werden
durch Pathosscenen unterbrochen; für jede dieser Arten bestand eine in der Hauptsache feste Form". [94])

Alle diese Mängel werden noch durch die äusseren
Bühneneinrichtungen — des Kothurns und der Masken gar
nicht zu denken — verstärkt, die gegenüber modernen oft

störenden, pompösen Maschinerien nur gelobt werden sollten, als Contrastwirkung, die aber ohne Zweifel, ähnlich denen Shakespeares, reichere und wertvolle Wirkungen störten und unmöglich machten. Alles dies führt schliesslich dazu und ist ein nicht gleichgiltiger Fingerzeig, dass Aufführungen von Tragödien des Sophokles nur noch Philologen wirklich interessiren können. Die mangelhaften und fremden Inhalte sind eben nicht trennbar von den Formen.

Wir können von diesem für die Griechen gewiss nachtheiligen Vergleich nur wiederholen, was auch für ihre bildenden Künste galt: Der classische Stil und alle seine plastische Erhabenheit ist leichter zu handhaben unter so einfachen Verhältnissen und Bedingungen, und wenn Shakespeare ihn nicht erreichte, so ist die Frage, ob nicht dessen Vorzüge mehr daran Schuld tragen als seine Mängel. Schiller hat schwere Verwirrung angerichtet mit seiner Unterscheidung von naiv und sentimentalisch, die sich ja zum Theil mit antik und modern deckt. Er verwechselt beständig die „Stimmung, welche der Weltbetrachtung zugrunde liegt, mit der Darstellungsform der Kunst". Er rühmt die plastische Objectivität der Darstellung einfacher Vorgänge und meint, mit dem reicheren und sittlichen Inhalt sei nothwendig eine alle Kunst zerstörende Reflexion und Meditation gegeben. In diesem Sinne wäre das Sentimentale gewiss ein Nachtheil, in einem anderen allgemeinen aber gewiss ein Vortheil, und alle Naivität, der plastische Stil bedeutet einfach Rückschritt.

Nach den Griechen haben wir nun gewiss einen Verfall der tragischen Poesie durch zwei Jahrtausende zu constatiren, aber, vertieft durch die sittlichen Inhalte des nur scheinbar todten Mittelalters, zeigt sie eine gewaltige Entwickelung unter Shakespeare. Jener schon gemachte Vergleich macht es unnöthig, er war ja ein beständiger Hinweis auf Shakespeare,

17*

seine Bedeutung für die Entwickelung der Tragödie zu schildern. Shakespeare war fast in allem seinen Vorgängern überlegen. Die unerhörte Grösse eines Hamlet allein hätte der Geist seiner meisten Vorgänger, der Griechen sowohl wie jener noch wenige Jahrhunderte vor ihm, nicht einmal ahnen können, so wenig allerdings als der der meisten seiner Nachfolger. Aber nicht weniger klar liegen auch wieder die grossen Mängel auf der Hand, die er der Nachwelt hinterliess. Schon die Rolle des Weibes, das auch noch auf seiner Bühne von Männern gespielt wurde, ist hiefür entscheidend. Auch ist es unnöthig zu betonen, dass einer seiner grössten Mängel eben die volle Verachtung jenes classischen Stiles und die oft übermässige Volksthümlichkeit war. Welche Concessionen brachte er in seiner Kunst seinem Volke und der Volksthümlichkeit nur in dem eben genannten Hamlet:

„Von einer Seite gesehen, stellt sich uns Shakespeares Hamlet als ein altenglisches, rohes, tragisches Spectakelstück dar, in dem so ziemlich alles vorkommt, was geeignet ist, robuste Nerven zu kitzeln und zu packen. Bruder- und Königsmord durch Eingiessen von Gift in das Ohr eines Schlafenden, Geistererscheinungen, Entlarvung eines Mörders durch ein Schauspiel im Schauspiel, echter und verstellter Wahnsinn, Erstechen eines Menschen durch eine Tapete, Herumschleppen eines Leichnams, Revolution, Uriasbriefe, Aufgraben von Todtengebein, Ertrinken, Raufen in einem Grabe, absichtliche Tödtung im Zweikampf durch ein vergiftetes Rapier. Tod durch zufälliges Trinken eines einem anderen gestellten Giftes, gewaltsames Eingiessen eines Gifttrankes, als Schlusstableau ein Leichenhaufen, Grässlichkeiten, die darauf berechnet sind, ein rohes Publicum aufzuregen und zu befriedigen."[93])

Solche Mängel hat die spätere tragische Kunst gemieden. Wollen wir aber fragen, wie weit bei ihr nach Shakespeare von einer Entwickelung geredet werden könne, so kann allein ·von der deutschen Tragödie dabei die Rede sein, da sie allein wirklich Grosses und Neues geschaffen hat, wozu ihr der Formalismus Frankreichs nur die Mittel gab. Dieses kommt neben Deutschland so wenig in Frage, als früher die viel höher als die französische stehende spanische Bühne neben Shakespeare.

In vielen Punkten zeigen, wie Shakespeare den Griechen, Schiller und besonders Goethe diesem und seinen noch ausschliesslich egoistischen Helden gegenüber einen Fortschritt. Schon die gleichzeitige Beherrschung des Epischen, Lyrischen und Dramatischen ist früheren Dichtern fremd,[96]) und es ist fraglich, ob der damit verbundene Nachtheil an dramatischer Kraft, wenn wir den reichen, grossartigen Inhalt und die Formen z. B. eines Faust, und die Art, wie er das Gemüth des modernen Menschen befriedigt, bedenken, ohne Ersatz geblieben ist. Ja, es ist fraglich, ob die grossen Leidenschaften und Charaktere Shakespeares und seine Dramatik überhaupt verträglich sind mit den Gedanken am Ende des 18., ja aller folgenden Jahrhunderte. Aber selbst wenn wir das als eine Schwächung des dramatischen Geistes bezeichnen müssen, ist es doch keine so hochgradige, dass von einem Verfall der Tragödie zu sprechen wäre, bei dem Vielen, was diese Kunst auch in der Beherrschung der neuen lyrischen und ethischen Gehalte hervorbrachte. Vor allem strebten Goethe und Schiller den plastischen Stil an, der Shakespeare so völlig fremd blieb, und förderten durch dessen Vereinigung mit Shakespeare'schen Realismus ohne Zweifel die tragische Kunst bedeutend. Dass dies nur nach vielen verunglückten Versuchen möglich war, spricht nicht gegen die glücklichen. Es ist einzuräumen, dass die Weimarer Zeit dabei oft kleinlich erscheint und mit ihrer „Renaissance der Renaissance" rückschrittlich wurde. Wie weit sie hier über das Ziel, in der Richtung nach Westen, geschossen, ist ja bekannt. (Man begann dort selbst Anstoss zu nehmen an Shakespeares Komik und Charakteristik, und es wurden alles Ernstes antike Masken auf die Bühne gebracht.) [97]) Trotz alledem, Faust und Wallenstein enthalten die reichsten Elemente der Entwickelung der tragischen Kunst.

Und Gleiches zeigen noch Werke der nachweimarschen Zeit. Eine der grossartigsten Vereinigungen moderner und doch echter Dramatik mit dem antiken Stile zeigt Grillparzer. der auch durch die Spanier beeinflusst ist, und in gewissem Sinne zwischen Shakespeare und Weimar vermittelte. Und dass auch nach Goethe und Schiller nicht von einem Verfall zu sprechen ist und die Tragödie wenigstens in einzelnen Elementen noch eine grosse Bereicherung erfahren hat, dafür bürgen Werke. deren Ursprung bis in die Gegenwart reicht, die dramatisch mindestens auf ähnlicher Höhe stehen, wie in der classischen Zeit jene Heinrichs von Kleist.

Was können wir nach alledem über die künftige Entwickelung der Poesie voraussagen?

Noch viel mehr als die bisherige Entwickelung berechtigen uns die modernen ethischen und intellectuellen Bedürfnisse, an die fortschreitende Entwickelung der Inhalte der Dichtkunst zu glauben, so dass sie vielleicht selbst die bildende Kunst in unseren Bedürfnissen mehr als bisher überflügeln wird. Auch ist zu bedenken, dass die dichterische Phantasie vielleicht am engsten verbunden ist mit allen anderen menschlichen Kräften, und dass die Dichtkunst viel weniger abhängig ist von äusseren Mitteln, Mäcenatenlaunen und Massengeschmack als die bildende Kunst.

Von den Stoffen, die sich unabsehbar nach den Thätigkeiten und Idealen von Mann und Weib verändern mögen, ist nicht einzusehen, warum sie künftig unpoetischere Probleme bedingen sollten. Die epischen Erlebnisse der Menschen werden ebensowenig wie ihre lyrischen und tragischen und diese so wenig aufhören, als das Genie, sie zu schildern. Diesem die

Gunst der Verhältnisse zu gewähren, ist aber von dem Wandel der Zeiten abhängig, die übrigens auch, selbst wenn die Nothwendigkeit eines unruhigeren Lebens für künftige Zeiten zugestanden würde, nicht der Dichtkunst hinderlich sein müssen, so wenig als sie es früher immer waren.

Was die Form, zunächst die einzelnen Dichtungsarten anbelangt, so dürften sie künftig, schon mit Rücksicht auf die differenzirten Bedürfnisse eines entwickelteren Intellectes, kaum in für die Stoffe so gefährlicher Weise vermengt werden, als es bisher geschehen.

Für das Epos ist nach der bisherigen Entwickelung — Idyll und kleinere Formen ausgenommen — das Prognostikon schlecht. Dennoch ist es gewagt, dieser Form die Zukunft in gleicher Weise wie der Sculptur grossen Stiles dauernd und nothwendig verschlossen zu erklären. Die Lebensbedingungen für diese haben unzweifelhaft mehr den Charakter des Antiken, und was das Genie mit noch völlig fremden und neuen Stoffen trotz lyrischerer Grundstimmung und bewegterer Handlung, trotz aller Prophetien der Aesthetik noch schaffen können wird, darüber zu urtheilen sollte diese vorsichtig sein. An grossen Stoffen wird es nicht fehlen, sie mussten auch Homer von der Geschichte gegeben werden, sie bilden einen Hauptantheil an dem epischen Werke. Dieser uns überlieferte Inhalt ist ja auch ein grosser Theil dessen, was gewöhnlich zu Homers dichterischer Grösse gerechnet wird.

Viel hoffnungsfreudiger ist der Entwickelung des Romanes entgegenzusehen, nach allem, was wir über diese jüngste, modernste Dichtungsart gesagt, und nach der Höhe, die sie in der Gegenwart erlangt hat. Details zu geben, in welcher Richtung sich am besten der Roman bewegen sollte, ist wieder nicht thunlich; höchstens ist die Zukunft zu warnen vor allgemeinen Regeln, wie z. B. dass der Roman das Volk bei der Arbeit suchen,[95]) oder dass er nicht ältere Historie treiben soll,[99]) wegen der uns fremden ethischen, psychologischen und gesellschaftlichen Zustände. Ueber das „wie weit" entscheidet doch das Genie, und Beispiele aus der Gegenwart haben diesbezüglich sehr erfreuliche Ueberraschungen gebracht.

Noch weniger ist Bestimmtes über die Zukunft der Lyrik, jener subjectivsten Form, an Details zu sagen. Sehnen nach dem Ewigen und nach sittlichen Idealen wird immer die am höchsten stehende Art darstellen und nie aussterben unter den Menschen. Aus dem bisherigen Gang und gleicherweise aus dem Umstande, dass das echte Lyrische eine durchaus moderne Seelenäusserung ist, ist eher eine zu üppige, an das Krankhafte streifende Entwickelung dieser Dichtungsform zu erwarten.

Auch für das Drama ist aus seiner Entwickelung bis in die Gegenwart und aus den Problemen der modernen Civilisation für die Zukunft keine pessimistische Prophetie zuzulassen. Aber so selbstverständlich diese Behauptung für das Lustspiel ist, hinsichtlich der Tragödie muss doch noch einiges die Richtung der Entwickelung Betreffende gesagt werden.

Diese ist, eine weitere Geschmacksentwickelung vorausgesetzt, besonders aus den erkannten, bisherigen Mängeln der einzelnen Stile, zunächst schon aus denen Shakespeares, im wesentlichen zu erschliessen. Man hat oft — ähnlich wie wir von Rubens bei Besprechung der Entwickelung der Malerei betonten — von Shakespeares kat' exochen dramatischem Stil und den Mängeln seiner Individualität eine Läuterung an dem classischen Stile gewünscht. Diese Ansicht scheint richtig, und so gewiss sie für Shakespeares Individualität die Aufhebung bedeutete, sie würde für einen künftigen Genius einen völlig verständigen Sinn haben. Auch dürften die Mängel der deutschen Classik massgebend für die Richtung der Entwickelung

werden. Goethes, Schillers und selbst noch Grillparzers An-
eignung der Antike war gewiss keine genügend freie und oft
eine viel zu weit gehende, und es müssten auch die mit ihren
grossen Gedanken und lyrischem Reichthum theilweise gegebenen dramatischen Mängel eine intensivere Schulung, besonders an Shakespeare, erfahren. Abzugrenzen, wie viel bei
dieser nothwendigen Vereinigung Goethe'schen Gedankenreich-
thums, eines plastischen Stiles und Shakespeare'scher Dramatik,
jedes dieser Momente in Zukunft wird einbüssen müssen,
bleibt natürlich Sache des Genies, und an Voraussichten ist im
einzelnen nur Negatives zu sagen. Es steht zu befürchten, dass
sich der dramatische Stil zum Theil durch den Gedankenreichthum bedingt, wie schon in manchen Werken Goethes, oft
vermengen wird mit den lyrischen und epischen Stilen, dass
künftig noch öfters übersehen werden wird, dass jener mit
Rücksicht auf seine Fähigkeit, Gleichzeitiges zu geben, eigene
Aufgaben lösen soll; dem entgegen drängt die Gegenwart immer
mehr zu jenen für die Bühne monotonen Entwickelungsdarstel-
lungen und übermässig psychologischen Details, deren Inhalte
wenigstens die nächste Zeit beherrschen dürften. Dennoch
werden in Zukunft gewiss ästhetische Erkenntnisse dahin führen,
Stoffe, z. B. reformatorische und confessionelle Fragen, Gelehrte oder Künstler mit ihren Problemen zu vermeiden, auch
antike Charaktere und ihre Verhältnisse interessiren uns nicht
mehr, noch werden Shakespeare'sche Schlachtengetümmel und
ununterbrochene Morde, so wenig als seine ausschliesslichen
Königsgeschichten, Zeiten beschäftigen, in denen alles friedlichen und volksthümlichen Institutionen zueilt. Freilich mit
den einfachen Themen früherer Zeiten ist gewiss vieles Dramatische, ähnlich wie früher das Epische, dauernd verloren;
aber alle darauf bezüglichen Befürchtungen gehen nur auf die
allernächste Zeit, mehr auf die Entwickelung der Uebercivili-

sation als der Civilisation; und wie zu glauben ist, dass diese jene überwinden wird, so ist auch zu hoffen, dass einst das Einfache wieder über das Complicirte — das immer nur ein Durchgangsmoment war — siegen und damit das Dramatische, wie bisher, zur Entwickelung gelangen wird. Ein unersetzlicher Verlust wäre es für die Tragödie für alle Zeiten und Völker, wenn unsere Weltanschauung sich von der Religion, im weiteren Sinne, abwendete. Denn wollte man allgemein die Frage beantworten nach den Bedingungen dessen, was in allen Zeiten der dramatischen Entwickelung günstig war, was sonach auch für die Zukunft der Tragödie unerlässlich ist, so scheint vor allem das mit Bestimmtheit zu sagen: Eine religiöse Weltanschauung in einem über aller poetischen wie confessionellen Gerechtigkeit stehenden Sinn. Das war wenigstens bisher immer eine Parallelerscheinung der grössten tragischen Kunst, und auch die modernen Bestimmungen des Tragischen — und das ist ein beachtenswertes Moment für unsere Voraussichten — weisen übereinstimmend darauf hin. Begnügen wir uns mit dem Hinweis auf einige Aussprüche hervorragender Aesthetiker, von Schlegel bis zur Gegenwart.

„Unaussprechliche Wehmuth, ... gegen die es keine andere Schutzwehr gibt, als das Bewusstsein eines über das Irdische hinausgehenden Berufes: Dies ist die tragische Stimmung." [100])

„Ein Drama ist tragisch, mag der Ausgang auch ein glücklicher sein, wofern nur der endliche Sieg einer guten Sache als Werk einer Weltordnung sich darstellt."

„Seine Versöhnung hat das Tragische in dem Bewusstsein von der Wiederherstellung der vernünftigen Weltordnung."

Tragisch ist „die erhebende Empfindung von der ewigen Vernunft in den schwersten Schicksalen und Leiden des Menschen. Der Hörer fühlt und erkennt, dass die Gottheit, welche sein Leben leitet, auch wo sie das einzelne menschliche Dasein zerbricht, in liebevollem Bündnis mit dem Menschengeschlecht handelt, und er selbst fühlt sich schöpferisch gehoben, als einig mit der grossen weltlenkenden Gewalt".

„Die „sittliche Weltordnung" wird wieder hergestellt, sofern das Gute im Helden Macht gewinnt."

„Ohne eine religiöse Weltanschauung, welche nicht nur die Thatsachen des Lebens zur Kenntnis nimmt, sondern die dunkle Runenschrift der Menschenschicksale zu enträthseln strebt, den Sinn von Glück und Unglück zu deuten sucht, ist das, was wir bisher Tragödie genannt haben, nicht denkbar. Wer da glaubt, dass sie dauern wird, wenn auch die religiöse Weltanschauung aus der Welt verschwunden ist, der glaubt, dass sein Schatten den Baum überleben wird."

Dass die poetischen Gefühle auch an Extensität zugenommen haben seit dem Europa der Griechen, dürfen uns die zu allen Zeiten wiederkehrenden Klagen, „unsere Zeit ist ohne Poesie", nicht zu sehen hindern. Sie war es für die innere Leerheit der meisten Menschen immer, und muss es immer bleiben; und für die wenigen Auserwählten, für deren Zahl übrigens die jeweilige Zahl der Dichter kein Kriterium ist, ist kaum irgend eine Zeit ohne Poesie. Gewiss hätte es der Pessimismus schwer, Erscheinungen wie die immer grössere Rolle der Dichtkunst in der Erziehung, dem zunehmenden Gedränge in allen Städten zu classischen Bühnenaufführungen, die unabsehbare Vermehrung der Bücher mit besten Dichterwerken und ihrer Uebersetzungen in alle Sprachen, als blosse Bildungsaffectation zu erweisen. Dass es mehr Poesie unter den Menschen gibt, das zeigt schon die Rolle, welche die Romane und das Theater, die Sentenzen in der Sprache und im täglichen Leben spielen. Das beste Innere der Menschen, ihre Liebe und ihre Moral sind völlig untrennbar verwachsen mit den Gedanken und Gefühlen, die sie aus jenen Idealen in die Wirklichkeit träumen. Man könnte sagen, kein Beruf ist so schlecht, dass er nicht in einem Roman seine Verherrlichung gefunden habe, die dessen Träger im Herzen eines Mädchens zum Helden werden lässt; und keine Eigenschaft eines Mädchens ist so unbeträchtlich, um nicht durch eine Romanheldin

verklärt zu sein. Juliens und ihres Romeo Liebe, der mond-
beschienene Marmorbalcon, ihr Garten mit den Nachtigallen,
den Myrthen und Lorbeeren ist zum Paradigma aller jungen,
tiefen Leidenschaft geworden. Alle wollen leben wie diese,
sein wie sie und sterben wie sie. Ihr Beispiel allein gab dem
Volke mehr ästhetische Erziehung, als die meisten Schulen und die
meisten Eltern. Die Wirklichkeit hat unzweifelhaft ein grosses
Stück Land aus der Märchenwelt erobert. Was hat selbst das
Griechenthum alledem gegenüberzustellen, dessen Ideale in
vielem schon vom Christenthum, in allem von der Renaissance
und der weimarschen Zeit so weit übertroffen wurden?

Dass die poetischen Freuden extensiv unabsehbar gewachsen sind, ist auch und fast am besten an der unzweifelhaften Zunahme des Naturgefühles in der Neuzeit ersichtlich.
Die Naturfreuden sind ja vornehmlich poetische, wenigstens in
ihrer entwickeltsten Form, in der, wie wir sagten, die Genüsse
aller einzelnen Künste in kaum trennbaren Factoren vereinigt
auftreten. Es ist nöthig, sich darüber besser zu verständigen.

Die Art, wie wir uns zur Natur in Beziehung setzen, die
Freuden, die uns die Natur gewährt, können vielfacher Art
sein, zunächst sinnliche, solche der Erkenntnis, religiöse, künstlerische und poetische. Die sinnlichen Freuden, wiewohl die
rohesten, sind doch auch von den poetischen, in welche sie,
wie alle anderen, als Summanden eingehen, nicht ganz trennbar und zeigen Uebergänge zu ihnen in allen Abstufungen. Es
sind ja nicht bloss Freuden an der Gesundheit, Frische, der
Zerstreuung in Wald und Bergen, des gemüthserweiternden
Anblickes einer Landschaft, des Bewusstwerdens der Ruhe
gegenüber dem Gedränge einer Stadt, sondern sie führen selbst
in der naivsten Betrachtung einige ästhetische Elemente mit
sich. Eine weitere Stufe repräsentiren die sich oft mit jenen
verbindenden Erkenntnisfreuden, geologische, landwirthschaftliche

über die reiche Ernte, die Freuden jener Menschen, die auf der Höhe eines Berges selbst einem Sonnenuntergang gegenüber vor allem geographische Interessen, besonders durch Aufzählung der Namen der Bergspitzen, befriedigen müssen. Aber auch diese Freuden treten selten allein auf; Humboldts Thränen beim Anblick der Grossartigkeit der tropischen Flora zeigen schon Uebergriffe dieser Gefühlsgattung in eine andere Kategorie. Ferner religiöse Gefühle, Gefühle des Erhabenen, erregen dem Wilden wie dem höchststehenden Menschen entweder die grossartigen Naturereignisse oder die intime Naturbetrachtung, wie sie jede Wiese, jeder Blüthenbaum mit der Unendlichkeit seines summenden Lebens bietet, das die Menschen eine überall waltende Gottheit ahnen lässt. Weniger häufig als die bisherigen — die seltenen Freuden der höchsten Erkenntnis ausgenommen — sind die eine grössere Schulung voraussetzenden künstlerischen Freuden des malerischen Auges, das Formen und Farben, die Architektur eines Baumes, einer Landschaft geniesst. Aber die entwickeltsten, wenigstens sofern sie alle bisherigen Freuden vereinigen können, sind die des Dichters. Dieser findet auch in den weniger malerischen Scenerien, im Inneren eines Waldes, am mondbeschienenen nächtlichen Himmel, am Rauschen des Baches, am Gesang der Vögel, am Leben jeder Blume Befriedigung und bezieht das ganze Leben der Menschen mit ein, sowohl vergangenes — die historischen Gedanken, die jede Ruine erregt — wie gegenwärtiges und künftiges, wie es jede Hütte, wie es ein Grabstein mit dem Hinweis auf das letzte Ziel ermöglicht. Und diese Art von Gefühlen sind es vornehmlich, wenigstens als Vereinigung von Rudimenten jener Factoren, die in weitesten Kreisen die Menschen beglücken.

Zu dieser letzten Höhe nun sind die Naturfreuden weder im Alterthum noch im Mittelalter, weder im Homer noch in

Ossians grossen Naturschilderungen gediehen. Erst die Renaissance hat sie entdeckt. Dante soll der erste gewesen sein. der in solcher bewusster Absicht einen Berg bestieg, und erst bei Petrarca und seinen unmittelbaren Nachfolgern ist die erste unzweifelhafte Naturlyrik zu finden. Aber erst im vorigen Jahrhundert durch Rousseaus Anregung und besonders seit Goethes Lyrik sind Mond, Wald und Frühling von jedem Liebeslenz untrennbare Elemente geworden.

Später haben zum grösseren Anwachsen der Naturfreuden noch andere Bedürfnisse, besonders das nach dem längeren Aufenthalt in der Natur beigetragen. Jene alljährlichen Völkerwanderungen in die Sommerfrischen sind, wiewohl auch durch die besseren Verkehrsmittel, durch Reichthum und Wachsen der alles verderbenden Grossstädte. gewiss aber nicht damit allein zu erklären. Denn schon im vorigen Jahrhundert wurden italienische Reisen häufiger unternommen nach jenen architektonischen und epischen Landschaften, welche die entwickeltsten poetischen Freuden an Natur, Kunst und Geschichte so einzig verquickt zeigen. In solcher Absicht wurden Seen und Meeresküsten innerhalb einiger Jahrzehnte der Gegenwart entdeckt und besiedelt. und die von Dichtern besungenen Gegenden werden zu förmlichen Wallfahrtsorten.

Dass es jetzt mehr poetische Freuden an der Natur gibt, beweist schliesslich auch jene immer wachsende Zahl von versteinerten Luftschlössern in den zauberhaftesten Gegenden, welche Ausgeburten zum Theil wertvoller Gefühle sind. Sie sind Werke von Menschen, die nicht selbst die Kraft des Dichtens in sich haben, um die oft schmutzige Wirklichkeit mit dem Glanz der Phantasie zu durchleuchten, und anstatt dessen Poesie in der Wirklichkeit suchen. Aber sie müssen unbefriedigt bleiben von ihren Märchenschlössern, weil sie keines in Wirklichkeit mit den Zaubergestalten bevölkert finden, die eben das grelle, nüchterne Licht der Alltäglichkeit, in dem diese Dichter doch nur leben, verscheucht.

Nach alledem ist die Zukunft der extensiven Verbreitung der Poesie keine hoffnungslose. Nicht nur ist von einer entwickelteren moralischen und intellectuellen Bildung gleicherweise wie von der Erziehung eine weitere Verbreitung besserer poetischer Gefühle zu erwarten: Hand in Hand damit werden auch Gesetze, wenigstens in negativer Form, immer mehr auch auf Aesthetisches Anwendung finden. Freilich würden viele Institutionen von selbst aufhören, wenn die Menschen ein genügender Ekel erfasste vor den sie noch immer so sehr fesselnden Kunstgenüssen, wie Circus-, Orpheums- und Operettenproductionen, die niemals, auch nicht ausnahmsweise, zu besuchen, jeder Sittliche sich zur Pflicht machen sollte; und wenn die Gebildeten wenigstens mit einfachem Wahrheitsgefühle endlich bekennten, was für den Denkenden in Betreff jeder Individualität evident ist, dass besonders an jenen kostspieligen Aufführungen, wodurch das Millionenpublicum der Grossstädte beständig aufs meiste gereizt wird, am Ballet, nicht die Inhalte, die ja Kinder selten mehr befriedigen, anziehen, sondern lediglich Sinnlichkeit, betreffs welcher Tolstoi sagt, dass wir nicht glauben sollen, dass „wenn wir eine unanständige Sache, wie das Tanzen nackter Weiber, mit dem griechischen Wort „Choreographie" bezeichnen und dann sagen, das sei eine Kunst — dann wirklich eine Kunst da ist." [101])

Schliesslich muss ein entwickelterer Geschmack auch zu anderen äusseren Einrichtungen führen, zu dem Bedürfnisse, anstatt Dichter, Schauspieler und Publicum durch lediglich zerstreuende tägliche Bühnenaufführungen zu verflachen, nach seltenen Vereinigungen in weihevoller Weise, in würdiger Umgebung und zu höheren Zwecken. Hierin waren die Griechen durch ihre einfacheren Verhältnisse den modernen complicirteren voraus.

Die ökonomische Entwickelung.

Die Wichtigkeit einer ökonomischen Entwickelung ist damit zugestanden, dass „reicher", wie wir es bestimmt haben, nicht nur derjenige heisst, der dem Elend, der Nahrungslosigkeit, schlechter Kleidung, Wohnung und Gesundheit besser entgeht, sondern auch, wer damit die Mittel zu einer höheren ethischen, intellectuellen und ästhetischen Lebensführung erlangt. Fragen wir, ob die Menschheit in diesem Sinne in historischer Zeit, vornehmlich in Europa — wiewohl auch andere Culturländer der alten und neuen Welt berücksichtigt werden könnten — im ganzen reicher geworden ist, trotz Bevölkerungsschwankungen und trotz aller Rückschläge z. B. durch die Völkerwanderung, den 30jährigen Krieg etc., so ist dabei ein Dreifaches zu berücksichtigen. Von den Subjectivitäten des Bedürfnisses abgesehen — der Reichste mag sich ja arm fühlen, wenn er Mangel an einem gewohnten Luxus hat — ergeben sich im Begriffe „reich", angewandt auf ein ganzes Volk, zu einer nothwendigen Unterscheidung zwei Momente, die zu verfolgen sind: Die Höhe des mittleren Einkommens und die Richtigkeit der Vertheilung. Das Reicherwerden eines Landes, wenn davon nur einige wenige Vortheil haben, die alle anderen in Sclaverei hielten, hat ja für uns nicht die Bedeutung einer Glücksentwickelung; bekanntlich ist es ja auch ein wichtiger Streitpunkt und Gegenstand der Aufmerksamkeit der geängsteten Gegenwart, ob die sociale Entwickelung nicht zum

Verschwinden des Mittelstandes führen wird. Neben diesen beiden Punkten ist auch noch wichtig der Grad von Sicherheit, mit welchem sich die Menschen ihres Besitzes freuen. Gegenüber Zuständen, in denen grösster Reichthum mit Hungersnoth und allen Zufällen eines Lebens von Raubkriegen beständig wechselt, können Zustände mit geringem, aber gleichmässigerem Einkommen glückliche sein.

Die Gründe nun, die anzunehmen sind für ein Wachsthum des Wohlstandes im Sinne aller drei genannten Punkte, sind durch die Statistik und Geschichte gegeben.

Der Beweis aus der Statistik.

Zahlenmässige Aufschlüsse können nur erhofft werden betreffs der neuesten Zeit und auch hier nur über wenige Länder. Und selbst wenn uns das Problem nur in seiner Allgemeinheit beschäftigte, nämlich, was sich über ein Mehreinkommen per Kopf sagen liesse, zunächst von der Vertheilung ganz abgesehen, so ist zu sagen, dass eine zahlenmässige Beantwortung des Problems natürlich nicht möglich ist, wenn man das Verhältnis von Alterthum und Gegenwart in Frage bringt. Eine Zahl, wie die für das Jahr 1888 in Annäherungen gefundene,[102] nach welcher das Einkommen per Kopf für den preussischen Staat circa 329 Mark betragen soll, auch nur für Rom oder Griechenland, ja selbst für das Mittelalter zu nennen, wird sich die gründlichste Antiquarkunst nicht unterfangen.

Die Schwierigkeiten sind zahlreich. Vor allem ist die Statistik, wie wir sehen werden, kaum für dieses Jahrhundert, und auch kaum in zwei oder drei Ländern solchen Problemen gewachsen. Sie kennt die Geldwerte durchaus ungenügend, ebenso wie die veränderten Menschenzahlen, die zu berücksichtigen sind. Das Europa, dessen Volkszahl sich nur seit 100 Jahren mehr als verdoppelt hat, das jetzt 360 Millionen Menschen zählt, schätzt man zu Christi Geburt auf 30 Millionen, und das ganze römische Weltreich soll nicht ganz doppelt so viele Einwohner gezählt haben als das jetzige Italien allein.[103]) Also selbst bloss für Europa würden Irrthümer, die leicht Millionen Menschen treffen können, von allen anderen Fehlerquellen abgesehen, die Einkommenzahlen völlig entstellen.

Auch allgemeine Argumente, besonders von Historikern,[104]) soferne sie Zahlen geben wollen, sind grossentheils wertlos, besonders jene, die sich auf Bedürfnisse und Luxus beziehen, und zwar schon deshalb, weil wir nie wissen, wie vielen Menschen dieser zugute kam.

Auch jene Argumente, die ihre Dignität der modernen rascheren und massenhaften Production und der wirtschaftlichen Inangriffnahme weiterer Ländercomplexe entnehmen, führen nicht über einen vagen Glauben hinaus. Man will z. B. gefunden haben,[105]) dass, wenn auf jede athenische Vollbürgerfamilie 10 Sclaven kamen, oder besser, auf einen Freien ein Sclave, wir jetzt für jeden solchen sechs stellen, mit Rücksicht auf die Leistungen der Maschinen, die „nur Kohle essen und Oel trinken" und die in Europa allein 28 Millionen Dampfpferdekräfte repräsentiren. Hiegegen ist alles einzuwenden, was gegen Schätzungen des Reichthums auf Grund des Capitales einzuwenden ist, z. B. ob genug Arbeit und Material vorhanden ist, es zu verwerten, wie viel die Geburt dieser modernen Sclaven Werte verschlingt, ob nicht bei ihrer Arbeit die Menschheit noch immer verhungern könnte, und zwar nicht bloss wegen schlechter Vertheilung, sondern weil diese Sclaven vielleicht viel weniger als die alten im Dienste der wichtigsten Bedürfnisse, vor allem des Ackerbaues stehen etc. Die Thatsache, dass „die Spindeln allein 20mal so viel leisten, als

die Gesammtbevölkerung Europas zu leisten vermöchte, wenn
Männer und Weiber, Kinder und Greise alle ohne Ausnahme,
jahraus jahrein nichts anderes thäten als spinnen, so dass
der Fortschritt von Homer bis heute 1 zu reichlich 30.000
wäre" — brauchte, wenn sonst nichts weiter bekannt wäre,
gar nichts zu bedeuten, wenn dieser ganze Arbeitsgewinn
Seidenstoffen oder Gegenständen für Reiche, also vornehmlich
dem Luxus diente. [106])

Die statistischen Argumente gewinnen erst dann unzweifelhaften Wert, wenn sie eine concretere Form annehmen, wenn
wir nach kurzen Zeitperioden und einzelnen Ländern fragen.
Und hier können wir auch zu einigen bestimmten Resultaten
auf Grund von Zahlen gelangen. Da diese aber kaum hundert
Jahre zurückgehen, so wären sie wieder für unsere Frage völlig
gleichgiltig mit Rücksicht auf alles, was wir schon betreffs
solcher Resultate gesagt. Wenn wir sie dennoch ein wenig
besehen, so geschieht es mehr, um für die Zukunft zu zeigen,
welcher rasche Umschwung zum Besseren in ökonomischen
Verhältnissen überhaupt möglich ist, als um eine Kritik zu üben.
wie wenig verlässlich selbst dieses controlirbarste Material,
aus dem doch beständig so viele verfrühte Schlüsse gezogen
werden, ist.

Die Statistik der neuesten Zeit, der Maschinenära, zeigt
für einzelne Länder, für Sachsen, Preussen und besonders England — und hierin können wir den völlig übereinstimmenden
Resultaten der gesammten Nationalökonomie glauben — einen
unzweifelhaften Reichthumzuwachs. Wie immer approximativ
die Zahlen seien, ihr Wert wird dadurch bedingt, dass die
Gegenwart die Fehlerquellen berücksichtigen kann, wie z. B.
Irrthümer durch die Steuereinhebungen, durch die Bevölkerungszunahme, dass sie Correcturen der Geldwerte vornehmen
kann u. s. w. Wir wollen den Zuwachs nur an einem Beispiele

18*

klar machen, an dem Englands, und es genügen, obwohl sein durch die Plünderung Indiens erworbener Reichthum weniger berücksichtigt wird, als für uns, die wir um den Weltreichthum fragen, nöthig wäre, unserem allgemeinen Ziele die folgenden, jedem Socialpolitiker geläufigen Angaben; sie sind ja denen anderer Culturländer ähnlich.

Zu Beginn der Maschinenära, 1750, schätzte man das englische Nationalvermögen auf 500 Millionen Pfund — im Jahre 1600 nur auf 100 — und das von Grossbritannien und Irland, welches 1812 — es wurde wegen mangelnder Steuerstatistik noch sehr approximativ geschätzt — schon auf 2700 und 1885 auf 10.000 Millionen Pfund. An diesem Resultate einer so grossen Einkommensteigerung ändert es selbst nichts, wenn man damit den hohen Bevölkerungszuwachs vergleicht, dass die englische Bevölkerung im Jahre 1751 6,335.000, 1861 20,120.000 und 1891 29,000.000 betrug; das Resultat lautet auch dann: Bei einem circa achtfachen Bevölkerungszuwachs ein 20facher Zuwachs des Vermögens.[107])

Wir müssen es uns für unseren Zweck versagen, die Kritiken vorzuführen, welche die nationalökonomische Wissenschaft ähnlichen Zahlen, alle vorher genannten Fehlerquellen berücksichtigend, angedeihen lässt. Die Resultate und die Genauigkeit derselben können uns durchaus genügen. Sie zeigen den gewaltig steigenden Reichthum in unzweifelhafter Weise, und zwar, wie gesagt, nicht nur für England, sondern auf Grund ähnlicher Angaben auch für Preussen, Sachsen und andere Culturländer. Wollen wir uns aber durch solche Resultate nicht blenden lassen – ein ganzer Welttheil, z. B. Afrika, könnte ja auch ärmer geworden sein — so können wir aus der Thatsache des im letzten Jahrhundert unzweifelhaft gesteigerten Reichthums nur einen sicheren Schluss auf unser eigentliches Problem, ob die Menschheit als Ganzes reicher geworden ist,

ziehen, wir können sagen: Die Welt ist, von der Vertheilungsfrage abgesehen, in ihrer jüngsten Entwickelung jedenfalls inso-
weit als reicher zu bezeichnen, als sie ihren unzweifelhaften
reicheren, d. h. den wichtigsten Culturländern ähnlich ist. Die
pessimistische Behauptung des Aermerwerdens also hätte sich
auf die uncultivirten Länder zu beschränken, betreffs welcher
sie aber dann den Beweis, dass sie seit dem Alterthum nicht
reicher geworden sind, aus denselben Gründen, aus denen wir
ihr Reicherwerden nicht erweisen konnten, nicht führen kann.

Aber fragen wir weiter: Ist auch die Vertheilung eine
bessere geworden?

So bestimmt das frühere Resultat lautete, so Unbestimmtes
haben wir von der Beantwortung dieser Frage zu erwarten, von
der Frage, wem dieses Mehr an Reichthum zufliesst. Ohne noch
auf die Frage, was bessere Vertheilung im ethischen Sinne heisst,
jetzt schon einzugehen, genügt es uns hier zu betonen, was
jedermann weiss, dass es sich in rein ökonomischem Sinne
dabei jedenfalls um Probleme handelt, wie Umfang des Mittelstandes, Höhe des Lebensminimums, des Lohnes, Zahl der
Latifundien u. s. w. Dass wir dabei noch mehr als bei dem
früheren Problem von Weltreichthum und von Weltarmut auf
Beschränkungen nach Raum und Zeit gewiesen sind, erhellt schon
daraus, dass die Schwierigkeiten, die sich bei einer zahlenmässigen Darstellung dort ergaben, hier in erhöhtem Masse
wiederkehren. Wenn wir ein Einkommen als Lebensminimum
abgrenzen wollen gegen das des Mittelstandes, so handelt es
sich um eine bestimmte Zahl; und wenn z. B. jetzt nur Steuern
nach anderen Principien als vor einem halben Jahrhundert auf-
erlegt werden, so wird die fast ausschliesslich mittelst jener ge-
wonnene Schätzung des Einkommens dadurch ebenso empfindlich getroffen als durch Irrthumsquellen, wie wenn Censiten ihr
Einkommen verleugnen oder wenn die Controle unzulänglich ist.

Allgemeine Argumente haben hier noch weniger Wert als im früheren Falle. Wer glaubt, dass der Mittelstand, die Zahl der Beamten, Officiere, Advocaten, Aerzte, Priester etc. gegenüber dem Alterthume gewachsen ist, hätte ja auch zahlenmässig zu zeigen, dass es nicht auf Kosten des Lebensminimums geschehen; wer behauptet, dass sie abgenommen, hat zu erweisen, dass es nicht zu dessen Gunsten geschehen, und in welchem Verhältnis sich damit parallel die Millionenvermögen vermehrt oder vermindert haben.

Auch alle scheinbar zahlenmässigen Schilderungen über Luxus oder Elend, z. B. wie lange bis in die Neuzeit herein die Lohnarbeiter keine Fenster, kein Licht oder keine Beinkleider besassen, beweisen selbst für ein einzelnes Land sehr wenig; sie werden in den Händen einer historischen Kritik ihrer Zahlenmässigkeit völlig entkleidet, so dass wir schon wieder zufrieden sein können, wenn wir auf Grund von Zahlen nur über die letzten 100 Jahre und nur in einem Lande wie England zu brauchbaren Wahrscheinlichkeiten gelangen.

Wenn wir zu diesem Zwecke uns der Reihe nach zuerst die Zu- oder Abnahme der grossen Vermögen, dann der Armut und zuletzt des Mittelstandes besehen, dessen Zunahme ja für die Constatirung eines besseren Ausgleichsverhältnisses von hohem Werte ist, so gibt es nur betreffs des ersten Punktes unter den Nationalökonomen der entgegengesetzten Richtungen Einmüthigkeit. Bekanntlich betonen ja auch die pessimistischen Anhänger des Socialismus die Thatsache der Zunahme der grossen Vermögen, und natürlich nicht bloss bei juristischen Personen. Wir brauchen uns also nicht bei den Zahlen aufzuhalten, um das Resultat aufnehmen zu können, dass in Culturländern wie England, sowohl die Zahl als der Umfang der grossen Vermögen in den letzten 100 Jahren bedeutend gewachsen sei.

Schon viel weniger bestimmt lautet das Resultat, die Armut betreffend. Dass das Elend noch das grösste ist, dafür sprechen die Zahlen auch der modernen Statistik für die Culturländer auf das Bestimmteste. Sie sagen z. B., dass in Preussen noch 1890 von 5,762.000 Familienvätern 4 Millionen, also 70⁰/₀ von der Classen- oder Einkommensteuer frei waren, weil sie ein Einkommen unter 900 Mark bezogen; oder dass von 100 Wohnungen noch 1885 solche mit 6 oder mehr Bewohnern auf ein Zimmer kamen: in Breslau 10⁰/₀ und selbst in einer Stadt wie Berlin 1880 3·3⁰/₀, d. h. 14⁰/₀ der Bevölkerung. [106]) Aehnliche Resultate fasst Lasalle in seiner bekannten Vertheidigungsrede in folgender Weise zusammen:

„Also 11.400 Personen im ganzen Staate mit über 2000 Thalern Einkommen und, diese inbegriffen, 44.400 Personen im ganzen Staate mit über 1000 Thalern Einkommen..... Es ist dieselbe lächerlich kleine Handvoll Menschen mit ihren Familien, die in allen Städten alle Theater, alle Concerte, Gesellschaften, Bälle, Kränzchen, Restaurationen und Weinstuben füllen, vermöge ihrer Ubiquität den Schein einer wunder wie grossen Anzahl erregen, nur an sich denken, nur von sich sprechen, die sich dünken, die Welt zu sein, und indem sie allein über alle Zeitungen und alle Fabrikanstalten der öffentlichen Meinung disponiren, wahrhaftig sogar alle anderen dahin bringen, es zu glauben und sich einreden zu lassen, dass sie, diese 11.000 oder diese 44.000, die Welt sind."

Aber wir wollen ja nicht dieses Elend bezweifeln, sondern fragen, ob es nicht kleiner ist gegenüber früheren Zeiten.

Besehen wir aber nur an einigen Beispielen die Schwierigkeiten. Dass dabei einfache Armenstatistiken, wie dass in Sachsen die Zahl der infolge Arbeitslosigkeit oder unzulänglichen Verdienstes Unterstützten im Jahre 1880 circa 20.000 und 5 Jahre später 15.000 betrug, nichts besagen, erhellt aus der Art der Fehlerquellen, die schon bei einer Zeitspanne von 100 Jahren zu berücksichtigen wären, selbst wenn wir, ohne Rücksicht auf Bevölkerungszunahme und andere Daten wirklich die Statistiken bis auf 100 Jahre zurück genau verfolgen könnten. Es kann das Mitleid und damit die Zahl der Privaten, die Arme versorgen, gestiegen sein; es kann der Fortschritt der Medicin eine grössere Zahl arbeitskräftig erhalten haben; es können grosse Militäraushebungen, ein Krieg, Epidemien, zahlreiche vorübergehende Einflüsse in einem so kurzen Zeitraume die Auffindung der Regelmässigkeit unmöglich machen.

Zur Beantwortung unserer Frage wird daher auch ein anderes Object für einen besonders heftigen Kampf gewählt, das wichtigste, nämlich ob der Lohn sich erhöht habe. Diese zahlenmässigen Ermittlungen werden aber wieder besonders dadurch erschwert, weil die Zonen der der Statistik wertvollen Steuerregionen hoch über dem Elende verlaufen und andere Mittel der Untersuchung andere Schwierigkeiten mit sich führen. Der Lohn zeigt ja nicht nur die grössten Schwankungen in kürzesten Zeiträumen selbst in e i n e m Lande und in verschiedenen Berufsarten — wir können auch nicht wissen, wie viele Familienhäupter oder gar Mitglieder einer Familie ihn beziehen, wie lange und gesichert (mit Rücksicht auf Krisen) sie ihn beziehen, welche politischen und staatlichen Verhältnisse ihn für die kurze Dauer beeinflussen. Alles das sind Gründe, warum die Zahlen hier viel unbestimmter sprechen als bei den Millionenvermögen. Natürlich sind alle allgemeinen Argumente auch hier wertlos: solche, wie das vom Gesetz der industriellen Reservearmee oder das eherne Lohngesetz; dieses ist ja in reinen verschiedenen Formen selbst von Socialisten, jenes von der Wissenschaft bekämpft worden. Auch wird niemand Zahlen sehr hoch bewerten, wie, dass jetzt von bestimmten Fleischsorten in England 70mal so viel importirt wird als vor 50 Jahren, wodurch, wie man sagte, jeder Arbeiter alle Sonntage 1 Pfund Fleisch mehr auf dem Tische habe; niemand wird zugeben, dass das Hebung der Armut bedeute.

Was kann also solchen Details gegenüber derjenige, der über das Weltelend Klarheit haben will, anders thun, als sich über das Resultat belehren lassen, über welches Fachmänner, die ihr Leben der Auffindung solcher Daten und ihren Kritiken widmen, einig sind. Aber selbst diese sagen uns sehr wenig. Nicht nur, dass es sich in ihren Discussionen oft nur um sehr mässige Lohnerhöhungen handelt, sondern auch die Einigkeit der Meinungen ist keine unzweifelhafte. Dennoch, wenn wir die Stimmen der angesehensten Statistiker hören, so scheinen sie im allgemeinen für Steigerung der Löhne zu sprechen, und es dürfte ihrer Meinung entsprechen, was ein englischer Statistiker sagt:

„Zu Beginn des Jahrhunderts waren die Preise der Bedarfsartikel der Arbeiter, eins ins andere gerechnet, nahezu doppelt so hoch wie heute. Gleichzeitig hat sich der mittlere Geldlohn der Arbeit auf das doppelte gehoben. Das Durchschnittseinkommen je für Mann, Weib, Kind in der Handarbeiterclasse war damals ungefähr 12 Pfund Sterling und ist heute nicht unter 20 Pfund Sterling. Diese Classen haben heute sicher noch nicht zu viel von den Bedürfnissen, dem Comfort, dem Luxus des Lebens. Aber damals hatten sie nicht ein Drittel von dem, was sie heute haben. Früher Tod und Krankheit liefen damals Aufruhr stiftend durch das Land." [109]

Neben solchen Angaben aber finden wir, dass selbst Anhänger dieser Anschauungen doch über Zunahme der Löhne im concreten mit grosser Vorsicht sprechen. Ein Statistiker, der jene Ansicht im allgemeinen vertheidigt, und der alles Elend der grossen Volksvermehrung zuschreibt, sagt:

,Nach alledem können wir als Entwickelung im Stande des englischen Arbeiters festhalten: dass es im zweiten Jahrzehnt unseres Jahrhunderts am schlechtesten gegangen ist trotz einzelner eingestreuter besserer Jahre, dass seine Lage dann 1821 eine ausgesprochen gute wurde, aber nur ganz vorübergehend und alsbald wieder ein Rückschlag folgte, auf dessen Stand er, d. h., wenn auch nicht im grössten Elend, so doch in grösster Dürftigkeit lebend durch die folgenden Jahrzehnte festgehalten worden ist, bis dann seit Mitte des Jahrhunderts eine ziemlich gleichmässig fortschreitende Besserung begann." Aber gleichzeitig wird zugegeben: „Generalziffern zu gewinnen, welche die Hebung in der Lebenslage des gesammten Arbeiterstandes seit Beginn der Maschinenära oder seit Mitte unseres Jahrhunderts darstellen, ist allerdings sehr schwer."[110]

Dem entgegen müssen wir berücksichtigen, dass die grösste Zahl der socialistischen Statistiker, unter denen es auch hervorragende gibt, die wir wenigstens nicht ohneweiters als tendenziös bezeichnen dürfen, ungefähr der Meinung ist: „Unserem Jahrhundert ist es vorbehalten geblieben, mit dem Nationalreichthum zugleich die Armut der Massen zu steigern ... Das Elend ist heute grösser als je."[111] Und damit ist auch in theilweiser Uebereinstimmung einer der angesehensten englischen Forscher, welcher auf Grund allseitigster Studien und detaillirtesten Geschichtsmaterials sogar behauptet, dass es den englischen Arbeitern im 15. Jahrhundert besser gegangen sei, der Lohn höher war als jetzt. Uebrigens findet auch dieser, dass der Lohn anfangs dieses Jahrhunderts am tiefsten, am Ende am höchsten und nahezu wie in jener besten Zeit sei.[112]

Solcher Art sind die besten Resultate, welche die statistische Wissenschaft einem Glauben an die Verminderung der Armut bisher, hoffentlich nicht für immer, bieten kann; es ist ein Glaube, der, selbst wenn er zu einiger Wahrscheinlichkeit betreffs aller Culturländer führte, noch immer nicht sehr vielsagend wäre.

Unter diesen Verhältnissen möchten wir nun mehr Klarheit erwarten von der Beantwortung der für uns vielleicht wichtigsten Frage nach dem wachsenden Mittelstand. Sie soll uns aufklären, ob der Boden, auf dem Arme und Reiche stehen, nur gleichmässig gehoben wurde, oder ob er einen Riss erhielt und das Verhältnis ein besseres geworden ist. Also besonders von Interesse wäre nicht so sehr die Frage, ob die mittleren Einkommen intensiv, sondern ob sie extensiv gewachsen sind.

Hier will ich einfach, ohne wieder die grossen Schwierigkeiten hervorzuheben, die hervorragendsten Männer der „statistischen Wissenschaft" selbst sprechen lassen über ihren ganz unentschiedenen und, wie bei diesen nach Jahren zählenden Daten nicht anders zu erwarten ist, wohl noch lange dauernden Kampf, der sich natürlich bis auf die Frage, was überhaupt Mittelstand heisst, erstreckt.

Die Unbrauchbarkeit, respective Nichtübereinstimmung der statistischen Resultate können wir an verschiedenen Culturländern und an den Arbeiten der besten Statistiker zeigen.

Für England stellt. der Director des statistischen Amtes fest, dass die Einkommen von 150 bis 200 Pfund Sterling sich in den Jahren 1843 bis 79/80 von 39·366 auf 130·101 vermehrt haben und auch alle anderen, selbst die von 50.000 Pfund Sterling und mehr von 8 bis 68.

„Die Vermehrung ist in allen Classen, von den untersten zu den höchsten, auf das Zwei- und Dreifache gegangen; hin und wieder ist sogar eine noch stärkere Vermehrung erfolgt, ausgenommen nur die höchsten Classen, wo aber die absoluten Ziffern an sich unbedeutend sind."[113]

Dieser Statistiker findet also, dass der Mittelstand über die Volksvermehrung gewachsen ist.

Dem entgegen gelangt ein anderer über das Einkommen einer Stadt (Basel) zu dem Resultate:

„In der niedersten Classe hat die Zahl der Steuerpflichtigen erheblich abgenommen (um 229 Personen), dieser Rückgang ist aber reichlich ersetzt worden durch eine Zunahme der Steuerpflichtigen aller übrigen Classen (zusammen 360 Personen). Allein in diesen vertheilt sie sich nicht gleichmässig, sondern sie gewinnt umsomehr an verhältnismässiger Bedeutung, je höher man in der Classenfolge hinaufsteigt. . . . Man darf daraus schliessen, dass die Brücke, welche die mittleren (zunächst über 60.000 Fran-

ken) mit den kleinsten Vermögen (bis zu 20.00 ' Franken), und diejenige,
welche die Schicht der Millionäre mit der übrigen Menschheit verbindet,
schmäler geworden ist."[114]) Ein Anhänger dieser Anschauungen folgert daraus: „Man wird auf Grund der Baseler Beobachtungen unmöglich die Behauptung aufstellen können, dass im freien Verkehre schon von selbst
eine immer grösser werdende Gleichmässigkeit in Bezug auf die Einkom-
mens- und Vermögensvertheilung sich vollziehe."[115])

Anderes findet ein dritter Statistiker, besonders in einer
Statistik für Sachsen von 1879 bis 1890, mittelst einer allerdings sehr anzweifelbaren Methodenkritik, dadurch, dass er
meint, alle früheren Resultate anders lesen zu müssen:

„Eine Herabdrückung der mittleren gegen die unteren Classen, eine
Isolirung der Besitzenden bei gleichzeitiger Verringerung ihrer Zahl ist
wieder nicht zu constatiren, sondern das genaue Gegentheil. Wie schon
früher bemerkt, gestattet uns das tief liegende steuerfreie Existenzminimum
der sächsischen Einkommensteuer, die Entwickelung, welche unsere Gesellschaft unter dem Einfluss der „capitalistischen" Einrichtungen nimmt, hier
viel genauer festzustellen, viel weiter nach unten zu verfolgen, als in irgend
einem anderen Lande. Unter die sächsische Einkommensteuer fallen heute
ziemlich alle Erwerber des Königreichs (1890 waren 1,327.144 Personen
von im ganzen 1,404.069 Erwerbern steuerpflichtig). Die Statistik ist darum
von unübertrefflicher Vollständigkeit. Sie umfasst in der That das ganze
Volk, die gesammte „Gesellschaft." Und da zeigt sich nun: Eine Empor-
hebung der gesammten Gesellschaft gegen die Stufe der Häblichkeit. War
1879 die Gesellschaftsschicht mit 500 bis 1600 Mark noch schwächer als
die mit Einkommen bis 500 Mark (40 gegen 51·5%), so sind nun die
Rollen gewechselt (51 gegen 39%), der Schwerpunkt ist hinaufgerückt, die
Pyramide ruht auf mächtigern Quadern als zuvor. Auch die Zahl der sehr
Wohlhabenden hat stark zugenommen, das ist richtig; aber die Verbindung
nach unten hin, repräsentirt durch den Mittelstand, ist nicht brüchig geworden, sondern hat an Mächtigkeit gewonnen."[116])

Hinwiederum führt die Statistik aller Socialisten zu den
bekannten Resultaten von der Auflösung des Mittelstandes,
für welche es unnöthig ist, Beispiele zu citiren.

Und wieder ist bezeichnend, dass ihnen entgegen ein anderer Forscher sagt:

„Die absolute Zunahme der kleinen Einkommen (526 bis 2000 Mark) von 1876 bis 1888, bezüglich der Censiten mit $11.6^0/_0$ und der Einkommen mit $10.1^0/_0$, bleibt etwas zurück im Verhältnis zur Zunahme des Ganzen. Die mässigen Einkommen zeigen eine Zunahme bezüglich der Censiten um $21.5^0/_0$ und der Einkommen um $21.9^0/_0$. Die drei übrigen höheren Classen zeigen eine ansehnlich grössere Zunahme, als die vorhergehenden. Die mittleren Einkommen haben nämlich zugenommen um $43^0/_0$, beziehungsweise $44.1^0/_0$; die grossen Einkommen haben zugenommen um $47^0/_0$, beziehungsweise $46^0/_0$; die sehr grossen Einkommen haben zugenommen um $58^0/_0$, beziehungsweise $56.4^0/_0$."

Aber gleichzeitig werden wir gewarnt, die vorstehenden Ergebnisse zur Bestätigung der bekannten Behauptung zu benutzen, dass unsere neuere wirtschaftliche Entwickelung in beklagenswerter Weise dahin gehe, die Reichen noch reicher und die Armen noch ärmer zu machen und kolossale Vermögen mehr und mehr in wenigen Familien anzusammeln.

„Wie anders sollte sich bei den gegebenen Bevölkerungs- und Wirtschaftszuständen ein erwünschtes Fortschreiten des allgemeinen Wohlstandes und Erwerbes bemerkbar machen, als eben dadurch, dass Jahr für Jahr aus den Classen mit geringeren Einkommen eine wachsende Zahl von Familien in höhere Classen einrücken, und dass diese somit im Verhältnis zum Gesammteinkommen eine steigende Quote aufweisen?" [117]

Bei einem solchen Stande der statistischen Forschung wird jedermann, der nicht sein Leben dem Finden und Deuten solcher Zahlen widmen will — abgesehen davon, dass sie auch für Optimisten und Pessimisten, die über Lust und Leid der ganzen Welt reden wollen, ziemlich wertlos wären — sich jeder Meinung enthalten.

Ebenso wertlos wäre das Eingehen auf ähnliche Untersuchungen, welche die Berufsstatistiken betreffen, d. h. solche mit Anordnung nach Berufsarten, sofern diese eine gewisse Wohlhabenheit voraussetzen; denn wir müssten, da es sich um Berufe, die einen gewachsenen Mittelstand constatieren sollen, handelt, doch auch auf seine Begriffsbestimmung durch das Einkommen eingehen, was aber wieder zum früheren Probleme zurückführte. Von gleicher Resultatlosigkeit ist auch das gewöhnliche Kunststück der ganz unerlaubten Identification nur einer auffallenden Erscheinung, wie die Auflösung des Kleingewerbes, mit der Verminderung des Mittelstandes. Es scheint demnach, dass die Frage nach der besseren Vertheilung auf Grund statistischer Belege noch weniger Anrecht auch nur auf Glauben verdient als jene nach vermehrter oder verminderter Armut, und zwar nicht einmal für die wirklich armselige Wahrscheinlichkeit eines armseligen Inductionsmateriales von 100 Jahren. Der Hauptwert der statistischen Erfahrungen der letzten 100 Jahre liegt darin, zu zeigen, dass die Menschheit allgemein in dieser Zeit grossen Wohlstand erworben hat, und was wichtiger ist, zu zeigen, wie rasch Wohlstand zu erwerben möglich ist.

Der Beweis aus der Geschichte.

Ganz anders überzeugend als der statistische Beweis spricht die Geschichte für jeden, der sie nicht im Lichte einer Theorie besieht. Sie spricht in so unzweifelhafter und nicht widerlegbarer Weise für die Entwickelung, dass zu unserem Nachweise eine Gruppirung von Argumenten, wie wir es früher gethan, nach Institutionen, Gesetzen, Kunstgeschichte, unnöthig ist. Es genügen schon einige Beispiele. In allen Institutionen zeigt sich gegenüber der Sclaverei des Alterthums ein alles überwuchernder Mittelstand, dessen Rechte und Freiheiten allein schon ein Zeugnis sind für seine ökonomische Unabhängigkeit, ohne welche ja die politische nicht möglich ist. Höhe und Sicherheit des ganze Stände bis in das Alter versorgenden Einkommens, wie das von Geistlichen, Militärs, Beamten, Kaufleuten, Aerzten, Rechtsanwälten etc., ja selbst der Frauen, ist noch dem Mittelalter unverständlich. Und dieser Zuwachs erfolgt weder auf Kosten des Lebensminimums, noch grosser Vermögen, an denen — d. h. ebenso grossen wie im Alterthum — es auch der Gegenwart nicht fehlt, welche letzte Thatsache ja schon ihre Kämpfe dagegen bezeugen. Eine gleiche Entwickelung zeigt sich in der Geschichte des Rechtes und der Kunst. Wir finden an Stelle moderner Gesetze für Altersversorgung oder Armenpflege, die es im Alterthume so gut wie nicht gab, Gesetze, die befehlen mussten, dass ein einzelner — es kamen circa zehn Sclaven auf einen Reichen — nicht mehr als 20.000 Sclaven besitzen und nicht mehr als 100 freilassen dürfe, und der Wohlstand dieser war zum mindesten kein grösserer als der der „weissen Sclaven" der Gegenwart. Und denselben Mangel des Mittelstandes demonstrirt die Kunstgeschichte: die Bühne des Sophokles und selbst die Shakespeares kannte einen solchen noch so gut wie nicht, während fast allein aus ihm und für ihn die ganze Kunst der Neuzeit entstanden ist. Aber wie gesagt, diese Beispiele genügen unserem Zwecke vollkommen. Wir wollen anstatt solcher Details, und auch um die Ansatzpunkte für eine künftige Entwickelung besser zu finden, nun allgemein an den wesentlichen Bedingungen des Volkswohlstandes zeigen, dass, und was ebenso wichtig ist, unter welchen Voraussetzungen derselbe sich bisher entwickelt hat; es wird sich dabei von selbst ergeben, dass er lediglich Folge höherer moralischer und intellectueller Entwickelung ist.

Diesen Fortschritt des Reichthums und seine wirtschaftlichen Erfordernisse werden wir am besten an den folgenden fünf ökonomischen Postulaten ersehen; sie lauten:

1. Es darf nicht mehr Menschen als Lebensmittel geben.

2. Möglichst viel Menschen müssen arbeiten.

3. Sie müssen möglichst einträgliche Arbeit thun.

4. Sie dürfen keine unnöthige Arbeit thun.

5. Der Arbeitserlös muss richtig vertheilt werden.

I. Der Menschenüberzahl hat die Entwickelung zunächst indirect in der Weise vorgebeugt, dass sie, wie die Statistik uns zeigt, die Lebensmittel in den Culturländern im grössten Umfange vermehrt hat, und zwar trotz der grössten Bevölkerungszunahme; das ist ja auch, so lange diese nicht zu sehr anwächst, der beste Weg. Auch die übrigens wegen der fremden Klimate oft gefährlichen Colonisationen haben zur Regelung beigetragen. Der Mangel, wie er sich jetzt in Europa zeigt, ist nicht mehr so geartet, dass eine langdauernde Hungersnoth zu überstehen und Verhungerte auf den Strassen aufzulesen sind. Er tritt in der wie immer entsetzlichen, doch milderen Form auf, dass z. B. die der Schonung bedürftigen Kranken dadurch, dass sie der Lebensmittel im weiteren Sinne entbehren, arbeiten müssen und dadurch zugrunde gehen. Freilich mit Rücksicht darauf, auf das Bedürfnis nach einer menschenwürdigeren Form des Daseins, nach einem höheren Lebensminimum, ist noch immer von Uebervölkerung zu sprechen, wenigstens nicht mit Bestimmtheit anzugeben, wie oft und wie weit noch der Kampf der ärmeren Classe um jene Lebensmittel im weiteren Sinne ein verlorener Kampf ums Leben ist.

Auch in directer Weise versuchte die Culturmenschheit gegen die Uebervölkerung Selbsthilfe oder zeigt Ansatzpunkte dazu. Die Meinung, dass es unsittlich sei, 10 Kinder zu haben, dass es eher verächtlich als ein „Zeichen von Kraft" sei, wird immer allgemeiner; geistiges und körperliches Verkommen, wenn nicht der Kinder, so doch der Mutter, auch wo äussere Noth nicht vorherrscht, ist eine gewöhnliche Folge, und jedenfalls ist jeder ernstere erziehliche Einfluss der Eltern, selbst in den reichsten Familien ausgeschlossen. Sogar unter den Un-

gebildeten ist die Anschauung schon oft vertreten, dass,
mehr Kinder zu haben als man menschenwürdig ernähren
kann, in jedem Falle das äusserste an Unsittlichkeit ist. Aus
diesen Gründen verweigern auch Arbeitervereine Arbeitern
mit zahlreicher Familie den Eintritt, und es bedingt sogar
das Ueberschreiten einer gewissen Kinderzahl den Aus-
schluss. Von grösster Bedeutung ist auch die Propaganda,
welche unter den Arbeitern für den präventiven Verkehr, dessen moralische Seite hier noch nicht zu untersuchen
ist, getrieben wird; in immer weitere Kreise dringen die darauf bezüglichen Erkenntnisse, zu deren Activirung, man kann
sagen, schon ganze Berufszweige, besonders in Grossstädten, in
erschreckender Zahl und Progression die Mittel beschaffen.
Aber auch diese Art Selbsthilfe ist noch eine verschwindende,
wie beträchtlich sie immer sei, und gewiss verschwindend wie
alle vorher genannten Abhilfen gegen Uebervölkerung; denn
trotz derselben steigt, schon wegen der durch die Civilisation
geringeren Sterblichkeit, des Aufhörens von Kriegen, Epidemien, die Menschenzahl in erstaunlicher Weise; aber ohne
diese Hilfen wäre sie noch weit anders gestiegen.

Diese Ansatzpunkte gestatten gewiss auch, für die Zukunft
Hoffnungen zu hegen, dass die Zahl der Menschen die der Lebensmittel nicht übersteige, weder mit Rücksicht auf die Grenzen
der Nährkraft der Erde noch auf die Tendenz der Menschen, ihre
Zahl zu vergrössern. Darüber ist noch Folgendes zu bemerken.

Gewiss ist die Ansicht unrichtig, dass die Erde eine unendliche Nährkraft oder nur eine solche besitze, dass sie von
so vielen Menschen bewohnt werden könnte, als „Schulter an
Schulter auf ihr Raum finden". Wiewohl im physischen Lebensprocess die Erde den Organismen im beständigen Wechsel
ebensoviel gibt als nimmt, so ist doch ein grosser Umsatz von
Energie nothwendig, um Nährelemente in Nährstoffe umzu-

führen, oder kürzer gesagt, man kann nicht davon leben, womit man düngt. Immerhin aber ist die Grenze der Nährfähigkeit der Erde, besonders sofern sie durch künftige wissenschaftliche Entdeckungen und Erfindungen und durch die Organisation der Arbeit ins Unabsehbare erhöht werden kann, eine so unbestimmbare, dass die richtige Ansicht dahin geht, dass die Frage der Uebervölkerung wegen ihrer bedenklichen ethischen Seite lediglich als eine der Vermehrung der Lebensmittel aufzufassen sei. Es erscheint dies umsomehr geboten, als es Ansichten über eine physiologische Anpassung gibt, welcher zufolge die Civilisation weniger fruchtbar ist; die intellectuelle Entwickelung soll zu vermindertem Geschlechtstrieb, und was damit nicht gleichbedeutend ist, zu verminderter Productivität führen, und auch eine bessere Ernährung soll es, was selbst Thierculturen zeigen. Wie immer diese Thatsachen anzuzweifeln sind — wenn z. B. grosse Männer weniger Kinder haben, unterliegt es Zweifeln, wie weit diese Erscheinung vielleicht allein durch ihre seltene moralische Kräfte voraussetzenden Principien erklärt werden kann — der pessimistische Glaube ist nicht besser begründet. Aber angenommen, dass der Glaube an die in Zukunft besser angepassten Triebe und an die Erlangung ausreichender Lebensmittel, der als solcher nicht zu widerlegen ist, falsch sei — gewiss würde selbst dann die Zukunft sich nicht verloren geben. Vor allem, die Richtigkeit des Nützlichkeitsargumentes vorausgesetzt, dass man noch lange, und zwar für so lange Zeit in dieser Angelegenheit keinerlei Entscheidung fällen solle, bis ein begründeterer Glaube vorliegt — wird sich aber die nächste Zukunft gedulden wollen, die Aussicht hat, gerade in den Culturländern die Menschenzahl so gewaltig wie die letzte Vergangenheit anwachsen zu sehen, für die weniger Elend, weniger Epidemien und bei einer vorgeschrittenen Hygiene und Medicin weniger Krankheit, Sterblichkeit und vor allem weniger

Kriege wahrscheinlich sind? Kein Zweifel, über allen Theorien, die in diesem Glauben Klarheit geben wollen, steht als
weit wichtigerer Factor die Wirklichkeit mit ihren Bedürfnissen
und ihrer Moral, und für diese sieht die Frage, was in Zukunft geschehen wird, mit Rücksicht auf das, was in der
Gegenwart schon thatsächlich geschieht, anders aus. Weitaus
die grösste Zahl von Männern hat, wenigstens in der Jugend,
bis jetzt noch nicht die Mittel, eine grössere Familie zu erhalten, und von . diesen hat wieder die weitaus grösste Zahl,
wie gesagt von 100 90, thatsächlich nicht die Kraft der Enthaltung. Wie sollen also uneheliche Geburten, Vermehrung
der Prostitution, Kindermord etc. verhindert werden? Die
Sittlicheren wählen vielleicht doch eine Ehe, von der sie sich
weniger Kinder erwarten. Wird aber bedacht, dass diese Erwartung gewöhnlich nicht eintrifft, und dass wieder der grössten
Zahl eine Enthaltung unter diesen noch schwierigeren Voraussetzungen thatsächlich nicht möglich ist, so sehen wir sie
unfehlbar vor das moralische Dilemma gestellt, eine grössere
Familie der inneren und äusseren Verkümmerung preiszugeben
oder dem präventiven Geschlechtsverkehr anheimzufallen. Und
das Resultat ist, dass sie sich schon mit Rücksicht auf Hygiene und Psychiatrie, die zeigen, dass die natürlicheren Mittel,
wie sie z. B. unter den französischen Bauern mit ihrem Zwei-
kindersystem herrschen, zu gefährlichen Nervenleiden führen,
nur zu häufig künstlicher Prävention überlassen werden. Um
derlei Schwierigkeiten kümmert sich das, was sich noch immer
Ethik nennt, nicht; sie predigt bloss einer Handvoll ohnehin
moralisch Hochstehender eine unbedingte Sittlichkeit und um-
geht diese wie alle anderen ähnlichen ohne Zweifel unlös-
baren Nützlichkeitsüberlegungen. Welchen Wert sie damit als
„Normwissenschaft" hat, zeigt, wie viel sie all den Menschen,
die beständig an diesem ganz allgemeinen ethischen Probleme

laboriren, leistet und wert ist. Da wir aber hier nicht Moral zu treiben, nicht zu fragen haben, was geschehen soll, sondern was geschehen wird, so ist einfach zu sagen: Der künftige Präventivverkehr dürfte ins Unermessbare zunehmen, wie er es bisher gethan, und wird beitragen, die Menschenzahl einzuschränken. Wie viel die Moral der Menschen dadurch leiden wird, und ob mehr als durch Uebervölkerung, Prostitution und Kindermord (Krieg und Pest werden auch oft als „Ventile" bezeichnet) ist völlig unentscheidbar. Niemand wird es wagen, hier zuzurathen — die Individualitäten müssen solche Probleme selbst lösen — noch wird aber ein ernstlich Ueberlegender mit Selbstverständlichkeit und Entsetzen abzuurtheilen wagen; allerdings nur dann nicht, wenn jene Massnahmen weder Verbrechen dienen, weder die erste Nachkommenschaft berühren, noch die erste Liebe entheiligen. Jedenfalls wäre schon mit jenen Massnahmen allein, durch welche die Menschheit sich selbst künftig auf ein Minimum reduciren könnte, selbst wenn alle anderen Mittel, welche der Moralische nach Kräften gewiss zuerst ergreifen wird, wirklich erweisbar hoffnungslos wären, wenigstens der Pessimismus, und zwar in seinen schmutzigsten Anschuldigungen mit Argumenten aus gleichen Regionen zu widerlegen.

II. Dass möglichst viele Menschen arbeiten müssen, diese Erkenntnis bringt die moderne Entwickelung als eine weit verbreitete dadurch zum Ausdruck, dass der Masse der reiche Nichtsthuer, für den sie arbeiten muss, in immer geringerem Grade imponirt und nicht mehr als höchste Glücksform erscheint, und dass auch die Reichen sich bürgerlicher Berufe immer weniger schämen. Besonders die neue Welt zeigt auf solchen Gefühlswandel deutende wertvolle Erscheinungen. Körperliche Arbeit gilt dort auch für die reichsten Männer in angesehensten Stellungen nicht nur für keine Schande, sondern es gilt geradezu für unsittlich, gewisse entwürdigende Dienste, besonders von Frauen, zu verlangen, und die höchststehende Frau hält selbst strengere Handarbeit nicht für entehrend. Solche Arbeiten sind jedenfalls für viele Stunden, viele Berufe und die Begabungen der meisten Menschen die zuträglichste Beschäftigung. In noch höherem Masse als die Arbeit der Reichen bedeutet in neuer Zeit die Betheiligung der Frauen an neuen Berufsarten, soweit jene innerhalb vernünftiger Grenzen bleiben, eine wahrhafte und grosse Arbeitsvermehrung. Wir können sonach allgemein sagen, dass, wie die Arbeit der Reichen und der Frauen gewachsen ist, wiewohl sie selbst noch in ganzen Berufsarten brach liegt, auch die Thatsache feststeht, dass die Menschenkräfte schon durch Berücksichtigung ihrer individuellen Fähigkeiten, durch Arbeitstheilung und Organisation etc. jetzt weit besser ausgenützt werden als einst.

Was die Zukunft anbelangt, wird die Entwickelung des Intellectes und der Moral zur Meinung führen, dass mehr Menschen Arbeit thun müssen; die Moral führt zum mindesten zu grösserem Fleisse, der Intellect wenigstens zu einem erleuchteteren Egoismus in der Arbeit. Und die Gründe, die am meisten hindern, dass es zu förmlichen Gesetzen gegen die Berufslosigkeit, zu Strafen bis zur Unterhaltsentziehung kommt, werden besonders durch Beseitigung von drei Irrthümern gehoben werden.

Der erste Irrthum ist, dass es zu viel Arbeit unter den Menschen gibt. Ohne Zweifel wird aber die allgemeine nationalökonomische Erkenntnis sehr bald populär werden, dass die zahllosen Barfüssigen bekleiden, was gewiss Bedarf an Arbeit bedeutet, nicht heisst, dem Schuster das Brot nehmen; solche Arbeit kann nur in einem bestimmten Handwerke zeitliche und örtliche Stauungen hervorrufen.

Damit im Zusammenhang steht der zweite Irrthum, durch den auch grosse Massen von Arbeit noch vergeudet werden,

nämlich der, dass die Gebildeten bestehen können ohne körperliche Arbeit zu thun. Sie werden aber immer mehr einsehen, dass
auch sie körperlich arbeiten müssen. Die Thiere, die Wilden,
unsere Vorfahren haben nichts gethan, als um ihren Lebens-
unterhalt und fast nur mit ihrem Körper gearbeitet. Die grosse
Masse der Menschen thut es noch jetzt, und nur die Menschen
bevorzugten Geistes meinen, durch eine Stunde Promeniren,
wodurch das Blut kaum in erhöhte Circulation kommt, die
Natur hintergehen zu können. Im Schweisse seines Angesichts
arbeitet der Gebildete fast niemals mehr, und das ist doch
das beste Gesundheitskriterium; wir haben es durch diese
Uebercivilisation auch schon zu den besprochenen ernsten Befürchtungen gebracht, ob wir nicht mit jenem Ueberleben der
Geistvollsten einmal Urvölkern werden erliegen müssen. Aber
wir werden es täglich immer mehr schon an den Kindern und
an den Frauen gewahr, dass die Körperausbildung Pflicht
ist, und es wird auch schon zu einer ernstlichen Frage, ob
auf die Dauer jene künstliche Arbeit der erzwungenen Bewegung
der Städter haltbar ist, ob nicht wieder für weit mehr Menschen
als jetzt sehr bestimmte Arbeitszwecke wenigstens als ein
Theil ihrer Arbeit, unter die Gebildeten kommen müssen.

Damit hängt auch der dritte Irrthum unmittelbar zusammen, dass es mit gewissen Berufen unverträglich ist, einige
Stunden des Tages Handarbeit zu treiben. Aber sehr wenige
Menschen, viel weniger zum mindesten, als es jetzt glauben,
haben ein Recht, ausschliesslich geistig zu arbeiten, nur die
wirklich dazu veranlagten, und die grösste Zahl der Reichen
hat die Verpflichtung, statt ihre Bewegung im Nichtsthun zu
suchen, ernstlich an der menschlichen Tagesarbeit mitzuarbeiten.
Es gibt unter uns nur wenige, die geistig mehr als 5 Stunden
des Tages arbeiten können, die anderen 11 werden dann
vergeudet. Die Ueberlegung, die der Sittliche und eine künf-

tige bessere Erkenntnis hier pflegen wird, ist sehr einfach. Für alle, die geistig arbeiten oder nichts thun, müssen zahllose Menschen ihr Lebenlang Nahrung beschaffen und ihnen Kleider machen, damit sie leben können; wir haben uns also zu prüfen, ob unser Arbeitswert wirklich diese Menschenleben aufwiegt. Tolstoi weist darauf hin, wie beständig Hunderte z. B. im Dienste der Wissenschaft nichts thun als Beiwörter im Homer zählen oder die Kropfdrüse des Frosches untersuchen, unter 1000 Fällen kaum einmal etwas Brauchbares zustande bringen, andere zwingen, für sie zu arbeiten, und das Arbeitstheilung nennen. Gesetze können natürlich hier nur mässig einschreiten, denn es gibt grosse Linguisten, die Vocabeln mit Erfolg gezählt haben, und es gibt sehr wenig Arbeiter, die solchen Nutzen einsehen können und freiwillig für sie jene Körperarbeit verrichteten. Aber umsomehr kann eine entwickeltere Moral darauf dringen, dass man sich selbst sorgfältig prüfe, ob man zu solchen bevorzugten Menschen gehört, und ob unser Beruf nicht Raum für andere Arbeit als Spiel gibt. Es ist ja nicht die Meinung, dass ein hoher Beamter nicht etwas Besseres thun solle als Feldbau treiben, und gewiss soll es auch unter Frauen solche geben, die sich ausschliesslich der höchsten menschlichen Thätigkeit hingeben, und die, eine Hausarbeit füglich anderen überlassend, der Welt mehr nützen können. Aber die sind selten wie die Männer. Jedenfalls werden die Menschen erst wenn das Classenwesen mehr schwindet, aufhören, körperliche Arbeit für eine Schande zu halten. Dann werden auch von den Frauen, und was besonders wichtig ist, den reichen und älteren, die keine Kinderpflichten mehr haben, ihre wertlosen Kunstübungen und Personalinteressen aufgegeben werden und es werden auch schon Kinder nützlichere Körperbeschäftigungen finden als jetzt. Die für die Menschheit durch diese Irrthümer verlorene Arbeit ist unabsehbar.

. III. Möglichst einträglich wird die Arbeit in zweifacher Weise: durch die grössere Intensität im Betriebe, wie sie z. B. eine Erfindung bedingt, und durch die grössere Intensität, wie sie eine bessere Organisation der Arbeit bedingt. Weit mehr als durch alle anderen Momente zusammengenommen, hat hier die moderne Entwickelung den Wohlstand gefördert, und zwar besonders durch die grössere Intensität im Betriebe der Arbeit. Das ist so selbstverständlich, dass für ihre Bedeutung nicht einmal der Hinweis auf all die Probleme nöthig ist, die dadurch beeinflusst wurden.

Dass auch die Organisation der Arbeit umgestaltet wurde im Sinne grösserer Einträglichkeit, zeigen schon Erscheinungen wie die Entstehung der modernen Arbeitstheilung, des internationalen Verkehres, des einheitlichen Zusammenarbeitens vieler im Grossbetriebe, endlich die Bestrebungen des Staates, alleiniger, alles ordnender Betriebsherr verschiedener Industrien zu werden. Alle damit sichtbar werdenden Schattenseiten, wie Arbeitsstauung und städtisches Elend, sind lediglich Vertheilungsprobleme, die nichts ändern an der Thatsache des Fortschrittes. Es steht fest, dass wir gelernt haben, mit einem Pflug die Arbeit von zehn Spaten zu thun; es ist aber ein ganz anderes Problem, ob es recht ist, dass sein Erfinder oder Besitzer den zehnmal so grossen Ertrag für sich allein behält und neun andere Arbeiter hungern lässt.

Auch mit Beziehung auf eine künftige Entwickelung ist keinerlei Grund anzugeben, warum die Erträglichkeit der Arbeit nicht ins Unbestimmteste, auch für ein Vielfaches der jetzigen Menschenzahl, weiter wachsen sollte. Vielmehr ist es wahrscheinlich, dass auch die Zukunft Erfinder und Erfindungen, wie die Watts und Liebigs, fortgebären wird, und für sie werden vielleicht Probleme nicht lange ungelöst bleiben, die jetzt als das Paradigma aller Hoffnungen gelten, wie „Eiweiss aus der Luft zu erzeugen". Selbst ein unerbittlicher Pessimist, wie Schopenhauer, wird zu dem Ausspruche gedrängt: „Wenn das Maschinenwesen seine Fortschritte in demselben Masse noch eine Zeit hindurch weiterführt, so kann es dahin kommen, dass die Anstrengung der Menschenkräfte beinahe ganz erspart wird, wie die eines grossen Theils der Pferdekräfte schon jetzt. Dann freilich liesse sich an eine gewisse Allgemeinheit der Geistescultur des Menschengeschlechtes denken, welche hingegen so lange unmöglich ist, als ein grosser Theil desselben schwerer körperlicher Arbeit obliegen muss." [115])

Wie hier für die gesteigerte Erträglichkeit vom Intellect, so ist auch für die Arbeitsorganisation vieles von der moralischen Entwickelung zu erwarten. Der Gutsbesitzer, der sein Feld nicht bebauen lässt, weil er sein Geld für Luxus braucht, der Bauer, der seinen Nächsten nicht mitbauen lässt, weil er fürchtet, das grössere Product theilen zu müssen, das Kleingewerbe, das die ergiebigen Grossbetriebe fürchtet — sie alle kann nicht der Intellect allein belehren, sie bedürfen der Liebe; erst von ihrer Vereinigung mit der steigenden Einsicht ist das Grösste zu erwarten.

Besonders die Erkenntnis der Wertlosigkeit der getrennten Arbeit, der Gefahren der vernichtenden Concurrenzkämpfe, der Arbeitsstauungen und der Ueberproduction lässt erwarten, dass es in Hinkunft zu einem einheitlicheren Betriebe mit klarerer und weiterer Bedarfs- und Productionsübersicht führen werde. Die Frage wird ja jetzt schon brennend, wie weit die Organisation eine einheitliche werden muss, und ob nicht sogar aller Besitz in der Hand des Staates zu vereinigen wäre. Wie weit dieser Process der Vereinigung gehen kann und wird, ob es genügt, dass ganz Europa nur einen Schreiner, einen Schuster habe — sie betrifft jetzt nur gewisse Betriebe, und anderen, wie z. B. dem Ackerbau, hat sie sich noch nicht als einträglich

erwiesen — ist lediglich eine Sache der Erfahrung und besonders der technischen Entwickelung. Nur das oberflächlichste
Denken kann mehr vorauszusagen sich unterfangen, als höchstens um damit das Reich der Möglichkeiten einzuschränken
oder eine Begriffsbestimmung für solche Lehren zu geben, die
jedenfalls keine Zukunft haben. Diese Bestimmungen werden
auch dadurch so sehr erschwert, dass Namengebungen fast immer
nach den extremsten Richtungen der streitenden Parteien erfolgen, und dass die die jeweilige Gegenwart verwirrendsten
Bezeichnungen nicht überhaupt vermieden werden.

Wenn man nach der Möglichkeit fragt, ob der Staat allen
Besitz an Productivgütern — vornehmlich nur um diese handelt es sich — vereinigen soll oder wird, und zwar in der
Weise, dass es einen Waarenverkehr, Waaren überhaupt nicht
mehr gebe, so muss man zunächst nach allen Combinationen
fragen, welche die Anhänger dieses Glaubens mit Factoren
machen, wie mit der Zeitdauer, in der er sich erfüllen soll,
mit den Veränderungen der menschlichen Natur, die vorausgesetzt werden, mit den Graden der Wahrscheinlichkeit, die
für diese Lehre in Anspruch genommen werden, ob sie nicht
nur der Ausdruck eines Glaubens, von Möglichkeiten und
Hoffnungen sein soll.

Allgemein ist die Möglichkeit ohne Zweifel einzuräumen,
dass der Staat als Eigenthümer aller Productivgüter auftreten
werde, selbst unter der Voraussetzung der unveränderten
Menschennatur, d. h. ohne dass es nöthig wäre, Menschen
vorauszusetzen, die uneigennützig für andere arbeiten und
bei mehr Fleiss und Talent nicht mehr Lohn erhalten — was
ja allgemein für absehbare Zeiten ganz ausgeschlossen ist.
Ob aber ein solcher Zustand wahrscheinlich, nicht nur möglich ist, hängt nicht bloss von der grösseren Ertragsfähigkeit
eines Staatsgrossbetriebes ab, auch nicht bloss davon.

ob ohne Concurrenz und Erbrecht die Menschen noch genügenden Erwerbstrieb haben; die Wahrscheinlichkeit hängt
von viel tiefer liegenden Factoren ab, die ohneweiters besonders schon für die nächste Zeit als die nützlichsten anzunehmen, eben nur der unverantwortlichsten Leichtfertigkeit
des Denkens, die hier geradezu Unsittlichkeit wird, gelingen
kann. Ein zugestandenermassen völlig unausdenkbares und
damit selbst für eine sehr ferne Zukunft unlösbares Problem,
das nur die Entwickelung selbst entscheiden kann, stellt schon
— wenn ganz abgesehen wird von der Grösse eines solchen
eventuellen Weltstaates — die Art jener Regierung dar, die
mit ihren Entscheidungen bis in das innerste Heiligthum jeder
Familie dringen muss. Z. B. würde ein Sohn, der nichts erben
darf als Hausgeräthe oder Kleider, und der durch Arbeit
sein Brot erwerben muss, die Wahl derselben nicht abhängig
finden von eigener Neigung und beeinflusst von dem
Verständnis und der Liebe der Eltern; er muss den Staat
fragen, wie weit er sein Talent in Ruhe ausbilden, oder wie
weit er es schon in erster Jugend im gemeinsten Dienste
unterdrücken muss. Das Unheil, das jetzt geschieht, durch
reiche, aber unfähige Erben, wird dann in dieser Form oder
durch Verwandten- und Freundesprotection von Männern
einer Regierung geschehen, die reiche Mittel zur Erziehung
und zu allen anderen höheren Arbeitszwecken jenen „Talenten" geben werden, die ihrer Einsicht und Sittlichkeit
gerade taugen.

Jedes solche Beispiel genügt, zu zeigen, wie oberflächlich
alle Gedanken über die Consequenzen solcher künftigen Arbeitsorganisation, als welche dieser Staat oft ausschliesslich und mit
Absicht bezeichnet wird, sein müssen, wenn sie über eine sehr
nahe Zukunft reichen sollen und nicht strengsten Anschluss
suchen an Bestehendes, wie z. B. an den Grossbetrieb und seine

Verstaatlichung. [119]) Selbst ein motivirter Glaube genügte nicht, so tief eingreifende Aenderungen auch nur zu versuchen; der Wert, der solchen Theorien gewiss nicht abzusprechen ist, ist ein anderer. Er zeigt jetzt schon an den Träumen, selbst der grossen Masse, den idealsten Glauben an eine grosse, einige Menschenzukunft, in der es interesselose Arbeit gibt und eine Regierung mit moralischen und intellectuellen Fähigkeiten, wie sie jetzt noch kein Land annähernd kennt. Möge er wenigstens die Richtung bezeichnen, in der die Reformen einer Arbeitsorganisation zu suchen sind, Reformen, deren ja auch der jetzige Staat, der gewiss nicht besser ist als die wirrsten Zukunftsträume, bedarf. Diese können dann auch, wie jetzt schon die Bedürfnisse nach Controle der Production und nach intensiverer Organisation, zu jenem Einheitsstaate drängen, zu dessen Postulirung wir auch schon von anderer Seite geführt wurden.

IV. Unter dem Abschnitte der Vergeudung der Arbeit ist Vergeudung im engeren Sinne, Luxus, und Arbeit infolge mangelnder Einsicht zu besprechen.

Dass der Luxus unter den Menschen geringer geworden ist, besonders in seinen plumpsten Formen, in welchen er, was uns besonders wertvoll ist, als Ausdruck der Gesinnung ganzer Völker auftritt, dafür gibt es sehr viele unzweifelhafte Zeichen. Herrscher glauben nicht mehr die Macht ihres Reichthums zeigen zu müssen durch Springbrunnen, die das Volk mit Wein berauschen, sie credenzen auf ihren Tafeln keine Edelsteine mehr, selbst Krone und Purpur werden immer seltener: die Könige suchen immer bürgerlichere Formen. Auch damit, dass die Reiche immer grösser und dauernder werden, wird die Zahl kleiner Höfe und grosser Adeligen immer kleiner. Man bedenke aber den Luxus früherer Fürstenhöfe! Sie waren ein Paradigma für

menschliche Arbeitsvergeudung und demonstriren in der Form,
die sie manchmal noch jetzt in Europa haben, kaum die
Abgründe jenes sittenlosen Luxus, dessen Beispiel alle Reichen
von jeher angesteckt hat. Grossentheils der Irrthum, dass,
wenn die Leute nur genug zu leben haben, es gleichgiltig
ist, was sie zu thun haben, und nicht weniger der Irrthum,
dass diejenigen, die direct angestellt sind, allein Arbeit vergeuden, macht solche Hofstaaten überhaupt noch möglich.
Aber die ökonomische Wissenschaft popularisirt gegentheilige
Erkenntnisse immer mehr. Z. B. ist wohl jedermann klar,
dass man, wenn man von einem Fürstenhofe alle Be-
diensteten, die wirkliche Arbeit thun, Güterverwalter, Handwerker, Künstler ausnimmt und nur solche rechnet, welche
dem reinen Luxus, der traditionellen Repräsentation der oft
sehr umfangreichen Herrscherfamilien dienen, auch dann noch
immer mit einigen tausend unmittelbar Angestellten rechnen
muss, mit einem Heere von Lakaien, Jägern, Reitknechten, Gärt-
nern, Kutschern, Köchen, Ceremonienmeistern, Schlossaufsehern,
von Hofmeistern, die jene, und Obersthofmeistern, die diese
beaufsichtigen, von Garden, die nur der Repräsentation oder
höchstens dem Schutze einer Person dienen. Da aber alle
diese nicht Arbeitenden von anderen — und das ist den Laien
noch wenig ersichtlich — nicht nur mit Lebensmitteln, sondern
wieder mit Luxus versorgt zu werden haben, so repräsentiren
diese Tausende den geringsten Theil der vergeudeten Arbeit;
denn alle, die für sie arbeiten, soferne sie nicht wirkliche Lebensmittel schaffen, thun ebenso verlorene Arbeit. Wie viele
aber arbeiten für ihren Luxus, reiten für sie Pferde zu, arbeiten an ihren Wagen, wie viele an ihren Gewändern, deren
reichsten Wechsel jeweilige Launen vorschreiben, und wie viele
arbeiten an dem Korne für jene Pferde, an dem Holz für jene
Wagen — ganze Industrien für den sinnlosesten Prunk! Ueber-

sehen wir das Heer von Menschen, das so sein Lebelang keine brauchbare Arbeit thut und andere zwingt, für sie zu arbeiten, so ergibt sich eine Summe von verlorener Arbeit, der gegenüber die Nothwendigkeit solcher Hofstaaten nur noch wenigen Ländern mehr glaubwürdig gemacht werden kann. Die Verminderung dieser Institutionen hatte unendlichen Gewinn an menschlicher Arbeit zur Folge, und es ist auch gewiss, dass ästhetische Lebensführung der einzelnen und selbst vernünftiger Luxus, den Künstler oft nöthig erachten, solcher Einrichtungen nie bedurfte und nicht bedarf.

Es wäre unnöthig, Aehnliches von zahlreichen Institutionen zu wiederholen, die nicht dem Luxus, sondern mangelnder Einsicht ihre Existenz verdanken, wie z. B. die Heere. Auch sie verursachen indirect mehr Arbeitsvergeudung als direct. Wir müssen sie bewaffnen, wir befestigen noch immer Küsten, Gebirge, durchstechen Berge, legen Eisenbahnen für Kriegszwecke: alle diese Arbeit ist weit grösser als die durch die Heere selbst vergeudete. Ansätze zu ihrer Verminderung zeigen, wenn nicht die Heere, so doch das Aufhören des kriegerischen Geistes. Und mit den Kämpfen für den Frieden werden auch andere Kämpfe, die Kriege der Kaufleute immer mehr aufhören. Während jetzt noch immer weite Grenzen und Küsten bewacht werden, wie es heisst, wegen der Vortheile eines Schutzzolles, in Wahrheit aber nur zum Vernichtungskampfe durch Concurrenz, beginnt eine einsichtigere Gebarung, auch hier die Kräfte immer mehr zu befreien.

Ueber die Zukunft ist nun zu sagen, dass unnöthige Arbeit weniger gethan werden wird, je mehr die intellectuelle Entwickelung dem Luxus, den Vorurtheilen, wie z. B. dass Reichthum und Glück identisch seien, steuert, und je mehr gesteigerte Nächstenliebe weitgehende Ueberlegungen pflegt. Die den Luxus vor allem hemmenden Erkenntnisse von der

Wichtigkeit, mit menschlicher Arbeit zu sparen, werden dahin
führen, ganze Berufszweige verächtlich zu machen, ja aufzu-
heben und ihre der Laune dienende Arbeit anderen zuzuführen;
anstatt dessen es, wie gesagt, jetzt noch die allgemeine Meinung ist, dass es genüge, einen Menschen zu ernähren, dass
es aber gleichgiltig ist, welche Arbeit man dafür von ihm for-
dere. Die Reichen, selbst der Staat noch, sie wollen „Geld
unter das Volk bringen" und meinen, es genügte, dass sie
seine Arbeit in einem Feuerwerk verbrennen oder das Luxus-
handwerk durch Feste unterstützen. Ist aber der Irrthum, dass
es keinen Ueberfluss an Arbeit gibt, aufgeklärt, so wird für
jeden, der es wollen wird, einzusehen sein, dass es nicht
gleichgiltig ist, ob jemand die Zeit eines Menschen, den er erhalten kann, bloss verwendet, um ihn auf einem Kutschbock
sitzen zu lassen, oder ob er verlangt, dass er besser lesen und
schreiben lerne, oder dass er dem mit Arbeit überbürdeten
Nächsten hilft. Wer trotz dieser Erkenntnis ihr entgegenhandeln
würde, leidet an moralischen, an Gefühlsdefecten.

Viele Reiche, die diesen Egoismus durchschauen, waschen
sich durch einen anderen Irrthum rein, indem sie den Luxus
mit Kunstbedürfnissen in Verbindung bringen und alle Spie-
lerei der Mode Kunst nennen. Dieser Art Luxus wird die
Geschmacksentwickelung steuern. Selbst der Socialismus wird
nicht die Kunst im allgemeinen aus seinem Staate weisen,
aber abgeschmackte Einrichtungen in unserem Hause, jene
täglichen Abwechslungen in Form und Farben der Kleidung —
all das ist nicht Sache des Geschmackes, sondern wie z. B. Som-
merfrüchte im Winter auf dem Mittagstische haben wollen oder
zehnerlei Getränke, die Millionen Menschen zwingen, die Arbeit ihres Lebens zu vergeuden, lediglich der Wunsch, Reichthum
zur Schau zu tragen, und dagegen wird mit Recht gekämpft.
Wir werden uns aber überlegen, solche Bedürfnisse zu haben,

wenn wir an der Befriedigung jener hunderterlei verschiedenen Launen selbst werden mitarbeiten müssen. Wie schon gesagt, die Entwickelung dürfte, wie bisher, immer mehr zu bürgerlichen Zuständen führen und besonders mit dem übermässigen Reichthum und seinen barbarischen Einrichtungen und Sitten auch der Luxus mehr schwinden.

Auch von der Arbeitsvergeudung durch unvernünftige Institutionen ist in Zukunft eine Abnahme, und nicht am wenigsten durch politische Umwälzungen, zu erwarten, durch die Vereinigung zu grösseren Reichen, besonders durch einen europäischen Einheitsstaat, worauf uns auch schon die moralischen Bedürfnisse führten, worauf, wie gesagt, alles hindrängt. Dass der Egoismus der Völker schuld trägt an der Trennung der Interessen und dass nationale Theilung die Zwecklosigkeit zahlloser Arbeiten zur Folge hat, wird immer klarer werden. Man wird einsehen, dass die Zölle z. B. jetzt noch grossentheils nicht so sehr durch die Principien der Förderung und Stärkung schwächerer Production bedingt sind als durch nationale Eitelkeiten, die vielleicht das grösste Hemmnis normaler Arbeitsentwickelung sind; jedes Volk und jeder Boden soll alles leisten, auch der Norden soll Palmen reifen können.

V. Dass die Vertheilung eine bessere geworden, lange nicht in dem Sinne, dass der Bessere auch der Wohlhabendere ist, aber wenigstens in dem, dass der entwickeltere Intellect den Sieg über den alten Erb- und Kastenreichthum davontrug, das beweist die ganze Existenz des modernen Mittelstandes, die Wohlhabenheit, welche die lange Vorbereitung zu vielen Aemtern zur Bedingung und zur Folge hat. Selbst alle Missstände der gegenwärtigen durch die grossen technischen Erfindungen plötzlich hervorgerufenen Ungleichheiten sind ebenso viele Mittel für die Entfesselung sittlicher und anderer Kräfte, deren Kampf wieder zu weiterem Ausgleich führt. Und wie

reich die Mittel sind, die den Fortschritt bedingten, bezeugt die
blosse Nennung der Namen von neuen Institutionen, deren Details
der politischen Oekonomie und der Socialpolitik angehören,
welche wie die Namen der Gesetze, die den Ausgleich herzustellen
suchen, in jedermanns Munde sind. Hilfe gegen die Uebermacht
der Reichen brachten die verschiedenen Arten von Steuern,
progressive Erb-, Vermögen- und Luxussteuern, die auch das
Zustandekommen von Latifundien verhindern; die Armen wurden bereichert mittelst directer und indirecter Erhöhung des
Einkommens: direct durch Arbeiterkammern und Vereine,
Strikeorganisationen, Schiedsämter, indirect durch Nichtbe-
steuerung von nothwendigen Lebensmitteln und Einkommen,
durch Unfall- und Altersversorgung, unentgeltliche Kranken-,
Kinder- und Schulpflege u. s. w. Das alles ist ja bekannt, und
wir können angesichts solcher Thatsachen sagen, dass, auch
wer behauptet, dass die Vertheilung gegenwärtig eine noch
unendlich mangelhafte ist, damit nicht der Behauptung
widerspreche, dass sie dennoch eine unendlich bessere geworden sei.

Ehe wir nun aber fragen, ob die Vertheilung des Wohlstandes auch in Zukunft eine bessere werden wird, müssen
wir bestimmter sagen, was unter einer richtigen Vertheilung
überhaupt zu denken ist.

Wenn als erste Bedingung noch vor jeder Vertheilung
für jeden Menschen ein Lebensminimum, selbst ein beträchtlich
erhöhteres, zu beanspruchen und mit den bisher besprochenen
Mitteln auch als erreichbar anzusehen ist, so ergibt sich als
weitere Frage, ob es Menschen geben darf oder soll, die mehr
als dieses Minimum besitzen. Gewiss, und zwar schon deshalb,
weil unter der Voraussetzung eines sehr hohen Minimums dieses
Plus, welches noch von Menschen erarbeitet werden kann, für eine
allgemeine Vertheilung vielleicht lange Zeit noch verschwindend

klein und der Gesammtheit von weit geringerem Nutzen sein würde. Wem würde es aber das ethische Urtheil der Menschheit zuerkennen müssen? Ohne Zweifel nicht dem, wie gewöhnlich gemeint wird, der das grösste Talent hat und am meisten erarbeitet — das empfinden wir auch noch als ungerecht, besonders wenn er damit nur Luxus treibt — sondern dem, der damit die nützlichste, die einträglichste Arbeit thut, und zwar nicht nur für sich selbst, sondern für die Menschen, d. h. dem Sittlichsten, dem also, der Freude daran findet, mit seinen Fähigkeiten ihr Capital an Erfindungen, Gesetzen, Kunstwerken zu vermehren. Also ein Liebig müsste mehr Einkommen als ein Bauer haben, weil er den Bauern damit mehr nützen kann als der Bauer sich selbst. Er wird dann bei einem genügenden Lebensminimum auch gerne zugeben. dass er ihm nothwendig ist mit seinem Geiste, wird ihm gerne dienen, ihn höher ehren und selbst dulden, dass er sich anders kleide, nähre, vergnüge, ja auch in seinen freien Stunden keine Feldarbeit thue. Wenn das zartere Gefühl auch hier noch von Unrecht sprechen und für jene geschaffenen höheren Arbeitswerte den höheren Lohn zurückweisen möchte, so wird dessen Annahme Pflicht im Dienste einer weitsichtigeren Gerechtigkeit, welche den Taglohn nicht bloss an Spatenstichen oder Schweissverbrauch misst; denn das Mass der Sittlichkeit ist allein entscheidend für die Vertheilungsfrage, die, wie immer schwer im einzelnen lösbar, nach diesem Ziel allein sich richten kann. Nicht allen gleich viel, nicht der mühsameren Arbeit, noch dem Talente mehr: dem Manne mehr, der allen am besten dienen kann und will — alle anderen Arten der Vertheilung untergraben nicht bloss Arbeitskraft und Talent, sondern auch die Sittlichkeit und das Glück der Welt. So allein ist zu rechtfertigen, dass es auch bei einer gerechten Vertheilung überall und immer Reiche gab und gibt, geben wird und geben soll.

Wenn wir aber das unter gerechter Vertheilung verstehen, so ist jedenfalls eine Voraussage schon gegeben: Reichthum verurtheilen, um ausschliesslich am Reichthume die Armut emporzuheben, wird auch die nächste Zukunft nicht — wenigstens nicht, sofern man an die parallele ethische und intellectuelle Entwickelung glaubt — ebensowenig als das bisher geschehen ist. Wir sehen auch jetzt Güter, ohne welche die Menschheit nicht leben kann, nur durch einen Ueberfluss entstehen, der jetzt sogar noch errungen werden muss vielleicht auf Kosten des allgemeinen Minimums. Und nur die Ueberzeugung, dass es eine Art Ueberfluss gibt — und es ist natürlich nicht der der jetzigen Reichen — durch den das menschliche Dasein an wahrer Lust gewinnt, ermöglicht es, dass sein Besitzer sich getraut, neben dem Elende zu leben. Auch die bisherige Entwickelung konnte kein Nivellement zum Minimum auf Kosten aller höheren Güter machen, um sie erst dann wieder für alle neu zu schaffen; die Gefahr wurde fühlbar, dass dabei bis zum Thier nivellirt werden könnte; dagegen werden alle menschlichen Triebe ebenso wie die beste Einsicht immer, wie auch bisher, im Kampfe bleiben. Die nächste Zukunft wird jenes Nivellement nicht vornehmen, schon weil die Macht auch künftig in den Händen der Einsicht bleiben wird, somit auch der Einsicht, dass es für die Welt nützlicher ist, wenn es Hunger und Sittlichkeit als nur Hunger gibt. Thatsächlich also geht und muss das Streben nach beiden Richtungen gehen: Es soll das Minimum gesichert und erhöht werden, und es wird ein richtiger Reichthum immer bleiben, so lange es Menschen gibt. Wäre jenes Sittlichkeitsmass für die Vertheilung in Zukunft nicht entscheidend, so würden die nothwendigen Grenzen des Mitleides so wenig zu ziehen sein, wie die des Egoismus, und es würde nicht einzusehen sein, warum nicht auch das Thier sich so gut nähren, so warm

20*

halten, so weich ruhen soll wie wir; käme seine Genussfähig-
keit allein in Frage, so gäbe es, das beweist jeder schamlose
Reiche in der Art, wie er seine Hunde hält, auch für diese
Bedürfnisse keine, Grenze.

Fragen wir nach den Mitteln, deren sich wenigstens die
nächste Zukunft bedienen kann, den Sittlichen immer mehr
zu Wohlstand und damit zu Macht zu verhelfen, so ist es
leicht, aus dem schon betretenen die betretbaren Wege zu erkennen und die Abhängigkeit aller Mittel von den der ökonomischen parallelen Entwickelungen zu sehen. Von Gesetzen,
die ja nur die höchste Sittlichkeit geben und befolgen könnte,
ist nie Uebermässiges und sind keine grossen Umwälzungen
zu hoffen, weder für den einzelnen noch für gesammte Institutionen. Die ökonomische Wissenschaft zeigt uns diese im einzelnen, Intellect und Moral geben erst die Kräfte, sie auszuführen; sind diese vorhanden, dann werden sich die Institutionen
als nothwendig ergeben, die, soferne sie das Uebel jetzt noch
in jeder Form zulassen, für uns zu besprechen gleichgiltig
sind. Z. B. verhilft die theilweise Einschränkung des Erb-
rechtes dem Besseren nicht mehr zu Reichthum als Gesetze,
die auf Unterschiede in der Würdigkeit der Erben eingehen
wollten; denn immer wird es des austheilenden Richters bedürfen, der unbestechlich und unfehlbar ist, den aber eine
Ueberzahl ernennt, die, wie jede aus den Schlechteren besteht.
Hoffnung ist nur, wo die öffentliche Meinung zu Umwälzungen
im Sinne einer gerechten Vertheilung schon einigen Anhalt
bietet. Einen solchen bieten z. B. Institutionen oder private
Handlungen, wie Schenkungen und Legate für junge Talente,
für fernerliegende Zwecke; erst wenn diese sich mehren,
werden sie damit auch die Gesetze ändern. Wir sehen auch
immer häufiger selbst Parlamente einem grossen Politiker,
Künstler, Gelehrten, freilich meist nur Männern, deren Thätig-

keit, wie die des Arztes, am besten verstanden wird, Ehren-
geschenke geben. Diese Fälle werden häufiger gegenüber den
allerdings gerade in den Centren der Cultur noch immer normalen, dass der Staat selbst die Beine einer Tänzerin um
das Zehnfache höher schätzt als den Kopf eines Denkers. Hier
zeigen sich die wahren Bedürfnisse der regierenden Majoritäten.
Aber selbst diese betonen schon immer mehr Schlagworte,
wie „Recht auf Arbeit" „Allgemeine Nährpflicht" etc., und
dieses sind gewiss die nächsten Ziele, auf die geachtet werden
wird, gleichviel, wie weit schon genug Mittel vorhanden sind,
sie zu erreichen.

Fassen wir die erlangten Ergebnisse zu einer allgemeinsten Bemerkung über die Zukunft der ökonomischen Entwickelung zusammen, so ist zu sagen, dass der schon besprochene
pessimistische, durch Religionen oft zu einer völligen Apologie
der Armut gewordene Glaube, demzufolge das ökonomische
Elend der Menschheit ihr nothwendiges Los ist, zu dem sie
dauernd verurtheilt sein soll, einen gefährlichen Irrthum darstellt.
Selbst die extremsten gegentheiligen Hoffnungen kann keine
Wissenschaft widerlegen; dass alle Menschen reich werden, anstatt dass alles arm sein muss, ist gewiss ein mögliches und sogar das anzustrebende Ziel. Keinerlei Träume eines utopischen
Zustandes sind für die Zukunft abzuweisen; ohne ihre Erfüll-
barkeit bliebe bei unseren mitleidigen Trieben einerseits und
den egoistischen andererseits jeder innere und äussere Friede
der menschlichen Gesellschaft dauernd illusorisch. Selbst ein
Zustand wäre wenigstens möglich zu erhoffen, in welchem allen
Menschen ein bestimmtes Lebens- und Arbeitsminimum gewähr-
leistet ist, sagen wir concreter — es kommt auf die grösste
Präcision nicht an, auch wenn sie möglich wäre — ein Zustand, in dem z. B. keiner von all den Millionen Menschen über
sechs Stunden täglich arbeiten muss, keiner weniger Lebens-

mittel erhalten soll, als nöthig ist, um sich und eine mässige
Familie zu nähren und kleiden, sie auch vor Krankheit zu
schützen, zu erziehen, selbst durch mässigen Luxus zu vergnügen und schliesslich sich im Alter versorgen zu können —
mit einem Wort, das Minimum entspräche der etwas menschenwürdigeren Lebensweise eines höheren Beamten unserer Zeit.
Dieser Zustand ist nicht utopischer als der Glaube, dass die
Menschen einmal sittlicher und vernünftiger werden, und allein
davon ist dessen Verwirklichung abhängig.

Das Problem einer sittlichen Weltordnung.

Die Gemüthsbedürfnisse und der Weltschmerz.

Auf Grund der vorausgehenden Untersuchungen über die
der Erfahrung zugängliche Weltentwickelung ist die Wahrscheinlichkeit eines Besserwerdens in der Zukunft erwiesen
oder zum mindesten dem extremsten Skepticismus gegenüber
dem Glauben an ein solches das Recht erkämpft. Der Pessimismus ist sowohl in der Form, dass die Welt eine schlechte
sei, als dass sie sich nicht zum Besseren entwickle, unhaltbar;
jenes ist als unbeweisbar, dieses wenigstens als unbewiesen
und vielmehr das Gegentheil als wahrscheinlich gezeigt.

Trotzdem verbleibt noch eine Art wiewohl nicht als Pessimismus zu bezeichnende Weltanschauung, der Weltschmerz,
die ohne dessen aufgebauschte Systematik eben wegen ihrer
anspruchslosen Wahrhaftigkeit besonders im Gemüthe der
breitesten Schichten der Menschheit wurzelt, und die schwer,
ohne metaphysische Argumente überhaupt nicht, widerlegbar
ist. Der Weltschmerz ist die Folge tiefer Unbefriedigung gerade
der Mitleidvollsten, welche einfach ein grosses, namenloses
Elend in der Welt sehen, das, selbst wenn die Lust allen
Schmerz weit überwiegen würde, hinwegzuleugnen nie möglich ist. Sie sehen neben dem unzweifelhaft auch sehr langsamen Wandel zum Besseren viele Schmerzensfactoren, die in
der Menschheit nothwendig und auch dauernd sind, wie un-

befriedigte Neigungen, unheilvolle Zufälle, Krankheiten, Alter, Tod, die keine Entwickelung je heben kann. Und hier ist der Punkt, bei dem von jeher — gleichviel welche Motive sonst die Menschheit zur Religion geführt — auch die Einsichtigsten wankend werden und an der Wahrscheinlichkeit ungetrübter Daseinsfreude verzweifeln wollten, wofern ihnen nicht wenigstens die Möglichkeit für einen Glauben an einen Ausgleich in einer übersinnlichen Existenz offen gelassen würde. So stark, so unleugbar sind diese Bedürfnisse und jene Leiden im Menschengemüthe, dass es zu allen Zeiten sogar eine Apologetik des Selbstmordes gab. Auch in der Gegenwart hat ein religiöser Reformator, Tolstoi, die Consequenzen jener Schmerzensgefühle mit erschütterndster Prägnanz gezogen. Er sagt geradezu, dass nur Unkenntnis, Leichtsinn oder Feigheit den Nichtgläubigen vor dem Selbstmorde zurückhalten können. Seine nahezu allgemein giltige Formulirung verdient hierher gesetzt zu werden. Er sagt:

„Und siehe, was ich unter den Menschen, die nach Bildung und Lebensweise mit mir in gleicher Lage waren, gefunden habe.

Die einen, jung und schwach an Geist, befinden sich, wie früher auch ich mich befunden habe, auf dem Wege zu der Erkenntnis, welche mich zur Verzweiflung gebracht hat, und sie sehen noch nicht den schrecklichen Drachen, der ihrer wartet, noch die Mäuse, welche das Gebüsch zernagen, an dem sie sich festhalten, und sie lecken die Honigtropfen auf; aber ich kann hinter sie sehen und ich weiss, dass sie alsbald dasselbe erblicken werden, was auch ich sehe. Das ist der Ausweg der Unkenntnis.

Andere kennen ihre Lage und haben sie schon verstanden, aber sie bemühen sich, den Blick davon abzuwenden, und sie lecken den Honig, ihr Wohlsein ist ihnen noch nicht zum Ekel, und viel Honig war ihrem Gebüsche zutheil geworden..... Die Stumpfheit der Vorstellung dieser Leute gibt ihnen die Möglichkeit, das zu vergessen, was Buddha keine Ruhe liess, die Unvermeidlichkeit der Krankheit, des Alters und Todes, welcher heute oder morgen alles dieses Behagen zerstören wird. So denkt und empfindet die Mehrzahl der Leute unserer Zeit und Lebensweise.

Eine dritte Gruppe von Menschen, die jedoch selten sind, denken so, wie Sokrates und Schopenhauer gedacht haben. Sie wissen, dass der Tod besser ist als das Leben, sie warten zu in Ermangelung der Kraft, um vernünftig zu verfahren, rasch dem Truge ein Ende zu machen und sich das Leben zu nehmen. Das ist der Ausweg der Schwäche; denn kenne ich das Bessere, und liegt es im Bereiche meiner Macht, warum nicht dem Besseren mich hingeben?

Schliesslich gibt es kräftige und consequente Leute, welche die ganze Dummheit des Scherzes begreifen, welcher mit ihnen getrieben wird, welche begreifen, dass die Güter der Gestorbenen wertvoller sind als die der Lebenden, und dass es besser ist, nicht zu sein; daher machen sie diesem dummen Scherze mit einemmale ein Ende; der Mittel dazu gibt es die Fülle: eine Schlinge um den Hals, das Wasser, das Messer, das Herz zu durchstossen, Züge auf den Eisenbahnen.

So erretten sich auf vier Wegen Leute meines Schlages aus dem entsetzlichen Widerspruche. Wie sehr ich auch meinen Geist und meine Aufmerksamkeit angespannt habe, so habe ich doch keinen anderen Ausweg gesehen." [120])

Es nützt wenig, einem so tiefen Gefühle gegenüber Kritik zu üben. Wir könnten sagen, die meisten Menschen sind anders als dieser Geist, es sei eine psychologische Thatsache, dass sie sich des Lebens' mehr freuen, dass sie so viele Schmerzen nicht sehen oder sie nicht so mitfühlen; wir könnten sagen, die Welt würde aussterben, wenn alle Menschen so grosses Mitleid fühlten — es ist kein sittliches mehr; oder wir könnten mit der Möglichkeit, das Nichtsein mit dem Sein zu vergleichen, das Recht leugnen, jenes vorzuziehen. Aber dies alles hilft nichts gegen das Unglück jener grossen Seelen, an denen die Menschheit immer reicher werden sollte, trotzdem sie zu dem zweifelhaften Glücke geboren wurden, das Leid der ganzen Welt in ihrem Herzen zu vereinigen. [121]) Wenn sie die Pflicht, der Welt zu nützen (insbesondere wenn sie für die Zukunft davon nicht viel erwarten) nicht in ihr zurückhält, wenn diese Pflicht neben dem unerträglichen

Schmerze das schwächere Motiv wird, so werden sie consequent das Leben wegwerfen müssen — vorausgesetzt, dass ihr Glaube sie über die Ziele des Diesseits nicht hinausführt. Also die That-sache, dass gerade die Mitleidvollsten, die Sittlichsten, eines solchen Ausgleiches am schwersten entbehren, ist nicht zu leugnen, und es ist mit der vornehmlich materialistischen Be-hauptung nicht abgethan, dass die Aussicht auf ein Jenseits gewiss angenehm wäre, dass es aber ohne dasselbe auch schön genug sei. Wenn nicht Unwissenheit, so ist es Bedürf-nislosigkeit und eine Roheit des Gefühles, die sich dahinter verbergen.

Dieses Bedürfnis, und welcher Art Befriedigung ihm werden kann, haben wir nun näher zu prüfen.

Wiewohl es gewiss zahlreiche Gründe gibt, die den Schmerz über das Leben so hoch steigern können, dass sogar der Selbstmord eine Folge ist, so sind doch viele von ihnen, wie der unbefriedigte Erkenntnisdrang des Faust oder die höchsten ästhetischen Bedürfnisse, nur Sache seltener Menschen oder seltenster Umstände. Der allgemeinen Einsicht und der durch-schnittlichen Sittlichkeit verständlich sind die folgenden inein-ander übergreifenden sechs Motive, die den Weltschmerz be-gründen: 1. Die grossen eigenen und die zahlreichen fremden Leiden, die unter Menschen, so lange sie den jetzigen irgend ähnlich bleiben, nie ganz enden können. 2. Die Langsamkeit des Besserwerdens und die durch seine Unsicherheit und ferne Zukunft gegebene Vertrauenslosigkeit. 3. Die Abhängigkeit von Gesetzen, die jeden Augenblick all unser bestes Thun und uns selbst zunichte zu machen drohen; sie bedingen jene Furcht, die auch für den Stärksten mit seinen ohne sein Zuthun er-langten Kräften Demuth als die natürlichste Menscheneigen-schaft erscheinen lassen; jeder Traum zeigt ihn ja als Spiel-zeug der wüstesten Laune unerforschlicher Mächte. 4. Dass, selbst unter der Annahme, und damit völlig verträglich, es gäbe mehr Lust als Schmerz, zu constatieren ist, dass von einer die Menschen am nächsten berührenden Form des Uebels, der Unsittlichkeit, weit mehr in der Welt ist als Tugend — ein Vergleich, der bei einigermassen höherer Fassung dieses Begriffes unzweifelhaft vollziehbar ist. 5. Dass viele und gerade die höchsten Formen sittlicher Handlungen, wenigstens noch im jetzigen Zustande der Entwickelung, das Aufgeben eigenen Glückes bedeuten. 6. Dass auch die Unschuld von Uebeln, und zwar auch von solchen, die vom menschlichen Willen völlig unabhängig sind, getroffen wird — eine meist als Ungerechtigkeit in die Augen fallende Thatsache, die sich sogar immer den Menschen als ein objectives Princip zu verkörpern droht.

Einer besonderen Besprechung bedürfen nur die beiden letzten Punkte, der fünfte, sofern er auf die Frage, wie weit die Moral einer religiösen Sanction bedarf, führt, der sechste, sofern er sich, wenn Gerechtigkeit in der Erfahrung nicht constatirbar ist, auf die Erweisbarkeit einer sittlichen Weltordnung bezieht.

Wie weit Moral einer religiösen Sanction bedarf.

Wir haben schon früher gesagt — was in allen Formen die zahllosen „Begründungen der Ethik" immer wiederlegen wollen — dass der tugendhafteste nicht der glücklichste sein müsse, Glück und Tugend nicht nothwendig parallel gehen, der egoistische und der universalistische Hädonismus nicht zu gleichen Vorschriften leiten, mit einem Wort, dass eine independente Ethik, wenn sie nicht bloss erweiterte Psychologie, sondern eine praktische Lehre sein will, noch weniger als jede andere zu „begründen" möglich ist. [122])

Nur drei oft besprochene Punkte seien als Ergänzung des bei Besprechung der Frage, ob wir glücklicher werden durch moralische Bildung schon Gesagten, hier kurz wiederholt.

1. Für denjenigen, der lediglich sein eigenes Glück sucht, kann — altruistische Gefühle unberücksichtigt gelassen — nur von einer Wahrscheinlichkeit gesprochen werden, es auf dem Umwege des Strebens nach dem Glücke der Gesammtheit zu erlangen. Damit bleibt für den im Dienste anderer Leidenden eine Zahl von Fällen — umso grösser unter anderem, je weniger Lebensmittel im Verhältnis zur Menschenzahl vorhanden sind — für die er keinerlei Motive zu handeln hat. Da selbst im jetzigen Zustande der Gesellschaft wahrscheinlich die Gesammtheit nur auf Kosten wenigstens von sehr verkümmerten Existenzen leben kann, so muss eine nicht unbeträchtliche Zahl geradezu das Opfer sein. Eine Frage nach der Sanction für solche Handlungen nicht gestatten, zu sagen, hierüber täuscht eben glücklich das sittliche Gefühl hinweg, heisst, dem Sehenden rathen, um glücklich zu sein, blind zu werden. Die Ethiker wollen ja immer richtige Gefühle anerziehen; dazu aber müssten sie ihr Ausmass, ihre Grenze kennen, sie müssten sie richtig construiren können, wenn sie rathen wollen. Ebenso wie sie sich nicht begnügen, die Lust eines Diebes am Stehlen ohne alle Begründung als letzte Thatsache, als gut anzuerkennen, dürfen sie auch die Pflicht, sich zu opfern, nur anerkennen, wenn sie glauben, damit der Gesammtheit, von der das Individuum auch ein Theil ist, Glück spenden zu können. Es ist immer sehr sonderbar, wenn die Ethik sich hier plötzlich mit dem Thatsächlichen der moralischen Gefühle begnügen will ohne alle „Begründungen". Wenn sie aber der Gesammtheit nur Glück gewähren kann auf Kosten vieler einzelner, so geht es nicht an, von diesen Opfer zu fordern, ohne sie anders zu entschädigen,

d. h. ohne religiöse Sanction. Gewiss bedarf nicht, wie das beständige Missverständnis will, jede einzelne gute Handlung einer jenseitigen Belohnung; damit hörte sie auf, gut zu sein; aber wer Ethik treiben will, muss, um Gewissensgefühle vorzuschreiben, sie motiviren können und bedarf, wenn er den Muth haben soll, sie anzuerziehen, jener Sanction, jener Gründe gerade für das Glück der Selbstlosesten. Wer den Glauben für die Sittlichkeit gefährlich erachtet, versteht den Unterschied nicht zwischen Sittlichkeit beurtheilen und Sittlichkeit begründen. Das Problem ist am einleuchtendsten beim nächsten Punkte.

2. Wir sagten, gerade die Handlungen — wenn wir nun auch die altruistischen Gefühle mitberücksichtigen — höchster Sittlichkeit sind sogar mit Wahrscheinlichkeit nicht die glückbringendsten. Wer es vorzieht, anstatt seine Ueberzeugung zu widerrufen, lebenslänglich im Kerker zu schmachten, dessen Leben können doch einige Momente sittlicher Hochgefühle nicht zu einem glücklichen machen. Er ist in seinem Elende unter den gegebenen Verhältnissen unter der Voraussetzung so starker ethischer Triebe und durch diese so glücklich, als er sein kann; er thut, den Kerker vorziehend, vielleicht sogar das, was ihm lieber ist; dieses Leben ist ihm das liebste, und er möchte auch nicht tauschen mit dem Glücke des Unsittlicheren; aber dennoch wäre er bei etwas weniger Sittlichkeit und schwächeren Gefühlen vielleicht glücklicher. Womit ist also der Rath an eine Mutter zu rechtfertigen, ein Kind zu solchen Gefühlen zu erziehen, zum Opfertod fürs Vaterland, zu Gefühlen, im Glücke anderer glücklich zu sein und selbst vielleicht (nicht nothwendig) ein Minimum von Glück zu erlangen, als durch die Hoffnung auf einen späteren Ausgleich?

Gegen dieses Argument scheint der Einwurf von Belang, dass auch die Entscheidung der Mutter keine sittliche ist, falls sie religiöse Sanctionen zuhilfe nimmt — von ihrer Sittlichkeit wird nicht nur Selbstaufopferung, sondern auch das Opfer des Kindes für das Gemeinwohl verlangt. Gleichviel nun, ob es viele solche römische Mütter gibt oder nicht, gewiss wird von ihnen Unerhörtes verlangt; denn sie sollen nicht bloss das Glück jedes anderen ebensosehr begehren wie das ihres Kindes, sondern noch mehr; es soll ja dazu erzogen werden, z. B. unter der Voraussetzung, dass zu viele Menschen zum Genusse der Lebensbedingungen da seien, sich für eines von den Ueberflüssigen zu erklären und für einen anderen, dessen Glück also der Mutter sogar wichtiger sein soll, Glücksgüter zu opfern. Wodurch aber soll dieser die stärksten sittlichen, die mütterlichen Triebe entwurzelnde Imperativ — immer vorausgesetzt, dass seine Tragweite den Handelnden klar ist — seine Sanction finden? Der Fall ist einfach auf den früheren reducirt. Die Mutter wird über die richtige Vertheilung des Glückes innerhalb der Gesammtheit nachzudenken beginnen und ihr entsprechend richtige Gefühle anerziehen wollen, d. h. der Arbeit der „Begründung der Ethik" sich unterziehen müssen. Dazu muss sie aber auch ihre Gefühle, sowohl die für das Kind, als auch die für die Gesammtheit für einige Zeit suspendiren und wird infolge dessen dieses entweder zu einer durchschnittlichen Moralität, die auch dem eigenen Glücke mehr parallel geht, erziehen oder zu höheren Formen der Sittlichkeit, aber nur unter der Voraussetzung eines künftigen Ausgleiches.

3. Sowohl für die Handlungen des weitaus grössten Theiles der Menschheit als auch für die Erziehung der Völker und des Individuums ist eine religiöse Sanction als dauernd entbehrlich nie zu erweisen. Man kann darüber streiten, ob man die sogenannte Krämermoral, die nur Ehrlichkeit gebietet, um die Kunden nicht zu verlieren, noch Moral nennen will, aber es steht fest, dass jenes Motiv, ähnlich wie das der Liebe und

des Mitleids, weitaus das verbreitetste unter den Menschen ist, dem gegenüber jedenfalls jene höchste Form, die lediglich aus Principien zu handeln vorschreibt, verschwindend ist. Heiligkeit wurde ja von allen Ethiken von jeher so definirt, dass sie in Wirklichkeit niemals vorkommen konnte. Und die Ethik der Wirklichkeit ist jedenfalls beachtenswert genug, wenn man bedenkt, dass z. B. selbst Vater und Mutter zu ehren noch eines Imperativs bedurfte, noch der Sanction, „auf dass Du lange lebest".... Wie oft aber die Menschen Verbrechen unterlassen, lediglich weil sie sich vor Allwissenheit und dem Jenseits fürchten, ist ja auch den Gegnern zur Genüge bekannt.

Wer aber auch alles dies als sittlich gleichgiltig erachtet, hat doch einzuräumen, dass Religion zur Bildung der Sittlichkeit, zum mindesten in demselben Sinne beiträgt, wie die Ruthe beim Kinde, die auch zu einer independenten wahren Sittlichkeit, deren Wert doch nicht gering geschätzt werden kann, führt. Auch wird, wer den Wert jenes Erziehungsmittels, besonders für die Zukunft der Menschheit nicht mehr sehr hoch taxiren will, den Beweis niemals führen können, wie hoch die Wirkung der Religion in der Vergangenheit für die jetzige Sittlichkeit war und jetzt noch ist. Dass es moralisch hochstehende Menschen ohne Glauben gibt, die edler Handlungen fähig sind, beweist ja nur, dass es jetzt möglich ist, ohne einen solchen moralisch zu sein, und dass der Glaube kein Motiv sein muss; aber es ist nicht zu beweisen, dass sich die Moral in der Menschheit ohne Religion entwickelt habe, noch dass die Menschen ohne sie oftmals zu höheren Formen der Moral, z. B. nur zu dem Nichtsündigensollen im Geiste, gelangt sind, auch nicht, dass sie keiner noch höheren Ausbildung fähig gewesen wären. Schliesslich bildet neben diesen auch die eigene Erfahrung ein Argument; sie zeigte z. B. mir diesbezüglich eine grosse Veränderung, als ich nur Zweifel zu hegen begann an meiner früheren materialistischen Weltanschauung, und zwar wirkliche sittliche Besserung.

Jedenfalls ist die höchste Entwickelung wenigstens der Völkermoral thatsächlich nie ohne hohe religiöse Entwickelung erreicht worden, wahrscheinlich überhaupt keine sehr hohe. Dieser Parallelismus zeigt so selten Ausnahmen, dass bei solchen grösste Vorsicht geboten ist, wie weit es sich also z. B. bei sogenannten religionslosen Stämmen nur um Mangel an einem einheitlichen religiösen System oder um wirklichen und völligen Mangel aller Gefühle der Abhängigkeit in jedem einzelnen handelt. Wichtig ist es jedenfalls, allen jenen, welche immer Völker citiren, die ohne jegliche Religion zur Sittlichkeit gelangt sind, vorzuhalten, was die hervorragendsten Männer der Religionswissenschaft denken. „Wir können jetzt sicher behaupten, dass trotz aller Nachsuchungen keine menschlichen Wesen irgendwo gefunden worden sind, die nicht etwas besassen, was ihnen als Religion galt; um es so allgemein als möglich auszudrücken, die nicht einen Glauben an etwas hatten, was über ihre sinnliche Wahrnehmung hinausgieng." [123]) Und ebenso: „Die Behauptung, dass es Völker oder Stämme ohne Religion gäbe, beruht auf ungenauer Beobachtung oder auf Begriffsverwechslung. Einen Stamm oder ein Volk, das an keine höheren Wesen glaubte, hat man noch nirgends gefunden, und Reisende, die diese Behauptung aufstellten, sind später durch die Thatsachen widerlegt worden. Man hat deshalb wohl das Recht, die Religion, wenn dies Wort auch für die Geisteranbetung nur im uneigentlichen Sinne gebraucht werden kann, eine allgemein menschliche Erscheinung zu nennen." [124])

Gegen diese Ansicht spricht nicht die in der Anthropologie oft vertretene Behauptung, dass Sittlichkeit und Religion aus verschiedenen Wurzeln entspringen und „erst auf einer höheren

Culturstufe des Menschen in irgend eine Beziehung zu einander treten".[125]) Schon die thierische Mutterliebe und Aufopferungsfähigkeit bestätigten die Behauptung, dass es Sittlichkeit ohne Religion gibt; die Frage ist aber, angenommen, man nennt so einfache altruistische Affecte schon moralische, ob eine höhere moralische Entwickelung möglich war und ob Sittlichkeit ohne Glauben begründet worden ist. Ob sie ohne ihn entstanden sein könnte oder nicht, ist ja nie zu entscheiden.

Es nützte auch nichts, sich hinter eine sehr allgemeine Bestimmung dessen, was Religion ist, zu verschanzen, wie sie von verschiedenen Forschern verschieden gegeben wird, z. B. als geistige Anlage, welche Menschen in den Stand setzt, das Unendliche zu erfassen, oder als Beziehung des Menschen zu den übermenschlichen Mächten;[126]) denn fast ausnahmslos finden wir den für die ethischen Sanctionen wesentlichen Glauben an persönliche Unsterblichkeit, und je entwickelter der Glaube, umsomehr auch das Vergeltungsprincip. Diese beiden Momente sind fast immer auffindbar in dem „quod ubique, quod semper, quod ab omnibus"[127]) und jene Forscher selbst glauben in dem für uns wichtigsten Falle, auch beim Buddhismus, an eine sehr concrete Form der Anschauungen über das Jenseits.

Gewöhnlich wird ja der Buddhismus als Hauptargument angeführt, denn fast ein Drittel der gesammten Erdbewohner (31·2 Procent, während die auch hier in Frage kommenden Juden nur 0·3 Procent zählen) sollen als Anhänger dieser Religion des Nirvana ohne jenseitige Sanction für das Sittliche sein. Die modernste Forschung denkt darüber anders.

Vor allem ist schon bei dem besonders vom modernen Pessimismus in Sold genommenen „Atheismus der indischen Religion" zu trennen, was Tausende von Jahren vor Buddha, was von ihm und was durch 2000 Jahre nach ihm geglaubt wird, und ferner was vom Volke geglaubt wurde, dessen

Glaube ein ganz anderer als der der Gebildeten, ein nie ganz ergründbarer ist (die Majorität der jetzigen Christenheit mit ihrer Auffassung von der Verehrung der Heiligenbilder und Hostien z. B. ist ja noch immer schlimmer als polytheistisch), und endlich wie sich die Weisheit der Reformatoren in einigen Erleuchteten wiederspiegelt. Werden diese Unterschiede beachtet, so ist zu constatiren, dass die entwickelte vorbuddhistische Brahmanen- und Vedenreligion immer an Götter, persönliche Unsterblichkeit und Vergeltung glaubte, ebenso wie jetzt noch ihre Anhänger, ferner dass nur die höchste Form des Buddhismus, vielleicht nur die Philosophen dieser Religion, in den Upanishaden Atheismus und Nichtfortdauer, aber auch nur als eine Durchgangsform tangiren, ferner dass selbst dies in sehr zweideutiger Form geschieht, insofern schwer entscheidbar ist, wie weit das eigene Selbst, das im Allselbst aufgenommen wird, in diesem wirklich aufgeht, ferner dass zu allen Zeiten Atheist heisst, wie heute noch z. B. Voltaire, wer auch nur die alten volksthümlichen Götter leugnet, und schliesslich, dass die später im Kampf und Ausgleich mit dem Brahmanismus sich entwickelnden Glaubensformen sich wieder völlig von jenen Abstractionen entfernt haben.

Nur einige Belege aus der Religionswissenschaft sollen hiefür angeführt werden, zunächst über den ethischen Charakter der vedischen (vorbuddhistischen) Religion:

„Sittlichkeit und Religion sind schon eng miteinander verbunden. Die Götter beherrschen sowohl die sittliche als die natürliche Weltordnung. In den Hymnen an einige unter ihnen, besonders an Varuna, zeigt sich ein tiefes Schuldgefühl, und dem mächtigen Indra gegenüber ziemt sich Glauben ... Auch in der Unsterblichkeitslehre zeigt sich der ethische Charakter der vedischen Religion. Die Gedanken der vedischen Hindus aber, ihre Ahnen und deren Cultus waren zwar ganz dieselben wie bei den Naturvölkern, und ihre Seligkeitsvorstellungen trugen noch ein sehr sinnliches Gepräge, aber sie erwarteten doch Vergeltung ihrer Thaten nach dem Tode. Indes ist in den ältesten Liedern von Unsterblichkeit noch wenig die Rede."

Ferner von den Brahmanen: „Sie liessen die alten Namen fallen, aber ihr Glaube an das, was sie nennen wollten, blieb".... „Erstens, dass die Weisen nie daran zweifelten, dass es ein Etwas .... gab, von dem Agni, Indra und Varuna nur Namen seien. Zweitens, dass dieses Etwas nach ihnen Eins und nur Eins war." Das „Erkenne Dich selbst" der Upanishaden bedeutet: „Erkenne Dein wahres Selbst, das Selbst, welches Deinem erscheinenden Ich zugrunde liegt, finde und erkenne es im höchsten, ewigen Selbst, dem Einen ohne ein Zweites, welches der ganzen erscheinenden Welt zugrunde liegt." [128])

Als Zweck der Upanishaden gilt: „Wenn nicht die Existenz, so doch die hergebrachte Stellung der Devas als höchster Wesen entschieden zu leugnen, und zu lehren, dass es nur eine Hoffnung auf Erlösung und Seligkeit gibt, wenn nämlich das Einzel-Selbst sich im wahren All-Selbst wieder erkennt und dort, wo allein wahre Ruhe ist, seine Ruhe findet. Nichtsdestoweniger ist Atheismus nicht das letzte Wort der indischen Religion, obgleich es eine Zeitlang in einer Phase des Buddhismus den Anschein hatte, dass es so sein würde. Vielleicht mag das Wort Atheismus nicht an seinem Orte scheinen, wenn wir von indischer Religion sprechen. Dieses Verneinen aber von dem, was man früher geglaubt hat und was man ehrlich nicht mehr glauben kann, ist durchaus nicht das Ende aller Religion: im Gegentheil, es ist ihr wahrster, tiefster Lebensquell. Die alten Arier fühlten von Anfang an, ja im Anfange weit mehr als später, die Gegenwart von einem Jenseits, von einem Ueberendlichen, einem Göttlichen, oder wie wir es nun nennen wollen. Sie wollten es ergreifen und begreifen, indem sie einen Namen nach dem anderen für das ewig Unbekannte versuchten. Sie verliessen die lichten Devas, nicht weil sie weniger suchten und glaubten, sondern weil sie mehr suchten und mehr glaubten als die lichten Devas. Ein neuer Gedanke wollte sich aus ihrem Inneren hervorarbeiten und der Schrei der Verzweiflung war der Bote einer neuen Geburt. In den Augen der Brahmanen war Buddha ein Atheist. Nun waren einige der buddhistischen Philosophenschulen allerdings atheistisch; ob aber Gautama Sâkymuni, der Buddha, selbst ein Atheist war, ist mindestens zweifelhaft und seine Leugnung der volksthümlichen Devas macht ihn sicherlich nicht dazu. Wenn wir die Geschichte der Religionen befragen, so werden wir finden, wie viele Atheisten genannt wurden, nicht weil sie leugneten, dass es irgend etwas jenseits des Sinnlichen gäbe, noch weil sie meinten, dass die Welt auch ohne eine Ursache, ohne einen Zweck, ohne einen Gott begriffen werden könne, sondern einfach weil sie von den überlieferten Ansichten über die Gottheit abwichen und nach einer höheren und reineren Vorstellung von der Gottheit verlangten, als die gewesen, welche sie in der Kindheit gehegt."

Und nun noch einige Beispiele jener vieldeutigen Texte aus den Upanishaden: „Nun wohlan, ich will Dir das Geheimnis verkünden, das ewige Brahman, und wie das Selbst ist nach dem Tode. Einige werden wieder geboren als lebendige Wesen, andere werden zu Stöcken und Steinen, je nach ihren Werken und ihrem Wissen. Aber er, der Mann, der in uns wacht, während wir schlafen, der einen Wunsch nach dem anderen schafft, er allein wird das Leuchtende genannt, das Brahman, das Unsterbliche. Alle Welten ruhen in ihm, und niemand geht darüber hinaus. Dies ist das. Wie das Feuer, das nur eins, an jeder Stelle, wo es brennt, verschieden ist, so ist das Selbst, das in allen Wesen ist, verschieden an jeder Stelle, wo es erscheint, und existirt auch noch für sich. Wie die Sonne, das Auge der ganzen Welt, von den äusseren Flecken, die das Auge sieht, nicht beschmutzt wird, so wird das eine Selbst in allen Dingen vom Weltschmerz nicht berührt, denn es ist draussen.

Es ist ein ewiger Denker, der unewige Gedanken denkt; obgleich nur einer, erfüllt er die Wünsche vieler. Die Weisen, die ihn in sich selbst erkennen, sie haben ewigen Frieden. Die ganze Welt, wenn herausgetreten, zittert in seinem Hauch. Das Brahman ist ein grosser Schrecken, wie ein gezogenes Schwert. Die, welche es kennen, werden unsterblich. Er ist nicht durch Worte, nicht durch den Geist, nicht durch das Auge zu erreichen. Wie kann er anders begriffen werden, als wenn man sagt: Er ist! Wenn alle Wünsche, die im Herzen wohnen, schweigen, dann wird der Sterbliche unsterblich, dann erreicht er das Brahman. Wenn alle Fesseln des Herzens hier zerschnitten sind, dann wird der Sterbliche unsterblich: Hier endet meine Lehre." [129]

Schliesslich über das, was später aus jener Religion wurde, noch ein Wort: „Der Buddhismus sank innerlich übrigens mit seiner äusseren Ausbreitung und Verweltlichung mehr und mehr. Buddha selbst wurde immer mehr vergottet; man begann damit, seine Reliquien zu verehren, errichtete ihm aber auch bald Statuen, die von der gläubigen Menge die hingebendste Anbetung genossen. Aus den zu diesem Zwecke erbauten Tempeln entwickelten sich die späteren Pagoden. In der Zeit der Noth und Verfolgung entstand die Erwartung eines neuen Buddha der Zukunft, oder besser einer neuen zukünftigen Erscheinung Buddhas auf Erden. Später wurden aus dieser einen Incarnation unzählige in der Vergangenheit, Gegenwart und Zukunft. So gilt in Tibet der jedesmalige dalai-lama als fleischgewordener Buddha. Aus dem Nirvana wurde mit der Zeit für die grosse Menge ein jenseitiger, seliger Zustand, eine Art buddhistischer Himmel. So wurde die anfangs allem Mechanismus und aller religiösen Aeusserlichkeit so abgeneigte Religion allmählich zu einer neuen Auflage des Brâhmanismus, den sie aber in der Mechanik der Gebetsformel noch übertrifft." 130)

Nicht deshalb war es nöthig, bei diesem Argumente vom Parallelismus von Religion und Sittlichkeit zu verweilen, weil ihm grosse Bedeutung gegen die independente Ethik zuzuschreiben wäre, sondern lediglich, weil ihm eine so grosse für sie zugeschrieben wird.

Warum eine sittliche Weltordnung aus der Erfahrung nicht nachweisbar ist.

Als letzter Punkt ist noch eine Form des Uebels, das ungerecht erlittene, zu besprechen. Wenn wir für eine sittliche Weltordnung als wesentliches Kriterium Gerechtigkeit bezeichnen, deren eine Form ja auch durch den Parallelismus von Tugend und Glück gegeben ist, so ist, wenn Ungerechtigkeit in der Erfahrung zu constatiren ist, auch eine sittliche Weltordnung durch diese nicht erweislich.

Besehen wir zuerst die wichtigsten Merkmale des Gerechtigkeitsbegriffes.

1. Vor allem ist dieses Gefühl nur befriedigt, wenn dasselbe Individuum, dem Leid widerfahren, die ausgleichende Lust erfährt. Es kann also von Gerechtigkeit nicht die Rede sein, wenn dieser Ausgleich z. B. erst in der nächsten Generation, an den Kindern des Betroffenen gesucht wird, was ja im Falle einer Strafe sogar als Ungerechtigkeit empfunden wird. Der Leidende muss, gleichviel, ob jetzt oder später, die Lust

erfahren. (Es könnte von einem Ausgleich durch andere nur insofern gesprochen werden, als ihr Schicksal mit dem seinen
enge verbunden und ihn aufs nächste, wie als sein eigenes,
berührt.) Daher ist auch eine Religion, die keine persönliche
Unsterblichkeit, sondern nur ein das Individuum nicht berück-
sichtigendes Besserwerden, eine „Weltgerechtigkeit" annimmt,
ohne das Moment der Vergeltung.

2. Gerechtigkeit setzt mindestens das gleiche Quantum
Lust und Unlust für den Ausgleich voraus. Damit wird allerdings ihre Constatirung, wegen der Schwierigkeit solcher Vergleiche, besonders für ein ganzes Menschenleben in den meisten
Fällen unmöglich. Schon im einfachsten Falle des Ersatzes eines
verlorenen Wertobjectes sind ja Lust- und Unlustbedingungen
als sehr complexe nicht zu vergleichen; und wie viel grössere
Schwierigkeiten zeigen sich z. B. nur in den sinnlosen Bestimmungen von zeitlichen Strafmassen.

3. Das Gerechtigkeitsgefühl, besonders in seiner ethisch
geläutertsten Form, verlangt viel weniger für Freuden Leiden
als umgekehrt für Leiden Freuden. Wer dem Reichen nehmen
will, um dem Armen zu geben, will Leiden, nicht Freuden
ausgleichen. Auch Racheacte, also Handlungen, sofern sie über
Selbstvertheidigung hinausgehen, haben ihr Hauptmotiv in der
unerträglichen Unlust des zu Rächenden; und besonders Strafe,
sofern sie über die Rache hinausgeht und nicht bloss schützt
oder abschreckt, will nicht die Freude an dem gelungenen
Verbrechen ausgleichen, sondern ist vornehmlich Ausdruck von
Mitleid, will Leiden ausgleichen durch Freude, will wenigstens
die Unlust der Zeugen der schlechten Handlung mildern. Jedenfalls ist kein sittlich Gebildeter im Zweifel, falls die einfache
Umwandlung eines Bösen in einen Guten möglich wäre, dass
er dadurch befriedigt und auf jede weitere Strafe verzichten
würde, d. h. also auch auf die Reue, welche das Wesentliche

in der Strafe ist; ohne jene bedeutete diese ja nur Unlust-verhängung.

4. Das Gefühl der Gerechtigkeit wird besonders stark ver-letzt durch die zweifache Unlust, die durch eine erreichte böse Absicht erzeugt wird. Und das gilt auch für den Determini-sten, wiewohl nicht in so hohem Masse als für den Indetermi-nisten; diese Thatsache ist anzuerkennen und durch keinerlei Argumentationen von Nothwendigkeit, die überdies vor aller Motivirung Absicht und Zurechnung einsetzt, zu eliminiren.

5. Verschuldetes Leid wird (auch vom Deterministen) als kleinere Ungerechtigkeit empfunden gegenüber dem der leiden-den Unschuld. Selbst ihre durch Sittlichkeit geübte Resigna-tion, auch wenn sie zu einem mässigen Glück führen könnte, ist wenigstens dem mitleidigen Beschauer eine Quelle höchsten Schmerzes.

Fragen wir nach diesen Bestimmungen, ob Gerechtigkeit und damit eine sittliche Weltordnung im Leben, wie es der Erfahrung vorliegt, in der Welt constatirbar ist, so ist darauf bestimmt mit Nein zu antworten.

Vor allem ist Gerechtigkeit, sofern sie im Leben des ein-zelnen nicht nachweisbar ist, auch in keiner Form von einer künftigen, besseren Entwickelung zu erwarten. Jede Glücks-vervollkommnung in späteren Generationen, an deren Glück im Geiste jetzt schon zu participiren nur ein schlechter Ausgleich für thatsächliche grosse Leiden der Gegenwart wäre, nimmt auf das Glück anderer Wesen als des Leidenden Rücksicht. Dass eine Welt, in der ein Glaube an eine solche Entwicke-lung möglich ist, besser ist als eine andere, macht sie, wiewohl zu einer lustbringenderen, nicht zu einer gerechten.

Auch der Nachweis, dass dieses Dasein einen gerechten Ausgleich menschlicher Handlungen zeige, ist, schon als auf einem Lust- und Unlustvergleich basirend, niemals zu führen,

weder für die Gesammtheit noch für das Leben des einzelnen. Hingegen ist der Nachweis, dass es Ungerechtigkeit,
unverschuldete Leiden, auch solche von der absichtslosen
Natur verursachte, gebe, zu erbringen, und der Beweis gegen
eine allgemeine Gerechtigkeit ist schon durch jede einzelne Instanz, jedes gekrümmte Haar auf dem Haupte des Gerechten,
erbracht. Natürlich ist die Behauptung der Ungerechtigkeit auch
mit der Annahme, dass es mehr Lust als Unlust gebe, ebenso
verträglich, wie die Annahme wachsenden Volksreichthums
mit der einer ungerechteren Vertheilung an die einzelnen.

Mit dieser Erkenntnis fällt auch die, besonders der
materialistischen Dogmatik wichtige Behauptung, dass alle
Schuld sich auf Erden räche. Sie setzt, ausser der Ausschliessung
jedes einzelnen gegentheiligen Falles zu ihrem Nachweis den
Vergleich von Lust und Unlust — deren Ausgleich eben Gerechtigkeit wäre — der aber nie geführt werden kann, voraus.
Höchstens dem Satz, dass mehr Schuld sich auf Erden räche
als nicht, könnte Glaubenswert zukommen.

Eine ähnliche Argumentation würde auch gelten für den
Satz, der noch seltener zu behaupten gewagt wird, dass alle
Unschuld sich auf Erden räche, d. h. dass sich alles unverschuldete Leid sühne, ein Wunsch, dessen Nichterfüllung, wie
gesagt, das Gerechtigkeitsgefühl am schwersten verletzt. Nicht
nur ist das Mitleid, das wir mit dem verkümmert geborenen
Elende haben, durch keine Argumentation seiner eigenen Resignation wegzuleugnen; auch die im Dienste der Theorie gemachte, äusserst kühne Behauptung, eines bei demselben besonders durch Gewöhnung erzeugten mässigen Glückszustandes,
ist wegen des Lustvergleiches, dessen unser Gerechtigkeitsgefühl
zur Befriedigung bedürfte, nicht zu erweisen.

Welche Bedeutung schliesslich der Hypothese zukommt,
dass jede erfahrene Ungerechtigkeit im Dienste einer höheren

Gerechtigkeit, z. B. der Zwecke eines göttlichen Wesens, stehe, ist hier noch nicht zu erörtern; sie ist überdies nur für die wenigsten Erlebnisse der Controle durch die Erfahrung überhaupt zugänglich.

Auch ist es unnöthig, Zweifel zu widerlegen, die über den Wert des Gerechtigkeitsgefühles überhaupt entstanden sind, wie wenn z. B. gefragt wird, was es dem Leidenden oder seinen Leiden nütze, wenn er später noch Lust erlangt. [131]) Nicht zu sehen, dass schon die blosse Vorstellung davon ihm darüber hinaushilft, das konnte nur die materialistische Psychologie oder eine Logik, zu der ihre Theorie gedrängt wurde. Und wenn ihre Anhänger mit Rücksicht auf die Ungerechtigkeiten des Daseins nicht nur überhaupt nicht weiter zu leben wünschen, sondern sogar den Unsterblichkeitswunsch leugnen wollen, ist ihnen nur zu sagen, dass sie solches nur in ihrer völligen Phantasielosigkeit thun können, die sie ein Bewusstsein anders als das jetzige nicht vorstellen lässt. Uebrigens sind solche Existenzen Ausnahmsfälle, und selbst diese können allgemein die Meinung nie begründen, dass die Menschen wirklich den Tod dem Leben vorziehen können. Dann hätten ja die Consequenten schon aufgehört zu leben, oder es hiesse das soviel als, sie thun nicht, wozu sie Lust haben, wollen keine Lust und haben keine Motive, d. h. wollen überhaupt nicht, also auch nicht den Tod.

Als Resultat der vorausgehenden Betrachtungen ist also anzunehmen, dass, wiewohl der Pessimismus eine unbeweisbare und somit eine unbewiesene Weltanschauung darstellt, dennoch und gerade für den Sittlichsten die Leiden des Daseins so unzweifelhaft sind, dass eine wahre Lebensfreude nur die Hoffnung auf einen Ausgleich in einem übersinnlichen Dasein geben kann. Befriedigung mit dem Lustzustande der erfahrbaren Welt kann nur Unwissenheit oder Gemüthsroheit geben, da in diesem Dasein wohl Ungerechtigkeit, nie aber Gerechtigkeit allgemein und damit keinerlei sittliche Weltordnung erweisbar ist. Damit ist aber auch der grösste Einfluss auf das menschliche Glück durch den Glauben, ja schon durch die blosse Möglichkeit eines solchen gezeigt. (Die Bedeutung dieses Einflusses hat ja auch der Pessimismus immer anerkannt, sofern seine Metaphysik über jenseitige Daseinsformen sich stets weit genauer instruirt zeigte, als vielleicht für ihn nöthig und wahrscheinlich für unser Erkennen möglich ist.) Damit ist aber auch die Nothwendigkeit gegeben, auch noch diesen Glücksfactor auf seine Möglichkeit zu prüfen.

Haben wir bisher die Welt zu rechtfertigen gestrebt gegen den Vorwurf des Pessimismus, so haben wir sie jetzt zu vertheidigen gegen die Behauptung der Unmöglichkeit einer sittlichen Weltordnung und des damit nothwendig verbundenen Glücksmasses.

Da wir als Voraussetzung der Gerechtigkeit die individuelle Fortdauer nach dem Tode erkannt haben, so wird zu prüfen sein, unter Voraussetzung dessen, was unsere Bedürfnisse zum mindesten von höheren Lustformen in einem übersinnlichen Dasein verlangen, ob ein solches möglich, wahrscheinlich, oder ob die Frage unentscheidbar ist. Da ferner für die Annahme einer sittlichen Weltordnung die Voraussetzungen einer persönlichen Fortdauer und einer eventuellen Lustentwickelung allein nicht genügen, wird zu rechtfertigen sein, wodurch diese letzte im Sinne der Gerechtigkeit wirklich werden kann. Was letzteres betrifft, so sind entsprechend den Arten einer teleologischen Weltauffassung für das Dasein, wie es der Erfahrung vorliegt, zwei Möglichkeiten zu berücksichtigen.

1. Es ist denkbar, dass eine Weiterentwickelung, ähnlich der jetzigen, stattfindet mit der Annahme, dass durch die Folgen unserer Handlungsweise sich das Böse von selbst be-

strafe, respective aufhebe und die Lust sich vermehre, ohne dass diese Art Ausgleich eine vorausbedachte wäre — was auch zu einer Art Ueberbleiben des Stärkeren oder einem jenseitigen „Kampf ums Dasein" führen könnte. Die Möglichkeit wäre dabei nicht auszuschliessen, dass das Gute zu einer immer grösseren Macht und selbst zu einer Art richterlichen Gewalt gelangte. Betreffs dieser disteleologischen Auffassung ist zu betonen, dass damit einige weitere Eigenschaften, die Fortdauer des Psychischen betreffend, sich zur Prüfung ergeben würden, nämlich Erkenntnis und Beeinflussbarkeit des Psychischen. Diese Voraussetzungen decken sich ja auch mit den gewöhnlichen Glaubensannahmen, mit dem Bedürfnis einer dauernden Gemeinschaft mit anderen Wesen.

2. Die verbreitetere Annahme, die teleologische, betrifft die eines oder mehrerer göttlicher Wesen. Sie ist weitergehend als die frühere und gewährt, wiewohl die frühere Annahme einer sittlichen Weltordnung als solcher auch schon genügte, eine weitere höhere Befriedigung, nämlich der ästhetischen Erkenntnis-, Einheits- und höheren Machtbedürfnisse, und ihre Beweisbarkeit scheint leichter, da auch reine Erkenntnisprobleme zu Fragen wenigstens nach einzelnen göttlichen Eigenschaften führen. Ausser Erkenntnis des Psychischen und Beeinflussbarkeit durch dasselbe wird hier die weitere Möglichkeit einer anderen Art Bewusstsein der Prüfung vorgelegt, dessen Eigenschaften zunächst nur im Sinne der sittlichen Weltordnung lediglich als eine dem Bedürfnis entsprungene Construction sich darstellen. Sie sind vor allem Wille und Macht, alles Psychische im Sinne der Gerechtigkeit zu beeinflussen. Wir müssen auch diese weitergehende Hypothese schon deshalb einer Prüfung unterziehen, weil noch völlig offen steht, ob die metaphysische Construction nicht zu Annahmen z. B. teleologischer Art, zu einer ersten Ursache, zu einem einheitlichen, allem

Physischen parallel gehenden Psychischen drängen und sich vielleicht mit der Voraussetzung einer sittlichen Weltordnung ohne ein göttliches Wesen nicht begnügen kann.

Die folgende Untersuchung wird sich also zum Zweck der Erweisbarkeit einer sittlichen Weltordnung sowohl auf die Unsterblichkeits- als auf die Gottesfrage beziehen.

Die metaphysischen Voraussetzungen einer sittlichen Weltordnung.

Es soll die Lösbarkeit der Frage geprüft werden nach einer persönlichen Fortdauer und einem göttlichen Wesen unter Voraussetzung der Begriffsbestimmungen, die beiden in Rücksicht auf eine sittliche Weltordnung gegeben wurden. Es ist seit Jahrtausenden über diese Fragen so viel für und gegen an Beweisen verschwendet worden, dass man sich fast der Mühe unterziehen möchte, die Arbeit jener merkwürdigerweise seltenen Philosophen wieder aufzunehmen, welche die Frage für unlösbar hielten und dafür, wiewohl auch ohne Resultat, den Beweis zu erbringen hofften. Darüber kann ja kein Zweifel bestehen, dass über diese Probleme bisher keinerlei Einigkeit erlangt worden ist. Auch dass die Wahrheit schon gefunden ist, und nur nicht allgemein eingesehen werden kann, mag für einzelne Fragen glaubwürdig sein, ist aber nicht wahrscheinlich für so vitale Probleme, die eine Hauptarbeit der besten Geister aller Zeitalter bildeten. Also auch angenommen, ich verstünde die Beweise jener Philosophen nicht, so wäre doch zu glauben, dass die Nachfolger derselben, die hervorragendsten Denker der Gegenwart, wirklich erbrachten Beweisen folgen könnten. Die Erfolglosigkeit ist also unzweifelhaft und möchte sich fast als ein Glaubensargument auch für die Zukunft aufdrängen, wenigstens für unsere Fragen; denn ob es einer künftigen

Metaphysik nicht gelingen wird, in anderen Problemen zu grösserer Uebereinstimmung zu gelangen — einiger Fortschritt ist ja schon jetzt ersichtlich — erscheint weniger klar. Besonders wichtig ist uns hier, dass auch die Beweise der Agnostiker, die Beweise für die Unbeweisbarkeit, ebenso hoffnungslos scheinen als die Gottes- und Unsterblichkeitsbeweise selbst, respective als die Beweise gegen diese Annahmen. Auch die Vertreter dieser Ansicht verwickelten sich in metaphysische Constructionen kühnster Art, und es scheinen diejenigen im Rechte zu bleiben, welche sagen: „Diese ursprünglich löbliche Bescheidenheit ist . . . . zu einer unleidlichen Tyrannei der beschränkten Köpfe geworden. Sie merken nicht, dass die Grenzen der Vernunft bloss selbstgewählte sind und überhaupt nur durch Ueberschreitung der Grenze festgestellt werden könnten; denn die Vernunft kann nur begrenzen, wenn sie ein Jenseitiges erkennt. Die Richtung nach links fordert eine Richtung nach rechts, und wer von Erscheinungen spricht, der muss auch das Ding an sich kennen, und so weit er von diesem nichts versteht, sofern weiss er auch nicht, was und dass Erscheinung ist. . . . . Diese neuen Kriticisten werden also entweder mit wirklicher Bescheidenheit auf Philosophie überhaupt verzichten müssen und sich bloss mit Erfahrungswissenschaft abgeben, oder sie können nur als naive Philosophen gelten, die, ohne es selbst zu wissen und zu wollen, immer dogmatisch vom Ding an sich sprechen und sich dabei im Stillen etwas denken, was sie als verschwiegenes Gut aus einer der früheren Weltanschauungen eingeheimst haben. Da dieser angebliche Kriticismus also entweder überhaupt nicht Philosophie ist oder je nach der Begabung seiner Jünger unter diese oder jene schon bekannte dogmatische Weltansicht fällt, so brauchte er hier nur so beiläufig erwähnt zu werden. Es sind Leute, die ihr Bild im Spiegel sehen können, ohne dass sie selbst die Augen

öffnen. Es sind Leute, die behaupten, von Amerika weder
durch Vernunft noch durch Erfahrung zu wissen, weder ob es
existire, noch wie es beschaffen sei, und die dennoch mit
ihren Schiffen immer nur genau bis an die Grenze von Amerika
fahren und dann wieder umkehren. Diese Glücklichen wissen
die Stelle zu finden, wo sie umkehren müssen, leider dürfen
sie ihr Geheimnis keinem Denkenden offenbaren."[132])

Es fehlte nur noch an Beweisen für die Unbeweisbarkeit
der Unbeweisbarkeit dieser Probleme, und des Beweisens
würde kein Ende. Freilich haben wir auch keine Möglichkeit,
so lange keinerlei Art Beweise erbracht ist, die Menschheit aus
ihrem Elende zu befreien, und müssen jeden, der mit einem
neuen Gottesbeweise kommt, hören. Ich kann mich hiegegen
nur durch den Glauben retten, dass alle diese Beweise für
oder gegen Unsterblichkeit und das Dasein Gottes, wiewohl
nicht unmöglich zu erbringen, doch für alle Zeiten höchst unwahrscheinlich sind, und diese Erkenntnis hat mir den gleichen
Wert, wie die meisten Wahrscheinlichkeitsbeweise der Naturwissenschaft. Da aber die Grenzen vom Glauben zum Wissen
hier besonders unbestimmt verfliessen, so möchte ich es offen
lassen, wie weit die Angabe der Gründe für einen solchen
Glauben als ein Beweis für die Unbeweisbarkeit jener beiden
Probleme gelten kann. Vielleicht können sie doch Bausteine für
ein Glaubensgebäude werden, in dem die weniger Erfahrenen
wenigstens jene Beruhigung finden können, die ihnen der Glaube
derer gewährt, die sie als Autoritäten anerkennen — eine andere Rettung scheint es mir aus diesem Irrsal nicht zu geben.

Bei diesem Unternehmen ist vor allem eine Gefahr auszuschliessen, dass das Staunen und das Mitleid, das die Ausgeburten aller Systematiker bisher getroffen, nicht auch uns
treffe; alles hängt davon ab, im Beweisen so wenig als möglich
metaphysische Constructionen zu verwenden, d. h. nur so weit

auszuholen, als, um die metaphysischen Voraussetzungen der Fragen zu prüfen, unumgänglich nöthig ist. Die Gefahr beginnt schon beim ersten Schritt.

Da die Unsterblichkeits- wie die Gottesfrage allgemein eine Frage nach einem psychischen Sein bedeutet, ohne jene oder mit anderen Vorgängen, als die wir als unsere körperlichen wahrnehmen, so handelt es sich zunächst um die Klarlegung des Verhältnisses von Körper und Geist; und soferne dieses am klarsten an uns selbst ist, vor allem um das Verhältnis meines Körpers zu meinem Ich. Durch diese Erkenntnisse wird ja auch der einzige sichere Ausgangspunkt für alles philosophische Denken gegeben; hier müssen die ersten zweifellosen Grundlagen liegen, ohne diese Fundamente würden wir fortfahren, uns im Kreise der Behauptungen zu drehen und wie bisher Gott aus der Unsterblichkeit und aus dieser Gott zu erweisen.

Wir müssen also trachten, nicht ohne Voraussetzungen zu beginnen, wie in ihrem Anfange die neuere Philosophie versuchte — das ist ja unmöglich — doch möglichst ohne Voraussetzung, und was 300 Jahre auf das damalige Denken gebaut haben, wird uns gewiss einen sicherern Grund und höheren Ausblick verschaffen, sofern wir nur gut auf jenen Moment achten, in welchem der immer bereite Deus ex machina den sicheren Gang der Gedanken zu zerstören droht.

Bevor wir beginnen, ist nur vorauszuschicken, sowohl dass wir keine übermässigen Erwartungen an den Sicherheitsgrad unserer Resultate knüpfen dürfen, als auch dass keine übermässigen Zweifel über unser Erkenntnisvermögen uns quälen sollen. Einige Bemerkungen werden dies klar machen.

Vor allem ist gewiss, dass eine absolute Skepsis an jeder meiner Erkenntnisse auch das Recht zu diesem Zweifel aufheben müsste und mir jede Aussage verbieten, also absolutes Schweigen befehlen würde.

Ebenso klar ist, dass der Zweifel, was mir denknoth-
wendig ist — ein Urtheil, dessen Verneinung unmöglich ist —
könne dennoch falsch sein, jede menschliche Erkenntnis auf-
hebt, dass ich Erkenntnisse eben nur für mich und ein menschliches Erkennen wollen kann.

Auch ist evident, dass die Art von Gewissheit, die ein
solches Urtheil gibt, schon für das Gedächtnis fehlt, in Wahrscheinlichkeit und blossen Glauben übergeht und die Möglichkeit
des Irrthums offen lässt, und zwar eine umso grössere, je weiter
sich die Thatsachen vom unmittelbar Erlebten entfernen.

Ebenso gewiss ist, dass ein noch geringerer Grad von
Evidenz dem Glauben zukommt, der infolge wiederholten Geschehens zustande kommt. Dass ein Stein, weil er bisher immer
gefallen, es auch in Zukunft thun werde — wofür ich weiter
keinen Grund mehr angeben kann und mir nur mit einer Noth-
wendigkeitshypothese helfen muss — darüber ist Zweifel möglich. Und dieser Zweifel betrifft nicht nur die Möglichkeit, dass
z. B. plötzlich irgendeine Unterlage unter den fallenden Stein
geschoben werde, auch nicht, dass plötzlich kosmische Vorgänge die Erde und ihre Schwerkraft vernichten, was uns nur
mit ähnlicher Verwunderung erfüllen dürfte wie das Nichtauf-
gehen der Sonne — das bliebe alles noch innerhalb des Be-
reiches der Regelmässigkeiten der Natur: mein Zweifel betrifft
diese selbst, die Dauer in der Naturregelmässigkeit. Dass
künftig weiter geschehen wird, was bisher geschehen ist, und
zwar auch unter völlig gleichen Bedingungen ist trotz meines
Dranges, Nothwendigkeit vorauszusetzen, kein gewisses Urtheil.
Dennoch kann ich ohne diese Art Erkenntnis nicht weiter
kommen, und wenn ich in den folgenden Problemen mich mit
der Wahrscheinlichkeit, die ein Stein hat, auch künftig zu
fallen, nicht begnüge, so kann ich ihre Lösbarkeit nicht anstreben; andere Gewissheit kann keine Wissenschaft erlangen,

welche die Wirklichkeit erklären will. Mathematik allein Wissenschaft nennen, ist dieselbe Willkür, als ihr allein diesen Titel
vorenthalten. Es gibt eben Grade in der Erkenntnis.

Die letzte Art Zweifel betrifft den Gedanken, dass der
Geist selbst in einer fortdauernden Entwickelung, in einem
Fliessen sich befindet und vielleicht jetzt über Denkformen
verfügt, die andere als früher und weniger zahlreich sind als
später. Dies könnte zu der Meinung führen, dass für mich jetzt
Erkenntnisse wahr sind, die es später nicht mehr sein werden,
oder dass für frühere Menschen Erkenntnisse wahr waren, die
es für spätere nicht sind, mit einem Worte, dass für andere
anderes wahr sein könnte (und natürlich trifft dieser Zweifel
nicht bloss Erkenntnisse, wie z. B. über Gefühle, die gewiss
immer subjectiven Charakter haben müssen). Dementgegen ist
nun zu wiederholen, dass ich selbstverständlich nur mit meinem
jetzigen Geist denken kann, und dass solche Zweifel ebenso wie
die früheren jede Erkenntnis aufheben würden und selbst diese
Zweifel nicht als richtig zu behaupten gestatteten; und zwar
gilt das ausnahmslos für jede Art Erkenntnis, denn auch die
complexesten Probleme haben den Evidenzcharakter wie die
Erkenntnis, dass $2 \times 2 = 4$, oder dass Steine auch in Zukunft fallen werden.

Nach diesen Einschränkungen unbegründeter Bedenken
und Hoffnungen können wir, etwas weiter ausholend, beginnen
und wollen uns dazu einer Abstraction bedienen.

Ich bin allein in meinem Zimmer und frage mich: Was
ist mir von allen meinen Erfahrungen unzweifelhaft gewiss?
Ich sehe ein weisses Blatt vor mir. Kann ich sagen: Es ist
gewiss, dass dieses Weiss existirt? Dass ich erfahre, empfinde.
dass eine Empfindung existirt, das ist mir völlig gewiss; und
ich kann meine Erfahrung, wenn ich über das, was ich mein
Ich nenne, noch nichts Bestimmtes aussagen und das Urtheil:

„ich empfinde", vermeiden will, am einfachsten in dem Urtheile ausdrücken: „eine Empfindung ist". Wenn ich mit Weiss nicht mehr als dies oder den Inhalt bezeichnen will, dass diese Empfindung sich von dem Gefühle des Schmerzes unterscheidet, so könnte ich auch sagen: „Weiss ist"; dieses Urtheil ist ebenso gewiss wie meine Empfindung oder wie ein Schmerz, den ich fühle. Und es ist für die Sicherheit der Aussage völlig gleich, dass Schmerz und Weiss voneinander und wie weit sie voneinander verschieden sind.

Nun fällt mir aber beider Verschiedenheit, und zwar in vielen Punkten auf, und besonders eine Art von Verschiedenheit ist mir vor allem auffällig: Wende ich mich ab von dem Blatt Papier, so ist das Weiss nicht mehr, während der Schmerz noch andauert. Das drängt mich zur Frage, ob denn nicht dies Weiss so oder anders noch fortexistirt, ohne dass ich es wahrnehme. Die Frage ist mir noch aufdringlicher dadurch, dass, wenn ich mich mit dem Kopfe zurückwende, ich wieder die Empfindung Weiss habe. Ich wünsche also eine Erkenntnis darüber, ob das Weiss nicht mehr als bloss verschieden von meinen anderen Erlebnissen, nicht mehr als mein Schmerzgefühl ist und irgend unabhängig von mir existirt. Wenn ich, um diese grossen Unterschiede anzuerkennen, sie zusammenfasste, bloss indem ich die eine Art innen, die andere aussen nenne, so muss mir klar sein, dass diese Bezeichnung vielleicht eine nichts besagende Analogie aus meinen bisherigen Erfahrungen ist und ebensowenig etwas über Existenzen aussagt, wie wenn ich in der Empfindung Weiss eine Zweitheilung vornehme und von einer Empfindung und ihrem Inhalt spreche. Denn die Neigung, jene mehr dem Ich zuzusprechen und diesen als nicht dem Ich zugehörig zu bezeichnen führte vielleicht zu einer blossen Willkürlichkeit. Genau so glaubt ja der Träumende, seine Gestalten seien ausser ihm, d. h. von ihm unabhängig, und sie gehören doch auch seinem Ich an wie alle Zeugen, die ihm ihre Existenzen bestätigen. Die Frage muss ich also zu lösen trachten, ob jener Erfahrung irgendwie eine von mir unabhängige Realität zukommt; ich will die Möglichkeit, dass ich immer und alles träume, ausschliessen. [133] Mich wegen dieses Zweifels einfach für toll zu halten, solange ich nicht einmal mir selbst die Wahrheit des Gegentheiles gewiss machen kann, wäre das grösste Armutszeugnis für das Denken. Also die Frage geht, wenn ich das Empfinden selbst als etwas Gewisses, als die erste gegebene Realität auffasse, auf andere Realitäten, zum mindesten auf eine zweite Art, die in irgend einer Weise zu einigen meiner Empfindungen in Beziehung steht. Existirt in diesem Zimmer noch irgend etwas, wenn alles, was den Charakter des Empfindens selbst hat, aufhörte? [134] Diese Frage bleibt aufrecht, wie immer ich den Unterschied zwischen dem Weiss und einem Schmerzgefühl als gross oder als verschwindend bestimme; es bleibt für sie gleichgiltig, ob ich beides physisch nenne oder beides psychisch, ob ich beide Bezeichnungen vermeiden, beide Namen belassen oder beide durch neue ersetzen will.

Wie kann ich zu jener für mein ganzes Denkgebäude grundlegenden Erkenntnis gelangen?

Dadurch, dass ich gewahr werde, dass ich zu meiner Orientirung für meine Erfahrungen der Annahme einer, ich will nur immer kurz sagen, zweiten Realität bedarf. Das wird mir klar, wenn ich frage, ob Orientirung nicht noch anders zu erlangen wäre, und ob eine solche überhaupt sein müsse.

Was die erste Frage anbelangt, ist zu sagen, dass ich zur Annahme von Regelmässigkeiten in dem Verlauf meiner Vorstellungen nicht gelangen könnte, wenn ich mich nur so verhielte, als ob es eine zweite Realität gäbe, ohne diese Annahme wirklich zu machen. Abgesehen davon, dass das eben schon hiesse, diese Annahme als die glaubwürdigere zu bezeichnen, gelangte ich unter dieser Annahme nur scheinbar und zu sehr mangelhaften Regelmässigkeiten.

Ich bemerke z. B., dass im Ofen am Holze Veränderungen vor sich gehen, auch wenn ich meinen Kopf abgewendet habe und keine continuirlichen Wahrnehmungen davon mache. Angenommen nun, ich wollte jene Veränderungen bloss als Thatsachen, als meine Vorstellung betrachten und wollte erfahren, ob die Vorstellung des Feuers mit jenem Vorgange in irgend welcher Beziehung steht. Dazu würde ich am besten immer aufzeichnen, welche von meinen Vorstellungen dem Anblicke des verkohlten Holzes jeweils vorausgeht. Gewiss käme ich so, wenn auch sehr schwierig, zur Annahme, dass es meist Feuer sei, aber höchstens zu dieser, niemals jedoch kann ich zu einer Annahme kommen, die mir das Gefühl der Nothwendigkeit erregt, dass immer und ausnahmslos Feuer der Verkohlung vorausgeht; denn finde ich in meinen Aufzeichnungen nur einmal eine Beobachtung, dass dem Anblicke der Verkohlung nicht der des Feuers, sondern z. B., nachdem ich wieder hingeblickt, die Wahrnehmung der geöffneten Ofenthür vorausgieng, so ist alle Regelmässigkeit und damit die Gesetzmässigkeit verloren. [135]) Nun finde ich aber viele solche Fälle, von denen schon einer als Gegeninstanz allen anderen gegenüber zur Behauptung genügt, dass Feuer nicht der Verkohlung vorausgehen müsse, also ist damit bewiesen, dass Orientirung mir unmöglich und die Annahme einer unabhängigen Existenz nothwendig ist.

Es bliebe noch die Frage nach der Nothwendigkeit einer Orientirung. Darauf bezüglich habe ich mir nur klar zu sein, dass Orientiren voraussagen heisst, und dass ich, wenn ich auf dieses verzichten wollte, damit auf alles verzichtete, was meinem Denken in irgend welcher Richtung Beweiskraft gibt. Voraussagen können ist das entscheidende Kriterium für die Wahrheit der meisten meiner Erkenntnisse, mit dem ich mich auch sonst immer begnügen muss; da ich aber Voraussagungen über jenes Geschehen, das ohne mein Zuthun sich vollzieht, nie machen kann als unter der Annahme einer zweiten Realität, wird damit diese zur nothwendigen Annahme. Das ist für sie der Beweis, und zwar der einzige, dessen jene zugänglich ist. Solche Art Erkenntnis ist nicht so gewiss wie die Evidenz einer Empfindung, aber, wie die meisten meiner Erkenntnisse und Voraussagungen, wahrscheinlich, und zwar so wahrscheinlich, als die Fortdauer der beobachteten Gesetzmässigkeit, und jedenfalls könnte ich, wenn diese Evidenz mir nicht genügt, überhaupt zu keinerlei Hypothese über mein Verhältnis zu den Dingen gelangen.

In dieser Weise ist auch mein Zweifel, ob ich nicht vielleicht dauernd träume, abgelehnt; ein Traum von solcher Regelmässigkeit und Dauer führt zu dem Glauben an eine Wirklichkeit, gleichviel, wie immer unbestimmt ich mir diese denken möge.[136]) Es mag ein Wesen geben, welches mir, so oft ich meinen Kopf wende, die Vorstellung Weiss vorzaubert. Dann begründet die Gesetzmässigkeit dieses Wesens den Glauben an eine von mir unabhängige Wirklichkeit, sei diese nun dieses Wesen selbst oder irgend welche Wirklichkeit, durch die es mich jedesmal bestimmt. Wollte ich annehmen, dass blosse Gedanken dieses Wesens mir Wirklichkeiten werden, so könnte ich dieser Annahme nur dann einen Sinn geben, wenn ich unter Gedanken einfach ein Psychisches, etwas wie Theile dieses Wesens verstünde, d. h. aber nichts weiter als eine Wirklichkeit, die zugleich psychisch ist. Die regelmässige Anordnung würde mich wieder zur Annahme führen, dass diese Theile unabhängig von mir dauernd angeordnet sind, entsprechend den Dingen. Ich werde nicht sagen, dass jenes Wesen, so oft ich vor mir eine geschriebene Buchstabenreihe lese, immer gerade entsprechende Gedanken denkt, sondern dieses psychische Wesen ist so geartet, dass z. B. Theile von ihm eine dauernde Wirklichkeit repräsentiren — es mag im übrigen sein, was es will, ich habe jetzt nur für diese Eigenschaft Interesse. [137])

Von dieser Wirklichkeit kann ich mich nur irrthümlich auf eine andere Weise als so überzeugen. Wenn sich z. B. jetzt eine Fliege auf meine Hand setzt, was hat diese für meinen Gedankengang zu bedeuten? Erst hätte ich mich ihrer Realität, einfach als einer Gesichtsvorstellung, wie früher des Weiss, zu versichern, und erst dann würde ich auf ein dem meinen ähnliches Ich schliessen, nie aber umgekehrt: Meiner blossen Vorstellung einer Fliege könnte ich ja nie Gedanken, ein Ich zuschreiben. Ich käme so nicht nur nie zu ihren Realitäten, sondern müsste sie sogar leugnen. Auch wenn ich aus der Existenz des Papieres vor mir auf mir ähnliche Wesen schliesse, die es erzeugt haben, so habe ich seine Existenz zuerst angenommen, dann die der verfertigenden Hand und zuletzt erst folgere ich den Willen, der diese bewegte. [138])

Ist mir in dieser Weise die Existenz anderer Wesen erwiesen, so kann mir ihr Verhalten und die Uebereinstimmung in ihren Handlungen zur Bekräftigung meiner Annahme dienen. Gesetzmässigkeit und Voraussagungen wären mit Rücksicht auf die nothwendige Orientirung aller anderen Wesen ohne zweite Realität noch schwieriger zu erlangen.

Was kann ich nun über jene zweite Realität aussagen, wenn ich darunter immer nur eine solche verstehen will, die nicht bloss unabhängig von mir existiren kann — das könnte jedes andere Ich auch — sondern auch eine Realität, wie sie sich mir durch eine Sinneswahrnehmung zu erkennen gibt? Ihre Eigenschaften sind mir bisher noch völlig fremd. Dass vor allem diese zweite Realität anders ist als meine Vorstellungen, ist mir höchst wahrscheinlich; das zeigt mir jede Erfahrung, die ich

über Dinge mache, die ich in verschiedenen Lagen betrachte.
Schon dass ein Gegenstand in der Ecke des Zimmers mir in
der Entfernung kleiner erscheint als in der Nähe, drängt mir
die Frage auf, wie gross er in Wahrheit ist. Also möglicherweise ist die zweite Realität ganz anders. Es gäbe nun zwei
Möglichkeiten: Entweder sie ist mir anschaulich vorstellbar oder
unvorstellbar. Vorstellbar könnte sie nur sein, wenn sie meinen
Erfahrungen ähnlich ist, einer Empfindung, einem Schmerz.
Unvorstellbar wäre sie schon, wenn ich sie lediglich dem
Empfindungsinhalt Weiss ähnlich denken würde, denn ich
habe damit das Erfahrungsgebiet bereits verlassen. Jenes Weiss
war mein Weiss und ist von einem Ich nur durch einen Ab-
stractionsact trennbar, um niemandes Weiss zu sein; die erste
einfachste Sinnesempfindung eines Kindes muss ja Ansätze zu
einem solchen Ich mit sich führen. Will ich also jene Realität
nicht mit einem Ich vorstellen (mit meinem eigenen gienge
das nicht an, denn diese Verdoppelung müsste mir bewusst
sein, und mit einem fremden würde es wieder nur Vorstellbarkeit, einfach etwas Psychisches bedeuten), so hätte ich sie als
unvorstellbar zu bezeichnen. In diesem Sinne deckt sich dieser
Unterschied mit dem von Psychisch und Nichtpsychisch.

Diese Möglichkeit, nichtpsychisch zu sein, kann mich nicht
zur Frage verleiten, wie ein Sein, das nicht vorstellbar ist,
das für niemanden ist, auch nicht für sich selbst, überhaupt
möglich sei. Hierin liegt so wenig ein Widerspruch als in der
Existenz jedes anderen Ichs, das, sofern ich es nicht vorstelle.
nach jener Annahme für mich auch aufhören müsste zu existiren. Sein ist Sein und wird es nicht erst für mich oder
einen anderen. Wenn mich aber dieser nicht anders widerleg-
bare Zweifel dennoch quälen wollte, dann müsste ich trachten.
meine Weltanschauung auf Grund einer zweiten psychischen
Realität zu begründen und zu sehen, ob mich diese nicht in

Widersprüche führt. Die zweite Realität wird aber jedenfalls auch durch jene Zweifel nicht entbehrlich, gleichviel, ob sie, was zunächst noch offen bleibt, eine psychische ist oder nicht. [139])

Das Einzige, was ich nun von Eigenschaften dieser zweiten Realität bisher mit Bestimmtheit aussagen kann, ist, dass, da sie viele meiner Vorstellungen und ihre Gesetzmässigkeit begründen hilft, damit auch gegeben ist, dass den Veränderungen an den Vorstellungen analoge in den Vorgängen jener Realität entsprechen müssen, und zwar, was auch bei der Erkenntnis der Realität selbst bestimmend war, soviele, als für meine Orientirung anzunehmen nöthig sind, als ich nicht durch mich allein gegeben denken kann. Z. B. braucht es in ihrem Reiche nicht wie in meiner Erfahrung Einheit oder Vielheit zu geben, aber wenigstens Mannigfaltigkeit von Intensitäten; und so vielerlei Veränderungen an Tönen, Farben, Gestalten, der Zeitdauer etc. es gibt, so vielerlei Veränderungen müssen ihnen in der Realität entsprechen.

Hier gewahre ich aber, dass gewisse von diesen Eigenschaften nicht völlig unbestimmt gelassen werden können, sondern durch solche aus dem Reiche meiner Erfahrungen bestimmt werden müssen. Ich bedachte schon oft das Verhältnis zwischen den Realitäten meines Ichs und einer anderen Realität; wie soll ich mir nun diese Beziehung vorstellen? Wenn ich mich überhaupt orientiren können soll und dazu eine zweite Realität annahm, so musste ich damit stillschweigend auch eine von zwei Möglichkeiten zugestehen, die mir die Erfahrung über Abhängigkeit gibt: Sie kann nur gedacht werden als nothwendige Aufeinanderfolge oder nothwendige Gleichzeitigkeit, als Succession oder Coexistenz; in letzterer ist die Möglichkeit offen gelassen, dass bei gleichzeitigen Zuständen der eine in der Weise betont sein würde, dass das Abhängigkeitsverhältnis nicht umkehrbar wäre, dass der eine zwar immer den zweiten mit sich führt. der andere aber auch allein auftreten könne.[140]) (Bei dem Worte Nothwendigkeit denke ich hier lediglich an die Erfahrung, die ich mache, wenn ich ein Urtheil fälle, wie: Weiss ist Weiss. Mein Glaube, dass eine ebensolche Nothwendigkeit besteht, wenn ich meinen Arm bewegen will oder dieser den Tisch stösst, ist nur ein Glaube, welcher der Möglichkeit, dass beides ohne Erfolg bleibt, nie widersprechen darf.)

Hier nun erhebt sich der Zweifel, wie für eine andere, eine zweite Realität ein Abhängigkeitsverhältnis möglich sein soll, wie ich ein solches nur im Gebiete des Wahrnehmbaren kenne. Freilich wäre ja ohne diese Möglichkeit die Grundlage meines ganzen Denkens erschüttert; denn soll eine zweite Wirklichkeit existiren, so muss auch wirkliche Abhängigkeit stattfinden können; anders würde das Unwahrnehmbare im Wahrnehmbaren sich nie manifestiren können. Und die Schwierigkeit ist nicht kleiner für die Annahme von Coexistenz als für nothwendige Succession. d. h. Causalität. Hier sollen dem Reiche des Unwahrnehmbaren die Prädicate der Nothwendigkeit und Succession zukommen, dort die von Nothwendigkeit und der Gleichzeitigkeit, also immer Zeitlichkeit und Nothwendigkeit.[141]) Aber die Schwierigkeit ist nur eine, die ich mir selbst geschaffen habe und besteht nur, wenn ich behauptete, solche Eigenschaften können nur für die Welt des Wahrnehmbaren gelten. Woher komme ich aber zu dieser Einschränkung? Was ich eine Causalvorstellung nenne, kommt in mir zustande, wenn mir die entsprechenden Fundamente der Vorstellungen gegeben sind: mein Arm und der Tisch, den er bewegt. Warum aber, wenn eines dieser Elemente nur indirect, nicht anschaulich vorgestellt wird, eine Causalität nicht möglich sein soll, kann ich nicht einsehen. Die zweite Realität wirkt auf jene meines Ichs, und es entsteht die Vorstellung. Für ein Wesen, das jene anschaulich vorstellen könnte, gäbe es vielleicht keinen Zweifel, und für mich keinen Grund, diese Erweiterung des Causalbegriffes anzunehmen. Jedenfalls weiss ich keine andere Hypothese, auf Grund deren überhaupt eine Erklärung der Dinge möglich ist. Dieser Einwand entscheidet also auch nichts in der Frage über Succession und Coexistenz, und ich kann aus meinen bisherigen Erfahrungen nicht entscheiden, welche von beiden Möglichkeiten die begründetere ist, und kann auch darüber keinerlei Annahme machen. Fest steht bisher nur, dass es eine von mir unabhängige Realität gibt, die in einer dieser beiden Beziehungen zu mir steht.

Dasjenige Problem nun, das mir im weiteren Ergründen jener zweiten Realität das aussichtsreichste erscheint, betrifft ihr Verbreitungsgebiet, ihr Vorkommen. Ist sie nur zu jener Art von Erlebnissen in Beziehung, die der Empfindung Weiss gleichen, oder zu allen, auch zu solchen, die einem Schmerzgefühl gleichen? Ich will diesen Unterschied — es ist lediglich einer im Gebiete meiner Wahrnehmungen, der mir aber jetzt immer wichtiger wird — durch die Namen eines physischen und psychischen Erlebnisses bezeichnen und will hier unberücksichtigt lassen, dass ich in der Empfindung Weiss das Empfinden als solches von seinem Inhalt trennen kann, was ja einfach ein Act der Abstraction ist. Ich bin auf unabhängige Realitäten lediglich durch die Empfindung als Ganzes hingewiesen worden und kann daher nicht ohneweiters einem Bestandtheile, dem Inhalt Weiss, besondere Antheile zusprechen, welch letzteres überdies, wie ich schon erkannt habe, niemandes Weiss wäre und eine sowohl der Erfahrung als der Vorstellbarkeit völlig entrückte Abstraction ist. Also für meinen jetzigen Gebrauch heisst Schmerz ein psychisches, Weiss ein physisches Erlebnis in dem Sinne, dass beide meine Erlebnisse sind: mein Schmerz, mein Weiss.

Die Frage ist nun, ob nicht auch psychischen Erlebnissen, manchen oder allen, ähnlich wie den physischen, eine zweite Realität entspricht, die natürlich nicht die unzweifelhafte Realität des Psychischen zu einer blossen Erscheinung machte und allein nur wirklich wäre, sondern die jene nur bedingt. Das Problem ist insofern ein Erfahrungsproblem, als es auf die Frage führt, ob nicht dem Psychischen ein Physisches entspricht; dass diesem eine zweite Realität entspricht, zu dieser Annahme sah ich mich ja bereits gedrängt.

Wieder habe ich in der Frage nach einem solchen Verhältnisse des Parallelismus durchaus offen zu lassen, ob nothwendige Coexistenz oder Succession hierbei ins Spiel kommen. Selbst jenen Parallelismus durchgängig gedacht, ist Succession der beiden Realitäten ebenso gut denkbar wie Coexistenz. Ich will also jenes Wort sowohl für die eine wie die andere Art Parallelismus auch nur im allgemeinen Sinne verwenden.

Noch ein anderer Unterschied ist zu berücksichtigen. Ich sehe, dass es sich eigentlich um verschiedene, um drei Arten von Parallelismus handelt, vor allem um die in letzter Instanz in Frage stehende Abhängigkeit des Psychischen von einer zweiten Realität, was einen metapsychischen Parallelismus bedingt, und dann um zwei weitere Arten von Parallelismus: um den der zweiten Realität mit dem Physischen und um den des Physischen mit dem Psychischen. Die zweite Realität bedingt die Empfindung eines auf die Hand drückenden Körpers, und mit dieser parallel geht das Schmerzgefühl, und entsprechend diesen drei Reihen, der metaphysischen, physischen und psychischen kann ich die beiden Parallelismen, die unwahrnehmbar sind, metaphysisch und metapsychisch, den, der Gegenstand der Erfahrung wird, psychophysisch nennen. Diese letztere Parallelreihe müsste ich trachten möglichst lückenlos herzustellen, als einziges Mittel, um auf die metaphysische Reihe zu schliessen.

Es ist aber Vorsicht zu gebrauchen, wenn ich von den drei Reihen spreche, auf dass mir ihre verschiedenen Bedeutungen nicht entgehen. Zwei sind lediglich meinem Vorstellungsgebiete entnommen; daher kann ich nicht in gleichem Sinne wie von der metaphysischen Reihe die Existenz einer physischen behaupten. Diese ist von mir völlig abhängig, und wenn ich von den den psychischen parallelen physischen Vorgängen spreche, von einem den Gefühlen parallel gehenden Erröthen, so spreche ich einfach von meinen Erlebnissen, von meinem Gefühl des Schmerzes und meiner Gesichtsempfindung Roth. Der physischen Reihe kommt keinerlei andere Wirklichkeit zu; und wenn ich oder ein anderes Wesen das Roth nicht beachte, existirt es nicht, und es bleibt lediglich die zweite Realität, die demnach allein einen durchgängigen Parallelismus mit dem Psychischen geben könnte.

Ganz besonders, wenn es mir gelänge, den psychophysischen Parallelismus als durchgängig zu erweisen, könnte ich leicht zu einem Irrthume verleitet werden, der noch auszuschliessen ist. Ich könnte z. B. unter der Annahme, dass die zweite Realität etwas Psychisches sei, auf den Gedanken kommen: Vielleicht entspricht dann mein Körper nicht einem anderen psychischen, sondern meinem eigenen? Der Gedanke dieser Identität wäre naheliegend und wegen seiner Einfachheit bestechend. Angenommen wäre also, dass dadurch, dass ein Schmerzgefühl durch die Sinne mittelst Sinnesempfindung und mittelst anderer Realitäten von mir wahrgenommen wird, jenes in mir die Empfindung eines gerötheten Fingers, von Roth bedingt (welcher Art im Detail der physische Parallelvorgang ist, ist für diesen Gedankengang völlig gleichgiltig). Was für ein Parallelismus liegt hier vor? Eigentlich gar keiner; denn ich hätte bloss eine Reihe, die des Psychischen und von der physischen nur so oft ein Glied, als ich oder ein anderes

Wesen meinen Körper beobachten. Freilich kann ich, da die physische Reihe zum Theil erschliessbar ist und bei meinem Interesse für den psychophysischen Parallelismus, von einem solchen sprechen, immer aber unter der Voraussetzung, dass es kein Parallelismus zwischen dem Psychischen und Metaphysischen ist, da diese Reihen ja hier zusammenfallen sollen. Auch kann ich nicht von zwei Seiten, einer psychischen und einer physischen eines Dritten sprechen, wenn bloss zwei Thatsachen gegeben sind, da entweder die Seiten und nichts Drittes, oder wenn das Dritte, dann keine Seiten existiren. Besonders könnte ich, wenn ich unklare Bezeichnungen gebrauchen wollte, wie dass mein Ich als Körper erscheine, solche nur rechtfertigen, wenn ich eine bestimmte Antwort wüsste auf die zwei mir immer zu stellenden Fragen: was erscheint? und wem erscheint? Keine von beiden Fragen dürfte ja unbeantwortet bleiben.[142])

Allerdings wäre diese beantwortet, wenn ich nur annehme, die zweite Realität meines Körpers sei nicht mein, sondern ein anderes Psychisches; das hiesse aber wieder nur von den drei Reihen im früheren Sinne sprechen. Wollte ich hinwiderum die zweite Realität nicht als etwas Psychisches annehmen, sondern dieses nur als zweite Seite dieser Realität auffassen, so würde das die unmögliche Annahme involviren, dass mein Psychisches keine Wirklichkeit, nur Erscheinung sei. Auch könnte ich selbst dann nicht von zwei Reihen, von Realitäten sprechen, weil die dritte, die lückenhafte physische Reihe, immer nur eine Darstellungsform der unwahrnehmbaren Reihe und meinem Vorstellungsgebiete angehörig bleibt. Natürlich wird an diesen Problemen, bei denen ich überdies die immer unerledigte Successions- oder Coexistenzfrage, die der Abhängigkeitsart, offen lassen muss, nichts geändert, wenn ich die zweite Realität als ein umfassendes Ich und in was immer für Beziehung des Ein- oder Uebergreifens zu meinem Ich denke. Diese umfassende Realität spielte, wie gesagt, lediglich die Rolle einer zweiten Realität, eines Nicht-Ich, die für meine psychischen Erlebnisse irgend wie bedingend sein muss.

Jene Identitätsannahme, die nur als Beispiel diente, um mir klar zu machen, was ich unter Parallelismus zu verstehen habe, ist darum so verführerisch, weil damit scheinbar jede Art Annahme einer Beziehung zwischen den zwei Realitäten überflüssig gemacht wird. Es ist aber sehr wichtig, gleich zu betonen, was ich schon jetzt mit Bestimmtheit sagen kann, dass ich jene Annahme zu machen oder zu leugnen bisher nicht die geringste Veranlassung habe. Sie macht Voraussetzungen, die mein Wissen weit überschreiten, z. B. 1. dass ein durchgängiger psychophysischer Parallelismus zwischen meinem Körper und meinem Ich irgend wahrscheinlich sei; 2. dass die zweite Realität eine psychische sei; 3. dass die meines Körpers mein Ich sei, welche Annahme mich zu den complexesten, sehr schwer verificirbaren Consequenzen drängen kann, und zwar schon deshalb, weil ich sehe, dass die Lostrennung von Theilen meines Körpers keinen Abgang an meinem Ich mir bemerklich macht, und weil ihnen als abgetrennten auch eine zweite Realität zukommen muss. Das führt aber, wenn ich zu deren Erklärung nicht ein anderes Psychisches annehmen darf, nicht nur zu einer Theilbarkeit des Ich, sondern überdies zur Annahme von wenig bewussten oder unbewussten psychischen Phänomenen als Realitäten meines Körpers, von deren psychophysischen Parallelismus ich nur Rechenschaft geben kann mittelst der complexesten Hypothesen, über deren Widerspruchslosigkeit ich einstweilen noch keinerlei Wahrscheinlichkeit habe. Sie dennoch ohne Prüfung der Details in solcher Allgemeinheit anzunehmen, schiene mir eine Leichtfertigkeit des Denkens, ähnlich der aller Annahmen, zu denen ich weiter gedrängt werde. nämlich: 4. dass allem Physischen, nicht bloss

meinem Körper, ein Psychisches entspricht, was eine nothwendige Consequenz jener Voraussetzung ist, sofern mein
Körper Bestandtheile enthält, die den Dingen meiner Umgebung
gleich sind.[143]) Und damit wären 5. eben infolge jener Consequenz wieder weitere Voraussetzungen von complexestem
Detail über die Art des Parallelismus zwischen den anderen
Körpern und ihren psychischen Realitäten und Erlebnissen gegeben, deren Widerspruchslosigkeit ich auch noch nicht im
entferntesten geprüft habe; 6. setzt jene Hypothese eigentlich die
falsche Annahme voraus, dass ein Abhängigkeitsverhältnis
zwischen den zwei Realitäten meines Körpers unmöglich sei;
denn das wäre der einzige zwingende Grund für die Annahme
einer so viele neue Erklärungsgründe annehmenden Hypothese.
Ich bin mir aber bereits klar geworden, dass auf Grund meiner
bisherigen Erkenntnis der zweiten Realität sogar ein Causalverhältnis zukommen kann; jedenfalls sehe ich bei der völligen
Unkenntnis über dieses Verhältnis nicht ein, warum Psychisches
und Nichtpsychisches, wenn die zweite Realität als ein solches
im früher bestimmten Sinne angenommen wird, nicht aufeinander wirken könnten. Ueberdies kann ich ohne die Annahme
dieser Art Abhängigkeit auch für die Erklärung der Existenz
anderer Körper nicht auskommen, ausser ich riefe eine Art
göttliches Wesen zu Hilfe, das mir jene in früher angedeuteter
Weise ersetzt, was wieder weitere complexe Annahmen bedeutete.[144])

Trotz aller dieser Schwierigkeiten aber bleibt der Wert
und das Interesse für den Parallelismus des Psychischen und
Physischen, mit Rücksicht auf jenen des Psychischen zum
Metaphysischen unangetastet, und es ist nun zu prüfen, ob
und wie weit es jenen gibt. Es ist natürlich, dass diese Prüfung zunächst an mir selbst vorgenommen werden muss, an
dem mir zugleich wichtigsten Verhältnis von Leib und Seele;

dann erst kann ich an die Frage nach einem allgemeinen Parallelismus von Geist und Körper gehen.

Auch muss der Wahrscheinlichkeitsbeweis für die Unlösbarkeit dieses Problems — welcher Beweis ja nicht anders zu erbringen ist, als wenn gezeigt wird, dass alle möglichen Beweise gleicherweise für wie gegen den Parallelismus resultatlos sind — für den psychophysischen Parallelismus, ebenso wie bei der Frage nach dem metaphysischen, offen lassen, ob es sich um Succession oder Coexistenz, ja selbst, ob es sich in beiden Reihen um dasselbe Verhältnis handelt. Da ich aber wieder der Causalität die Möglichkeit absprechen könnte, das Verhältnis des Psychischen zum Physischen zu erklären, so muss ich, obwohl dadurch der Parallelismusbeweis nicht tangirt würde, doch, bevor ich weitergehe, diese Ansicht prüfen. Zu diesem Zwecke muss ich aber das freiwillig gewählte Denkerexil verlassen, um die Erfahrungen anderer Menschen verwenden zu können.

Da Selbstbeobachtung über die Causalfrage nichts entscheiden kann, was, genügend kleine Zeiträume für die Aufeinanderfolge vorausgesetzt, selbstverständlich ist, soll ein apriorischer Beweis entscheiden, und da die Möglichkeit eines Causalverhältnisses nicht mehr mit der Motivirung angezweifelt werden kann, dass Physisches und Psychisches so verschieden seien, dass sie keine Wirkungen aufeinander üben können — wir wissen ja nichts über die Bedingungen des Wirkens — wird sie bezweifelt mit Rücksicht auf das Gesetz von der Erhaltung der Energie. Aber dieses, seine Richtigkeit vorausgesetzt, lässt aus mehrfachen Gründen das Causalverhältnis zu.

Vor allem folgt schon deshalb nichts gegen ein Wirken vom Psychischen auf Physisches, weil die Physik selbst z. B. Ablenkungen einer Bewegungsrichtung annimmt, ohne dass damit Energieveränderungen bedingt sind. Der Physiker brauchte bloss anzunehmen, dass die

„Einwirkung normal gegen die Niveaufläche erfolge".... „Gerade der Satz von der Erhaltung der Energie lässt (als Integralgesetz) für die vollständige (differentiale) Beschreibung jedes physischen Systems, auf das er angewendet wird, noch so viel Spielraum, dass jener Satz für sich ohne nebenhergehende Berufung auf das Trägheits- und Beharrungsgesetz oder dergleichen sogar einer Einwirkung des Psychischen auf das Physische ohneweiters einen bestimmten, seitens der Mechanik näher zu umgrenzenden Spielraum lässt. [145])

Aber auch andere Wege, die das Argument vom Gesetze der Erhaltung der Energie entkräften, wären denkbar:

„Zunächst lehrt schon der Unterschied der potentiellen von der kinetischen Energie, dass Energie nicht nothwendig in Form von Bewegung erhalten bleibt. Aber auch abgesehen davon ist die Giltigkeit des Gesetzes unabhängig von der anschaulichen Vorstellung, dass alle Naturprocesse in Bewegungen bestehen. Ohne jede hypothetische Zuthat ausgesprochen, ist es vielmehr ein Gesetz der Transformation: wenn kinetische Energie (lebendige Kraft sichtbarer Bewegung) in andere Kraftformen umgewandelt und diese schliesslich in kinetische Energie zurückverwandelt werden, so kommt der nämliche Betrag zum Vorschein, der ausgegeben wurde. Worin diese anderen Energieformen bestehen, darüber sagt das Gesetz nicht das Mindeste. Und so liesse sich, wie ich meine, das Psychische ganz wohl als eine Anhäufung von Energien eigener Art ansehen, die ihr genaues mechanisches Aequivalent hätten. Gewisse psychische Functionen würden mit einem fortwährenden Verbrauch, andere mit einer ebenso fortgehenden Erzeugung physischer Energie verknüpft sein."

„... Indessen steht denen, die sich nicht damit befreunden können, noch ein anderer Weg offen, um das Psychische ohne Verletzung des Energiegesetzes in den allgemeinen Causalzusammenhang einzufügen. Die psychischen Zustände könnten in der Weise Wirkungen und Ursachen physischer Vorgänge sein, dass keinerlei auch nur vorübergehende Verminderung und Vermehrung physischer Energie mit dieser Wechselwirkung verknüpft wäre. Wir würden sagen: ein bestimmter Nervenprocess in bestimmter Gegend der Gehirnrinde ist die regelmässige Vorbedingung für das Zustandekommen einer bestimmten Empfindung; diese geht als nothwendige Folge neben den physischen Wirkungen aus ihm hervor (soviel zum Unterschied von der Parallelitätstheorie). Aber dieser Theil der Folgen absorbirt keine physische Energie und kann in seinem Verhältnisse zu den Bedingungen nicht durch mathematische Begriffe und Gesetze ausgedrückt werden. Desgleichen kommt ein bestimmter Process in den motorischen Centren der Rinde zu Stande nicht durch bloss physiologische Bedingungen, sondern stets nur unter Mitwirkung eines bestimmten psychischen Zustandes (Affectes, Willens), ohne dass doch das Quantum physischer Energie durch diesen beeinflusst wird." [146])   .

Es bliebe also nur die Frage, die ein von diesem Argumente durchaus zu trennendes ergibt, wie weit es die Naturwissenschaft unzulässig findet, d. h. aber unwahrscheinlich, nicht mehr unmöglich, dass ein Körper in Bewegung gerathe, nicht durch Vorgänge gleich denen des Stosses, sondern z. B. durch einen Willensact. Darauf ist erstens zu antworten, dass von Wahrscheinlichkeiten überhaupt nicht gesprochen werden kann, wo alle Gegeninstanzen nothwendig unaufzeigbar bleiben müssen, und zweitens, dass ja das Psychische nicht allein zu wirken brauchte. Auch der Stoss ist jedenfalls nur ein Theil der Gesammtursache, und es ist lediglich Sache der Erfahrung und aus ihr nie constatirbar, welche Art Theilursachen und in welchem Masse psychische zulässig seien (eine Möglichkeit übrigens, die auch jede Art Beweis für und gegen den Parallelismus nur in sehr bestimmtem Sinne discutirbar macht). Es bliebe nur zu prüfen, ob die Schwierigkeiten, welche die Annahme der Coexistenz und ihre Consequenzen macht, kleiner sind als die der Causalität; von Unmöglichkeiten kann nach dem Bisherigen und besonders, wenn die Umbildungsfähigkeit des Causalbegriffes noch in Rechnung gezogen würde, nicht gesprochen werden.

Der Beweis nun für oder gegen den Parallelismus zwischen Psychischem und Physischem, die Frage nach Succession und Coexistenz offen gelassen, kann sein: 1. ein apriorischer und 2. ein empirischer.

I. Man kann an der Möglichkeit zweifeln, ob es Analoga im Physischen für so eigenartige Vorkommnisse im Psychischen, wie Affecte, Gefühle, Urtheile, Verschmelzung, Aehnlichkeit, Association etc. geben könne. Diese Möglichkeit ist aber nur zu leugnen für eine sehr unentwickelte Auffassung des Parallelismus, welche z. B. für jede Vorstellung Atome, diese als möglich und als physisch angenommen, postulirt. Dafür bietet gewiss jedes Urtheil, das zwei Vorstellungen vereinigt, schon einen Collisionsfall; wer aber bloss allgemein von parallelen Nervenvorgängen spricht und dabei noch alles in Frage lassen will, alle Arten chemischer, physikalischer und anderer Vorgänge, die wir jetzt schon kennen oder noch entdecken sollen, hat ohne Zweifel das Recht, einen Erfahrungsbeweis zu verlangen. Nicht um eine Unmöglichkeit also handelt es sich, die nicht erweisbar ist, sondern höchstens um Unwahrscheinlichkeit; aber mehr als einen darauf bezüglichen Beweis verlangen auch die ernst zu Nehmenden unter denjenigen nicht, die sich gegen den Parallelismus noch so skeptisch verhalten.

„Man kann in der That nicht annehmen, dass, wenn zwei Empfindungen miteinander verglichen werden, dies im Gehirne dadurch repräsentirt sei, dass die bezüglichen Nervenprocesse in der Hirnrinde irgendwie physisch vereinigt oder umgestaltet würden: denn es findet, wie .... schon .... betont wurde, factisch keine Vermischung und keine Aenderung der Empfindungen durch das Urtheil statt. Auch kann der dem Urtheil entsprechende Process nicht etwa als ein dritter zwischen den beiden die Empfindungen repräsentirenden hin und her laufen, da ein solcher die beiden anderen doch nicht in sich einschliessen würde. Er kann auch nicht die beiden räumlich oder mechanisch (als ihre Resultante) in sich fassen. Im Urtheile sind die beurtheilten Empfindungen in einer Weise eingeschlossen, die sich von allen unserem Denken geläufigen Weisen physischen Einschlusses durch wesentliche Züge unterscheidet. Die Schwierigkeiten verdoppeln sich, wenn man auch noch die Urtheile zweiter, dritter Ordnung, worin wieder Urtheile der vorangehenden Ordnung eingeschlossen sind, in Betracht zieht. ....

Für das Verhalten, welches wir in Ermangelung eines besseren Ausdruckes als Verschmelzung bezeichnen, wobei aber keineswegs aus den beiden Tönen einer, ein mittlerer, entsteht, lässt sich ebenfalls eine physiologische Erklärung nicht einmal ersinnen, geschweige erweisen. ... Und doch kann man kaum zweifeln, dass, wenn nicht den Urtheilen, zum mindesten den Empfindungen selbst und allen ihren immanenten Eigenthümlichkeiten bestimmte physische Gehirnzustände entsprechen.

So erweitert sich also hier einerseits die Kluft zwischen Wollen und Vollbringen des Monisten, indem selbst das bisher leicht Verständliche unbegreiflich wird, andererseits aber gewinnt der wider alle Hoffnung Hoffende wenigstens einen polemischen Halt, indem der Fall auch dem dualistischen Gegner Verlegenheit bereitet." [147])

Die weitere Behauptung, dass, wenn jede psychische Veränderung eine Bewegung, nicht eines Atoms allein — jedes soll ja nur mit einem zweiten schwingen können — sondern veränderte Beziehungen jedes Atoms zu allen übrigen der Welt bedeuten würde, dies unausdenkbar sei, betrifft nicht Unmöglichkeit, sondern höchstens Unwahrscheinlichkeit, die aber bei der nicht weniger grossen Complexität psychischer Beziehungen nicht einleuchtend ist. Auch ist weder die Atomtheorie eine nothwendige Annahme — selbst nicht der Naturwissenschaft, die auch die Continuitätshypothese der Materie oft in Frage zieht [148]) — noch die Zurückführbarkeit aller Vorgänge auf Bewegung. Schliesslich ist über Complexitäten im Gebiete der zweiten Realität, die sich unserem Wissen völlig entziehen, hier ganz und gar nicht zu urtheilen.

Es bleibt also nur noch ein Ausweg, nach den Möglichkeiten des Zusammenseins von Geist und Materie im allgemeinen zu fragen und Constructionen über ihr Zusammenkommen zu versuchen. Dabei werden wir aber in allen Fällen schon bei der Frage, ob Psychisches z. B. an das Eiweiss im Ei gebunden ist, und ob dieses selbst Psychisches ist, auf Probleme geführt wie folgende: ob Materie continuirlich ist, wie weit Psychisches aus discreten Elementen besteht, wie beide sich theilen und wachsen, ob sie entstehen oder ewig sind, wie ein Ich mit discreter Materie oder einheitliche Materie mit vielen Ich vereinbar ist. Alles dies sind jedoch Fragen, die bisher von der Metaphysik ungelöst sind, und soweit sie von der Naturwissenschaft in Angriff genommen wurden, nicht einmal zu einer Hypothese führten, die auch nur als unentbehrliches regulatives Princip einmüthig angenommen worden wäre. Alle Möglichkeiten sind hier noch offen; selbst die, dass der Geist, wenn er als ewig angenommen würde, parallel zu denken wäre mit einem feuerflüssigen Erdzustande. Glücklicherweise braucht für unsere Entscheidung nicht die allgemeine Frage nach der Möglichkeit der Metaphysik geprüft zu werden; es genügt die Bemerkung, dass diese Probleme allgemein gefasst, viele Möglichkeiten offen lassen, und dass im Detail ihre Lösungen nicht nur auf Erfahrung und ihre Verificationen hindrängen, sondern sogar diese für unser Problem ganz unentbehrlich machen. Denn wie immer zugestanden würde, dass jene Probleme einst zu übereinstimmenden Hypothesen führten, die Details, die wir suchen, ob innerhalb von Zellen und Atomgruppen Temperaturerhöhungen, elektrische Spannungen oder chemische Affinitäten, die als einem Urtheile parallele Vorgänge gedacht werden, stattfinden, darüber kann nur die Beobachtung, die bestimmte Abgrenzung eben jener inneren und äusseren Vorgänge, die Erfahrung entscheiden — was soviel bedeutet, als dass der apriorische Beweis auf den Erfahrungsbeweis reducirt ist.

II. Die Frage nach einem Erfahrungsbeweise betrifft vielmehr das, was von einem solchen künftig zu erwarten ist, als was er bisher geleistet hat. Denn darüber sollte es keine Täuschung geben, dass trotz einiger Parallelvorgänge, die wirklich erwiesen sind, nur die einer Theorie unterjochte Tendenz übersehen kann, ein wie grosses Gebiet noch überhaupt von jeder Beobachtung unbestrichen ist.

Fast ausschliesslich sind es die Sinnesthätigkeiten, die einen Parallelismus aufzeigbar machen, die lediglich der Entwickelung des Geistes und dem Verkehre der Geister parallel gehenden Vorgänge (das ist besonders für die Unsterblichkeitsfrage wichtig zu betonen). Auch haben sich manche Gebiete selbst der Messung günstig gezeigt, aber auch diese nur in bestimmten Grenzen. Was wir z. B. über Wärmemessung schon gesagt haben, darauf ist wieder zu verweisen. Es zeigte sich dort, wie gleich neben der messbaren einfachen Empfindung das sie begleitende Gefühl der Messung so gut wie unzugänglich ist. Von diesen Gebieten der Psychophysik ist aber in stetigem Uebergang durch das Gebiet der Gehirnlocalisationen ein Sichverlaufen in die Gebiete kühnster Hypothesen und flachster Annahmen zu verfolgen. Der Selbstreflexion soll eine Reflexion von Wellenzügen entsprechen, bejahenden und verneinden Urtheilen, Zellen mit sich ausstreckenden und einziehenden Fortsätzen, der Unterschiedsempfindung der in Folge der Temperatursunterschiede zweier Löthstellen in einer Thermokette entstehende elektrische Strom. Und die Localisationslehre nimmt noch zu beiden Extremen eine vermittelnde Stellung ein, wiewohl sie sich noch weit mehr in den wüsten als in den bebauten Gefilden aufhält. Um es in einem Worte zu sagen: Anatomie, Physiologie und Pathologie können das Gehirn eines Geisteskranken oder Verbrechers von dem eines Cuviers noch nicht unterscheiden. Und diesbezüglich genügt unserem Zweck die blosse Bemerkung, die gewiss bezeichnend für den Stand der gegenwärtigen Gehirnlehre ist, dass, was diese als sicherste Errungenschaft aufzuzeigen glaubte, Localisation von übrigens verhältnismässig sehr einfachen psychischen Phänomenen, wie von Arten der Aphasie,

im eigensten Lager der Naturhistoriker angezweifelt und dass
versucht wird, sie theils zu erklären durch blosse Veränderungen in den Nervenbahnen und Sinnesorganen, theils selbst
zurückzuführen auf Veränderung in den Bewegungscentren,
die danach als die alleinige unzweifelhafte Errungenschaft der
Localisationstheorie anzusehen wären. [149]) Von ihren Vertretern
selbst wird daher auch oft erklärt, dass die seelischen Vorgänge überhaupt keiner anatomischen Untersuchung zugänglich
seien. [150])

Wie weit künftig Erfahrungsbeweise für oder gegen den
Parallelismus, dessen Möglichkeit zu leugnen gewiss so wenig
angeht, als der Erkenntnismöglichkeit der Naturwissenschaft hier
Grenzen zu stecken, wahrscheinlich sind, ist Sache des Glaubens, der allerdings begründeter ist, je erfahrener in diesem
Gebiete der Urtheilende ist. Ohne auf die Möglichkeit höherer
menschlicher Erkenntnis z. B. durch entwickeltere Sinne zu
weisen, genügt schon der Hinweis auf die auch der Naturwissenschaft immer nothwendige Annahme von ätherähnlicher
Materie, um die Schwierigkeiten auch eines künftigen Beweises
für wie gegen den Parallelismus, dem die Forschung in ungeahnte Tiefen folgen könnte, einzusehen. Aber auch die Probleme, welche die uns bisher bekannten Stoffe und Kräfte
aufgeben, sind schwer genug überwindlich; das zeigen schon
Annahmen wie, dass elektrische oder thermische Schwankungen,
die sich über weitere Gebiete verbreiten, gewissen psychischen
Vorgängen parallel giengen.

Als Resultat dieser Untersuchung ist daher zu betonen,
dass, wenn nicht von unbestimmtesten Aussichten für die
fernste Zukunft gesprochen werden soll, bisher selbst nur von
einem mangelhaften Wahrscheinlichkeitsbeweise für oder gegen
den Parallelismus von Seele und Leib nicht die Rede sein
kann. Es ist also sowohl die Möglichkeit offen zu lassen, dass

einmal ein solcher für oder gegen ihn erbracht werde, als auch dass ein Beweis sowohl gegen die Parallelismustheorie als gegen die Causaltheorie und damit der Beweis erbracht werde, dass eine auf diese Probleme bezügliche Erklärung überhaupt nicht möglich sei.

Mit dem Missglücken des Parallelismusbeweises für Seele und Leib ist aber auch der Nachweis eines durchgängigen Parallelismus von Geist und Materie, von Psychischem und Physischem, dessen Schwierigkeiten schon wegen der mangelhaften Analogien mit unseren psychischen Erlebnissen naturgemäss weit grössere sind, als unerbracht und auch für die Zukunft als noch viel unwahrscheinlicher zu bezeichnen. Damit aber ist auch die Hoffnung gefallen, mit Hilfe des psychophysischen Parallelismus zu Erkenntnissen über den metaphysischen und dadurch schliesslich zu solchen über das Verbreitungsgebiet der zweiten Realität zu gelangen.

Hier müssen wir die allgemeine Gedankenentwickelung unterbrechen. Es war ja nicht die Absicht, ein System zu bauen, was für unseren Zweck, eine möglichst allgemein anerkannte Basis für die folgenden Beweise zu gewinnen, schon mit Rücksicht auf die trüben Erfahrungen aller Systematik gefährlich genug wäre. Das Bisherige aber genügt, um wieder auf die Probleme zurückgreifen zu können, von denen wir ausgegangen sind.

Wir besprachen, in welcher Weise die Frage nach einer sittlichen Weltordnung von der Lösung der Gottes- und Unsterblichkeitsfrage abhängig ist. Diese fixirten wir allgemein als Fragen nach der Existenzmöglichkeit eines Psychischen ohne physische Vorgänge oder ohne solche, die der Erfahrung gegeben sind. Sonach ist als metaphysische Voraussetzung einer sittlichen Weltanschauung der Erweis der Möglichkeit oder Wahrscheinlichkeit eines psychischen Seins zu bezeichnen, und zwar entweder ohne das, was, wie wir erkannten, allem Physischen Bedingung ist, ohne zweite Realität, oder in Verbindung mit einer solchen Realität, die nicht Bedingung der der Erfahrung vorliegenden physischen Vorgänge ist. Ein solches Sein ist aber in dreifacher Weise möglich: Erstens ohne zweite Realität, ferner mit einer anderen zweiten Realität, die also Bedingung anderer physischer Vorgänge ist, endlich mit einer dritten Art von Realität, die (als eine Form des „Nichts") für Wesen unserer Art niemals Gegenstand der Erkenntnis sein kann. Wir wollen auch der Kürze halber jene als eine dritte Realität bezeichnen.

Der auf diese Möglichkeiten bezügliche Beweis hat mit Rücksicht auf die vorher offen gelassenen Fragen geführt zu werden, sowohl unter den Voraussetzungen nothwendiger Coexistenz und Succession, als auch unter den Voraussetzungen des durchgängigen und nicht durchgängigen Parallelismus, und zwar jetzt des metapsychischen, des Parallelismus des Psychischen mit den zwei Realitäten — alles dies unter den dem Gottes- und Unsterblichkeitsproblem zuerkannten Bestimmungen.

Die Unsterblichkeitsfrage.

Die Frage betrifft die Beweisbarkeit einer Dauer im Sinne von Unvergänglichkeit meines oder eines dem meinen ähnlichen psychischen Seins (also auch thierischer Wesen) ohne die der Erfahrung gegebenen physischen Parallelvorgänge und die Beweisbarkeit der gegentheiligen Möglichkeit. Und zwar kann die Frage nach einem Fortleben als Entwickelung gedacht und getrennt werden von der nach einer blossen Fortdauer im Sinne eines jetzigen Bewusstseinszustandes. Das letzte Problem, von dessen Prüfung auszugehen ist, geht wie das erste, wie früher begründet wurde, durchaus auf ein individuelles Bewusstsein, demnach weder auf eine Seelensubstanz, die ohne Bewusstsein ist, also ausschliesslich auf nicht gegenwärtige Acte, noch auf ein Bewusstsein, das nicht das meinige, sondern nur ein mein Ich übergreifendes oder aufnehmendes wäre, noch, wenn das denkbar wäre, auf ein solches, das blosse Element meines Ich darstellte. Die Frage nach den körperlichen Parallel-vorgängen trifft, wie wir gesehen, in letzter Instanz weder das Gehirn oder einen seiner Theile noch die complexesten physio-logischen Vorgänge einer kinetischen Parallelismustheorie, son-dern die alles Physische bedingende zweite Realität und zer-fällt in die drei gesondert zu besprechende Fragen: erstens nach einem Psychischen ohne zweite Realität, ferner mit einer anderen als der wahrgenommenen, endlich mit einer, wie wir sie nannten, dritten Realität, die niemals als Bedingung in menschliche Erkenntnisse eingehen kann.

Die Beweise können nur einen vierfachen Ursprung haben:

1. aus den Parallelerscheinungen;
2. aus dem Wesen des Psychischen;
3. aus moralischen Ueberlegungen;
4. aus Analogien.

Die letzten drei Beweisarten, die weit weniger berück-sichtigenswert sind, werden im Verlaufe und am Schlusse der die Parallelerscheinungen betreffenden wichtigsten Beweise ihre Betrachtung finden.

Von diesen hat die für das gewöhnliche Denken geläufigste Form der negative Beweis, wonach Geist nicht ohne Körper sein könne, weil er nie ohne ihn wahrgenommen wird. Er setzt den Parallelismus schon als bewiesen voraus, und wird auch durch Zweifel, ob Psychisches überhaupt anders als mit dem Körper wahrgenommen werden könnte, so wenig gequält als durch Zweifel über den zum Zwecke dieser Erkenntnis an-gesetzten Wahrscheinlichkeitsbruch $\frac{m}{m + o}$, in welchem eben übersehen wird, dass jenen angeblichen zahllosen Erfahrungen möglicherweise anstatt 0 unendlich viele nicht wahrnehmbare Instanzen entgegen stehen, die aus dem Bruche mit der Wahrscheinlichkeit 1 den Bruch $\dfrac{m}{m + \infty} = 0$ werden liessen. Das Problem so zu fassen, ist aber schon deshalb unzulässig, weil dabei lediglich mit den Körpervorgängen ohne Rücksicht auf die sie bedingenden Realitäten argumentirt wird. Unter Berücksichtigung dieser und der vorhergehenden Verhältnisse aber differenzirt sich das Problem und es sind die Beweise zu prüfen für die folgenden Möglichkeiten eines Seins ohne die der Erfahrung gegebenen physischen Parallelvorgänge.

I. Durchgängigen Parallelismus vorausgesetzt,

1. kann Bewusstsein dauern:

Zunächst zusammen mit einer anderen zweiten Realität.

Hier sind zwei Möglichkeiten zu unterscheiden. Geist kann immer parallel gegangen sein nur mit einem Theile dessen, was wir Körpererscheinungen nennen, z. B. mit anorganischen Elementargruppen oder physikalischen Bewegungsvorgängen. Es wäre nicht undenkbar, dass nicht Eiweiss, sondern nur bestimmte Elemente oder Vorgänge desselben das wesentliche für den Geist sind; das könnte ebenso noch erkannt werden z. B. mit Hilfe der Entdeckung, dass, was jetzt noch als Element gilt, in Wahrheit es nicht ist, wie einst durch die Entdeckung der niederen Thiere gefunden wurde, dass nicht die Nerven, sondern Eiweiss und Protoplasma in ihnen das Wesentliche seien.

Die zweite Möglichkeit ist, dass Geist immer an eine andere Art von Materie, die nur in partiellem Parallelismus mit der von uns wahrgenommenen ist, gebunden war. Es ist dabei nicht nöthig, an einen zweiten Aetherleib zu denken. Wer unter Sitz der Seele nichts weiter als Parallelvorgänge versteht, für den wäre es nicht wunderbar, den ihr entsprechenden Leib beliebig in die Körperwelt erweitert zu denken. Schon der jetzige hat ja keine bestimmten Grenzen zum Universum. Und hier eröffnet sich sogar die Möglichkeit der Auffassung einer Bewusstseinsdauer, die nicht bloss eine bestimmte Altersstufe, sondern die jeden psychischen Act, das ganze Leben perpetuiren könnte, dessen Zusammenhang später als einheitliches Bewusstsein, selbst in Gleichzeitigkeit erscheinend, denkbar wäre.[151])

Ohne Zweifel gibt es der Denkbarkeiten und Möglichkeiten in diesem Gebiete noch so viele, und unser Wissen über das Verhältnis von Leib und Seele ist noch so mangelhaft, dass durch dasselbe nicht einmal die ältesten religiösen Anschauungen, selbst die Metempsychose mit Bestimmtheit auszuschliessen sind, wofern sie nur unter Berücksichtigung des Vergessensphänomenes mit der entsprechenden Vorsicht formulirt werden, was besonders bei der geringen Tiefe, bis zu welcher die Controle des Naturhistorikers jetzt erst dringen kann, gewiss nicht schwierig ist.

Die Wahrscheinlichkeit aber, dass Beweise für oder gegen die früheren beiden Möglichkeiten erbracht werden, ist nicht grösser, als dass der empirische Beweis einst für den Parallelismus zwischen Psychischem und, der Voraussetzung entsprechend, einer Form des Physischen, die bisher der Erfahrung überhaupt nicht gegeben war, erbracht werde.

Bewusstsein kann auch dauern in Verbindung mit einer dritten Realität. Die Möglichkeit einer solchen leugnen, bedeutete ja Leugnung der Möglichkeit alles dessen, was der menschlichen Erkenntnis entzogen ist und die Nothwendigkeit ihrer Annahme hienge lediglich davon ab, ob andere Erfahrungen darauf drängen. Selbstverständlich ist jeder Beweis für und gegen solche Möglichkeiten dauernd ausgeschlossen.

2. Aufhören des Bewusstseins ist möglich:

Durch ein Verschwinden der zweiten Realität zugleich mit der ersten (was wenigstens gegen die Annahme ihres Parallelismus kein Widerspruch wäre) oder durch einen einer Theilung analogen Vorgang in der zweiten Realität, wonach den den Theilen entsprechenden psychischen Elementen kein einheitliches Bewusstsein mehr zukäme. Einfaches Aufhören des Bewusstseins bedeutete Aufhören des Parallelismus, d. h. nicht durchgängigen Parallelismus und führte überdies auf die schon besprochene Unzulässigkeit der Annahme eines blossen Parallelismus zwischen Leib und Seele.

Beweise für und gegen diese beiden Möglichkeiten sind, sofern auch sie das Gebiet der zweiten Realität betreffen, unerbringlich. Jedenfalls bedeutet Verschwinden der zweiten Realität, z. B. als Verwandeln in eine dritte ebenso wie Seelentheilung keinerlei Widersprüche. Ersteres ist eine nicht weiter discutirbare Möglichkeit, letztere ist in verschiedenen Weisen denkbar, die auch hier, schon mit Rücksicht auf das Problem der Entstehung des Geistes, z. B. ob dieser aus dem der Eltern oder dem göttlichen entstanden, zu besprechen sind.

Theilung ist, entsprechend den als Thatsache der Erfahrung vorliegenden Arten der Entstehung des Psychischen (von allen Parallelvorgängen abgesehen und durchaus unabhängig von jeder Substanzannahme) jedenfalls nach vier Möglichkeiten zu denken: *a)* durch Abtrennung psychischer Keime, die anfänglich ohne Gedächtnis sind, und mittelst Entwickelung der Dispositionen. Sie wird durch die Art des Wachsthums der Sinneseindrücke und durch jede geistige Vervollkommnung demonstrirt. Das Vergessen hätte auch die Möglichkeit der Lostrennung oder Spaltung von einem complexeren Psychischen, respective die Theilung in äusserst verschiedenartige Theile mit zu erklären, wodurch auch die Annahme der ohnehin unerklärbaren Individuation unnöthig bliebe. *b)* Eine Theilung ist möglich in der Art, wie sie bei niederen Thieren sowohl bei ihrer Entstehung als künstlich geschieht; sie zeigt schon höher entwickelte Producte. Vielleicht entsprach einzelnen Ganglien immer ein selbständiges Ich (entsprechend der äusserst hypothetischen „Rückenmarkseele"), das Instincte und Reflexe controlirt, dessen Bewusstsein aber nie oder nur selten mit wenigen Vorstellungen in unser übergreifendes Ich eindringen kann. Die Annahme eines Vergessens wäre für jenes zweite Ich unnöthig, da ein Wissen um das übergeordnete Ich niemals vorhanden ist; aus demselben Grunde bedürfte es auch keines besonderen Principes der Individuation. *c)* Eine besondere Art der Trennung in völlig gleichwertige complexeste Geisteszustände, die unabhängig voneinander bestehen, zeigen Psychosen; sie können ohne jede Erinnerung des früheren zweiten Bewusstseins sich periodisch ablösen und getrennt ein selbstständiges Dasein führen. Jeweilige Individuation ist mit Rücksicht auf die complexen Theilphänomene wahrscheinlich, ein dauerndes zweites Ich möglich. Verschiedene ähnliche Trennungsvorgänge kann die Hypnose künstlich demonstriren. [152])

II. Parallelismus als nicht durchgängig vorausgesetzt,

1. kann Bewusstsein dauern:

Unter der Voraussetzung, dass das Psychische immer unabhängig, respective mit einer dritten Realität existirt hat, und zwar kann es auch dann dauern, wenn es in keiner Weise als Substanz gedacht wird. Die Annahme dieser Möglichkeit involvirt keinerlei Widerspruch, da wir über das, was unsere einzelnen psychischen Erlebnisse verbindet, keinerlei Wissen haben können.

Es kann aber auch dauern unter der Voraussetzung der Trennung des Psychischen vom Physischen, respective durch ein Unabhängigwerden von der zweiten Realität, mit der es, wie anzunehmen wäre, ganz oder theilweise nur während der körperlichen Entwickelung parallel gieng. Die metaphysischen Schwierigkeiten solcher Trennung, gleicherweise wie die der Vereinigung im Beginne der Lebensentwickelung, sind, so lange über Parallelismus nichts gewusst wird, nicht grösser als für die gegentheiligen Annahmen.

Hierher gehört auch jener Fall von Scheinparallelismus, in dem die zweite Realität des Körpers nicht nur als Psychisches, sondern als das Ich gefasst wird. Da bereits betont wurde, dass hier eigentlich keinerlei Parallelismus vorliegt, so handelt es sich dabei lediglich um ein unabhängiges Psychisches, dem häufig anderes Psychisches, nämlich Körpervorstellungen, parallel gehen, und zwar so oft, als von mir oder anderen solche Wahrnehmungen gemacht werden. Dauer ist hier zu denken unter der Voraussetzung, dass das dem Psychischen entsprechende Physische nicht der sich auflösende Körper selbst ist, sondern ein Physisches — Bewegungsvorgänge oder andere Materie — das in den vorher besprochenen Formen ganz oder theilweise immer der Beobachtung und damit jedem Beweise entzogen ist.

Alle diese Annahmen der Dauer eines Psychischen ohne die erfahrbare parallele zweite Realität erregen aber vornehmlich wegen der Denkbarkeit der Weiterentwickelung Schwierigkeiten; die Phantasie vermag diese nur als der durch die Sinne bedingten bisherigen ähnlich vorzustellen. Es heisst: Wahrnehmen ohne Sinne ist so wenig möglich wie Essen ohne Magen. An der blossen Dauer der Vorstellungen wird weit weniger Anstoss genommen — jeder kann sie ja in seinem Erinnerungs- und Gedankenleben erfahren — und der gewöhnlichste confessionell Gläubige glaubt ja das Glück einer beständigen Gottesanschauung zu verstehen. Aber um eine blosse Dauer von Gefühlen und Vorstellungen handelt es sich nicht;

die Unmöglichkeit einer Entwickelung wird deswegen ein Argument gegen Unsterblichkeit, weil diese Gerechtigkeit ermöglichen soll und damit einen Verkehr mit anderen psychischen Wesen, was ein Wissen um menschliches Denken vielleicht auch während ihrer jetzigen Daseinsform nicht bloss wünschenswert macht, sondern sogar bedingt. Deshalb ist auch hier noch einiges über die Art eines solchen Einflusses zu sprechen.

Es kann nach einem zweifachen Einflusse auf Psychisches gefragt werden — nach einem, der von einer zweiten Realität ausgeht, und nach einem solchen von einem anderen psychischen Wesen, gleichviel, ob von einem uns ähnlichen Bewusstsein oder einem göttlichen.

Was den ersten Punkt betrifft, ist es wahrscheinlich, dass Sinneserlebnisse, anders als hallucinatorisch (und Hallucinationen könnten ja auch für andere Wesen Wahrnehmung werden, eine Möglichkeit, die auch Vertreter finden kann) ohne Sinne nicht stattfinden. Bei dem nachweisbaren Parallelismus zwischen Luftwellen, Vorgängen im Gehörsnerven und dem Tönen, das aufhört, sobald jene aufhören, ist alle Wahrscheinlichkeit vorhanden, dass es ohne entsprechende zweite Realitäten kein Tönen gibt, d. h. also keinerlei Art von Sinneswahrnehmungen. Der Unsterblichkeitsglaube hat diese auch von jeher als nur für die Entwickelung nöthig und im übrigen belanglos erachtet. Aber wollten wir ebenso auf die Möglichkeit jeder Art Erkenntnisübertragung, auch einer nichtsinnlichen, schliessen, so müssten wir über die Art des Zustandekommens mehr wissen. Es ist aber keinerlei Nothwendigkeit einzusehen, warum z. B. gerade Luftwellen, respective die ihnen entsprechende zweite Realität nöthig ist für eine Sinneswahrnehmung. Was allein der Erfahrung vorliegt, ist, dass Wellen, eine zweite Realität, gleichviel, ob eine psychische oder physische, die Bedingung dieser Erkenntnis bilden; welcher Art sie sein muss, ob sie nicht durch eine dritte ersetzt werden kann, warum daher nicht auch die Realität eines anderen Ich direct Gegenstand der Erkenntnis werden kann ohne die Vermittlung einer zweiten Realität, darüber ist uns jedes Wissen verschlossen. Damit sind wir aber beim zweiten Punkte angelangt.

Dass eine intuitive Erkenntnis fremder Gedankeninhalte uns unvorstellbar ist, ist gewiss kein Argument gegen diese Möglichkeit; wir könnten ja dabei bestenfalls nur an Analogien, z. B. der associativen Erregung von Psychischem durch Psychisches in uns selbst denken. Auch ist die Frage, warum wir diese Art Erkenntnisse nicht schon jetzt, eventuell zusammen mit der sinnlichen haben, ebensowenig ein Gegenargument; denn es ist darauf nur zu sagen, vorerst, dass aus der kurzen Dauer dieser Lebensform keine Wahrscheinlichkeitsschlüsse auf ein eventuell viel längeres anderes Sein zulässig sind, und ferner, dass unsere Daseinsbedingungen jetzt eben andere sind, als sie dann sein müssten, wenn die Möglichkeit einer Dauer ohne Körper vorausgesetzt wird. Der Phantasie ist der grösste Spielraum über die Art, wie dann Wirkungen, Erkenntnisse und Beeinflussungen zu denken sind, offen zu lassen, und es ist selbst die oft angenommene Möglichkeit als eine von vielen nicht zu leugnen, dass der Leib nur als Hemmnis für den freien Flug der Seele betrachtet werde. Damit aber würden auch selbst für den irren Geist Bedingungen denkbar, die seine normale Entfaltung wieder ermöglichen.

2. Aufhören des Bewusstseins ist möglich:

Gleichviel ob es immer ohne physische Parallelvorgänge war, oder ob es durch Trennung von der zweiten Realität unabhängig geworden ist. Dass unsere Vorstellungen vergänglich sind, kann uns das Schwinden jeder einzelnen, d. h. also die tägliche Erfahrung zeigen. Will man dementgegen auf die Gedächtniskräfte weisen, so heisst das zunächst auf Unbewusstes weisen, das uns als solches nicht beschäftigen kann, höchstens als Hinweis auf eine Substanz. Geht man weiter und setzt eine Substanz voraus, so ist zu entgegnen, dass keine Art Substanz als Träger in metaphysischem Sinne erweisbar sein kann; würde sie aber dennoch angenommen, so wären daraus nur Erkenntnisse zu erlangen durch Analogie mit der materiellen Substanz. Aber diese Analogie ist wieder nicht erwiesen, und wenn sie erwiesen wäre, so ist zu betonen, dass auch die materielle Substanz in anderem als psychologischem Sinne keine erfahr- oder erweisbare sein kann. Und schliesslich, selbst materielle Substanzen als erwiesen angenommen, ist ihre Unvergänglichkeit eine blosse Annahme, deren Erweis im Cirkel auf psychische Erlebnisse zurückführt. Verschwinden von Körpern in chemischen Veränderungen bedeutet zunächst ein Verschwinden von Vorstellungen und ein Werden anderer, nicht ein Dauern als andere Vorstellungen — ein Verhältnis, das zuletzt die Realitäten trifft, über welche uns gar nichts zu behaupten möglich ist.

Jener Scheinbeweis der nothwendigen Dauer aus dem Wesen des Psychischen nimmt, auch nicht stichhältiger und zu einem Wahrscheinlichkeitsbeweise abgeschwächt, folgende Formen an: Wir beobachten während des Lebens eine beständige Entwickelung des Psychischen und damit zugleich ein immer grösseres Unabhängigwerden von den Sinneserregungen; völliges Aufhören dieser müsste also das innerste Leben der Seele unbeeinflusst lassen. Natürlich ist ein Wahrscheinlichkeitsgrad für diese Annahme nicht anzugeben, und zwar schon mit Rücksicht auf die kurze Lebenserfahrung, der möglicherweise eine unendliche Zeit gegenüberstehen könnte. Auch betrifft die Annahme einer verringerten Sinnesthätigkeit nur eine zu einer früheren relative Verringerung, und es ist zu bezweifeln, ob die Abnahme aller anderen Thä-

tigkeit nicht eine relativ noch grössere als die der Sinnesthätigkeit sein könnte — ein Zweifel, der jeden Beweis entr
kräftet.[153])

Solcher Art sind die Beweise aus der Natur des Psychischen und es erübrigt nun noch, die Moral- und Analogiebeweise zu berühren.

Die moralischen Beweise haben alle teleologischen
Charakter und werden hinfällig mit der später zu zeigenden
Unbeweisbarkeit dieser Weltanschauung. Sie haben diesen
Charakter ebenso, wenn sie kein göttliches Wesen explicite
behaupten, als wenn sie eines voraussetzen. Z. B. dass Dauer
nothwendig sei, um sittliche Vollkommenheit zu erreichen, dementgegen ist zu antworten, dass die Annahme, sittliche Vollkommenheit erreichen zu können oder zu müssen, ein teleologi-
sches und ethisches Postulat ist, das mit reiner Erkenntnis
nichts zu schaffen hat; überdies kann sie in einer späteren
Daseinsform als erreichbar gedacht werden, ohne die Annahme
einer unendlichen Dauer. Die Wertlosigkeit solcher moralischen Argumente zeigt, dass der Materialismus sie für die gegentheiligen Behauptungen ausbeutet, sofern er gerade durch Unsterblichkeit und Gedanken an Vergeltung die Sittlichkeit für
gefährdet erachtet. Danach würde die Annahme, sittliche
Vollkommenheit erlangen zu können, gerade ein Argument
gegen Fortdauer sein.

Die Beweise aus der Gerechtigkeit Gottes oder den Ver-
pflichtungen der „Natur" unserer in der Richtung nach Vervollkommnung strebenden Entwickelung gegenüber setzen insgesammt schon voraus, dass es einen Gott gebe, und werden
ungewiss mit seiner später zu erweisenden Ungewissheit; sie
setzen überdies Eigenschaften Gottes, vor allem, dass er gerecht sei, voraus, wofür der Beweis aber erst aus der Gerechtigkeit
in dieser Welt geführt werden müsste, nehmen also eine Teleo-

ogie an, die wir erst zu prüfen haben. Auch wird angenommen, dass Gott allmächtig sei, die Macht habe, immer gerecht
zu walten, was zu dem schon besprochenen Widerspruch mit
seiner Güte führt. Schliesslich ist die Behauptung, dass ein
Gott Gerechtigkeit nicht anders als mittelst unendlicher Fortdauer unserer Seele vertheilen könne, eine völlig willkürliche.

Bei den Beweisen aus Analogien handelt es sich auch
wie bei den moralischen Beweisen vornehmlich um ein psychologisches Zustandekommen — Wünsche und Gefühle bilden
die Motive. Diesen Beweisen ist insgesammt entgegenzuhalten,
dass Psychisches und Physisches zu verschieden sind, um Analogien einen Anhalt zu bieten, und dass im besonderen gerade
das Verhältnis der Dauer des Psychischen nur die vagsten Aehnlichkeiten darbieten kann. Daher zeigt sich auch hier wieder
die Erscheinung, dass die entgegengesetztesten Argumente mit
denselben Bildern gestützt wurden: Dem Beweis, dass mit der
Laute auch der Ton schwinde, wird der Beweis entgegen-
geführt, dass der Ton ins Unendliche fortschwebe, auch wenn
die Laute zerstört ist. Jede solche Analogie setzt soviel Wissen
über das Psychische voraus — in diesem Falle über eine
Seelensubstanz — und über die Art, wie es seine Zustände
hervorbringt, dass, wenn die Urheber dieser Beweise darüber
verfügten, sie der Analogie nicht mehr bedürftig wären. Trotz
dieser Einsicht bleibt die Schwierigkeit bestehen, immer zu erkennen, ob ein Beweis ein Analogiebeweis sei. Die Behauptung z. B., die Seele muss vergehen, weil sie geworden ist —
letztere Annahme als erwiesen vorausgesetzt — ist erst in
ihrer Grundlosigkeit erkannt, sobald die Analogie in ihrer
vollen Sinnfälligkeit erkannt ist.

Wenn wir sonach alle Beweise überblicken, ohne jene
zu berücksichtigen, die blosse Möglichkeiten betreffen, so ist zu
behaupten: der Wahrscheinlichkeitsgrad für die Lösbarkeit der

Unsterblichkeitsfrage, dass für oder gegen sie ein Beweis erbracht werde, ist ebenso gering wie die Wahrscheinlichkeit, dass ein den Parallelismus des Psychischen und Physischen betreffender Erfahrungsbeweis einst Erkenntnisse über die Weiterentwickelung der der Seele nach dem Tode möglicherweise parallel gehenden Körpervorgänge ermögliche.

Die Gottesfrage.

Nach unserer zunächst aus dem Bedürfnisse, und zwar nur dem unumgänglichsten, entspringenden Bestimmung ist für die Annahme einer bestimmten Art von sittlicher Weltordnung die Existenz von Mächten nöthig, die Gerechtigkeit in anderer Form als der von uns erfahrbaren zu üben vermögen. Demzufolge ist der Begriff eines Gottes hier nie anders als für einen persönlichen Geist, auch wenn ein anderer, z. B. als eine noch unentwickelte Weltseele denkbar wäre, zu verwenden; andere Bestimmungen sind schon deshalb unzulässig, weil sie die Uebereinstimmung mit dem Sprachgebrauch (und meist nur zu unlauteren Zwecken) opfern. Die aus diesen Bestimmungen sich ergebende Frage nach der Beweisbarkeit eines solchen psychischen Seins ohne physische Parallelerscheinungen oder mit anderen als den der Erfahrung vorliegenden, respective die Frage nach der Beweisbarkeit des Gegentheiles kann — die Analogiebeweise aus den früheren besprochenen Gründen unberücksichtigt gelassen — nur drei Beweismöglichkeiten ergeben:

I. Aus Schlüssen von als Wirkungen aufgefassten Thatsachen der Erfahrungen auf deren Ursachen.

II. Aus vorausgesetzten Arten oder Mängeln von physischen Parallelvorgängen.

III. Aus der Begriffsbestimmung, sofern sie keine Widersprüche enthalten darf.

I. Die wichtigsten Beweise, die auch sofort zu weit über die Willkür ethischer Bedürfnisse hinausgehenden Begriffsbestimmungen führen würden, sind die in weiterem Sinne teleologischen. Es besteht die Möglichkeit, Causalität auch als durchgängig vorausgesetzt, alle oder manche Naturgeschehnisse als Zwecke zu betrachten. Diese Auffassungsweise, die keine allgemeine oder gar nothwendige ist, was schon daraus ersichtlich ist, dass es Beweisversuche für die gegentheilige gibt, ist zunächst eine willkürliche, und die Frage ist nur, ob unsere Erfahrungen sich unter dieser Hypothese nicht besser erklären als ohne sie. Diese Frage kann also von der Bedürfnislosigkeit des reinen Erkennens gestellt werden und kann auch so zu Gottesbeweisen führen.

Sie kann sich auf vielerlei Ursachen richten, auf solche 1. für die Welt als Materie, 2. für die Bewegung, 3. für den Geist, 4. für die Gesetzmässigkeit, 5. für die intellectuellen Einrichtungen in der Gesammtheit oder im einzelnen Wesen, 6. für die ethischen Einrichtungen.[154])

Schon aus diesen Fragen ist ersichtlich, dass, wie immer die Antwort ausfallen mag, selbst wenn die darauf bezüglichen Beweise zwingend wären, sie betreffs des Beweisobjectes ungenügend sein müssen. Sie sollen ja nicht diese oder jene Eigenschaft treffen, sondern lediglich ein persönliches Wesen. das begabt ist, mit Macht und Willen Gerechtigkeit zu üben. Wenn also die Unzulänglichkeit der teleologischen Beweise immer an diesen einzelnen Fragen verfolgt wird, so heisst das höchstens, sie auf ihre Beweiskraft für ihr eigentliches Object, dem gewiss nicht jeder Zusammenhang mit dem fraglichen Problem abzusprechen ist, prüfen. Nur in diesem Sinne können auch wir versuchen zu eruiren, ob ihnen Möglichkeit, oder Wahrscheinlichkeit zukommt.

1. Liesse der Begriff der Ursache auch eine Anwendung die Materie, d. h. auf ein Sein zu, so wäre ein Schluss aus

der blossen Thatsache eines Schöpfungsactes auf andere Eigenschaften dieser Ursache unzulässig. Aber auch der Nachweis, dass Materie in diesem Sinne eine Ursache brauche, ist nicht zu führen, da Materie auch von ewigem Bestande sein könnte. Die Möglichkeit einer Schöpfung ist aber ebensowenig auszuschliessen, wofern nur unter dieser z. B. ein Werden einer zweiten aus einer dritten Realität gedacht würde; dieser Vorgang wäre analog dem Auftauchen unserer Vorstellungen zu denken als ein „Werden aus dem Nichts", über das uns jede Möglichkeit zu urtheilen umsomehr versagt ist, als auch ein schöpferischer Willensact und die Art seines Wirkens in vielerlei Arten mit Causalität vereinbar gedacht werden könnte.

2. In gleicher Weise würde aus der Annahme eines Anfanges der Bewegung höchstens die Existenz eines sie veranlassenden Willens folgen. Dass Bewegung aber von Ewigkeit her dauere, ist ebenso vorstellbar wie ein solcher Anfang.

3. Aus der Voraussetzung, dass dem Urheber des Geistes in der Welt auch Geist zukommen müsse, würde so wenig über seine weiteren Eigenschaften folgen, als aus denen des Kindes auf jene seiner Eltern. Auch ist dieser Annahme entgegenzuhalten, dass jener Geist ebenso gut von Ewigkeit her sein konnte; die Schwierigkeiten sind hier nicht grösser. Es bleibt die Zuflucht zu Individuationsprincipien, wenn der Geist ursprünglich einheitlich gedacht wird, zu Addition, die ebenso möglich ist wie die vorher besprochene Theilung, oder zur Entwickelung aus einfachen Formen, wenn er monadisch gedacht wird. Alle diese Annahmen bedürfen nur der des Vergessens aller der Geburt vorausgehenden Zustände, dessen Rolle bei dem Probleme der Seelentheilung schon klar geworden ist.

Dementgegen aber ist auch die Möglichkeit zu betonen, dass Geist den Geist zum Urheber habe. Ihr käme gegenüber der Entstehung aus Nichtpsychischem selbst Wahrscheinlichkeit zu, zunächst weil alle Beweise für eine generatio aequivoca bisher fehlgeschlagen haben, ferner weil die Erblichkeitserfahrungen nie einen Geist aufzeigen, dem nicht schon Geist vorangegangen wäre, ferner weil die Logik lehrt, dass selten neue Qualitäten in der Wirkung auftreten, die sich nicht in Theilursachen wiederfinden, und vor allem, weil die Entstehung des Geistes z. B. aus bloss Ausgedehntem, Farbigem etc., wenn überhaupt möglich, höchst unwahrscheinlich ist. Es ist uns unvorstellbar, worauf, so lange kein Ich da ist, eine zweite Realität wirken sollte, damit eine Vorstellung entstehe. Wir können vom Unbewussten zum Bewussten wohl von einem quantitativen Continuum, aber nie von einem qualitativen sprechen.¹⁵⁵) Alle Kunstgriffe, wie schon gesagt, die immer wieder mit der Entwickelung des Geistes auch aus der complexesten Materie und mit unmöglichen Realitäten, die Mitteldinge zwischen Psychischem und Physischem darstellen sollen, versucht werden, demonstriren bestenfalls die Unmöglichkeit, wie eine schwingende Kugel plötzlich zu denken anfangen kann; und es ist dabei völlig gleich, ob es sich um das dunkelste Elementargefühl oder das entwickeltste Denken handle; das eine wie das andere ist gleich unbegreiflich. Hat aber Geist Geist zur Ursache, so ist damit auch als eine von vielen die Möglichkeit gegeben, dass dieser ein göttlicher im vorher bestimmten Sinne sei.

4. Jede Gesetzmässigkeit, die auf Absicht deuten könnte, nicht nur die systematische Anordnung, die den Formenreichthum der Natur dem Geiste erfassbar macht, oder das Sichentsprechen erster und zweiter Realitäten, durch das erst Erfahrung möglich ist; jede regelmässige Wiederholung von gleichen Ereignissen würde, wenn sie auf eine Absicht deutet, auf nicht mehr als auf diese besondere Absicht zu schliessen erlauben. Jener Deutung wird nun die Hypothese einer Noth-

wendigkeit entgegengehalten, die jede Gesetzmässigkeit bedingen
soll, und welcher zufolge für diese ebensowenig wie für den
Satz, dass ein Ding sich selber gleich sei, eine Gottesannahme
nöthig wäre. Da es sich aber hier um die Annahme einer
Nothwendigkeit handelt, die völlig über den Bereich des uns
Vorstellbaren geht — für unsere Art Erfahrung kann Gesetzen
ja nur Wahrscheinlichkeit zukommen — so ist zu erwägen,
welche Annahme weniger neue Voraussetzungen macht. Wenn
die Gottesannahme z. B. auch für andere Probleme eine bessere Lösung gäbe, so ist ihre Möglichkeit gewiss auch nicht
auszuschliessen.

5. Auch die Einrichtungen der organischen Welt, falls
sie als Wirkungen eines Intellectes aufgefasst werden, gestatten nicht mehr als einen Schluss auf einen zu jenen
tauglichen Intellect. Dieser Auffassung stehen die mechanischen Welterklärungen gegenüber. Die Principien der Selection,
das Ueberleben des Stärkeren im Kampf ums Dasein, die Vererbung geben die Möglichkeit, das Entstehen selbst complexe-
ster Organismen ohne Absicht, ohne vorausgehende Zweck-
vorstellung zustande kommen zu lassen. Dem Zufall wäre damit auch eine weit beschränktere Rolle angewiesen als in dem
Beispiele, dass der Wüstensand durch den Wind zu einer Pyramide aufgethürmt würde. Aber die Wahrscheinlichkeitsgrade
beider Annahmen stehen sich nicht nur in unentscheidbarer
Weise gegenüber, sondern die zweite schliesst sogar die erste in
keiner Weise aus. Die Frage bleibt offen, ob jeder Anfangs-
zustand der Welt zu solchen Resultaten hätte führen müssen, oder
ob die Welt ein Specialfall ist. [156]) Und hier ist die Möglichkeit eines
absichtlichen Eingreifens nie auszuschliessen, wofern dasselbe
nur sonst in Uebereinstimmung gebracht ist mit den übrigen
Thatsachen der Erfahrung. Z. B. dürfte das Eingreifen kein ein-
maliges und plötzliches sein, sondern müsste dauernd als Theil-

ursache jedes Geschehens gedacht werden; ein solches könnten wir aber nicht einmal im Stosse zweier Kugeln mit Bestimmtheit ausschliessen. Gewiss ist diese Annahme nicht schwerer verständlich als die mechanische, besonders in den Formen, zu denen sie sich oft gedrängt glaubt, wenn sie z. B. Zielstrebigkeiten für jedes materielle Element annimmt. [157])

6. Auch die Annahme eines moralischen Besserwerdens in der Welt, selbst die Annahme von Gerechtigkeit in ihr würde keinen Schluss auf Gerechtigkeit und Macht eines sie verursachenden Wesens, auf dessen Willen, in anderen Daseinsformen dasselbe Verhalten zu befolgen, gestatten. Sie würde, ebensowenig wie alle bisher besprochenen Argumente, auch nur zur Annahme einer ersten Ursache führen, und noch viel weniger zu ethischen Ursachen. Die unzweifelhafte Existenz des Bösen würde ja, wie es auch die meisten Religionen glauben, in gleicher Weise die Annahme von Dämonen erweisen; diese wären bloss als einer Macht immer mehr unterworfen zu denken, deren zweckmässiges Handeln nur für uns nicht ersichtlich, dennoch aber existiren könnte, ebenso wie ein solches in den dem schlechten Schachspieler oft nicht übersehbaren Zügen vorhanden ist.

Aber alle diese möglichen Annahmen müssen deshalb nicht gemacht werden, weil dieselben Principien wie für die mechanische Weltentwickelung so auch für die ethische ausreichen können. Kampf ums Dasein, natürliche Zuchtwahl etc. können das Gute entwickeln, selbst eine Tendenz, z. B. in Form von einem allgemeinen Streben nach Lust könnte als von jeher in der Welt bestehend angenommen werden. Da aber, wie schon gezeigt, auch diese Annahme unerweislich ist, so bleibt die das Gemüth befriedigendste erste Möglichkeit einer einheitlichen sittlichen Macht aufrecht, die gegenüber einer uns unbegreiflichen Nothwendigkeit dem Bösen, wie jetzt im einzelnen, so einst im ganzen obsiegen wird. Wie diese Wirkungsweise und die früher besprochene zweite Möglichkeit einer sittlichen Ordnung weiter auszudenken wäre, ist auch Sache der Vorstellung, die man sich über das Verhältnis jener psychischen Macht zu anderem Psychischen und zum Physischen bildet, wofür, wie schon gesagt und noch zu sagen ist, zahlreiche, die causale Ordnung nicht tangirende Möglichkeiten denkbar sind.

Es bedarf kaum der Erwähnung, dass dieselbe Aussichtslosigkeit wie des teleologischen Beweises alle jene Scheinbeweise trifft, hinter denen jener sich nur schlecht verbirgt. Die poetische oder religiöse Erhebung, die in dem blossen Anblicke der Natur schon ein Motiv findet, einen Gott zu glauben, findet dieses eben in der Schönheit und Ordnung, für welche sie die Absicht eines Urhebers als selbstverständlich annimmt. Ebenso ist der teleologische Beweis als erbracht vorausgesetzt, wenn aus dem Verhältnis der Sittlichkeit zur Glückseligkeit das Dasein Gottes bewiesen wird. Es ist lediglich ein Wunsch, dass die Welt so eingerichtet sei, dass dem Sittlichen auch Glück zutheil werde, nur eine Glaubensmöglichkeit, ebenso wie die Annahme, dass die Natur verpflichtet sei, dem Streben der menschlichen Seele nach Vollkommenheit eine Möglichkeit der Erfüllung zu geben.

II. Eine andere Art von Beweis knüpft an die vorausgesetzten Nothwendigkeiten oder die Mängel von bestimmten physischen Parallelerscheinungen an. Diesbezüglich ist das Resultat der früheren Erörterungen über persönliche Fortdauer auch hier zu verwenden. Nicht einmal über das im weitesten Bereich der Erfahrung vorliegende Parallelismusproblem zwischen Seele und Leib konnte etwas ausgemacht werden, weder über die Art noch über die Wahrscheinlichkeit physischer Parallelvorgänge; um wie viel weniger kann dies für ein Sein geschehen, das

sowohl nach der psychischen als nach einer eventuellen physischen Seite sich aller Erfahrung und vielleicht jeder Vorstellbarkeit entzieht! Jedenfalls ist wieder zu betonen, dass
nicht die physischen Vorgänge für diese Probleme das Wesentliche sind, sondern die sie bedingenden Realitäten. Daher sich
auch für eine solche psychische Existenz mehrere Möglichkeiten
ergeben, sowohl unter den Voraussetzungen eines durchgängigen
und nicht durchgängigen Parallelismus, als unter der eines
Causal- oder Coexistenzverhältnisses. Diese Existenz kann gedacht werden: 1. ohne zweite Realität, 2. mit anderen zweiten
Realitäten, als sie in der Erfahrung gegeben sind, 3. mit nicht
erscheinenden Realitäten; in den letzteren zwei Fällen ist die
Möglichkeit auch wieder offen zu lassen, dass jenes Wesen selbst
mit den anderen Realitäten identisch sei. Diese Möglichkeiten
sind im einzelnen zu prüfen.

    1. Die Beweise für oder gegen die Annahme jeder Art
psychischen Seins ohne Parallelvorgänge tragen denselben
Charakter wie die analogen für die persönliche Fortdauer
vorgebrachten und lassen den Möglichkeiten insofern einen
noch grösseren Spielraum, als die scheinbare Controle durch
Erfahrung noch weniger zulässig ist. Auch die Möglichkeit von
Wirkungen und Eingriffen eines lediglich psychischen Seins auf
ein anderes Ich oder auf zweite Realitäten ist in derselben
Weise wie dort zuzugestehen und noch zu ergänzen durch die
Möglichkeit der Annahme, dass ein psychisches Wesen denkbar
wäre, das analog dem Ich, welches alle Vorstellungen unter
sich begreift, alle anderen psychischen Wesen, die nur seine
Individuation wären, umfasste.

    Was hier als Individuation bezeichnet wird, ist selbstver-
ständlich lediglich eine Möglichkeit, und alle Principien der
Individuation, jeder Versuch, zu erklären, wie der Wassertropfen,
der ins Meer fällt, sich mit ihm vereint und doch der Tropfen

bleibt, muss scheitern. Dieses Verhältnis kann anschaulich nie vorstellbar sein. Für unser Denken bedeutet es nur, Wissen um anderes Denken und Möglichkeit, es direct beeinflussen zu können, was alles auch einem ausser den psychischen Individualitäten wirkenden Wesen möglich wäre. Ueber die Details dieser Auffassung, die übrigens bei unserem mangelhaften Wissen über solche Denkbarkeiten auch physische Parallelvorgänge nicht einschränken würden, ist wenig zu sagen. Das Uebergreifen eines göttlichen Seins über alle psychischen Individualitäten ist zum Theil analog den der Erfahrung vorliegenden und besprochenen Theilungsmöglichkeiten des Psychischen in mehrfacher Weise zu denken, und zwar in jedenfalls für den jetzigen Stand der Metaphysik, wenn nicht für immer, kaum unterscheidbaren Arten. Sowohl ein Causalverhältnis als Coexistenz ist denkbar, und sowohl durchgängige Uebereinstimmung des übergreifenden Seins mit dem psychischen Leben der Individuen als auch ein Parallelismus nur mit einzelnen Vorstellungsgruppen. Ferner ist die Abhängigkeit als eine grössere oder kleinere denkbar. Ein einheitliches Wesen kann aus sich Individuen zeugen, die wieder nach aufgehobenem Individuationsprincip in jenes aufgehen werden, oder es kann Individuation von Ewigkeit her bestehen (für die ja auch eine Entwickelung möglich wäre), wonach ein Gesammt-Ich die Individuen in der Weise übergreifen würde, wie angenommen wird, dass in Thieren ein selbständiges abtrennbares Ich von einem allgemeinen beherrscht wird, das dessen höhere Thätigkeiten leitet. Letztere Auffassung, die besonders mit unserem Wollen mehr Analogien bietet als die anderen Individuationsprincipien, bildet schon den Uebergang zu jenen Auffassungen, die das göttliche Sein selbständig neben der Individuation denken. Jedenfalls liegt bisher, alle diese Möglichkeiten zu leugnen, nicht mehr Recht vor, als eine von ihnen zu behaupten.

2. Ein Bewusstsein mit anderen als den der Erfahrung vorliegenden Parallelvorgängen würde selbst den psychophysischen Parallelismus nicht ausschliessen. Es wäre gebunden zu denken an die gesammten Weltrealitäten oder an Gruppen von bekannten Elementen, an andere Arten von dauernd oder uns nur jetzt unwahrnehmbarer Materie oder endlich als deren Realität selbst. Die laienhafte Annahme, dass zu einer Weltseele auch ein Weltgehirn gehören müsse, ignorirt nicht nur die Thatsache des metaphysischen Parallelismus, sondern sie setzt fälschlich den psychophysischen Parallelismusbeweis als erbracht voraus, den sie aber zugleich leugnet, sofern sie behauptet, dass jeder Art von Geist dieselbe Art Parallelvorgänge — die eines Gehirnes zukommen müsse.

Nach alledem ist nicht einmal die Unmöglichkeit, einen Gottesbeweis durch Erfahrung zu erbringen zu erweisen, höchstens die Unwahrscheinlichkeit, sofern nicht abzusehen ist, welche Einblicke in die Materie und einen eventuellen Parallelismus mit dem Psychischen der Naturkenntnis noch einmal zukommen kann.

3. Aehnlich unzulänglich wie die Lösung der Frage nach einer bestimmten Localisation für ein göttliches Wesen ist die Annahme, die den Sitz desselben ausschliesslich in der zweiten Realität errichten will.¹⁵⁵) Sofern diese noch ein Erfahrungsgebiet bedingt, soll ein an sie gefesselter Gott, der dann auch kein extramundaner zu sein brauchte, eher zulässig sein. Wenn aber Realitäten existiren können, die für Form und Umfang unserer Anschauung in keiner Art gegeben sind, so ist ihre Identificirung mit einem göttlichen Wesen oder dessen Localisation in ihnen ebenso möglich. Ob man ein solches Bewusstsein extramundan nenne, was überdies keinerlei Argument gegen dasselbe wäre, hienge lediglich von der Frage ab, was man unter Welt verstehen will. Natürlich sind alle

auf eine dritte Realität bezüglichen Beweise noch weniger veri-
ficirbar, als die auf eine zweite.

III. Aus der Annahme der Macht Gerechtigkeit zu üben
allein, ergeben sich für die Begriffsbestimmung eines göttlichen Wesens mit Nothwendigkeit eine Reihe von Eigenschaften
(deren Ergänzung die teleologischen Argumente möglich machen
sollten), von denen zu fragen ist, ob sie nicht untereinander und
mit der Erfahrung in Widerspruch gerathen. Jedenfalls kommen in Frage: 1. Persönlichkeit, 2. Wissen um die jetzigen
inneren menschlichen Erlebnisse, 3. räumliche und zeitliche
Ausdehnung, 4. Macht über eine spätere Form menschlichen
Seins und Erkenntnis seiner Erlebnisse. Es ist leicht zu zeigen,
dass unser Wissen solche Eigenschaften weder erweisen noch
ihre Möglichkeit leugnen kann.

1. Persönlichkeit ist, was die Parallelismusfrage betrifft,
gleicherweise wie betreffs der Unsterblichkeitsfrage — das wurde
dort bereits gezeigt — möglich. Es ist nur offen zu lassen, ob
dabei an ein oder mehrere persönliche Wesen zu denken ist, und
selbstverständlich muss immer den Bedingungen entsprochen
werden, die eine sittliche Weltordnung voraussetzt. Ein Argument
für Einheit ist höchstens denkbar, wenn eine künftige Metaphysik eine einheitliche zweite Realität, die jenem Bewusstsein
parallel geht oder es selbst darstellt, als allein widerspruchslos
erweisen sollte. Es bliebe dann nur noch die selbstgeschaffene
Schwierigkeit, wie eine „unendliche Persönlichkeit", da Bewusstsein doch Objecte, also etwas „ausser" sich voraussetzt, möglich
ist. Aber die Eigenschaft unendlich, die übrigens für unsere Begriffsbestimmung gar nicht nöthig ist, bedeutet hier nichts weiter
als ein Vorstellen ohne unabhängige Objecte, und dass diese für
das Vorstellen als solches unnöthig sind, beweist jeder Traum.[159])

2. Ein Wissen jetzt und einst um anderes Psychisches,
auf das es uns vor allem ankommt (nicht auf Allwissen), involvirt,

wie auch bei Besprechung der Unsterblichkeitsfrage schon gezeigt wurde, keinerlei Widerspruch und ist als anschaulich unvorstellbare Erkenntnisart jeder Art von Wahrscheinlichkeitsbeweisen unzugänglich.

3. Dieses Wissen setzt für unsere Bestimmungen nur zeitliche, keine räumliche Unendlichkeit voraus. Aber gegen die Annahme einer zeitlichen Dauer erschien schon bei der darauf bezüglichen früheren Besprechung keine Schwierigkeit als begründet, sonach kann auch hier unendliche Dauer keinen Widerspruch bedeuten. Und der räumlichen Ausdehnung, die bloss den Zusammenhang mit jedem individuellen Bewusstsein sichern soll, bedarf es überhaupt nicht, da dieser nicht als räumlich zu denken ist. Die „Gegenwart" eines Bewusstseins „in allen Menschen", sofern die Körperwelt als zweite Realität gedacht wird, muss keinerlei räumliche Eigenschaften voraussetzen.

4. Die Macht Gerechtigkeit zu üben braucht keine Allmacht zu sein, diese wäre selbst für die Annahme eines „Weltschöpfers" sogar ausgeschlossen, weil die Erfahrung einer solchen Unbeschränktheit widerspricht. Die Eigenschaft einer vollkommenen Güte ist aus der übersehbaren Menschenentwickelung nur in dem Sinne zu deduciren, dass jenes Wesen als Ursache für die Weltvervollkommnung und den endlichen Sieg des Guten gedacht wird, sich aber im Kampfe gegen eine selbständige Macht des Uebels als ein unerklärbares Princip, als eine metaphysische Nothwendigkeit befindet; d. h. also Güte und Allmacht sind Eigenschaften, die einen nothwendigen Widerspruch bedingen. In einer Welt, in der es nur ein Leid gibt, könnte einem allmächtigen Wesen, das ja wie der Dichter für jede Eigenschaft seiner Schöpfungen verantwortlich sein muss, das Prädicat der höchsten Güte nicht zukommen. Es ist leicht, zu zeigen, dass dieser Widerspruch durch keinerlei Bemühungen des gläubigen Gemüthes zu heben ist.

Vor allem ist er es nicht durch die völlig willkürliche
und der Widerlegung nicht mehr bedürftigen Annahme, das
Böse sei eine blosse Negation: das fiele ja einfach mit einer
Leugnung desselben zusammen; ebensowenig ist er es durch die
Annahme, das Böse sei zum Contraste für das Gute nothwendig, und dieses könne ohne jenes überhaupt nicht sein.
Es ist ein Dasein sehr wohl denkbar, in dem es — ähnlich wie in einem göttlichen Wesen selbst vorausgesetzt wird
— nur Gutes, oder weder Gutes noch Böses, also diesen Unterschied überhaupt nicht gibt. Die Antwort auf die Frage, warum
eine solche Welt ungeschaffen blieb, führt entweder durch
die Antwort mit der „bestmöglichen" der Welten auf Leugnung
der Allmacht, oder es wird behauptet, die Verschiedenwertig-
keit von Motiven sei für die Freiheit menschlichen Wollens
oder Handelns nöthig. Dagegen ist aber wieder einzuwenden,
dass Freiheit ohne gut und böse ethisch belanglos ist, und überdies, dass die Gewährung einer solchen Freiheit keine aus vollkommener Allmacht und Güte entstandene Handlung bedeutete;
sie wäre als solche nur zu denken unter der Voraussetzung,
dass sich die Menschen immer nur durch gute Motive beeinflussen liessen, d. h. gut geschaffen wären. Da letzteres
aber nicht der Fall ist, so ist göttliche Gerechtigkeit wieder nur
auf Kosten der Allmacht zu retten. Dieses Problem, wie alle
optimistischen und pessimistischen, bleibt eben von der Freiheits-
frage, gleichviel, ob sie für entschieden, unentschieden oder,
wie am wahrscheinlichsten ist, unentscheidbar erachtet wird,
so vollkommen unberührt wie die Zurechnungsfrage.[160])
Es scheint nur eine Möglichkeit zu geben, Allmacht
und Güte zu vereinigen, nämlich durch die Annahme einer für
ein göttliches Wesen bestehenden, für uns aber unvorstell-
baren Nothwendigkeit, wonach der Bestand des Bösen von
jenem so wenig als Machthemmnis empfunden würde als für

menschliches Denken der Satz des Widerspruches. Aber für unser Denken würde selbst durch diese Annahme nichts gewonnen. Für uns müsste ein göttliches Wesen auch dann als nicht allmächtig bezeichnet werden, wofern eben nicht seine Güte bezweifelt würde (z. B. in der Form, dass es sich ähnlich der Menschenentwickelung aus einem jetzigen mangelhaften zu einem Zustande höherer Vollkommenheit erst entwickle).

Auch ist noch in Betreff der Machtausübung selbst, deren Unmöglichkeit ein Argument gegen einen Gott in dem vorher bestimmten Sinne wäre, Folgendes zu sagen: Es kann in keiner Art des Wirkens auf das Psychische oder Physische, wie wir bei der Unsterblichkeitsfrage sahen, ein Hindernis gefunden werden, ein solches Wesen anzunehmen, gleichviel ob man es mit oder ohne physische Parallelvorgänge denke. Denn auch mit der Causalität ist die Wirkungsart eines Gottes, sogar eines Weltenbaumeisters in Uebereinstimmung zu bringen, sofern, wie gesagt, nur nicht willkürliche Eingriffe vorausgesetzt werden. Die Uebereinstimmung ist z. B. dadurch hergestellt, dass ein Wesen gedacht wird, das von ewiger Zeit her das Gute will und als Theilursache jetzt oder später in den Geschehnissen wirkt; ihre Erklärung aus rein mechanischen Ursachen bliebe dann in derselben Weise wie bisher möglich. Selbst ein Schöpfungsact ist, wie gesagt, nicht auszuschliessen, wenn ein solcher z. B. als Werden einer zweiten aus einer dritten Realität gedacht würde. Die Vorstellung, die wir uns von jenem Wirken bilden, wird nur modificirt je nach der Art, wie wir uns jenes Wesen mit einer anderen Realität vereinigt denken.

Mit der Besprechung dieser letzten Beweisarten ist auch allgemein gezeigt, dass, wenn von blossen Möglichkeiten abgesehen wird, der Wahrscheinlichkeitsgrad, dass ein Beweis für oder gegen das Dasein Gottes erbringbar sei, ebenso klein ist wie, analog dem Unsterblichkeitsbeweise, der, dass ein darauf bezüglicher Erfahrungsbeweis mittelst Parallelvorgängen erbracht werde.

Alle sonst noch üblichen Beweise sind Resultate eines kindlichen Denkens, mit denen religiöse Bedürfnisse oder Autoritäten selbst manchmal in dem grössten Denker einen Glauben hervorrufen konnten, der keiner wissenschaftlichen Zurechnung fähig ist. Als Beispiele und wegen ihrer grossen Verbreitung wären zwei solche Beweisarten erwähnenswert: Die Beweise, welche sich auf eine „innere Stimme" berufen und die historischen.

Gegenüber der Behauptung der Gewissheit Gottes infolge einer inneren Stimme aber ist zu sagen: 1. dass diese Stimme nicht von allen Menschen gehört wird (dem gegenüber könnte ja nicht behauptet werden, Gott wolle sich nicht allen offenbaren, denn das setzte ihn ja schon als bewiesen voraus); 2. dass, da „Stimmen" nur Urtheile oder Anschauungen bedeuten können, fertige Urtheile, in denen sich eine solche Erkenntnis äussern kann, nicht mit der Geburt gegeben sind, sondern dass ihre Entstehung psychologisch zu erklären ist; (Urtheile bilden sich zunächst aus Empfindungen und nie aus so hochgradigen Abstractionen, wie sie eine Gottesvorstellung zeigt, die erst das späte Product der Entwickelung, nie aber eines unbeeinflussten Kindesalters ist), dass wenn hingegen von Anschauungen gesprochen würde, diese durch Hallucinationen und hypnotische Erfahrungen genügend erklärbar sind; 3. dass das analoge Entstehen vieler anderer Erkenntnisse zeigt, wie selbst der stärkste Glaube psychologisch durch Autoritäten oder Bedürfnisse entstehen kann — eine Quelle, welche als bis auf die Kindheit zurückgehend, mittelst der Selbstbeobachtung besonders von Ungeübten selten verfolgt werden kann.

Die historischen Beweise, die Traditionen und die heiligen Bücher der verschiedenen Confessionen, haben ent-

weder natürliche Quellen, dann fallen sie wie ihre Offenbarungen unter den vorhergehenden Punkt und unter die vorhergehenden Beweise, oder übernatürliche, dann ist die Wahrscheinlichkeit von Irrthümern oder Täuschungen seitens der
Zeugenaussagen, besonders wenn sie auf Jahrtausende zu-
rückführen, weit grösser, als dass zu irgend einer Zeit Ereignisse
stattgehabt hätten, die, wenn sie in der Gegenwart geschehen,
auch den Ungebildetsten unglaubwürdig sind. Solchen Geschehnissen, als dem Causalgesetze widersprechend, kommt
lediglich eine Denkmöglichkeit zu, die, wiewohl sie immer betont wird, doch die Beweiskraft alles menschlichen Wissens
gegen sich hat, der gegenüber die Frage nach der Echtheit
von historischen Documenten gleichgiltig ist. Ihre Göttlich-
keit ist unwahrscheinlicher als Gesetzlosigkeit im physischen
Geschehen, als dass Steine in Hinkunft zu fallen aufhörten.

Mit der Ablehnung aber der Gottesbeweise ist auch die
Frage nach der Möglichkeit einer sittlichen Weltordnung beantwortet. Es ist hochgradig unwahrscheinlich, dass ein Beweis für oder gegen sie erbringbar sei, und zwar weder unter
der Voraussetzung eines göttlichen Wesens, noch ohne ein
solches (wie gezeigt wurde, wäre ja auch letztere Möglichkeit
in Uebereinstimmung zu denken mit einer sittlichen Weltordnung). Damit ist aber auch erwiesen, dass der Glaube in
keiner Richtung, so wenig allerdings als seine Leugnung, der
Vernunft widerspricht; die Wissenschaft vermag über blosse
Möglichkeiten zu keinerlei Wahrscheinlichkeiten zu gelangen.[161])
Sie vermag es jedoch nur für die vorher bestimmte Form des
Glaubens an eine sittliche Weltordnung nicht, während alle concreten Fassungen der einzelnen Religionen dem Wissen durchaus
widersprechen, wenigstens sofern sie göttliche Menschen, Wunder,
Offenbarungen, Wirkung des Gebetes u. dgl. voraussetzen, was
alles zwar nicht unmöglich, aber als höchst unwahrscheinlich

erweisbar ist; und zwar kommt diesen negativen Beweisen, wie gesagt, nicht weniger Bedeutung zu als unseren bestbegründetsten Erfahrungserkenntnissen, als der Wahrscheinlichkeit, dass ein Geschehen ohne Ursache möglich ist. Demnach würde die Wissenschaft mit Toleranz nur einer Religion der „confessionslos Gläubigen" begegnen, welche jedoch ihrerseits dieselbe Toleranz üben müsste gegenüber allen, die ihrer Vereinigung nicht angehören können.

Diese blosse Möglichkeit des Glaubens aber trifft den Weltschmerz in seiner tiefsten Wurzel.

ANMERKUNGEN.

———

1) Senilia. deutsch von Lange. Turgeniew.

2) Wir berühren nur die verführerischesten, mit denen auch besonders der moderne Pessimismus das Denken des Pöbels, wie die Drehorgel
sein Musikbedürfnis, immer wieder am besten befriedigt hat. Dieser Pessimismus ist nicht weniger platt als der Optimismus, den jener beständig als
platt bezeichnet, und seine Leichtfertigkeiten und affectirten Posen gleichen
jenen einer Tänzerin, die wenigstens noch Schönheit entschuldigen soll.
Aber den an den Ernst Gewöhnten widern sie gleichermassen an, wie die
Schmerzen eines Heine'schen Gedichtes; solche Interpreten täuschen höchstens hinweg über die wahre Grösse der Weltübel. Uebrigens lässt die Art,
wie Schopenhauer das Weltelend durchschaut und geschildert hat, seine
gewaltthätige Natur und sein mehr lyrisches Genie noch eher die grosse
Bewegung. die diese Irrlehre selbst bei Gebildeten erregte, verstehen. Seiner
Nachfolger Wirkung hingegen ist nur noch dadurch zu erklären, dass sie sich
zum Sprachrohre einer gemeinen bedrückten Meinung gemacht haben. Ihr
Vorgehen, wie das der Materialisten, in deren Folge und Gefolge der Pessimismus oft schon in der Geschichte einhergezogen, ist unverzeihlich, sie
wissen nicht, wie gross das Elend ist. das ihre geschmeidige Popularität,
wenn auch nur für Tage in die Welt gebracht hat.

3) Schopenhauers Ansichten über Kunst und den nach seiner
Meinung nothwendigen Mangel am Begehren bei dem Genusse ihrer Werke
sind ebenso bekannt wie seine Auffassungen von der Liebe.

4) Was von derlei physiologischen Begründungen zu erwarten ist.
darauf ist später zurückzukommen.

5) Ueber die Bedeutung des Weeber'schen Gesetzes. Zeitschrift für
Psychologie und Physiologie der Sinnesorgane XI, § 27. Meinong. Metaphysik 512. Lotze. Tonpsychologie I, 398. Stumpf zu vergleichen.

⁶) Da selbst die Psychologen noch immer über dieses Problem uneins sind, so sind die grossen Schwankungen natürlich, zu denen seine
Anwendung in der nationalökonomischen Wertlehre geführt hat. Als Beispiel darauf bezüglicher Meinungsdivergenzen auch in bekannten Werken
und als Probe von Selbsthilfe: Ueber den Ursprung und die Hauptgesetze
des wirtschaftlichen Wertes. (Die Rechenbarkeit des Wertes.) Wieser, und:
Grundzüge der Theorie des wirtschaftlichen Güterwertes. Jahrbücher für
Nationalökonomie XIII, 46, Böhm-Bawerk.

⁷) Grundzüge der physiologischen Psychologie I, 511 und 512, 3. Auflage, Wundt.

⁸) Einen anderen Theil der Erklärung gibt der Glaube des Ausübenden, dass er das Gewollte auch gekonnt hat, was beides für ihn oft verschmilzt.

⁹) Das Nützlichkeitsprincip I. 136; St. Mills Gesammelte Werke, deutsch
von Gomperz.

¹⁰) Dass weder dieser der independenten Ethik so wichtige Parallelismus besteht, noch die Grenzen für altruistisches und egoistisches Handeln wissenschaftlich festsetzbar sind, ist und war immer meine Meinung.
Wenn in der Schrift: Geschichte und Kritik des ethischen Skepticismus, 154,
Kreibig mir vorwirft, ich hätte den in meiner ersten Schrift vertretenen
skeptischen Standpunkt „aufgegeben", so macht er sich einer unerlaubten
Zweideutigkeit schuldig betreffs einer Behauptung, die ich nie gemacht habe.
und den von ihm gezogenen falschen Consequenzen. Ich habe Begriffsbestimmungen und psychologische Details in meinen späteren Arbeiten präcisirt:
an der Meinung aber, dass es keine Ethik als praktische Disciplin — natürlich nicht bloss als ein Capitel der Psychologie — geben könne, und dass
alle ethischen Entscheidungen allgemein unlösbare Nützlichkeitsüberlegungen
voraussetzten, habe ich nichts zu ändern. Am allerwenigsten könnten mich
die Resultate der heissen Kämpfe in den seit jener Veröffentlichung verflossenen 14 Jahren dazu bestimmen, in denen — wie aus den Verzeichnissen der neu erschienenen philosophischen Bücher ersichtlich ist — jährlich im Durchschnitte zwei neue „Begründungen der Ethik" erschienen sind

¹¹) In allen späteren Schriften Nietzsches wird der „Herrenmoral" und
einer an Irrsinn grenzenden Verbrechernatur als Menschenideal gehuldigt.

¹²) Ein klares Bild der Beschränktheit, und welche Rolle dabei dem
Gedächtnis zukommt, zeigte mir eine mit aller Sorgfalt angestellte Beobachtung über Narkose, die einen Tag nach der Operation aufgezeichnet

wurde. Dieselbe dauerte eine halbe Stunde, der Schlaf nach derselben eine Stunde.

Das letzte, was mir vor demselben in Erinnerung ist, ist rasch zunehmendes Herzklopfen mit sich steigernden, kaum erträglichen Schmerzen Meine letzten, gut gehörten Worte sind: Ich constatire, dass ich noch bei vollem Bewusstsein bin und fürchterliche Schmerzen verspüre, wie Keulenschläge auf die Brust. Ich kann die Zunahme dieser Schlage noch verfolgen und überlege mir, ob ich dem Arzte nicht den Vorwurf machen soll, mein Herz nicht untersucht zu haben, unterlasse es aber aus einem Gemisch von Zartgefühl und Scham, furchtsam zu erscheinen. Ich bin der Ueberzeugung, dass die immer rascher steigende Intensität der Schläge zur Berstung des Herzens führen werde und mache mich in Resignation mit dem Gedanken vertraut. Circa mit den letzten 6 bis 10 Schlägen treten entoptische Erscheinungen auf: Grosse, einander von rechts nach links sich verdrängende, rasch kaleidoskopartig wachsende, schwarze excentrische Ellipsen, die immer mehr wie Feuerräder glänzend werden. Sie haben hallucinatorischen Charakter, und das Bewusstsein ist fast auf sie eingeengt. Nach der Operation werde ich in mein Zimmer getragen. Beim Erwachen hörte ich den Arzt die Worte sagen: „Wie geht es Ihnen, es ist schon alles vorüber." Ich sagte: „Also schon vorüber! das war aber ein Continuum; ich weiss genau, dass ich fürchterliche Schmerzen hatte." Das Bewusstsein war eingeengt fast auf die kaleidoskopartigen Bewegungserscheinungen und Qualitäten des Schmerzes in der Wunde. Ich erkenne Zimmer und Arzt für Augenblicke. und sie verschwimmen dann wieder in den unklaren früheren Zustand. Mit grösster Ueberwindung vermag ich dennoch im vollen Zusammenhange zu sagen: „Ich bin viel klarer, als Sie glauben, nur vermag ich's nicht zu sagen." Ich wiederhole meine Reden „also schon vorüber, und das war ein Continuum" mehreremale. Der Bewusstseinskreis ist noch immer sehr klein, das Zimmer in seiner Totalität ist noch nicht erfassbar. Obwohl mir ein grosses Zifferblatt so deutlich ist, dass ich die Ziffern sehe, erscheint es mir ganz hoffnungslos, zu eruiren, wie viel Uhr es ist. Die Zeit meiner nun folgenden Orientirungsfragen, die ich auf Secunden schätze, wird von der Umgebung als drei Viertelstunden angegeben. Ich schätze die Zeit bis zum Wiedereintritt der Wärterin, welche drei Viertelstunden abwesend war, au einige Minuten. Ich spreche, mir unbewusst, laut bis zum Schreien und fühle beim Nennen des Namens eines um meinen Gesundheitszustand nachfragenden Freundes sofort kräftige Contraction der Gesichtsmuskulatur zu

Thranen und weine wirklich, was sich noch öfters bei ganz geringfügigen Anlässen wiederholt. Einem eintretenden Freunde sagte ich: Ich sagte Dir. Du sollst nicht zu früh kommen — ich bin noch in voller Trotelose. Die Wärterin geht hinaus, ihr folgt nach einiger Zeit der Arzt. Sie kehrt nach einigen Minuten wieder, und ihr folgt nach einigen Minuten wieder der Arzt. Der Vorgang erscheint mir, als wäre sie mit dem Arzte nur vor die Thür gegangen und mit ihm sofort zurückgekommen. Ich versuche abermals. aber vermag noch immer mit aller Kraft nicht zu constatiren, wie viel Uhr es ist, obwohl ich jetzt die Stellung der einzelnen Zeiger an den Ziffern erkenne; ich kann mir aber die Lage des einen Zeigers, um ihn mit dem anderen in Beziehung zu bringen, nicht merken.

Es bedarf zu alledem kaum einer Erklärung. Wie es mit dem Continuum stand, ist natürlich nicht constatirbar; möglicherweise reicht die Schmerzerinnerung vor dem Erwachen nicht sehr weit zurück. Sprache und Denken fallen theilweise so schwer wegen des Gedächtnismangels, gleichérweise wie das Zusammenfassen der einzeln wahrgenommenen Zimmertheile. Ebenso ist das Wiederholen der Fragen, das allen Narkotisirten eigen sein soll, auf Vergessen zurückzuführen, ebenso die Zeitverschiebungen; die entschwundenen Erlebnisse lassen die Zeit scheinbar so rasch verfliessen Endlich zeigt die Erfahrung mit der Uhr deutlich, welche Rolle dem Gedächtnis bei der einfachsten intellectuellen Thätigkeit zukommt.

[13]) Alle unsere Entscheidungen setzen eine Uebung im richtigen Vorstellen von Gefühlen voraus, das immer sorgfältiger auszuführen. wir uns gewöhnen sollten. Es gehört zu den grössten Uebeln dieser Welt. dass die meisten Menschen, in ihrer Unfähigkeit, künftige Lust und Unlust sich klar vorzustellen. Dinge begehren und anstreben, die, wenn sie sie haben. ganz anders aussehen, als sie ihnen erschienen sind. Dieser Mangel nimmt z. B. besonders in der Berufswahl die schwärzesten Farben an. Der beste Beruf ist der, bei welchem wir mit Rücksicht auf unsere Verhältnisse und Anlagen grösstes eigenes Glück zugleich mit grösstem fremden erlangen. Nun arbeiten aber die Meisten jahrelang und streben nach einem Berufe. der, wenn sie ihn erlangen, weder sie noch andere befriedigt. Wie viele. die eine hohe Stelle erlangen und reich werden wollen, quälen sich an Gymnasien, Universitäten, werden Doctoren. Abgeordnete etc, ohne sich klar vorzustellen, dass alle diese Titel nur Mittel sind; wenn sie sich genauer geprüft hätten, wäre das einfältigste Bedürfnis von der Welt herausgekommen. Menschen in höchster Würde freut z. B das Reiten oder die

Jagd am meisten; wenn sie allen falschen Ehrgeiz beiseite gelassen hätten, hätten sie ihr wahres Glück als Jäger oder Bereiter gefunden. So sind von zehn für das Vergnügen geopferten Tagen neun, von denen wir finden, dass sie weniger gehalten als sie versprochen, d. h. dass wir mehr erwartet haben als recht war; wir hätten nicht geirrt, wenn wir besser Lust und Unlust vorstellen könnten. Diese Gewöhnung im Vorstellen ist für die auf andere sich beziehenden Urtheile und Handlungen ebenso wichtig. Die Leute halten z. B. das Leben eines Goethe für genau dasselbe wie ihr eigenes, nur dass diesem dann und wann zufällig ein Gedicht einfiel. Sie bemühen sich gar nicht, in fremde Individualitäten einzudringen. Die meisten Menschen können auch keinen fremden Menschen, ja nicht einmal eine Fliege leiden sehen und haben doch nicht die Kraft, sich das Elend von Millionen, die sie beständig umgeben, vorzustellen; dieser Mangel bedingt einen wesentlichen intellectuellen Factor für die Ausbildung des Mitleides.

14) Glück II, 131, Hilty, der auch immer betont, dass sich wahre Weisheit auf die Gefühlsbasis gründet. Solche Bücher werden allerdings immer noch seltener verstanden als geschrieben.

15) Zu der vom Pessimismus und den Dichtern der Uebercultur getriebenen Thierpsychologie und Thierverherrlichung ist als Beispiel noch aus neuester Zeit nachzutragen, was in seinem Essay. über „Nature" Emerson vom Rindvieh, von Kühen und Ochsen sagt: „The cattle that lie on the ground seem to have great and tranquil thougts."

16) Tolstoi verherrlicht, und zwar durchaus im Sinne des ersten Christenthums, obwohl er eigentlich nur gegen Uebercivilisation kämpfen will, geradezu den Schmutz, gegen den, wie ihm die Aerzte erwiderten, anzukämpfen, eine der Hauptleistungen der modernen Hygiene ist. Diese erklärt ja nur, was die richtigen Instincte der Reichen gegenüber der Unmoral des Schmutzes von jeher leisteten.

17) Moralstatistik etc., 3. Auflage, § 48, Oettingen.

18) Der Streit über die Tragödie, 63. Lipps

19) Dem täglich von Trinkern, Rauchern etc. zu hörenden Vorwurf, dass, wer diesen Freuden, die, wie gesagt, schon wegen der Niedrigkeit derselben verwerflich sind, nicht nachstrebe, an vielen Freuden ärmer sei, kann nur deshalb mit dem einfachen Argumente des höheren Wertes von Almosen nicht erwidert werden, weil diese zu geben eben meistens nicht mehr Freude macht.

20) Vorschule der Aesthetik, Fechner.

²¹) Warum grosse Künstler, die bei der Wahl ihrer Stoffe gewiss auch vor allem Farben und Formen interessiren müssen, dennoch Engelsgestalten Stallmägden vorziehen, ist auch dadurch zu erklären, dass sie von den sie beständig erfüllenden Phantasievorstellungen abhängig sind, die wie die getroffene Auswahl durch ihre sonstige Bildung und Umgebung bedingt sind. Phantasievorstellungen, die einer Stallatmosphäre entspringen, können aber keinen himmlischen Charakter tragen.

²²) Das Problem der Form in der bildenden Kunst. Hildebrand. Diese Schrift enthält Wertvolles, so weit, wie so oft in solchen Fällen, es sich um reine künstlerische, der aphoristischen Form am meisten eignende Erkenntnisse handelt; diese stechen gegen die gelehrt aufgebauschten und halbverstandenen Theorien sehr ab und widersprechen ihnen ebenso, wie die Werke dieses trefflichen Künstlers.

²³) Hexenküche, Blocksberg und die Geisterbeschwörungen im Faust sind uns jetzt schon fremd, und sein Christenthum wird in 1000 Jahren, wie uns jetzt die Götter der griechischen Tragödie, ganz unverstanden bleiben.

²⁴) Geschichte der Aesthetik in Deutschland. Lotze.

²⁵) Die Technik des Dramas, 79. Freytag.

²⁶) Aesthetische Erziehung des Menschengeschlechtes, Schiller.

²⁷) Es wäre ein trauriges Unverständnis der hier vorgetragenen Vertheidigung des Reichthumes, wenn als ihr Motiv meine subjectiven Bedürfnisse angenommen würden. Diese entsprechen, so weit das mit Kunstsinn verträglich ist, der Moral der Bedürfnislosigkeit z. B. eines Tolstoi (und das soll die Grossartigkeit dieser Natur nicht schmälern) viel mehr, als nach allem, was über sein Leben bekannt ist, seine eigenen, trotzdem Handarbeit, wie er sie verrichten möchte, mein Leben nie zierte.

²⁸) Die Musik und ihre Meister, Rubinstein zu vergleichen.

²⁹) Eine Arbeit „Ueber sittliche Dispositionen", die ich als Vorarbeit vornehmlich mir zur Klärung über die hier in Frage stehenden Probleme unternommen habe, müsste auch dem Leser nützlich sein.

³⁰) Symposion, Plato.

³¹) Gelegentlich der bekannten Unterredungen mit dem jungen Könige, im Anschlusse an seine Vorlesungen, zeigt Ranke mit seinen wahrhaft naiven Behauptungen unzweifelhaft die besprochenen Mängel. Weder diese Argumente also wollen wir näher betrachten, noch andere aus dem feindlichen Lager, obwohl sich in demselben so interessante Gegner fänden, wie Rousseau, Schiller, Goethe, Herder, Buckle etc. Einem allgemeinen

Beweise gegenüber, wie er hier geführt werden soll, hätten ja die in Frage kommenden Citate keinen anderen Wert als den historischer, gelehrter Aufbauschung. Wir wollen aber hier nichts weniger als Geschichte, noch irgend eine Thätigkeit zweiter Ordnung, so wenig als später Musik-, Kunst- und Literaturhistorie treiben und uns in der vielschreibenden Gegenwart vor allem hüten, dem Vorwurfe Kants zu verfallen, nach welchem Geschichte der Philosophie nur eine Lehre für Professoren ist, denen nichts Besseres einfällt, oder, wie er auch sagt, welche Geschichte für Philosophie halten.

³²) La philosophie pénale. Tarde 1891. Wenn Rechtshistoriker die Verhängung gerade der grausamsten Strafen im Mittelalter oft für geringe Vergehen — bekannt ist ja die entsetzliche Strafe für Holzschändung — als Zeichen einer entwickelteren Moral deuten, so sind sie damit weder ethisch und psychologisch ernst zu nehmen.

³³) Die Moralstatistik. 3. Aufl., 722, Oettingen.

³⁴) A history of crime in England, 85. Pike. In demselben Werke auch zu vergleichen, 510, über forcible entry.

³⁵) Die Moralstatistik, 328, Oettingen, der auch die Literaturbelege für seine Behauptungen bringt.

³⁶) Geschichte des Ursprunges und Einfluss der Aufklärung in Europa. Deutsch von Jolowitz, I, 259. Lekey.

³⁷) Ilias, V, 620; VI, 64; XXII, 345 bis 375, 396 bis 400 und XXIII, 175. Odysse XXII, 474 ff. Homer. (Es soll Melanthios anstatt Melanchthos heissen.)

³⁸) Die Technik des Dramas. Freytag.

³⁹) The study of sociology. XIV. Spencer.

⁴⁰) Die Volkswirtschaft in ihren sittlichen Grundlagen, 37. Ratzinger. Auch zu vergleichen: Geschichte der Armenpflege von demselben Verfasser.

⁴¹) Moralstatistik, 418. Oettingen.

⁴²) History of civilisation in England. Buckle I, IV, in neuer Zeit angeregt durch Comte. Sonderbarerweise beschäftigt sich die Sociologie in keinem Verhältnis weniger mit dem Beamtengeiste als mit dem Geiste des Militarismus, der doch durch jenen immer mehr verdrängt wird und in Zukunft ersetzt werden dürfte. Wenn im Folgenden an einer Stelle der Beamtengeist als feiner, aber lügenhafter als der militärische bezeichnet wird, so ist das begründet. Beim Beamten kommen seine allgemeinen Anschauungen mehr in Frage, er braucht viel mehr Gedanken als der Soldat. Da aber seine Vorgesetzten, die jeweiligen Regierungen, mit ihren oft extremen Meinungen beständig wechseln, so muss er diese beständig ver-

schweigen, und Verschweigen ist der erste Schritt in der Unwahrheit. ist
schon eine Lüge. Der Beamte muss aber überdies handeln und muss daher
die den seinigen entgegengesetzten Principien sogar verfechten, und damit
ist Lüge mit Nothwendigkeit gegeben und umsomehr, je höher der Beamte
steht, bei parlamentarischen Regierungsformen am meisten, sofern er sich erhalten, mit allen Parteien abfinden und überdies, um seine Existenz zu fristen,
dauernd der Gesinnung der verschiedenen Angehörigen der Höfe gefügig sein
muss, durch welche Bedingung bei aller Herrschsucht nach unten, selbst jede
Kriecherei in Form der verschiedenen Arten von Ceremoniell Eingang findet.
Die ausschliessliche Beurtheilung der Menschen nach Orden, Rang und Titeln,
die Vortrittsspielereien, das mittelalterliche Costüm, alles das erhält sich in
diesem Stande am längsten. Gerade und offen sein, das Herz auf den Lippen zu
tragen, wäre wohl die schlechteste Eigenschaft für einen Beamten, der stets
mit Amtsgeheimnissen belastet ist und stets fürchten muss, „höhererseits"
seine Gesinnungen zu verrathen. Er lispelt auch grossentheils nur. Zu alledem
kommt, dass der Beamte die Ausführung von Gesetzen zu überwachen hat, die
in vielen Punkten seinen Ansichten nicht entsprechen können, sowohl wegen
seiner individuellen Anschauungen als sofern ein grosser Procentsatz aller
Gesetze mit Nothwendigkeit veraltet sein muss. All das zusammengenommen
bedingt, dass im modernen Staate in diesem Stande eine der Hauptquellen
gelegen ist für die Aufrechterhaltung wenigstens der gesellschaftlichen Lüge,
welche selbst schon das Kind vergiftet, das geschickt wird, die Mutter durch
Unwohlsein zu entschuldigen, wenn sie selbst nicht kommen will. Grillparzer wusste, warum er sagte: „Mit drei Ständen habe nichts zu schaffen:
Mit Beamten, Gelehrten und Pfaffen." Und dass ihm dabei ein Reim
auf Waffen nicht auch zu Handen war — er war nachweislich kein
Freund der Krieger — zeigt nur den Dichter, dem einzelne männliche Eigenschaften des Soldaten übermässig imponiren. Dass Grillparzer selbst Beamter
war, und zwar in den traurigsten Zeiten seines Vaterlandes und seiner noch
immer alle Besseren verbitternden Vaterstadt, könnte allein zeigen, was zu
sagen unnöthig scheint, dass nicht jeder Beamte vom Geiste des Beamten
beherrscht sein muss.

    [43]) Anna Karenina, I, 137. Tolstoi. Für Lessing ist mit des Majors
Tellheim vielleicht grösster deutscher Bühnenmoralität — ähnlich wie mit
der Idealgestalt Achilles die Schleifung Hektors — die Liebe zum Kriege als
Selbstzweck noch immer ganz gut verträglich. Er will Dienste nehmen —
wo? „Doch, wo's Krieg gibt . . wo sonst?"

⁴⁴) Ethik 520 und 569. Wundt

⁴⁵) Ich kann von mir sagen, dass ich — und das gilt vom ganzen classischen Alterthume — so gut wie ohne alle Ehrbegriffe bin. Die moralische Unselbständigkeit der Menschen beurtheilt Handlungen beständig so falsch, dass mir ihr ethisches Urtheil längst gleichgiltig geworden ist. Besonders die Ehre ist für sie mehr etwas wie die Mode — man macht sich eigentlich nur gesellschaftlich unmöglich, wenn man gegen sie verstösst. Man ist nicht standesgemäss, geradeso wie wenn man die Leute nicht mit ihren Titeln anzusprechen weiss oder rechts von ihnen geht, wenn sie eine höhere Menschlichkeit repräsentiren. Wer über das Warum dieser Institutionen fragt, ist nicht weniger unmöglich, als wer um das Warum bei Verstössen gegen den Ehrencodex fragt; man ist in beiden Fällen, trotz all seiner Moral aus der Welt der Bildung ausgestossen — allein. Zum Theil dadurch erklärt sich auch, warum die bedeutendsten Menschen meist erst nach dem Tode salonfähig geworden sind.

⁴⁶) Wer das für Uebertreibung hält — unter Faustrecht ist ja hier nicht bloss die Duellsitte zu verstehen, welche gewiss auch nicht nur nicht sittlich wirkt, sondern geradezu der Gewaltthätigkeit zu Ansehen verhilft — dem sei mitgetheilt, dass ich einmal genöthigt war, einem Gespräch einiger jungen Leute aus gebildeten Ständen zuzuhören, das sich auf einige neueste Vorfälle bezog, bei welchen Officiere, wie sie sagten, auf eine blosse Verbalinjurie hin einen Waffenlosen in feigster Weise mit ihrer Waffe zu Boden schlugen, was sie ja zur Wahrung ihrer Standesehre meist noch sogar als Pflicht erachten. Zwei von den Sprechenden erklärten, da sie oft in öffentlichen Localen mit ziemlich anmassenden Officieren zusammenzukommen genöthigt seien, wollten sie sich mit Revolvern versehen: „Die Geschworenen werden uns vorkommendenfalls ebenso nachsichtig behandeln als die Militärbehörden ihre Schützlinge." Wenn sie recht haben, so wird es, da der Hass gegen das Militär nothwendig bis zur Abschaffung der Heere noch zunehmen muss, auch im Rechtsstaate des 20. Jahrhunderts, das sonst in jeder Hinsicht menschlicher zu werden verspricht, und vielleicht mehr noch als jetzt möglich sein, dass sich die Menschen auf der Strasse, wie zur Zeit der Bianchi und der Neri, ungestraft tödten.

⁴⁷) Die hier und im Folgenden verwendeten criminalistischen Daten sind ausschliesslich officiellen Berichten entnommen, dem (jährlich erscheinenden) „Compte general". dem „Rapport" von 1826 bis 1880 für Frankreich, „Oesterreichs Statistik", oder den bekannten statistischen Arbeiten, die sich

auf jene stützen: Verbrechen und Verbrecher in Preussen. Starke. Studi sulla criminalità in Francia. Ferri. Journ. of the stat. soc. 1880. Leone Levi und die citirten Werke von Pike und Oettingen.

[48]) Der erste ist in der Schrift: Die Zunahme der Vergehen und Verbrechen und ihre Ursachen. Stursberg, der zweite, Starke, a. a. O. der dritte in der Zeitschrift für die ges. Strafrechtswissenschaft. IV, 391. Mittelstädt. Oettingen ist in diesem Punkte Optimist.

[49]) Bekanntlich Garofalo neben vielen anderen.

[50]) Die socialistische Bedeutung von Recht, Unrecht und Strafe. 79. Jellinek.

[51]) Principles of Psychologie. II. 5 Cap. Spencer.

[52]) Histoire des sciences et des savants depuis deux siècles. 189. De Candolle; trotzdem ist der Verfasser hinsichtlich des moralischen Besserwerdens mit den Erklärungen aus der Entwickelungslehre sehr vorsichtig.

[53]) Die Abstammung des Menschen. 169, 172, 183. Darwin, deutsch von Carus.

[54]) Der philosophische Kriticismus. II, 2, 114, Riehl.

[55]) Dass auch der geschlechtliche Verkehr Unverehelichter (und es wird beständig ein wenigstens viel strengerer als gut begründeter Unterschied zwischen der Sündhaftigkeit von Mann und Weib gemacht) unsittlich ist, gleichviel, wie viele Milderungsgründe die noch andauernde Armuth, welche die Ehe unmöglich macht, geben mag, ist auch den Gebildeten noch immer nicht einleuchtend. Sie entdecken in ihren kurzsichtigsten Nützlichkeitsüberlegungen keine Schädigung der Gesellschaft und beruhigen sich mit Phrasen wie volenti non fit injuria. Dieses Verhältnis begriffen die Begründer der Ehe besser. Entweder das Weib ist käuflich. dann ist der Mann für die Ehe und für das ganze Leben um das weibliche Ideal und damit um eines der wichtigsten sittlichen Ideale gebracht, oder das Weib war tugendhaft, dann ist es elend gemacht und auf den Weg zum Verderben geführt. Diese Gefahren kennt besonders der eheliche Instinct der Frauen sehr genau, die, wenn auch oft zu unbarmherzig (denn nur wo keine Besserungsmöglichkeit ist, dürfen Menschen und ihr Verkehr aufgegeben werden), aber unfehlbar solche Verhältnisse aus ihrer Gemeinschaft verstossen. Darin sind alle einig wie die Vögel gegen ein Raubthier. Und vor allem verfolgen sie aufs äusserste jene Art gewiss auch viel unsittlicherer Männer, die öffentlich mit verkommenen Weibern auftreten. Eine einzige solche Begegnung genügt, sie dauernd gesellschaftlich unmöglich

zu machen. Es ist eben ein Tasten an dem Heiligthum der Ehe, die uns noch lange unentbehrlich sein wird, und damit am Bestande der Menschheit. Die Ehe hat noch für die schwächere Moral ähnlichen Wert wie einst die Vaterlandsliebe. Ihr Aufhören bedeutet Anarchie und Wiederaufleben des thierischen Kampfes der Männchen um die Weibchen.

[56]) Bestie delinquenti. D'addosio.

[57]) Aufklärung in Europa. 81. Lekey bringt darauf bezügliche zahlreiche Daten.

[58]) Lekey a. a. O.

[59]) Auguste Comte und der Positivismus. St. Mill. Hier wird das Streitproblem ersichtlich, wie auch der für uns wichtige Mangel, den Spencer gegenüber Littré und Mill betont, und der von letzterem, sofern er die genauere Uebereinstimmung mit dem geschichtlichen Entwickelungsgang preisgibt, eigentlich auch zugestanden wird.

[60]) Logik, II. 285. Sigwart.

[61]) Die Moralstatistik, 375. Oettingen.

[62]) Allerdings sind nur die Männer, sofern sie immer unentbehrlicher werden, „hoffähig" — und es ist kläglich genug, dass sie ohne die Frau zu haben sind — aber die Frau, das empfindlichste Kriterium für wirklichen Verkehr, wird wohl erst standesgemäss werden, wenn es keine Höfe mehr gibt.

[63]) Zum ewigen Frieden. Kant erachtete mit Recht republikanische Institutionen schliesslich für den Weltfrieden als unerlässlich.

[64]) Selbstbiographie. Jung Stilling gibt eine Schilderung aus einem Culturlande wie Deutschland von Zuständen, wie sie noch im vorigen Jahrhundert möglich waren. Er berichtet, dass er schon mit 15 Jahren Schullehrer war und nach eigener Methode unterrichtete, dass zweimal wöchentlich Schule gehalten wurde, dass er täglich bei einem Bauern sein Mittagmahl suchen und im Schneiderhandwerk sein Brot finden musste. Schliesslich wird er vom Pastor abgesetzt, weil er die Kinder im Rechnen unterrichtete.

[65]) A. a. O. Oettingen.

[66]) A. a. O. Oettingen.

[67]) Ueber die Vererbung. Weissmann.

[68]) Sociale Evolution. Kidd zu vergleichen. Ein trotz vieles Vagen und Irrthümlichen interessanter Versuch der Anwendung der Evolutionslehre auf die Menschheit. Die beständige Rücksichtnahme in unseren Hand-

lungen auf spätere Generationen ist ebenso richtig betont als das angeborene altruistische Element fälschlich vernachlässigt wird.

⁶⁹) Zur schliesslichen Bekräftigung sei nochmals gesagt, dass wir zu
leicht geneigt sind, als Aenderungen der Disposition zu bezeichnen, was unzweifelhaft Erziehungsresultat ist. Diesbezüglich gibt uns schon die eigene
Erfahrung Belege. Welche Umwandlung z. B. erfahren oft Menschen, die
in vorgerückten Jahren zum erstenmale einer bedeutenden ethischen oder
intellectuellen Individualität begegnen. Und wie bezeichnend sind die
einfachsten Erkenntnisse des Kindes. Ich entsinne mich des Einflusses auf
mein ganzes Denken, als ich erfuhr, dass das Thermometer die Temperatur
nicht „anzeige", sondern dass bloss das Quecksilber sich ausdehne, oder
dass ein Pelz nicht an sich warm sei, sondern nur warm halte, oder dass
den Wind nicht die Bäume erregen.

⁷⁰) Die Cultur der Renaissance in Italien, I, 151. Burkhardt. Welche
Nachtheile übermässige und einseitige Beschäftigung auch in den höchsten
Berufsarten birgt, wird schon an dem dadurch bedingten elenden Ehe-
verhältnissen klar: Ungebildete, unbefriedigte Frauen und mangelhaft
erzogene Kinder sind eine nothwendige Folge.

⁷¹) In Ländern, in denen es noch Institutionen, wie eine confessionelle Schule gibt, gibt es nur einen Rath, um Kinder dem Zwange
der moralischen und intellectuellen Verwirrung zu entziehen, sie zu belehren, die vorgezeichneten Heiligengeschichten lediglich wie Märchen
aufzufassen.

⁷²) Die grosse Bewegung für die bessere Ausbildung der Frauen.
zunächst der „niedersten Stände", ist eine gute, wie so viele Bewegungen
der Gegenwart, die von unten ausgehen. Wiewohl freilich niemand mit
Bestimmtheit darüber etwas wissen kann, was richtige Ausbildung des
Weibes heisst — die Weltgeschichte wird das Weltgericht sein — und
wiewohl daher alle Versuche hemmender Gesetze unvernünftig sind, ist
doch im Allgemeinsten einiges zu sagen. Jedenfalls liegt die höhere Ausbildung des Weibes noch in den Anfängen. Das ist ersichtlich, wenn man
das, was jetzt noch in den wohlhabenden Kreisen als wesentliche Erzie-
hungswerte gilt, mit dem vergleicht, was jede Erziehungslehre als solche
bezeichnet. Spencer hat z. B. versucht, sie in der Reihenfolge nach der
Wichtigkeit der Hauptthätigkeiten des Lebens zu ordnen, wie sie ja auch
die thierische Entwickelung zeigt. In Thätigkeiten, 1. welche unmittelbar
zur Selbsterhaltung dienen; 2. welche das Nothwendige zum Leben herbei-

schaffen und so mittelbar zum Leben dienen; 3. welche das Aufziehen und Schulen der Nachkommenschaft zum Zwecke haben; 4. welche auf Aufrechterhaltung der Gemeinschaft, auf das zum Zusammenleben Nöthige Bezug haben; 5. welche Geschmacks- und Gefühlsbedürfnisse befriedigen und Mussestunden erfüllen.

Obwohl, wie gesagt, die Bestrebungen, was den ersten Punkt betrifft, immer ernster werden, so gelten doch als Hauptbildungsmomente noch immer fast ausschliesslich die im letzten Punkte geforderten, insbesondere die Beschäftigung mit Kunst und Sprachen. Ersterer ist gewiss ihre Bedeutung für das Weib, das die Trägerin des Ideales immer bleiben muss, zu belassen; hingegen ist der Betrieb der Sprachen für die Zukunft gewiss haltlos; er ist Kopf und Herz verödend. Soll eine solche kein „leeres Portemonnaie" sein, so kann sie nur mit einer Jahre andauernden Gründlichkeit erlernt werden. (Die Schwierigkeiten sind ähnliche wie bei der Erlernung eines Musikinstrumentes, von denen auch nur eines in unserem kurzen Dasein brauchbar erlernt werden kann.) Und die Sprache wird nur bildend, wenn sie vollkommen beherrscht wird, wenn die unübersetzbaren Unterschiede und damit das Wesen einer fremden Volksbildung erfasst werden. Die Erkenntnis aber sollte endlich allgemeiner werden, dass z. B. ein Wort, wie Hauptmann, ins Englische unübersetzbar ist; der Begriff Capitän deckt sich ja damit nicht; um aber zu wissen, was ein Capitän ist, müsste ich englische Militär- und andere Verhältnisse so genau kennen, wie das vielleicht erst ein zwanzigjähriger Aufenthalt in England ermöglicht. Ohne solche Kenntnis aber lohnt sich die Mühe des Sprachenerlernens nicht, und es wäre bildender — und das gilt auch für die modernen Schulen — lieber ohne Urtexte mehr und alles in Uebersetzungen zu lesen. In diesem Sinne ist also zu sagen, dass einige bestimmte Erkenntnisse der Gesundheitslehre oder ersten Hilfeleistung der angehenden Mutter wichtiger sind als das Erlernen von einem halben Dutzend Sprachen, mit denen der Gebildete der modernen Zeit geistig geradezu zugrunde gerichtet wird.

⁷³) Webers bekannter Brief über Beethoven.

⁷⁴) Vorschule der Aesthetik, I, 259. Fechner.

⁷⁵) Grundzüge der Aesthetik, 49, und Geschichte der Aesthetik in Deutschland, III, 3. Lotze. Da die ganze folgende Darstellung der Kunstentwickelung beständig auf Lotzes Geschichte der Aesthetik und auf Vischers Werk über Aesthetik, dessen künstlerische Detailwerte auch die grausamste Philosophie nicht ganz entstellen konnte, Bezug nimmt, manch-

mal sogar wörtlich, bedürfen diese Werke nicht immer besonderer Citationen.

[76]) Cicerone. Burkhardt.

[77]) M. Angelo und seine Zeit. Grimm.

[78]) A. a. O. Vischer.

[79]) Allgemeine Musikzeitung, XXI. Delphische Apollohymne der Athener. H. Reimann.

[80]) In Vischers Aesthetik, der Theil über Musik. Köstlin.

[81]) Joh. S. Bach und G. F. Händel. Festrede im wissenschaftlichen Club in Wien, 1885. Guido Adler.

Trotz der hohen Anerkennung des Verfassers für die Chorlyrik Bachs und Händels dennoch die Betonung mangelhafter Entwickelung, vor allem des Liedes und der Arie, alles Persönlichen und Individuellen.

Ich theile auch die Ansichten eines Künstlers, G. Peters, mit; sie sind mit dem vertretenen Entwickelungsgedanken durchaus in Uebereinstimmung. Er schreibt mir:

Zwei Schaffensmomente scheinen es mir besonders zu sein, welche uns (abgesehen von der Wirkung der Tonwerke auf den einzelnen, welche eben bei jedem verschieden ist oder sein kann) nahe legen, dass das Kunstschaffen Beethovens, einerseits demjenigen Bachs, anderseits demjenigen Haydns entgegengehalten, einen wesentlichen Fortschritt bedeutet. Jene zwei Momente scheinen mir in der Behandlung des Contrapunktes einerseits, im Organismus des thematisch-symphonischen Aufbaues anderseits zu liegen.

1. Bach-Beethoven: Der kunstvolle, gewaltige Contrapunkt, womit Bach allerdings ausserordentliche Wirkungen erzielte, emancipirte sich in Haydn und Mozart immer mehr von starren Formen, um erst in Beethoven zu vollkommener Freiheit zu gelangen; bei diesem Meister begibt sich die contrapunktische Arbeit des Rechtes, als selbständiges Kunstwerk betrachtet und bewundert zu werden, und es geht das contrapunktische Element ganz und gar in den grossen symphonischen Ideengebäuden des Meisters auf.

Geniale Kunstthaten, wie Mozarts Finale der „Jupiter-Symphonie", widersprechen dieser Behauptung nicht; denn müssen wir auch die Meisterschaft bewundern, mit welcher hier die Formen des Symphonie- und fugirten Satzes verbunden sind, so sind doch beide Elemente noch immer zu sichtbar und vereinigen sich nicht in dem Grade zu einer höheren Einheit, als wir dies hinsichtlich des contrapunktischen Elementes in Beethovens symphonischen Emanationen erleben.

2. Haydn-Beethoven: Abgesehen von der Grösse und Macht der Gedanken, worin Beethoven die übrigen Symphoniker überragt, beobachten wir bei diesem Meister als hervorstechendes Merkmal seines Schaffens eine geradezu erschöpfende Ausarbeitung seiner Themen. Niemand vor ihm noch nach ihm war imstande, im Rahmen der sogenannten „grossen Form" seinen eigenen Gedanken so viel lebens- und entwickelungsfähige Elemente abzugewinnen, wie Beethoven; niemand behandelte mit so liebevollem Eingehen musikalische Themen und Motive wie er; er machte aus ihnen alles, was zu machen war, ohne deshalb auf krampfhafte Art sie abzuquälen, zu verzerren, zu verunstalten; im Gegentheile, indem sie von des Meisters Geist gelenkt und befruchtet immer anders und herrlicher erstehen, beziehungsweise frische Keime ansetzen, machen sie jenen wundervollen Organismus des thematisch-symphonischen Aufbaues möglich, welcher uns in Beethovens Werken als das denkbarst vollendetste dieser Art entgegentritt. (Daraus erklärt sich das bei Beethoven speciell sich äussernde Bedürfnis, gegen Ende eines Satzes den Themen ganz neue Seiten abzugewinnen und so unmittelbar vor der Lösung noch eine ungeahnte Spannung zu erzeugen, die sogenannte „Coda".) War also Haydn der geistige Urheber der sogenannten „grossen Form", und hat er späteren Musikern diesbezüglich die ersten kräftigen Elemente erschlossen, so war Beethoven — so weit Menschengeist dies heute voraussetzen darf — der Vollender derselben; er hat jene Elemente in seinen symphonischen Emanationen zu einer einheitlichen grossen Persönlichkeit zusammengeschlossen.

Warum Mozart hier nur nebenbei erwähnt wird, hat den Grund, dass dieser Meister, obgleich er als Mittelglied zwischen Haydn und Beethoven erscheint, gerade hinsichtlich des organisch-symphonischen Satzes keinen wesentlichen Fortschritt von Haydn zu Beethoven bedeutet; einzelne unvergleichlich schöne Werke auch auf diesem Gebiete der „grossen Form" heben diese Behauptung nicht auf. Mozart war so überreich an musikalischen Gedanken und Themen, so unerschöpflich an Melodien, dass es oft scheint, als hätte ihn diese Fülle fortgerissen und ihn nicht immer zu jener Besonnenheit gelangen lassen, welche nothwendig ist, um Kunstwerke von jener organischen Vollendung zu schaffen, als welche wir die Symphonien Beethovens in uns aufnehmen. Oft, wo wir noch neues aus den Themen erwarten, bringt uns Mozart zu unserer Ueberraschung überhaupt neue Gedanken, oder er bricht rasch ab, wo es uns scheint, als hätten uns seine Themen noch nicht all das Grosse gesagt, was in ihnen schlummert —

ein in Mozarts Künstlerindividualität begründeter Zug, welcher ihn hinsichtlich des symphonischen Schaffens als kein eigentliches Fortschrittsglied zwischen Haydn und Beethoven erscheinen lässt.

Vermuthlich wurde Mozart durch jene Eigenthümlichkeit seines Wesens auf das Gebiet des musikalisch-dramatischen Schaffens, auf das der Oper gedrängt, wo sich in ihm ein geniales Auffassen der dramatischen Personen und Situationen und des psychologischen Lebens der ersteren („Handlung") mit der fessellos-freien Welt seiner musikalischen Gedanken so wirksam verband, dass daraus unerreichte Meisterwerke entstehen konnten.

²) Trotz aller Schönheiten von Beethovens Pastoralsymphonie drängt sich der Irrthum der directen Imitation von Naturlauten empfindlich auf.

³) Die Ansicht Nietzsches, dass die höchste Form der Kunst überhaupt im Musikdrama zu suchen sei, ist lediglich infolge seiner, übrigens später aufgegebenen Begeisterung für modernste Werke dieser Kunst entstanden. Wie wenig ernst aber seine wie immer anregenden, doch völlig systemlosen, philosophischen Gedanken auch darüber sind, und wie sehr schon sein erstes Werk mit seinen mystischen Gedankensprüngen Ansätze zum Wahnsinn in diesem bedeutenden Geiste zeigt, beweisen Behauptungen, wie, dass der Incest im Oedipus, den Nietzsche überdies mit Schopenhauers Weltwillen in dilettantenhaftester Weise in Beziehung bringt, zum Wesen des Tragischen gehöre. Die Geburt der Tragödie aus dem Geiste der Musik. 46. Fr. Nietzsche.

Auch einer anderen Ansicht ist zu gedenken, besonders des Aufsatzes: Ueber die Anwendung der Musik auf das Drama. R. Wagner fordert, um den Wert der dramatischen Musik dem der reinen gleichzustellen, für sie sogar die dramatisch-symphonische Form, also eine Musik im Drama, der als Ganzes und als solcher, analog dem Bau einer Symphonie, auch Form zukommen soll. Es ist nach dem vorher Begründeten unnöthig, zu sagen, dass dieses complexere Problem noch weniger lösbar ist, und dass es sich hier bestenfalls um eine durch den Dienst einer Theorie zu entschuldigende Geschmacksverirrung handelt. Ebensowenig wie in dieser Weise die dramatische Musik als höchste Form der Musik zu retten ist, ist der grosse dramatische Inhalt durch des Verfassers Bestrebungen, mittelst Allegorie den der Oper nothwendigen Mängeln des Inhaltes abzuhelfen, zu retten. Die Allegorie, welche — darin herrscht die allgemeinste Uebereinstimmung von Künstlern und Kunstrichtern — für alle Künste die unglücklichste Form darstellt, wird auf der Bühne ganz besonders unerträglich, soferne wir weder für Abstractionen, für Wesen ohne Fleisch und Blut, Liebe, noch für ihre Handlungen, die überdies, wie die Allegorie selbst, meist unverstanden bleiben müssen, Interesse haben können. Und diese Mängel treffen die Oper in noch höherem Masse, insofern in ihr gerade der Text der Musik zur Klarheit verhelfen soll. Es handelt sich bei all diesen Versuchen der Gegenwart meist nur um eine durch dichterische und musikalische Impotenz bedingte Sucht, die Bühne, ja alle Kunst mit Gedanken zu vergewaltigen, die für sie dauernd unzugänglich sind. Es ist ein Verwischen aller Grenzen, auch des Denkens und der Phantasie, das schliesslich eine dichtende Philosophie eine philosophirende Dichtung erzeugen muss. Grillparzer charakterisirt diese Richtung wiederholt treffend, im Gedicht und in Prosa, und auch Schopenhauer, der Philosoph der modernsten Musikdramatiker, äussert sich sehr abfällig über alle Art Vocalmusik. Parerga II. § 222.

Am Schlusse dieser Bemerkungen über Musik, die später als der Text verfasst sind, habe ich eines Fehlers zu gedenken, an dem ein Ereignis, das der Geschichte angehört. Schuld trägt: Brahms gehört nicht mehr der Gegenwart an.

⁴) Grundzüge der Aesthetik, 54. Lotze.

⁵) Werke I. 5. Schelling.

⁶) Die Welt würde dann auch mehr verstehen lernen, dass für sie der Einfluss eines Dichters, z. B. Goethes allein grösser sein kann als der eines ganzen siegreichen Krieges, wie der von 1870.

⁷) Michel Angelo und seine Zeit. Grimm.

⁸) Geschichte der Aesthetik in Deutschland. 578 Lotze.

⁹) Von der Kunst. II, 44, 47, 48. Führich.

¹⁰) Socialismus und capitalistische Gesellschaftsordnung. 280 Wolf

¹¹) Aesthetik, III, § 873. Vischer. Anderer Meinung ist in der Geschichte der Aesthetik, 636, Lotze.

¹²) Hausbuch, Storm. Zur Bestätigung dieser Ansicht.

¹³) Selbst die extreme Behauptung, dass die alten Griechen auch nicht einmal den modernen in ihrer Bildung überlegen waren, ist mit Rücksicht auf zahlreiche ethische und intellectuelle Institutionen, besonders sofern sie weitere Kreise des Volkes (Sclaven etc) treffen, nicht widerlegbar. Es wäre wahrlich an der Zeit, unsere Ideale mehr in der Zukunft als Vergangenheit zu suchen und wenigstens nicht schon die Jugend intellectuell und ethisch ausschliesslich mit Velleitäten und Schlächtereien zu verkümmern,

deren Bildungswerte längst einen Ersatz gefunden haben, und die, sobald die Kindheit nicht mehr beständig damit erfüllt würde (und sie nicht für Abiturienten Brot bedeuteten), auch ihre historische Bedeutung verlieren würden.

94) Technik des Dramas, 73. Freytag.

95) Dramaturgische Vorträge, 132. Berger. Ueber Shakespeare und die später vertretene Auffassung von Schiller und Grillparzer, auch zu vergleichen Studien und Kritiken, 70, 145, 152. Von demselben Autor.

96) Poetik, 150. Scherer.

97) Geschichte der deutschen Literatur. Hettner.

98) Motto von Julian Schmidt zu G. Freytags Roman: Soll und Haben.

99) Vorwort zu Ekkehard von Scheffel.

100) Vorlesungen über dramatische Kunst und Literatur. In der Gesammtausgabe V, 42. Schlegel. Das zweite Citat ist von Vischer, das dritte von Lotze, 668, das vierte von Freytag, 84, in den angegebenen Werken, das vorletzte in: Der Streit über die Tragödie, 60, von Lipps, das letzte in: Dramaturgische Vorlesungen, 78, von Berger.

101) Die Bedeutung der Wissenschaft und der Kunst, 51. Tolstoi. Was unter dem Titel „Kunst in Grossstädten" gewöhnlich verbrochen wird, dafür diene als Beispiel Wien, „das Capua der Geister", in dem in einem Jahre (1878) stattfanden: Vorstellungen in den Singspielhallen 2035, Volkssängerproductionen 12.838, Schaustellungen in den Orpheums und Elisiumsinstituten 1539, ausserdem noch 1438 Seiltänzer und Akrobaten, 556 Taschenspieler, 457 Circusvorstellungen, 12.838 öffentliche Bälle und Soiréen, 10.000 sogenannte Tanzmusiken und (wie Oettingen, dem diese Statistik entnommen, sagt) gottlob nur 36 Wohlthätigkeitsbälle. Gewiss geht dies alles einher neben dem Besten, was an musikalischen und dramatischen Aufführungen existirt; aber dennoch sämmtliche öffentliche Theatervorstellungen, die zahllosen Opernvorstellungen und an 1000 wandernde Theater inbegriffen, betrugen nur durchschnittlich 3242. Allerdings belaufen sich die ernsteren Concertaufführungen auf die Ziffer zwischen 1100 und 1400. So gewiss als hier von einer ästhetischen Censur viel zu erhoffen, so gewiss ist es, dass davon so lange nichts zu erwarten ist, als man unter Censur nur Streichung alles dessen versteht, was den jeweiligen Regierungsprincipien zuwider läuft, in einer Republik alles Monarchische, in einer Monarchie jedes Wort, das mit R anfängt, und vor allem ist so lange nichts davon zu erwarten, als die Träger beider Regierungsformen

ebenso eifrige Repräsentanten der Interessen für die nackteste Unsittlichkeit im Theater sind als die tiefststehenden aus dem Volke.

[102]) Conrad'sche Jahrbücher, XVIII. Soetbeer; nach anderen allerdings über 500.

[103]) Die Bevölkerung der griechisch-römischen Welt. Beloch.

[104]) Z. B. in ihren Hauptwerken Taine und Jannsen.

[105]) Gesetze der socialen Entwickelung. Hertzka.

[106]) Die Seitenzahlen und deutschen Uebersetzungen vieler hier verwendeten Quellen sind angegeben nach: Socialismus und capitalistische Gesellschaftsordnung. Wolf. Es ist wohl das einzig Brauchbare in diesem Buche.

[107]) The growth of capital. Giffen, auch bei Wolf und Statistische Monatsschrift, XIII. Veröffentlichungen des Wiener Universitätsseminars und Report ot the commissioners of inland revenue for 1856 to 1896, II.

[108]) Statistisches Jahrbuch deutscher Städte, 1890.

[109]) Jahrbuch der wholesale cooperative Society für 1885. Marshall.

[110]) Wolf nach Rogers, 191, 195.

[111]) Schippel nach Wolf, a. a. O. 197.

[112]) Six centuries of work etc. Rogers.

[113]) The progress of the working classes. Giffen, 160.

[114]) Basels Staatseinnahmen und Steuervertheilung 1878 bis 1887. Bücher.

[115]) Die sociale Reform als Gebot des wirtschaftlichen Fortschrittes. Herkner.

[116]) Wolf, a. a. O. 205.

[117]) Schönbergs Handbuch etc. I, Soetbeer nach Mithoff, Vierteljahrschrift für Volkswirtschaft 1887 und 1888, der selbst wieder anderer Meinung ist.

[118]) Parerga, II, 363. Schopenhauer.

[119]) Das Erfurter Programm, Kautzky. Die hier vorgetragenen, oft milden Lehren sind ein Beispiel, wie die extremen Richtungen, sobald sie nur etwas systematischer und consequenter werden wollen, sich die Hand reichen. Für die Art der Veränderungen, die in der Besitzvertheilung statthaben können, ist die historische Bemerkung bezeichnend, dass anfangs des 16. Jahrhunderts mehr als die Hälfte Europas geistliches Eigenthum war.

[120]) Bekenntnisse. VII. Tolstoi; deutsch von Samson-Himmelstjerna.

121) Ich habe selbst eine solche Erfahrung an einem meiner liebsten Freunde, der den grössten Einfluss auf meine Jugend genommen hat, gemacht. Seine frühe, reiche Entwickelung versprach die herrlichsten Früchte, er war aber zu zart besaitet für diese Welt. Es bedurfte nur einiger Tage, welche er den Roheiten des Soldatenthums ausgesetzt war, und er schied freiwillig aus dem Leben.

122) Dieser, besonders für den utilitarischen Ethiker bedenkliche Mangel eines Parallelismus wird auch neuerdings in einem der gründlichsten englischen Werke betont: The methods of Ethics. Sidgwick.

123) Vorlesungen über den Ursprung und die Entwickelung der Religion, 88. Müller.

124) Compendium der Religionsgeschichte, 7. Tiele. Ausgabe von Weber.

125) Anthropologie der Naturvölker, I. Waitz und Moralphilosophie, 333. Gizycki.

126) In beiden vorher citirten Werken von Müller und Tiele

127) Motto zu: Einleitung in die vergleichende Religionswissenschaft. Müller.

128) Compendium der Religionsgeschichte, 181. Tiele.

129) Vorlesungen etc. 357, 358, 364, 386. Müller. Ueber göttliche Gerechtigkeit und persönliche Unsterblichkeit, auch besonders zu vergleichen dessen Theosophie, deutsche Ausgabe, 164. 289, 290, 301.

130) Compendium etc., 159. Tiele.

131) Gedanken über Tod und Unsterblichkeit. Feuerbach.

132) Ueber die Unsterblichkeit der Seele, 78. Teichmüller.

133) Zur Beleuchtung des Standpunktes einige kritische Bemerkungen über die Literatur der Gegenwart. — Dass der absolute Idealismus als „Tollhäuselei" einer Widerlegung weder bedürftig noch fähig sei, ist eine jener unbewiesenen Behauptungen Schopenhauers, deren Unklarheit sich hinter ihrem Wohlklange verbirgt.

134) Kritik der reinen Erfahrung. Vorwort VIII und IX. Avenarius hat mit der Behauptung recht, dass das Denken nicht von den Gewissheiten des „Bewusstseins", nicht schon von einer Theorie ausgehen soll, was eigentlich beim „Ende anfangen" heisst. Aber diese Art Phänomenalismus, die „lediglich zu beschreiben" wünscht, wird ebenso Dogmatik und Metaphysik, wenn sie behauptet, dass das so Beschriebene alles sei, und diese Metaphysik ist überdies als eine falsche erwiesen, sobald dieser bestenfalls

heuristische Scepticismus, z. B. bei der Erklärung der Gesetzmässigkeiten der Erscheinungen zu Widersprüchen führt. Dies gilt schon von der Physik. Wenn in: Beiträge zur Analyse der Empfindungen und den späteren Schriften Ernst Mach keine Kräfte, sondern nur Gesetze und Formeln kennen will, so kann das für viele Gebiete der Physik sehr wertvoll sein; es fragt sich nur, ob diese blosse Beschreibung z. B. Luftschwingungen eines Tones, die meist von niemandem wahrgenommen werden, oder Gesetze, wie das von der „Erhaltung" der Energie, ohne Widerspruch überhaupt annehmen darf.

[135]) Der philosophische Kriticismus, II, 2, 128 ff. Riehl bringt das Beispiel mit dem Feuer, an dem die den Phänomenalisten und Idealisten so unverständlichen Schwierigkeiten mittelst der Annahme blosser Gesetzmässigkeit. d. h. also ohne eine zweite Realität, zur Orientirung zu gelangen, ersichtlich gemacht werden — allerdings neben anderen nichts beweisenden Beispielen.

[136]) Bezeichnend ist in der modernsten Literatur die übrigens natürliche Verwirrung zwischen Idealismus und Phänomenalismus; sie unterscheiden sich beide, als keine zweite Realität annehmend, häufig nur in Worten. Z. B. bezeichnet (in der Vierteljahrschrift X, 4, Der Kampf um die Transcendenz und in Grundlage der Erkenntnistheorie, 3), Schubert. Soldern, der sich selbst einen „erkenntnistheoretischen Solipsisten" nennt, als ihm verwandte Richtungen die von Schuppe, Leclair, Laas, Rehmke, Avenarius. Und nicht weniger bezeichnend ist, dass (Vierteljahrschrift für wissenschaftliche Philosophie XVII, 8), in einem offenen Briefe an Avenarius Schuppe erklärt, dass, obwohl ihn alle Welt für einen Idealisten hält, er doch die Ansichten des Phänomenalismus theile und nur dem „Ich" eine andere Rolle zukommen lasse. In: Idealismus und Positivismus III, 458 und 690 nimmt Laas sogar, nachdem er durch drei Bände den Phänomenalismus bewiesen, zum Schlusse keinen Anstand, das Ding an sich als Möglichkeit zuzugeben, verwischt also auch die Grenzen zum Positivismus (z. B. jenem Riehls).

[137]) Der philosophische Kriticismus II, 2, 168. Riehl bemerkt, dass für Berkley die beständige Gottesidee sich ganz so wie ein wirklicher Körper zu uns und unseren Sinnen verhält. Jedenfalls ist es, wie es scheint, einer der schwierigst zu fassenden Gedanken, dass zu einer Ordnung unserer Vorstellungen durch blosse Annahme einer Gesetzmässigkeit nicht zu gelangen ist.

[138]) Die Philosophie Hamiltons. 232 der französischen Ausgabe. Mill will z. B. den Beweis für die Existenz anderer Menschen führen ohne

die Annahme einer zweiten Realität, was aber, wie gesagt, dem Phänomenalismus mit seinen blossen Möglichkeiten und Beziehungen so wenig gelingen kann wie dem Idealismus, der auch andere Geister einfach annehmen muss. Auch ist es bisher nicht gelungen, für die zweite Realität einen anderen Beweis als den gegebenen aufzufinden. Weder vermag dies z. B. in: Erfahrung und Denken, Volkelt, noch sind alle anderen Beweise für eine zweite Realität, auch nicht die Riehls a. a. O.: Durch das unmittelbare Objectbewusstsein, aus der Nächstenliebe, daraus, dass der Traum später sei, aus der Existenz der herkulanensischen Manuscripte, zulänglich; sie bedürfen aber hier, wie der oft kritisirte Beweis Kants einer weiteren Besprechung umsoweniger, als sie, wenn sie richtig wären, den hier erbrachten Beweis nur stärken würden.

¹³⁹) Bekanntlich bildete die Unvorstellbarkeit eines möglicherweise nicht psychischen Dinges an sich einen Haupteinwand der nachkantischen Philosophie gegen dasselbe. Die Unbestimmtheit in den Ausdrücken Kants selbst in Betreff des Dinges an sich, war zum Theile daran schuld, dass seinen Nachfolgern der Idealismus ermöglicht wurde; und es wiederholt sich ganz Aehnliches beim Neukantianismus. Wenn in der Schrift: Kants Teleologie, 13, Stadler und: Geschichte des Materialismus II, 1, Lange, das Ding an sich noch immer als einen Grenzbegriff bezeichnen — „wir wissen also wirklich nicht, ob ein Ding an sich existirt" — so ist jene Gefahr nicht ausgeschlossen. Jedenfalls zeigt schon die Art, wie z. B. Lange sich zu dessen Causalität verhält — in der zweiten Auflage, in der ersten hatte er sie preisgegeben — dass diese als nicht wirkliche, als eine Art Grenzcausalität auch nur einem nicht Wirklichen zukommen kann. Causalität ist vom Kant'schen Standpunkt für Noumena nie zu retten; auch nicht durch die bekannte Unterscheidung vom Grundsatz und Begriff der Causalität.

¹⁴⁰) In einer demnächst erscheinenden Psychologie A. Höflers, seine eigene Formulirung zu vergleichen; auch führe ich von neuesten Versuchen, zwischen dem Verhältnis von Coexistenz und Succession zu vermitteln, einen, den ich einer brieflichen Mittheilung verdanke, von Ehrenfels (in Prag), hier an.

These I: Wenn ein psychischer Vorgang als Wirkung von der Existenz eines physischen gedacht wird, so kann man ihn sich nicht um eine endliche Zeit später anfangend oder später aufhörend denken als jenen.

Beweis: (Es stellen v z die Zeitlinie Vergangenheit-Zukunft und ψ und φ die in Causalbeziehung stehenden psychischen und physischen Vorgänge dar.)

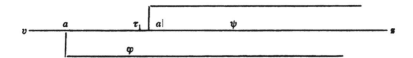

Nimmt man an, dass ψ um eine endliche Zeitstrecke *a* *a*| später an-fange als φ, so muss man das Anfangen des ψ im Zeitpunkte *a*| als Wir-kung der Existenz des φ bis zum Zeitpunkte *a*' auffassen. Nun kann aber die Existenz des φ von *a* bis zu einem beliebigen Zeitpunkte τ, welcher zwischen *a* und *a*| gelegen ist, unmöglich directe Ursache des Beginnens des ψ in *a*| sein, weil es keine causalen Fernwirkungen gibt, sondern immer nur zeitlich Aneinandergrenzendes im Causalnexus stehen kann. Es muss also schon die Existenz des φ während der kleinsten Zeitstrecke τ *a*| genügen, um das Beginnen des ψ zu bewirken. Da es aber keine kleinste Zeitstrecke gibt, so kann ψ nur um eine unendlich kleine Zeit später be-ginnen als φ, d. h. also: sie müssen gleichzeitig beginnen.

Nimmt man aber an, dass ψ um eine endliche Zeitstrecke später aufhöre als φ, so gelangt man zu ganz analogen Widersprüchen.

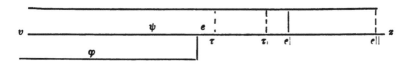

Wenn nämlich die alleinige Existenz des ψ während der Zeitstrecke *e* τ genügt, um dessen Existenz von τ bis *e*| zu bewirken, so müsste auch die Existenz des ψ von τ| bis *e*| genügen, um seine Existenz in einer folgenden Zeitstrecke *e*| bis *e*:| zu bewirken u. s. f. ins Unendliche. Das heisst: Wenn ψ das φ auch um die kleinste endliche Zeitstrecke über-dauerte, so könnte es niemals aufhören. Es kann daher nur zugleich mit φ aufhören. q. e. d.

These II: Völlig anders gestaltet sich das Problem, wenn man nicht die Existenz, sondern das Aufhören eines physischen Vorganges als Ur-sache des Entstehens eines psychischen fasst und annimmt, das φ „setze"

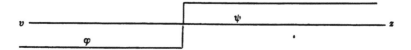

sich gleichsam in das ψ um, sowie man etwa annahm, dass sich der Stoss eines unelastischen Körpers gegen einen anderen „in Wärme umsetze", als man noch Wärme für etwas der Bewegung ganz Heterogenes ansah. (Aufhören der Bewegung verursacht: Anfangen von Wärme, sowie Aufhören von φ verursacht: Anfangen von ψ.) Nach dieser Auffassung aber müsste, da erfahrungsgemäss unsere Empfindungen auf einen physiologischen Anstoss hin nicht ewig andauern, eine Hilfshypothese zur Erklärung ihrer zeitlichen Begrenztheit aufgestellt und dagegen das Andauern einer scheinbar gleichmässigen Empfindung auf einen gleichmässigen Reiz hin (z. B. das Gesichtsbild des blauen Himmels) in analoger Weise erklärt werden wie etwa die scheinbar gleichmässig erhöhte Temperatur eines Schmiedehammers aus den regelmässig wiederkehrenden Schlägen.

Anmerkung: Das Dargelegte soll nicht mehr als einen Beitrag zur Klärung des psychophysischen Causalbegriffes liefern.

[141]) Es ist sonderbar, wie man sich beständig nur an dem Verhältnis der Succession (schon seit Kant's unmittelbaren Nachfolgern) stösst, an dem der Coexistenz aber so wenig Anstoss nimmt, dass die Gegenwart — überdies um jene zu vermeiden — sogar Identitäts- und parallelistische Systeme, man könnte sagen, nach Dutzenden ersinnt.

[142]) A. a. O. A. Höfler, durch welchen ich auf einige dieser Schwierigkeiten besonders aufmerksam wurde.

[143]) Der philosophische Kriticismus II, 2. Riehl nimmt eine solche Identität nur für Leib und Seele an, ohne die nothwendigen Consequenzen des universalen Parallelismus. Dass Anhänger eines solchen Glaubens sich lediglich kritisch zu verhalten meinen und behaupten, keine Metaphysik zu treiben, ist bezeichnend für die ganze Philosophie der Gegenwart. Bei blosser Berücksichtigung einiger Gegenargumente müsste es Bände einer Metaphysik geben, vor denen der Geist des Altkantianismus erschaudern würde.

[144]) Der Monismus als Identitätssystem (Lotze, Fechner, Wundt, Paulsen, Höffding, auch schon mit einem grossen Gefolge von Naturhistorikern) beherrscht neben Neukantianismus und Phänomenalismus ausschliesslich die Philosophie der neuesten Zeit (der Materialismus war ja als grössere Bewegung lediglich Sache von Laien, und die Psychologie blieb und wird immer mehr Sache von Fachgelehrten bleiben, die der Philosophie ferne stehen). Und fast alle monistischen Systeme sind zustande gekommen infolge von unbewiesenen Behauptungen, wie dass das Wirken des Psychischen

auf das, was sie Physisches nennen, und umgekehrt, unmöglich ist, sowohl,
weil das Ding an sich nicht wirken können soll — nothwendige Coexistenz
scheint ihnen, wie gesagt, eher möglich — als auch, weil die Naturwissenschaft keine solchen Wirkungen „kennt", und was davon nie getrennt wird,
weil das Gesetz der Erhaltung der Energie dagegen sprechen soll. Auch
machen dieser Systematik Detailfragen über den Parallelismus, z. B. für
die Urtheilsfunction so wenig Bedenken, als was überhaupt „zwei Seiten"
heisst, oder als die Frage, was eigentlich und wem etwas erscheint, eine
Frage, deren Bedeutung freilich auch den monistischen Denkern von
Spinoza bis Schopenhauer nicht klar war. So lange aber über all dies
nicht mehr Klarheit herrscht, ist wohl die Selbstverständlichkeit, mit der
diese Lehren auftreten, nicht viel ernster zu nehmen als der Phänomenalismus, wenn auch in jener Lehre, als einer in ihrer Dogmatik weniger
eingeschränkten, höhere Bedürfnisse zum Ausdrucke kommen als in dieser.
Wenn in der Metaphysik seines Identitätssystemes einer der besten Denker
der Neuzeit, Lotze, einem anderen Argumente als dem im sechsten
Punkte angeführten eine grosse Bedeutung gibt, dem, dass das Wirken ein
allgemeines Inbeziehungstehen voraussetzt und zu dessen Erklärung ein[e]
Analogie aus dem psychischen Leben heranzieht, so ist das keine viel
bessere Lösung. Inbeziehungstehen ist lediglich eine Verdoppelung des
Geheimnisses des Wirkens, das nichts erklärt, und die minimalen Analogien
mit dem Psychischen dazu als Erklärung heranziehen, heisst von der logi-
schen Pflicht, jede Hypothese anzunehmen, so lange keine bessere vorliegt,
einen allzu weiten Gebrauch machen. Es ist gewiss oft vorzuziehen, keinerlei
Annahme zu machen. Uebrigens spielt die Analogie in allen Werken
Fechners eine noch bedenklichere Rolle.

Bezeichnend ist auch, dass Lotze, trotzdem er (Metaphysik 582) die
Unmöglichkeit des psychophysischen Parallelismus behauptet, ohne allerdings dafür Beweise zu erbringen, nicht gehindert wurde, ein Identitätssystem zu bauen. Es zeigt dies klar, wie sehr es in letzter Instanz — das
sollte besonders die Naturwissenschaft verstehen lernen — auf den Parallelismus mit der zweiten Realität ankommt. Lotze gab durch jene Rückfälle in
die Philosophie des Anfanges des Jahrhunderts die Ansatzpunkte für abfällige
Kritiken und zu den historisch gewordenen Beschimpfungen, die der philosophische Pöbel gegen den ehrwürdigen Denker zu schleudern wagte.

[145]) A. a. O. Höfler.

[146]) Dritter internationaler Congress für Psychologie. Stumpf.

¹⁴⁷) Tonpsychologie I, 100. Stumpf schwankt in Betreff des Parallelismus zwischen Schwierigkeit und Unmöglichkeit; dafür spricht auch das Lotze-Citat.

¹⁴⁸) Bekanntlich unterzog z. B. Kirchhoff gewisse Probleme der Rechnung auch unter Voraussetzung der Continuitätshypothese der Materie.

¹⁴⁹) Labyrinthtaubheit und Sprachtaubheit. Freund.

¹⁵⁰) Dritter internationaler Congress. Obersteiner. Viel weniger bescheiden drückt sich Flechsig aus, der uns in der folgenden Bemerkung als Paradigma dienen soll.

Gegenüber dem Urtheile der Naturwissenschaft über den Parallelismus und über den Wert darauf bezüglicher Forschung ist für lange Zeit noch äusserste Skepsis geboten. Wie einst Gall trotz all seiner Verdienste grossentheils aus einem (damals unverschuldeten) Mangel an psychologischen Kenntnissen scheiterte, scheitern noch täglich die anerkanntesten Gehirnanatomen, Physiologen und Pathologen mit ihren meist in tiefster psychologischer Unbildung wurzelnden Phantasien. Der Anatom, der z. B. ein einheitliches Gedächtnis voraussetzt, ohne über die rein psychologische Erkenntnis zu verfügen, dass es eigentlich für jede Empfindungsintensität ein Sondergedächtnis gibt, dessen Messer ist auf falscher Fährte, sucht Undinge wie Gedächtniszellen, muss schlecht geführt sein. Und was ist von Forschern zu erwarten — und der Fall ist paradigmatisch — welche die überdies mit der Annahme eines durchgängigen Parallelismus verträgliche Ansicht, dass man der Seele keinerlei Sitz, im Gehirn so wenig als im Monde, anweisen, sondern nur von Parallelvorgängen sprechen könne, als eine nur von „Verrückten und Blödsinnigen" zu hörende bezeichnen? Das sind die modernen Phrenologen, die im Gehirne Beziehungen zu Schopenhauers „grundlegenden Ideen" und Kants „transcendentalen Formen" finden, und die die Psychologen alle Thätigkeit einstellen heissen, bis die Naturwissenschaft auf Grund solcher Parallelvorgänge eine „Kritik der reinen Vernunft" unterm Mikroskop präpariren wird. Gehirn und Seele, 7, 36; 2. Auflage. P. Flechsig. Bezeichnend ist auch die an dessen Vortrag am III. Internationalen Congress für Psychologie geknüpfte Discussion.

Als Beispiel einer gegnerischen Ansicht — Munk und Henle wären einander ebenso gegenüberzustellen — die eines ebenso anerkannten Forschers: Handbuch der Physiologie II, 2, 20. Hermann. „Es ist bis jetzt noch nicht möglich gewesen, aus diesen Erfahrungen etwas Nennenswertes über die inneren Vorgänge in der Ganglienzelle abzuleiten. Endlich ist auch bereits Mode geworden, alle diejenigen Erscheinungen, welche wir im gewöhnlichen Leben als seelische Thätigkeiten bezeichnen, durch die Ganglienzellen vermittelt auszugeben. Die nüchternsten Physiologen sind hierin kaum weiter gegangen, als dass sie nur vorübergehend an diese Möglichkeit gedacht haben; es kann, sagen sie, so sein, es kann aber auch anders sein. Wer es liebt, von Ganglienzellen verschiedenen psychischen Wertes, von höherer oder niederer Dignität derselben zu sprechen und glauben machen will, er habe die Entstehung des psychischen Lebens verstanden, mag sich solch unschuldiger, jedoch unwissenschaftlicher Beschäftigung immerhin hingeben. Wir kennen zwar grössere Hirntheile, mit deren Entfernung gewisse Seiten des Seelenlebens vernichtet werden, aber damit ist weder bewiesen, dass diese allein durch jene entstehen, sondern nur, dass sie bei ihrer Anwesenheit hervorgebracht werden, noch ist damit dargethan, dass, wenn in dem abgetragenen Theile sich recht viele Ganglienzellen finden, diese die Seelenbildner waren."

[151]) Fechner vertritt in allen seinen Werken eine solche Auffassung.

[152]) Kritik der reinen Vernunft. Transcendente Dialektik, II. Buch, 1. Anmerkung. Kants Erklärung der Möglichkeit einer Seelentheilung ist auch nur denkbar unter der Annahme des Vergessens oder eines dauernden zweiten Ichs; ohne diese Annahmen würde ich mir aller Erlebnisse des abgetrennten Ichs als des meinigen bewusst werden müssen, respective ein anderes Ich und die Theilung unmöglich sein. Psychiatrische Fälle zu vergleichen in: Das Doppel-Ich, M. Dessoir.

[153]) System der Metaphysik, Beneke.

[154]) Kleine Schriften, II. Kampf gegen den Zweck und Logik, II. Die Aufgabe der Metaphysik. Sigwart gibt dem teleologischen Beweis eine weit grössere Bedeutung.

[155]) Eine in einem Gespräche verwendete Distinction A. Meinongs (in Graz).

[156]) Geschichte des Materialismus. Lange.

[157]) System der Philosophie. Wundt und leider auch Lotze, in seiner Metaphysik, schaffen mit Atom- und Zellengeistern, Atomzwecken und Teleologien ein gefährliches Mittelding, das trotzdem so wenig erklärt als jene Uebergangsstadien der Materie, die die Entstehung des Psychischen vermitteln sollen.

[158]) Geschichte des Materialismus. Lange fordert zwar das Recht zu dichten, jedoch nur im Bereiche der Dinge an sich und hält überdies

keinerlei System in diesem Kunstsinne für gestattet. Sollten nicht schon Thatsachen, wie z. B., dass sich aus dem Ding an sich Psychisches entwickeln muss, schon der Phantasie einige Fesseln anlegen? Dieser Theil der Theorie des sonst ziemlich kritischen Neukantianismus scheint lediglich einer Art Gottesfurcht entsprungen zu sein; Gott und Unsterblichkeit, auch nur ihre Möglichkeiten, gehören ja zu den Punkten, in denen diese Lehre, vielleicht nur weil sie durch die Schule des materialistischen „Köhlerglaubens" gegangen ist, sich von ihrem Meister völlig unabhängig zu machen wusste. Jedenfalls aber hat Kant mit den Beweisen gegen die Unmöglichkeit jeder Metaphysik sich beträchtlich mehr abgemüht als seine Nachfolger.

¹⁵⁹) Grundzüge der Religionsphilosophie. Lotze.

¹⁶⁰) Die ganze Freiheitscontroverse, welche nicht einmal die Weltschmerzfrage, geschweige die Pessimismusfrage tangirt, würde in den Händen aufgeklärter Laien alle Schärfe nach beiden Richtungen verlieren, wenn sie sich klar würden, dass Deterministen und Indeterministen in ihren Consequenzen praktisch zu ganz gleichem Verhalten kommen müssen. Es sollten endlich Erkenntnisse populärer werden, nicht nur, dass auch für den Deterministen Zurechnung möglich ist, sondern dass auch der Indeterminist von seinem Nächsten nicht alles verlangen kann, da dieser jedenfalls an die beschränkte Zahl seiner Erkenntnisse und Gefühle, innerhalb welcher er nur frei handeln kann, gebunden ist. Diese Einsichten bringen den Indeterministen seinem Gegner und der Toleranz näher und sind auch mit grösster Strenge des Deterministen gegen das eigene Wollen sehr gut verträglich, sofern er die Grenzen desselben so wenig als die jenseits unserer beschränkten Erfahrung gelegenen Motive, welche unsere Unsittlichkeit uns als Milderungsgründe ansehen lässt, kennt. Jedenfalls würde bei der wahrscheinlichen Unlösbarkeit des Problems der sittlich Handelnde am besten sich praktisch so verhalten, als ob er frei und sein Nächster unfrei wäre; damit wären auch alle unklaren Beziehungen zum Weltschmerz, sofern er Schmerz über vorausgesetzte Nothwendigkeit im Handeln und seine letzte Ursache ist, gehoben.

¹⁶¹) Allerdings sind die Schwierigkeiten für den Laien, der nicht schon mit der Muttermilch religiöse Vorstellungen eingesogen hat, gross, zur Einsicht zu kommen (durch den ebenso gedankenlos aufgenommenen Unglauben, der fast den normalen Entwickelungsgang auch im Individuum zu bilden scheint, hindurch), dass Confession und Religion zweierlei ist, und dass das Kind nicht mit dem Bade ausgeschüttet werden müsse; ein

entsetzlicher Procentsatz erliegt ihnen. Jedenfalls sind die Ansichten der
Unwissenden nach dieser wie nach der anderen Richtung hin immer ganz
bestimmt und es ist der sonderbare Beruf des Philosophen, dass er sein
Lebenlang über Dinge zu denken verurtheilt ist, die alle anderen Menschen
schon längst wissen. Die grosse Zahl der Ungläubigen gerade unter den
Gebildetsten war für mich immer ein Gegenstand tiefster Trauer und es
war mir der schönste dialektische Triumph, wenn es mir einmal gelang,
in die Brust eines Greises, der vor einem öden Tode stand, einer Mutter,
die in hoffnungslosem Schmerz um ihr Kind rang, ja selbst schon eines
Knaben, welcher um die für ewig verloren geglaubten Eltern weinte, einen
Stachel des Zweifels zu senken. Das ist ja — und wir sollten den Versuch
nie scheuen — oft in der einfachsten Weise zu bewerkstelligen. Z. B. kam
ich mit meinen Gegnern, auf die gewöhnliche, fast allgemein zu hörende
Behauptung, die Seele sei vom Körper nicht trennbar, oft sehr schnell zu
einem Resultat, wenn ich von der Frage ausgieng, was nach ihrer Meinung
eigentlich ein Körper sei. Auch manchmal gelang es, und zwar auch gegenüber
den allzu Gläubigen, den Confessionellen, die wir. wenn sonst der Glaube
nicht angetastet wird, ebenso zu bekämpfen den Muth haben sollten, mittelst
der Frage: woher sie eigentlich zu ihren Meinungen gekommen seien.

' Da es jedenfalls leichter ist, im späteren Alter sich von einem allzu
strengen Glauben frei zu machen als den verlorenen wieder zu gewinnen,
ist auch das Erziehen des Kindes in einem nichtconfessionellen Glauben
das Nützlichste sowohl für seine eigenen Entwickelungskrisen — dieser
Glaube wird weniger leicht umgestossen als der confessionelle — als für
sein und der Menschheit Glück. Daher ist auch dem Staate der pädagogische Rath zu geben, alles was nach dieser Richtung zielt, zu fördern,
mit allen Beziehungen zum Confessionellen abzubrechen, ja schon alle
Umdeutungen darauf bezüglicher Worte zu vermeiden. Das unterste Volk
zieht z. B. oft selbst den Materialismus christlichen Erinnerungen vor und
man sollte nicht, um diese zu retten, es jenem in die Arme treiben.
Viel wichtiger ist es z. B. für den Unsterblichkeitsglauben, dem Volke
jedes Haften am Körperlichen, alle eklen Gräber- und Leichengedanken
und Poesien wegzuschaffen, und es ist in diesem Sinne schon die blosse
Verbrennung des Leibes vom Nutzen, sie hat Aehnlichkeit mit einem Un-
sterblichkeitsargument — wenigstens kann das Nichts kein Mensch erfassen.

Am Schlusse dieser Anmerkungen habe ich hervorzuheben,' dass ich mehreren ausgezeichneten Gelehrten wertvolle Gedanken und Details, sowie die Orientirung in den Literaturen der Fachwissenschaften, vor allem der Statistik, der politischen Oekonomie, der Philologie, der Kunst- und Musikgeschichte verdanke,. und ich nenne im Besonderen die Vertreter zweier Wissenszweige: Für das Strafrecht H. Lammasch in Wien (von dem ich übrigens zu erklären verpflichtet bin, dass er in dem für mich wesentlichsten Punkte sich meiner Meinung nicht anschliessen konnte) und vor allem A. Meinong in Graz für die metaphysischen Probleme.